린지 앤 린지안

린징 앤 린지안 I

초판 1쇄 인쇄일 | 2016년 7월 20일
초판 1쇄 발행일 | 2016년 7월 26일

지은이 | 오 윤
펴낸이 | 박성면
펴낸곳 | (주)동아

출판등록 | 제406-2012-000056호
주소 | 경기도 파주시 문발로 115, 세종출판벤처타운 201-A호
전화 | (031)8071-5201
팩스 | (031)8071-5204
E-mail | bear6370@hanmail.net

정가 | 12,800원

ISBN 979-11-5511-657-9 (04810)
979-11-5511-656-2 (Set)

ZERO

Romantic Fantasy

오윤 장편소설 ZERO NOVEL

I

린지 앤 린지안

동아

Prologue

어쩌면, 죽는 것이 더 나을지도 몰라.

끝없는 어둠 속에서 공주는 그렇게 생각했다. 열흘 전까지만 해도, 자신이 이런 생각을 하게 될 거라고는 꿈에도 몰랐던 그녀였다. 하나뿐인 공주로서 일국을 호령하던 그녀가 아니던가?

듬직한 아버지, 국왕의 사랑을 듬뿍 받았던 그녀는 심지어 외모마저 아름다웠다. 햇살이 녹아든 듯 밝은 금발에 하늘을 닮은 눈동자, 늘씬한 몸매에서 풍기는 여성미로 수많은 귀족 청년들의 마음을 뒤흔들었다. 세상이 불공평하다는 것을 단번에 보여 주는 존재였던 것이다.

하나 지금, 그녀는 차라리 죽음이 더 나을지도 모른다고 생각하고 있었다. 살을 얼리는 추위 속에서 몸을 웅크리며 공주는 또다시 갈등했다.

'차라리 죽어 버릴까.'

납치된 이후로 씻지 못한 불결함은 이제 적응이 될 정도였다. 입술을 바르르 떨게 만드는 추위와 뱃가죽이 갈라지는 것 같은 허기. 그리고 이 자그마한 상자 안에 갇혀서 어떤 미래가 펼쳐질지 예측할 수 없는 공포심이 그녀를 미치게 만들었다. 마치카 왕국의 공주, 루시아는 입술을 깨물었다. 메마른 눈에서는 더 이상의 물기조차 맺히지 않았다.

'대체 이게 어떻게 된 일이야.'

아르자반 공작의 저택에서 열린 무도회를 마치고 난 뒤, 그녀는 여느 때처럼 으리으리한 마차와 수많은 기사들의 호위를 받으며 왕궁으로 돌아가고 있었다. 공주를 사랑하는 국왕은 항상 그녀의 안위를 걱정했기에 하나같이 실력 있는 호위 기사들을 붙여 주었다. 그들의 수가 총 서른 명. 삼십 인의 강자들에게 호위 받으며 돌아가던 그녀는…….

납치당했다. 그렇게밖에 생각할 수가 없었다. 마차가 돌연 멈춰 서더니 바깥에서는 호위 기사들의 비명 소리와 쇠붙이가 부딪치는 소리가 들려왔다. 마차 안에서 벌벌 떨고 있던 그녀는, 마지막으로 사라진 기사의 비명 소리를 듣고 불길한 예감을 받았다. 그것이 마지막 기억이었다. 마차가 거세게 뒤집힌 후 루시아는 의식을 잃었던 것이다.

깨어난 이후로 그녀는 이 작은 짐마차에 갇힌 상태였다. 몇 번씩 눈을 가린 채 어딘가로 이동되고는 했지만, 하나같이 다 어둡고 좁고 추운 곳뿐인지라 미쳐 버릴 지경이었다. 음식이라고는 하루나 이틀 걸러 들어오는 빵 한 조각과 우유 한 잔이 전부. 언제나 배부르게 최상위급 음식을 접해 오던 그녀에게는 이것만으로도 엄청난 고문이었다.

그것이 벌써 10일째다. 아니, 어쩌면 그보다 더 지났을 수도 있다. 루시아는 자신이 날을 제대로 세고 있는지조차 알 수 없었다. 처음에는 아버지가 자신을 반드시 찾아 줄 거라고, 구출될 거라고 생각했지만 그 희망은 점점 사그라지고 있었다. 덜그럭거리는 작은 짐마차 안에서 공주는 절망했다.

'도와줘, 누구라도 좋으니 제발 날 도와줘.'

그때였다. 루시아는 어느 순간, 흔들리던 나무판자가 쥐 죽은 듯 잠잠해진 것을 깨달았다. 줄곧 이동하던 짐마차가 멈춘 것이다.

끼익!

문이 열리는 순간 은은한 달빛이 비좁은 마차 안으로 퍼졌다.

"어이, 계집. 그만 박혀 있고 어서 내려!"

생애 단 한 번도 이런 무례한 말을 들어 본 적 없다. 하지만 지금 루시아는 그 무례에 대한 모욕감을 느낄 여유조차 없었다.

"내리라고 했잖아!"

"이, 이것 놔!"

루시아는 있는 힘껏 발버둥 쳤지만 사내에게는 작은 동물이 버르적거리는 것과 별반 차이가 없었다.

'무, 무서워! 아버님! 살려 주세요!'

공주는 음습한 저택 안으로 끌려 들어가며 자신이 지옥에 빠졌다는 것을 실감했다. 저택 안 경비원들 모두가 험악한 인상에 우락부락한 몸, 손에는 흉흉한 무기를 들고 있었다. 루시아가 있는 힘을 다해 도망가도 저들 중 단 한 명도 지나칠 수 없을 것이다.

도망갈 수 없다. 그 처절한 진실이 그녀의 머리를 내리쳤다. 그녀는 온몸에 힘이 빠지는 것을 느끼며 눈물을 흘렸다.

"리큰, 왔냐?"

공주를 끌고 들어가던 사내, 리큰은 동료의 부름에 멈춰 섰다. 그의 동료는 리큰처럼, 아니 한술 더 떠서 양손에 남녀를 쥔 채 억지로 끌고 오고 있었다.

"공주를 데려왔다. 근데 마크, 네가 데리고 있는 연놈은 뭐냐?"

"운 없는 녀석들이지."

마크는 비릿하게 웃으며 겁에 질린 여인을 잡아당겼다. 헝클어진 붉은 머리칼, 그리고 하얀 뺨 위로 작은 생채기가 그려진 여인이 새처럼 여린 비명을 내지르며 덜덜 떨었다.

"마약 거래 현장을 지나가던 운 없는 시골 처녀라고나 할까. 내버려 둘 수도 없고, 또 죽이기엔…… 아까운 얼굴이잖아?"

"사…… 살려 주세요."

여인의 붉은 눈동자에 눈물이 글썽였다. 실제로 그녀는 저런 악당들이 그냥 죽이기에는 아까울 만큼 예쁘장한 여인이었다.

"그리고 이 녀석 역시 지나가던 마부 놈인데, 노예로 팔면 제법 괜찮을 것 같아서 데려왔지."

마크는 반대쪽 손에 들고 있던 남자를 끌어당겼다. 겁에 질린 마부는 벌벌 떨고 있었는데, 밀짚모자를 푹 눌러써서 얼굴은 보이지 않았다.

그들은 잡혀 온 셋을 이끌고 지하로 내려갔다. 어두운 지하에는 철창이 빼곡하게 쳐져 습한 기운을 물씬 풍겨 냈다.

"자, 잠깐만요. 저희를 감옥에 가두실 건가요?"

리큰이 감옥 열쇠를 찾자 시골 처녀가 덜덜 떠는 목소리로 말했다. 그녀가 말을 걸자 리큰이 의외라는 듯 인상을 찌푸리며 그녀를 노려보았다.

"그럼 내가 지금 뭘 하는 걸로 보이냐, 계집? 입 닥치고 얌전히 들어가 있어라."

"제, 제가 뭘 잘못했는데요?"

시골 처녀가 떨면서도 용기를 내어 말하자 루시아는 감탄했다. 동시에 그만하라고 그녀를 말리고 싶었다. 이성적으로 대화가 통할 자들이라면 일국의 공주를 납치해 오는 일을 벌일 리 없지 않은가! 괜히 화를 돋우다가는 죽음을 맞이할 수도 있다.

"저는 그냥 길을, 길을 지나던 것뿐이에요! 당신들이 마약을 팔든 말든 저는 상관 안 한다고요! 왕국에 마약 상인들이 드문 것도 아니고, 이렇게 할 필요는 없잖아요!"

"뭐?"

"마약 상인?"

마크와 리큰은 서로를 번갈아 쳐다보더니 호탕하게 웃음을 터뜨렸다. 그러다 돌연 웃음을 뚝 멈추더니 험악하게 인상을 부라렸다.

"이 계집이 죽고 싶나."

리큰은 맹랑하게 떠드는 계집을 쳐다보더니 멱살을 확 잡아 들어 올렸다. 날씬한 체형의 몸이 우락부락한 팔뚝에 들려 공중에 대롱거렸다.

"우리가 마약이나 파는 상인으로 보여? 그렇게 보잘것없어 보이나?"

"크, 크윽……!"

"마약 상인으로 생각했기에 이렇게 겁 없이 떠드는 거였군. 조금 겁을 줘 볼까?"

리큰은 여인의 목을 틀어잡으며 비릿하게 웃었다. 여인의 가느다란 목은 금방이라도 힘을 주면 나뭇가지처럼 힘없이 부러지고 말리라.

"네 옆에 있는 저 계집은 마치카 왕국의 공주다. 일개 마약 상인이 공주를 납치할 수 있을 거라고 생각해? 우리는 공주를 미끼로 마치카 왕국에게 돈을 받아 낼 거야. 그리고 돈을 받고 나서 공주를 잔인하게 죽일 거다."

자신의 운명이 선고되는 순간 루시아의 무릎에 힘이 풀렸다.

'그, 그게 무슨 소리야. 날 죽인다고?'

리큰은 루시아의 공포가 만족스러운 듯 호탕하게 웃으며 여인의 목을 더더욱 강하게 졸랐다. 시골 처녀는 새빨개진 얼굴로 발버둥 쳤지만 리큰의 손아귀에서 단 한 순간도 벗어날 수 없었다.

"그뿐인 줄 아나? 우리는 연금술을 연구하는 알케미스트다. 이 일에 방해되는 귀족, 나파스 남작 또한 우리 손에 죽었어. 알겠나? 너 하나 죽이는 건 길가에 핀 잡초 밟는 것보다 쉬워, 계집! 그러니 그만 나불거리고 얌전히 박혀 있어!"

맙소사. 루시아는 자신이 일반적인 범죄 조직에 잡혀 온 것이 아니라는 것을 깨달았다. 이들은 대륙적으로 금지된 위험한 학문, 연금술을 연구하는 괴집단 알케미스트 중 하나였던 것이다!

'알케미스트!'

이 괴집단은 연금술 연구를 위해서는 인체 실험도 마다 않는 잔인한 족속으로, 스스로를 알케미스트라고 칭했다. 연금술을 위한 그들의 광기는 피도 눈물도 없을 만큼 차갑고도 잔인해서 실험을 위해서라면 어린애라도 기꺼이 죽이는 자들이었다. 그런 알케미스트에게 자신이 잡히다니……!

루시아는 눈물을 흘리며 멍하니 바닥을 내려다보았다. 그녀가 떨어뜨리는 눈물이 차가운 돌바닥 위로 잘게 부서졌다.

'죽고 싶지 않아…….'

이대로 죽을 수 없어. 루시아는 공포심에 몸을 떨며 눈물을 닦았다. 아름다운 외모와 올바른 품행으로 많은 남성들의 가슴을 설레게 했던 자신이다. 아버지의 사랑을 듬뿍 받으며 행복에 겨워했던 자신이다. 그런 자신이, 마치카의 공주인 자신이 이렇게, 심지어 알케미스트에게 비참하게 죽음을 맞이하다니……!

그때였다.

"지랄하네. 그래 봤자 등신 같은 범죄 조직 주제에, 폼 잡기는."

"……."

"이거 놔, 이 머저리야."

……뭐라고? 그녀는 자신의 귀를 의심했다. 도무지 믿기지 않아 멍하니 떨어뜨렸던 고개를 들어 올렸을 때, 잘못 들은 게 아니라는 것을 깨달았다.

"놓으라고, 새꺄."

목이 틀어잡힌 시골 처녀가 사납게 말하고 있었던 것이다!

그녀의 공격적인 어조에 루시아는 물론 리큰, 그리고 마크마저 얼이 빠진 채 넋을 잃었다. 방금 전까지만 해도 목이 졸려 숨조차 제대로 못 쉬며 벌벌 떨던 여인이, 마치 다른 사람처럼 위협적으로 말했던 것이다.

찰나의 순간이 지난 후, 리큰은 얼굴을 새빨갛게 붉히며 남은 손 한쪽을 들어 올렸다.

"이 계집이 돌았나!"

그리고 그는 있는 힘껏 손을 내리쳤다. 이 맹랑하고 건방진 계집의 뺨을 때려 정신을 차리게 만들어 줄 생각이었다.

다음 순간, 루시아는 믿기지 않는 장면을 목격했다.

"……!"

잡았다. 시골 여인이 가느다란 손을 들어 올려 리큰의 손을 잡아 냈다! 정적이 흘렀다. 리큰은 잡힌 손을 회수하려고 했지만, 작고 하얀 여인의 손아귀가 마치 돌덩이처럼 굳어져서 움직일 수 없었다. 어마어마한 악력이었다.

"이, 이 계집이……!"

"아까부터 계집, 계집 하는데."

시골 처녀는 삐뚜름하게 웃으며 리큰을 바라보았다. 조금 전까지 겁에 질려 당황했던 모습은 눈곱만큼도 남아 있지 않았다.

"계집한테 한번 뒈지게 맞아 볼래, 이 떡두꺼비 같은 새끼야? 빨리 내 목 안 놔?"

"뭐, 뭐……?!"

"놓으라고 했잖아!"

시골 처녀의 치마 아래에 있던 발이 올라와 리큰의 배를 때렸다. 그것이 얼마나 빨랐던지 루시아는 그 움직임을 제대로 볼 수도 없었다. 그녀의 발에 걷어차인 리큰이 붕 날아가 벽에 처박혔다.

"이, 이 계집이!"

"계집이라고 하지 말랬지, 떡두꺼비?"

시골 처녀가 손을 탁탁 털자 리큰의 인상이 일그러졌다.

'가만두지 않겠다!'

인질이, 그것도 가녀린 계집에게 이런 수치스런 일을 당하다니! 그는 저 계집을 죽이기로 결심했다. 지금의 공격은 방심하는 순간 당한 것, 때문에 마음만 먹는다면 저 계집 하나쯤 죽이는 것은 파리 죽이는 것만큼이나 쉬울 것이다. 기껏 해 봤자 호신술 좀 배운 시골 계집을 상대하는 데는 일 분도 아까웠다. 리큰은 그렇게 믿어 의심치 않았다.

그는 허리춤에서 날카로운 검날을 뽑아 올리며 달려들었다.

"죽어라!"

"꺄아아악!"

곧 저자의 검이 시골 처녀의 몸을 베어 버릴 것이다! 차마 그 광경을 지켜볼 수 없는 루시아는 비명을 질렀다. 하지만.

"……!"

시골 처녀는 거짓말 같은 움직임으로 그의 검을 흘려보냈다. 그리고 깃털처럼 가볍게 그를 훌쩍 뛰어넘어 단숨에 등 뒤를 점령하더니……!

"크악!"

쾅! 거친 소리와 함께 리큰의 몸이 감옥의 철창 위로 패대기쳐졌다.

"별것도 아닌 게 까불고 있어."

붉은 머리칼의 시골 여인은 대수롭지 않게 중얼거린 후 손을 탁탁 털었다. 그 모습에 아까 전까지만 해도 힘없이 끌려오던 시골 처녀의 모습은 조금도 남아 있지 않았다. 180도 변한 모습은 아까 덜덜 떨던 여인과 동일인이라는 게 믿기지 않았다.

"이, 이게 무슨……."

마크 역시 경악한 시선으로 시골 처녀를 바라보았다. 방금 보여 준 그 움직임은 눈으로 쉽게 좇을 수 없을 정도로 빨랐다. 그는 직감적으로 저 여인을 상대할 수 없다는 것을 깨닫고, 저도 모르게 마부의 목을 틀어잡았다.

"가, 가만있어! 허튼짓하다가는 이 녀석을 죽이겠다!"

순간 지하에 침묵이 내려앉았다. 허리에 손을 얹은 채 그 모습을 가만히 쳐다보면 시골 처녀는 돌연 배를 잡더니 웃음을 터뜨렸다.

"이 계집이…… 닥쳐! 닥치지 않으면 이 마부를 죽이겠다고!"

그 순간이었다. 루시아는 흠칫 놀라 벽에 등을 기댔다. 지금까지 힘없이 축 늘어져 있던 마부가 고개를 들어 올렸는데, 밀짚모자 아래로 드러난 얼굴은 너무나 아름다운 사내의 것이었기 때문이다. 심지어 그는 여유로운 미소를 머금고 있었다.

"내 의견도 들어 봐 주시지, 아저씨."

"……뭐?"

그가 황당한 눈으로 마부를 바라보는 순간이었다. 마부는 빠르게 손을 쳐 올려 마크의 턱을 강타했다. 육중한 몸이 공중으로 붕 떠오르는 순간, 마부는 몸을 한 바퀴 돌리면서 옆구리를 걷어찼다.

쾅!

마크는 짧은 비명과 함께 리큰의 몸 위로 쓰러졌다. 그는 기절한 듯 리큰의 위로 힘없이 늘어졌다.

"아이고, 목 졸려 죽는 줄 알았네."

마부는 잡혔던 목을 쓰다듬으며 불만스럽게 투덜거렸다. 그리고 머리 위에 눌러썼던 모자를 벗는 순간, 황홀할 정도로 진한 황금색 머리칼이 어깨 위로 흘러내렸다. 마치 그림 속에 나올 법한 미남자였다. 하지만 시골 처녀는 전혀 놀란 기색이 아니었다. 도리어 이 순간을 기다렸다는 듯 고개를 까닥이며 말했다.

"수고했어."

"응, 너도. 이제 빠져나갈까? 라고 말하고 싶지만 그전에……."

마부와 시골 처녀가 동시에 루시아를 쳐다보자 그녀는 눈에 띄게 흠칫 굳었다.

"대, 대체 당신들은……."

루시아는 흔들리는 목소리로 두 사람을 올려다보았다. 두 사람이, 특히 시골 처녀가 저렇게 가녀린 팔과 다리로 훨씬 큰 몸집의 사내를 때려잡다니…… 두 눈으로 보고도 믿을 수 없었다. 게다가 약골 마부처럼 보였던 남자의 수려한 이목구비에 루시아는 이런 상황임에도 불구하고 심장이 두근거리는 것을 느꼈다. 그는 엄청난 미남이었던 것이다.

"에이 씨, 귀찮게 됐네."

시골 처녀는 루시아를 보며 한숨을 푹 내쉬었다.

"어떻게 하지?"

"어떡하긴. 내버려 둘 수는 없잖아."

마부와 시골 처녀는 서로 시선을 주고받더니 결정을 내린 듯 고개를 끄덕였다. 시골 처녀는 공주에게 가까이 다가오며 말했다.

"이봐요, 공주님."

"네, 네에?"

시골 처녀의 박력 있는 어조에 루시아는 저도 모르게 존대를 썼다. 그녀는 심각한 눈빛으로 공주를 바라보며 말했다.

"사실은요, 저희가 이런 짓을 한 걸 누가 보면 안 되거든요."

"……네?"

“이게 비밀이라서…… 아니, 그러니까 저희가 여기서 이러고 있는 게 알려지면 안 돼서요.”

무슨 말을 하는지 도무지 이해할 수 없다. 루시아가 눈물 자국이 흥건한 얼굴로 눈만 껌뻑이자 시골 처녀가 다시 한숨을 내쉬었다.

“에이 씨, 그러니까! 이거 누구한테 말하지 말라고요!”

“하, 그, 그런…….”

“약속해 주면 여기서 빠져나가게 해 줄게요.”

순간 루시아의 눈에 광명이 드리웠다. 그녀는 허겁지겁 고개를 끄덕이며 속사포처럼 약속의 말을 쏟아 냈다.

“야, 약속해요! 저, 정말로 절 여기서 구해 줄 건가요? 저, 정말로?”

“사실 저희 둘이 빠져나가는 건 일도 아니지만 공주님과 함께라면…… 솔직히 조금 성가시긴 하지만 불가능한 건 아니죠.”

과하게 솔직한 말이었지만 루시아에게는 구원의 말로밖에 들리지 않았다. 그녀는 시골 처녀의 손을 부여잡으며 흐느꼈다.

“고마워요, 정말…… 정말 고마워요! 두 분, 아버지가 보내신 분인가요?”

공주는 확신했다. 이 붉은 눈동자의 여인, 그리고 눈부실 만큼 아름다운 사내는 분명 아버지가 자신을 구하기 위해 보낸 특수 요원들일 것이다!

“아니, 뭐…… 그냥 편하신 대로 생각하세요. 중요한 건 제가 여기서 이러고 있는 걸 누구한테 말하지 말라는 거죠.”

“고마워요! 이 은혜는 잊지 않을게요!”

그러자 여인이 빙긋 웃으며 루시아를 바라보았다.

“괜찮으니까…… 저, 기절하실래요?”

“……네?”

“아까 보니까 검이 날아오기만 해도 비명을 꽥꽥 지르시기에.”

웃는 얼굴로 하는 제안에 루시아는 두 눈을 깜빡였다. 그녀의 말을 이해하지 못한 것이다. 그러자 시골 처녀가 어색한 웃음을 흘리며 슬쩍 손을 들어 올렸다.

"기절시킬게요. 안 아파요. 조금 따끔할 거예요."

"자, 자, 잠깐……."

"걱정 마요. 정신 차리고 있는 것보다 기절하는 게 마음 편할 거예요. 눈뜨면 다 끝나고 이곳을 빠져나간 상태일 테니, 마음 놓고 기절하세요."

그런 말을 듣고 순순히 기절할 사람은 없었다. 루시아는 주춤거리며 뒤로 물러서려 했지만 여인이 그녀의 어깨를 틀어잡았다. 루시아가 무어라 말하려고 하는 찰나, 시골 처녀가 방긋 미소 지었다.

"약속해요. 어디서 나 봤다고 말하지 마세요."

다음 순간, 목 뒷덜미에 둔탁한 통증이 내리쳐졌다. 동시에 루시아의 정신이 어둠 속으로 빨려 들어갔다. 흐릿해지는 시야 속으로 여인의 붉은 눈동자만이 선명하게 번뜩였다.

"말하면 안 돼요, 절대!"

며칠 후, 신문 1면에는 똑같은 내용이 장식됐다.

[루시아 공주를 구한 것은 정체불명의 시골 처녀!]

[공주를 구한 수수께끼의 여전사, 그녀의 정체는?]

[알케미스트의 손에서 공주를 구한 정체불명의 여인]

[루시아 공주의 말에 따르면 붉은 눈동자에 붉은 머리칼을 한 아름다운 여인으로, '가녀린 여인이 우락부락한 사내를 단숨에 철창을 향해 내리꽂았다.', '그리고 그 곁에 있는 사내가 굉장히 잘생겼다.'라고 증언했다. 특히나 공주는 그 사내를 다시 만나고 싶다는 열렬한 의지를 전해…….]

chapter 1. 비밀 병기 린지

'……이런 미친 계집애 같으니라고!'

신문 속 주인공, 타칭 '수수께끼의 여전사' 린지 아즈벨의 손이 부들부들 떨렸다. 모든 신문이 자신에 대한 이야기로 도배되어 있었던 것이다!

'이 망할 공주! 약속 안 지켰어!'

그렇게 말하지 말라고 부탁했건만, 루시아 공주는 그 약속을 모조리 날려 버리고 인터뷰까지 해 버렸다. 심지어 그때 마부 역할을 했던 금발 사내를 다시 만나고 싶다고, 꼭 찾아와 달라고 덧붙였던 것이다!

'이게 다 키벨 녀석 때문이야! 쓸데없이 잘생겨 가지고!'

마부 노릇을 했던 자신의 동료이자 절친한 친구 키벨은 굉장한 미남이었다. 고대의 엘프가 이런 모습이지 않을까, 라고 생각될 만큼 잘생긴 덕에 많은 여자들의 마음을 홀렸는데 아마 루시아도 그중 한 명인 것 같았다. 그렇다고 해도 남자 하나 찾겠다고 신문에 이렇게 떠들어 대다니! 그렇게 약속했으면서, 이 망할 공주!

"……다 봤냐?"

순간, 앞에서 들리는 목소리에 린지의 몸이 흠칫 굳었다. 그녀는 떨떠름한 미소를 지으며 천천히 고개를 들어 올렸다. 그녀의 앞에는 한 사내가 앉아 있었다. 사내의 눈과 마주치는 순간 린지는 자신의 운명을 직감했다.

'난 죽었다.'

곧 자신을 죽일 남자, 그는 린지가 아는 한 가장 아름다운 사내였다. 공주가 한눈에 반한 키벨조차도 이 사내의 앞에서는 감히 명함을 내밀 수 없을 정도였다. 그림 속의 왕자가 그대로 튀어나온 듯한 이목구비는 몹시 수려했고 진한 황금색 눈동자에는 고개를 절로 조아리게 만드는 카리스마가 풍겼다. 차가운 눈매는 굉장히 날카로웠지만 동시에 짙은 매력이 느껴졌다. 미남에 약한 루시아 공주라면 단번에 다리가 풀렸을 법한 그런 남자, 유시젠 앞에서 린지는 어깨를 푹 수그렸다.

하지만 미남이면 뭐하겠는가, 곧 저 아름다운 입술로 온갖 독설을 퍼부을 텐데. 린지는 어깨를 축 늘어뜨리며 기어들어 가는 목소리로 말했다.

"……죄송해요, 오라버니."

유시젠은 노골적으로 짜증이 일렁이는 눈빛으로 린지를 노려보았다.

"그 범죄자 놈들의 칩거지에 파고들어 정보를 모으고 왕실 기사단에 제보하라고 한 게 내 뜻이다. 한데 누가 네 녀석들 정체를 떠들고 오라고 했지? 너 그렇게 멍청하냐?"

그의 엄격한 목소리에 린지의 얼굴이 더더욱 푹 수그러들었다.

"왕실 기사단에게 정체를 들키지 않고 범죄자의 칩거지를 제보한 것까진 아주 잘했다. 하지만 이 공주의 뒤처리에 더 신경을 썼어야 했다. 그런 것도 모르나. 내가 이런 것까지 일일이 가르쳐 줘야 돼?"

듣다 보니 조금 울컥했다. 아니, 누가 이럴 줄 알았겠는가. 린지는 반항심을 숨기며 투덜거렸다.

"……그 공주가 얼굴 밝힘증 환자였어요."

"뭐?"

유시젠이 눈썹을 슬쩍 들어 올리자 린지는 참지 못하고 억울한 목소리로 항변했다.

"그 공주가 키벨 녀석한테 반해서 그런 거라고요. 인터뷰 보시면 알겠지만, 금발 사내와 다시 만나고 싶다는 말로 끝나고 있잖아요. 그 녀석 아니었으면 조용히 넘어갔을 텐데……."

"지금 그걸 말이라고 지껄여?"

날카롭게 떨어지는 말에 린지는 입을 쏙 다물었다. 유시젠은 그야말로 무시무시한 눈으로 그녀를 노려보고 있었다. 괜히 말했다. 린지는 자신의 입을 원망하며 웅얼거렸다.

"죄송해요, 오라버니. 다음부터는 더 주의할게요."

아무리 그녀가 오라버니라고 부르면서 따르고 있어도 무서운 건 무서운 거다. 이럴 땐 무조건 사죄하는 게 최고다, 린지는 그렇게 판단하며 납작 기었다.

그녀의 죽어 가는 목소리에 유시젠의 눈이 조금 너그러워졌다.

"……됐다. 더 이상 혼내지 않을 테니 어울리지 않게 기죽지 마라, 린지."

그것은 더없이 깔끔한 용서였으나, 린지는 기뻐하는 대신 더 큰 불안감을 느꼈다. 뭔가 이상했다.

'더 혼내야 정상인데?'

린지 아즈벨, 그녀는 유시젠과 긴 시간을 함께했기에 그에 대해 아주 잘 파악하고 있었다. 그는 누구보다 아름다운 남자였지만— 동시에 누구보다 괴팍하기도 했다. 사나움, 차가움, 냉정함 등등의 부정적인 단어를 다 가져다 붙여도 어울릴 정도였으니 말이다. 그런데 그 유시젠이 이렇게 금방 잘못을 눈감아 주다니?

'수상해.'

뭔가 이상하다. 린지는 직감적으로 느끼며 유시젠의 눈치를 보았다. 그는 모르는 척 시치미를 딱 잡아떼며 찻잔을 들어 올렸다.

"이건 다음 임무에 대한 자료다."

"아, 네."

린지는 유시젠이 건네주는 종이 다발을 받아 들었다. 그녀가 맡아야 할 임무에 대한 정보가 들어가 있는 자료였다. 종이를 읽어 내리던 린지의 눈이 크게 떠졌다.

"백작 가문에 잠입 수사를 하는 거군요."

"그래."

유시젠은 고개를 끄덕이며 린지를 물끄러미 살폈다.

"네 정체를 숨기고 고용인으로 들어가 백작에 대한 일거수일투족을 감시해라."

"아아, 네, 알겠습니다. 시녀로 잠입하면 되겠군요."

생각보다 별거 아니군. 린지는 혹여나 유시젠이 말도 안 되는 임무를 맡길까 봐 내심 긴장한 상태였다. 이 나라 왕의 목이라도 따 오라고 하는 게 아닐까 걱정했는데, 괜한 착각이었는지 생각보다 높은 레벨의 임무는 아니었다. 시녀로 잠입해서 정보를 수집하는 것쯤은 식은 죽 먹기…….

"제대로 읽지 않았군."

탁! 유시젠이 찻잔을 내려놓으며 침착하게 말했다.

"시녀가 아니라 시종이다."

"……."

대체 뭐라고 하시는 거지? 린지는 그의 말을 바로 이해하지 못했다. 멍한 표정의 린지를 바라보며 유시젠이 단호하게 다시 한 번 말해 주었다.

"시종으로 잠입하는 거다."

"네?"

"시종으로 잠입하는 거라고 했다, 린지 아즈벨."

넋 나간 채로 유시젠을 바라보고 있던 린지는 소스라치게 놀라며 서류를 펼쳤다. 허겁지겁 다시 읽어 내려 보니 이제야 '시종으로 잠입하여 감시할 것'이라는 문구가 들어왔다. 이게 무슨!

순간 린지는 허탈한 웃음을 터뜨리며 손사래 쳤다.

"오라버니는 농담도 참 잘하셔. 시종으로 잠입하라뇨! 저 여자라고요!"

"남장해."

칼날처럼 떨어지는 결론에 린지의 표정이 싹 굳었다. 하얀 서류가 그녀의 손안에서 마구잡이로 뒤틀렸다.

지금 농담하는 건가? 린지는 침을 꼴깍 삼키며 유시젠의 눈을 뚫어지게 쳐다보았다. 마치 귀한 황금을 그대로 아로새긴 듯 보석 같은 눈동자, 그 눈이 농담을 하고 있는 게 아닐까 치열하게 살폈다. 잠시 후, 린지는 유시젠이 진심이라는 것을 깨닫고 소리쳤다.

"오라버니, 이상한 말씀 하지 마세요!"

남장이라니? 남장을 하고 시종으로 잠입을 하라니? 농담이라면 아주 악질적인 농담이고, 진담이라면 정신이 나가 버린 것이 분명하다. 린지는 서둘러 유시젠에게 다가가 그의 발치에 털썩 주저앉아 바짓가랑이를 잡아당겼다.

"오라버니. 저 이래 봬도 여자라고요! 남장을 한다고 누가 믿겠어요?"

"내가 불가능한 일을 시키는 것 본 적 있나? 충분히 믿을 거다."

유시젠이 린지를 흘끔 훑어보며 대답했다. 순간 화가 울컥 치밀어 오른 린지는 유시젠의 다리를 깨물고 싶은 욕망을 간신히 참아야만 했다. 이자는 나의 오라버니다, 함부로 깨물고 그래서는 안 되는 존재이다! 린지는 스스로에게 최면을 걸며 인내심을 가지고 말했다.

"오라버니, 그러지 말고 침착하게 생각해 보세요. 물론 지금 다른 사내 녀석들이 모두 낮에 제각각 임무를 맡아서, 놀고 있는 게 나밖에 없으니까, 여자인 나라도 써먹으려고 하는 것 같은데……."

"정답이다, 린지. 설명하지 않아도 이유를 잘 알고 있구나. 지금 내 그림자 중 그 임무를 맡을 수 있는 여건이 되는 건 너뿐이다."

유시젠의 차가운 대답에 린지는 입술을 깨물었다. 그 말은 사실이었다. 린지가 할 말을 잃은 상태로 어쩔 줄 몰라 하고 있을 때 창가에 그림자가 드리워졌다.

"주군, 키벨입니다. 들어가겠습니다."

창문을 타고 들어온 사내가 정중한 어조로 말했다.

유시젠보다 훨씬 더 진한 황금색 머리칼을 가진 키벨은 날렵하게 방 안으로 들어와 분위기를 살폈다. 짜증 가득한 표정을 짓고 있는 유시젠과 바짓가랑이에 매달려 있는 린지— 순간 키벨은 자신이 최악의 타이밍에 왔다는 것을 깨닫고 바로 등을 돌렸다.

"하, 하하. 제가 방해한 모양이네요. 저는 이만 나가겠……."

"야, 키벨! 마침 잘됐다, 너 이리 와서 이 얘기 좀 들어 봐!"

린지는 잽싸게 일어나 동료 키벨의 뒷덜미를 잡고 유시젠의 앞으로 질질 끌어왔다.

"오라버니, 키벨에게 그 임무를 시키세요! 제가 키벨이 지금 맡고 있는 임무를 하면 되잖아요!"

"안 돼."

유시젠은 냉정한 목소리로 대답했다.

"지금 키벨은 키벨만이 할 수 있는 일을 하고 있다. 알케미스트의 칩거지를 찾아내는 것도 힘들게 시간을 내서 동행한 거야. 그런데 네 임무가 마음에 안 든다고 키벨의 것과 바꾸려고 들어? 그런 어린애 같은 어리광이나 부르려고 여기에 있는 거냐? 린지 아즈벨, 제정신이 아니군."

"오라버니, 하지만 전……."

"시끄러워."

유시젠은 이미 참을 만큼 참은 상태였다. 그렇잖아도 린지에 대한 정보가 신문에 대문짝만 하게 실려서 언짢은 상태였는데, 임무를 맡기 싫다는 징징거림까지 받아 줘야 하다니!

"그만 징징대. 린지 아즈벨. 너의 다음 임무는 남장을 하고 백작 가문의 시종으로 들어가는 일이다. 번복은 없다."

린지는 주먹을 꽉 쥐고 유시젠을 바라보다가 키벨에게 시선을 돌렸다. 절친한 친구이자 동료인 키벨이었지만, 지금 이 순간만큼은 그도 린지의 편을 들어 줄 수 없었다. 키벨이 미안하단 시선으로 고개를 설레설레 흔들자 린지는 입술을 깨물었다.

여기서 물러날 수 없다. 린지는 필사의 의지로 두 눈을 번쩍 떴다.

"사, 사실…… 제가 그 임무를 수행할 수 없는 이유가 있어요."

"그게 무슨 헛소리냐."

유시젠의 심기 불편한 목소리에 린지는 당당하게 가슴을 펴며 말했다.

"사실 난 가슴이 굉장히 크다고요!"

싸늘한 침묵이 방 안에 내려앉았다. 사납게 쏘아붙이던 유시젠도, 안타까운 표정을 짓던 키벨도 딱딱하게 굳어서 아무런 말도 꺼낼 수 없었다. 그들의 충격 받은 눈을 번갈아 마주 보며 린지는 주장했다.

"다들 내가 작은 줄 알겠지만, 사실 임무 수행할 때 불편해서 일부러 붕대로 감고 다닌 거예요!"

유시젠이 한숨을 내쉬는 소리가 들렸지만 린지는 애써 무시하며 외쳤다.

"억지로 뭉개고 누른 것도 이 정도라서 어떻게 할 수 없을 정도란 말이에요! 도저히 감출 수 없는 큰 가슴을 가진 제가 어떻게 남장을 하란 말입니까! 그건 신이 와도 불가능할 거예요!"

순간 키벨이 믿기지 않는다는 표정으로 눈을 내려 린지의 가슴을 관찰했다. 그의 시선 이동을 느낀 린지는 냅다 머리를 한 대 후려쳤다.

"어딜 쳐다봐, 이 변태 자식아!"

"아, 나, 나도 모르게. 미안……이 아니라, 그게 무슨 말도 안 되는 헛소리야!"

저도 모르게 사과를 하다가 키벨은 문득 정신을 되찾고는 항변했다. 그는 뒤늦게 터져 나오는 웃음을 입술 사이로 흘려 내며 낄낄거렸다.

"내가 살면서, 푸핫, 그렇게 말도 안 되는 헛소리는 처음 들어 본다! 너 미친 거 아니냐, 린지? 네 가슴 절벽인 거 세상이 다 아는데!"

뒤늦게 웃음이 터진 키벨이 배를 잡고 큭큭거리자 린지의 얼굴이 새빨갛게 달아올랐다. 잠시 후, 키벨은 결국 눈에 시퍼렇게 멍이 하나 생기고 나서 불만스러운 얼굴로 자리를 떠났다.

다시 유시젠과 둘만 남게 된 린지는 감정을 바로잡고 말했다.

"여하튼 이건 저도 어쩔 수 없는 일이라고요. 가슴이야말로 여성의 상징 아니겠어요? 저는 가슴이 너무, 너어어어무, 너무너무 커서 꽉꽉 눌러도 지금 이 정도예요. 그래서 이번 임무는 불가능할 것 같습니다."

린지는 또박또박한 어조로 끝마무리하며 당당하게 가슴을 폈다.

"……그래? 그렇단 말이냐?"

"네, 그래요!"

린지는 힘차게 대답했다. 그러자 유시젠이 그녀를 지그시 노려보다가 불현듯 웃음을 흘렸다. 갑작스레 미소 짓는 그의 얼굴에 린지가 당혹스러워할 때, 유시젠이 자리에서 벌떡 일어났다.

"오, 오라버니?"

"너를 10년 가까이 지켜봐 온 나에게는 충격적인 이야기군."

"에에?"

몇 걸음 걸어오지도 않았는데 어느새 유시젠은 린지의 바로 앞까지 다가와 있었다. 그녀가 뒷걸음치려는 찰나, 유시젠이 손을 내뻗어 린지의 허리를 잡아챘다.

"오, 오, 오라버니, 왜, 왜 이래요."

유시젠은 평소에 잘 짓지 않는 매혹적인 미소를 지으며 린지를 내려다보고 있었다. 바싹 와 닿은 유시젠의 체온에 린지는 갑작스런 현기증을 느꼈다. 아무리 허물없이 구는 사이긴 하지만, 이렇게까지 가까이 와 닿은 것은 손에 꼽을 정도로 드물었다. 심지어 그의 속눈썹까지 보일 정도로 가까웠다.

"그동안 임무를 위해 붕대로 가려 왔다니, 그런 줄은 몰랐군. 여성미를 짓누른 너의 희생에 감동했다."

유시젠 특유의 싸늘하면서도 아찔한 체향이 확 풍겨 왔다. 막 샤워를 하고 나온 듯한 청량한 향기였다. 유시젠의 백금빛 머리칼이 린지의 눈앞에서 하늘거렸다.

"오, 오라버니…?"

유시젠의 손바닥이 린지의 뺨을 쓸었다. 그 순간에도 린지는 유시젠의 눈에서 시선을 뗄 수가 없었다. 뚫어지게 자신을 응시하는 황금색 두 눈동자는 마치 자석처럼 그녀를 잡아당겼다. 린지는 자신이 제대로 숨을 내쉬고 있는지조차 알 수 없었다.

유시젠이 부드럽게 미소 지으며 린지의 얼굴을 바싹 끌어당겼다. 흐릿해질 만큼 혼미해진 정신 속에서, 유시젠의 목소리가 린지의 귓가에 닿았다.

"그런데 이건 아무리 만져도 붕대가 아닌데."

그게 무슨…… 순간 린지는 정신이 번쩍 들었다. 그러고 보니 지금, 단단하면서도 부드러운 무언가가 그녀의 등 위에 올라와 있었던 것이다!

"꺄으아아악!"

린지는 자지러져라 비명을 지르며 유시젠을 밀쳤다. 그러자 유시젠이 몇 발자국 뒤로 물러나며 조소를 머금었다. 작정하고 유혹하는 기세는 어디 갔는지, 다시 차갑고 엄격한 눈빛으로 돌아와 있었다.

"지, 지, 지금 무슨 짓이에요?!"

린지는 온몸을 웅크리며 새빨개진 얼굴로 외쳤다. 믿기지 않았다. 유시젠이 자신의 옷 안으로 손을 넣어 등을 쓸어 넘기다니! 속옷과 함께 맨살을 스치고 간 유시젠의 체온이 불에 덴 듯 생생했다.

"오라버니는 변태야! 어떻게 이럴 수 있어요!"

"시끄럽다. 10년 전에도 꼬질꼬질한 네 옷 갈아입혀 준 게 누군데 이 정도로."

"그, 그게 이제 와서 무슨 상관인데요!"

"정확히 말하면 12년 전이군. 내가 직접 목욕도 시켜 준 거 기억나지 않는가? 아직도 생생하군."

"끄아아아!"

기억하고 싶지 않은 흑역사가 발설되자 린지는 몸부림치며 머리를 쥐어뜯었다. 그녀는 자리에 털썩 무릎을 꿇고 주저앉았다. 완벽한 린지의 패배였다.

"흐흐흑...... 이 나쁜 오라버니 같으니라고."

"무슨 서운한 소릴. 나처럼 이해심 넓은 사람이 어디 있다고 그런 망발을 지껄이냐, 린지."

린지는 만신창이가 된 얼굴로 유시젠을 노려보았다. 그는 특유의 조소를 입가에 머금고 린지를 바라보다가 그녀에게 서류 뭉치를 툭 던졌다.

"르카플로네 백작 가문에 대한 정보다. 네가 잠입하고 조사해야 할 곳."

"......"

"남장하는 데 무리는 없어 보이니 걱정 마라. 거기에서 붕대 조금만 감으면 감쪽같을 테니까."

끝까지 놀리는 거냐! 린지의 분한 시선을 느끼면서도 유시젠은 가뿐히 무시하며 말을 이었다.

"너에게 내려 주는 새로운 임무다. 잘 해내길 바란다."

"하지만……."

유시젠은 단호하게 그녀의 말을 잘랐다.

"너라면 잘할 수 있을 거다, 린지."

"웃기지 말라 그래! 내가 어떻게 남장을 잘할 수 있다고!"

쾅! 린지는 버럭 소리 지르며 테이블 위로 맥주잔을 내리쳤다. 이미 원 샷에 반 이상 들이켠 맥주가 잔 안에서 거칠게 찰랑였다.

"이건 말도 안 된다고!"

"어이, 린지! 진정해!"

왁자지껄한 선술집에서도 시선을 집중시킬 만큼 큰 목소리였기에 옆에서 같이 마시던 키벨이 그녀를 만류했다.

"내가 지금 진정하게 생겼어, 키벨? 앙? 진정하게 생겼냐고!"

린지는 긴 붉은 머리카락을 하나로 질끈 동여매고 잔뜩 흥분해서 소리쳤다. 속이 타들어 가는지 그녀는 다시 한 번 맥주잔을 들어 올려 벌컥벌컥 들이마셨다.

"이건 말도 안 돼!"

열이 받아서 참을 수가 없었다.

린지 아즈벨, 12년 동안― 반평생 넘도록 유시젠을 모시며 살아왔다. 긴 세월 동안 그에게 충성하며 충실히 임무를 수행했지만 이번 거는 아무리 생각해도 아니었다.

'여자라고. 나는 여자란 말이야. 그런데 남장을 하라니!'

유시젠의 명석한 두뇌에서 그런 개떡 같은 아이디어가 나오다니, 믿기지 않았다. 아무리 키가 175센티미터가 넘어도 그렇지! 키 크고 운동으로 탄탄한 몸을 가진 것 빼고는 예쁘장하다는 소리 듣는 평범한 여자인데! 몸집이 산만 한 악당을 한 방에 때려잡고 곰이랑 싸워도 이길 수 있을 만큼 힘이 세고 칼로 돌을 벨 수 있을 만큼 뛰어난 검술을 가지긴 했지만, 그런 사소한 것 빼고는 아주아주 평범한 스무 살 여자인데!

"아아악! 오라버니 미워 죽겠어!"

"일단 진정해."

키벨은 은근슬쩍 그녀의 잔에 맥주를 채워 주며 부드럽게 말했다. 그러자 린지가 획 고개를 돌려 그를 노려보더니, 돌연 풀이 죽은 듯 어깨를 축 늘어뜨렸다.

"어쩔 수 없잖아, 린지. 내가 대신해 줄 수도 없는 거고…… 지금 그 임무를 할 수 있는 사람은 너뿐이야."

키벨은 이해한다는 듯 린지를 바라보다가 대답했다.

"그리고 그 백작 가문 좀 찜찜하잖아. 호러물도 아니고 어느 날 갑자기 사라졌다가 나타나고 말이야. 으으, 으스스해."

"……."

그의 말이 옳았다. 린지는 지끈지끈 아파 오는 머리를 감싸 쥐며 항간에 떠돌고 있는 이야기를 생각해 냈다.

12년 전, 한 백작 가문의 저택 안 모든 사람들이 사라져 버리는 사건이 있었다. 말 그대로 사라져 버린 것이다. 그 저택의 주인이던 귀족들도, 시녀, 시종, 요리사, 기사들, 키우던 고양이까지! 생명체라고는 모두 거짓말처럼 한순간에 사라져 버렸다. 이 일은 오랜 시간 동안 미스터리로 남아 있었다. 정확히 몇 개월 전, 그 귀족 가문의 핏줄이 나타나기 전까지 말이다.

'그게 바로 지금 르카플로네 백작이지.'

그런데 문제는 이 르카플로네 백작이 너무나도 완벽하다는 것이었다.

일단 이 백작은 걸어 다니는 조각상 같다느니, 후광을 달고 다닌다느니 하는 소문이 떠돌아다닐 정도의 미남이라고 한다. 뿐만 아니라 어마어마한 재력가라서 얼마 전에는 남쪽의 큰 섬을 사들이고, 왕실과 비슷한 수준의 재산을 보유하고 있다는 이야기까지 돌 정도였다. 게다가 뛰어난 화술에 드높은 학식으로 유명하다고 하니, 수상해도 너무 수상했다. 12년 만에 등장해서 그 누구보다도- 귀족들보다도 훨씬 더 귀족적이었던 것이다.

"그래, 이해하지. 수상하잖아. 12년 전에 무슨 일이 일어나서 저택의 사람들이 사라진 건지, 그리고 그동안 어디에 있었는지, 뭘 했기에 그렇게 완벽한 모습으로 막대한 재산과 함께 나타난 건지, 수상한 것들투성이지."

린지 역시 유시젠을 이해했다. 그렇게 비밀이 많아 보이는 자가 나타났으면 당연히 수상하겠지. 궁금하겠지! 때문에 린지를 투입하여 조사하고자 하는 것은 이해한다. 하지만…….

"왜 남장이냐고……."

린지는 서글프게 말하며 또다시 한숨을 내쉬었다. 물론 이렇게 묻는 그녀도, 그리고 듣고 있는 키벨도 그 이유를 알고 있었다.

"망할 백작 녀석, 하필이면 바람둥이라니……."

그렇다. 그 수상한 백작님께서는, 왕국 내에서 일이 등을 다투는 바람둥이였다.

"엄청나다는데? 귀족 영애들뿐만 아니라, 새로 들어오는 시녀들마다 다 건드리고 다녀서 말이 많았다더라."

키벨의 말에 린지는 고개를 끄덕였다. 사교계에 무관심한 그녀도 알고 있을 정도로 르카플로네 백작의 소문은 무성했다. 허구인지 진실인지 모를 풍문에는 하루에 열다섯 명의 여자를 번갈아 가며 만났다는 무시무시한 이야기도 있었다. 그래서 그 꼴을 보다 못한 백작가의 집사가 더 이상의 시녀 채용은 없을 거라고 선언한 것이다.

"글쎄다. 물론 주군께서도 생각이 있으시겠지만, 나는 잘 모르겠는데?"

그가 고개를 갸웃 기울이자 황홀한 금발이 부드럽게 흘러내렸다. 키벨은 린지의 전신을 평가하듯 꼼꼼히 살펴보았다.

"물론 네 성격이 장군감이라는 것은 자타가 공인하는 사실이지만, 몸은 여자잖아? 게다가 얼굴도 뭐, 못난 편이 아니라서 말이지."

실제로 그러했다. 린지의 몸은 늘씬함의 표본과도 같아서 대충 차려입어도 태가 났으며, 성깔 있어 보이는 얼굴도 길들여지지 않은 들고양이 같은 매력을 풍겼다. 그뿐이랴. 피부는 백옥으로 빚은 것처럼 희고 고와서 만지면 아기처럼 부드럽지 않을까, 하고 몰래 상상해 본 적도 있었다. 수많은 여자를 만나 본 키벨이었지만 린지만큼이나 깨끗하고 투명한 피부를 가진 자는 본 일이 없었던 것이다.

'묘하게 색기도 있고.'

물론 키벨은 이렇게까지 자세히 설명해 주지 않았다. 그랬다가는 본인을 상대로 무슨 상상을 하는 거냐고 얻어터질 게 분명하니까, 단 한 번도 이런 생각을 드러낸 적이 없었다.

"내 말이 그 말이다. 근데 오라버니가 나보고 머리 자르고 남자라고 주장하면 미소년처럼 보일 거래."

"오호, 그럴 것 같긴 하다."

키벨이 손바닥을 부딪치자 린지는 한 대 때려 버릴까, 심각하게 고민했다. 하지만 그럴 힘도 없었다.

"오라버니가 이것도 주셨어. 일회용 물약. 이거 마시면 목소리가 조금

이나마 허스키하게 변한다더라."

"푸하핫!"

린지에게는 미안한 일이었지만 키벨은 더 이상 웃음을 참을 수 없었다. 그들의 위대한 유시젠은 역시 모든 일을 다 준비해 두시고 통보만 내렸던 것이다.

아니나 다를까, 린지가 마지못해 명령을 따르겠다고 말하자마자 유시젠이 내린 아이템들은 이미 그녀의 이중생활을 위한 것들로 가득했다. 목소리를 일시적으로 변화시키는 물약이라든가, 상체의 볼륨을 감춰 줄 타이트한 조끼와 붕대라든가, 날조된 신분증이라든가……

키벨은 키득키득 웃음을 흘리며 가짜 신분증명서를 들여다보았다.

린지안 아르즈벨, 열여덟 살, 파비르 영지 출신.

기억력이 안 좋은 린지를 배려한 외우기 쉬운 비슷한 이름이지 않은가? 하여튼 주군은 린지를 너무 잘 아신다니까.

"큭큭, 미안하다 린지야. 사지 멀쩡한 남자들을 두고 하필이면 네가 이런 임무를 맡게 되다니. 괜히 내가 미안하네."

다행히 린지는 고개를 숙이고 있었기에 재밌어 죽겠다는 키벨의 표정을 보지 못했다. 그녀는 무너지는 마음을 부여잡으며 한숨을 푹 내쉬었다.

"됐어. 너도 낮에는 다른 임무가 있어서 바쁘잖아. 지금 노는 것은 나뿐이니까 사실 오라버니의 결정은 어쩔 수 없는 거야. 그래도 이건 정말 너무해……"

린지는 유시젠의 계획을 완벽하게 이해했다. 아무런 의심도 받지 않고 백작가의 사정을 알아내기 위해서는 고용인으로서의 잠입 수사만큼 적합한 것이 없다. 게다가 린지는 유시젠의 그림자— 그 누구에게도 정체를 드러내지 않고 몰래 그의 명령을 수행하는 존재이다. 때문에 누구에게도 얼굴이 알려지지 않은 상태라 신분을 날조하기에도 딱 좋은 조건.

여기서 사소한 문제가 있다면 성별이랄까?

'어떻게 성별이 사소한 문제가 될 수 있냐고.'

골머리가 너무나도 아파 왔다. 그렇게 지끈거리는 머리를 부여잡고 있을 때, 린지는 문득 키벨의 표정이 이상하다는 것을 눈치챘다.

"키벨? 표정이 왜 그래?"

"젠장, 하필이면 여기서……."

사색이 되어 중얼거리는 키벨의 눈동자는 린지의 너머로 꽂혀 있었다. 의아해진 그녀가 고개를 갸웃거리며 뒤를 돌아보는 순간!

쇄악! 난데없는 물벼락이 얼굴 위로 쏟아졌다. 얼굴을 정통으로 때린 차가운 물줄기에 린지는 정신이 확 드는 것을 느꼈다.

"내가 이럴 줄 알았어! 키벨, 이 나쁜 자식아!"

린지는 귀에서 들리는 날카로운 여인의 목소리를 들으며 침착하게 젖은 머리를 쓸어 넘겼다. 갑자기 물 공격을 당한 것치고는 담담한 표정이었다.

"나쁜 자식! 이년 때문에 날 버린 거지?!"

갑자기 물을 뿌린 자는 의외로 가냘픈 미모를 가진 여인이었다. 긴 갈색 머리에 다소곳한 드레스를 입은, 딱 봐도 여리여리하기 그지없는 청순가련형 미인이었지만 지금 이 순간만큼은 살기마저 풍겨 내고 있었다.

"리안! 내 친구에게 이게 무슨 짓이야!"

자리에서 일어나 린지에게 다가온 키벨이 걱정스럽게 그녀의 머리칼을 넘겨 주었다. 그의 손길이 닿는 순간, 린지는 거칠게 그의 손을 쳐냈다. 그리고 죽일 듯 노려보며 말했다.

"치워."

"리, 린지……."

그 장면을 본 리안이라는 여인이 분이 찬 듯 가슴을 팡팡 두드리며 소리쳤다.

"이럴 줄 알았어! 네가 어떻게 이깟 년 때문에 나를 버려!"

"그게 무슨 소리야. 린지 때문이 아니라고!"

린지는 그들을 쳐다보며 한숨을 푹 쉬었다. 사실 그녀에게는 이런 일이 제법 비일비재했던 것이다. 친구 키벨은 감탄이 나올 만큼 잘생긴 외모 탓에 여러 여자가 꼬였는데, 가끔 이렇게 린지와의 사이를 오해받고는 했다. 그가 만났던 여인들은 단순히 키벨이 관계에 질려서 선언한 이별을 린지 탓으로 돌리고는 이렇게 몇 번 물벼락을 선물한 적이 있었다.

'에이, 씨. 재수가 없으려니까.'

린지가 자리에서 일어나자 리안이 눈을 날카롭게 뜨며 외쳤다.

"어딜 도망가, 이년아! 네가 먼저 꼬셨지, 그렇지?!"

"예이예이, 뭐 알아서 생각하시고요. 저 한량 자식, 반쯤 죽여 놓으셔요."

린지는 손을 절레절레 흔들며 잽싸게 술집을 빠져나왔다.

"아아, 추워."

밤거리를 걷는 린지의 발걸음은 무거웠다. 4월, 봄의 저녁은 어둠이 무색할 만큼 따스했지만 지금 린지에게는 부드러운 밤공기를 느낄 여유가 없었다.

'키벨 자식. 이따가 들어오면 죽었어.'

리안이라는 여인 덕분에 상체가 홀딱 젖어 버렸다. 그녀는 몸을 감싸 안으며 걸음을 재촉했다.

'그나저나 남장이라니…….'

키벨과 그의 전 여친 리안 때문에 잠시 뒤로 미뤄 뒀던 고민이 다시 수면 위로 떠올랐다. 저절로 한숨이 새어 나오자 그녀는 우울한 기분에 괜히 땅을 걷어찼다.

'나는 여자인데, 아무리 검을 들고 활개 쳐도 여자인데.'

린지는 물에 젖어서 어깨를 타고 내려온 붉은 머리칼을 만지작거렸다. 사실 그녀는 지금껏 드레스라고는 임무 외의 일로는 입어 본 적도 없고 가지고 있는 옷 역시 활동하기 편한 것들뿐이었다. 오직 단 하나, 이 긴 머리칼만이 그녀가 여성임을 잊지 않게 해 주었다.

'잘라야 하잖아…….'

정확히 유시젠에게 거두어진 이후로 그녀는 줄곧 긴 머리를 지향해 왔다. 검을 휘두르며 험한 일을 하는 그녀지만 유시젠에게, 그리고 스스로에게 여자임을 잊지 않게 해 주고 싶었던 것이다.

'물론 감히 오라버니께 헛된 감정을 가지고 있는 것은 아냐. 그래도 여자임을 인정받고 싶단 말이야…….'

그런 작은 소망을 유시젠이 직접 짓밟아 버렸다. 그는 대수롭지 않게 머리를 자르고 남장을 할 것을 명하였다.

'여자임을 포기해야 하는 건가…….'

하고 싶지 않다. 난생처음, 유시젠의 명을 거부하고 싶었다. 린지는 마음속에서 조금씩 피어오르는 이 몹쓸 감정을 의식하며 침을 꿀꺽 삼켰다. 키벨이 안 된다면 다른 임무를 맡고 있는 동료 그림자들에게 부탁해 볼까? 그게 아니라면 새로운 남자 그림자를 선발하여 그에게 맡기자고 이야기해 볼까?

하고 싶지 않다는 생각이 드는 순간부터 거부할 만한 온갖 아이디어들이 떠오르기 시작했다. 그렇게 머리를 굴리며 걷고 있을 때였다.

"아악!"

멀리 떨어지지 않은 곳에서 비명 소리가 들려왔다. 다음 순간 거친 폭행의 소리가 뒤이었다.

"이 자식이, 나가 죽어!"

"자, 잘못했습니다!"

열네다섯쯤 되었을까? 한 소년이 울음 섞인 얼굴로 주저앉아 한 사내에게 빌고 있었다. 무심코 지나칠 뻔한 그녀였지만 비릿하게 느껴지는 혈향에 발걸음을 멈추었다.

"잘못했습니다, 한 번만 용서해 주세요."

"이 새끼가 지금 뭘 잘했다고 빌어?!"

퍽!

린지는 깜짝 놀라 입을 벌리며 잡생각을 멈추었다. 우락부락한 근육의 사내가 자그마한 소년의 몸을 힘껏 걷어찬 것이다.

"이 용병왕 카룰 님의 하인이면 하인답게 굴어야지! 누가 밥을 한 그릇 다 먹으라고 했어?! 반은 남겨서 내일 아침으로 먹으라고 했지?!"

"죄송합니다, 부디 용서를……."

린지는 그들의 관계를 파악했다. 몇몇 잘나가는 용병들은 허드렛일을 해 줄 하인들을 거느리고는 했는데, 질 나쁜 용병들은 노예를 사들이는 대신 어린 소년 소녀들을 일방적으로 납치해 와 부리는 경우도 있었다.

'뭐, 노예 자체가 불법이지만.'

노예 제도는 불법으로 간주하고 있다. 특히 노예와 마약은 유시젠이 소름 끼치도록 싫어하여 언젠가 반드시 타파하리라고 계획하고 있는 것이기도 했다. 즉, 저 사내는 유시젠의 신념과 어긋난 짓을 하고 있다는 소리. 유시젠의 충실한 부하인 린지는 그냥 지나칠 수가 없었다.

"이봐, 자칭 용병왕 카룰 씨."

낯선 여인이 끼어들자 사내가 화난 얼굴로 고개를 치켜들었다. 당장이라도 욕을 퍼부을 듯한 표정이었으나 예쁘장한 얼굴의 린지를 보자마자 표정이 변했다. 그는 입꼬리를 올리며 능글맞게 말했다.

"그래, 나한테 무슨 볼일이지?"

"그냥, 별건 아니고."

씩 웃은 그녀는 대뜸 그의 목덜미를 내리쳤다. 그 깔끔한 동작에 속수무책으로 당한 사내는 컥, 소리를 내더니 스르륵 쓰러졌다.

"……."

그 장면을 본 소년이 놀라서 눈을 동그랗게 뜨고 린지를 올려다보았다. 그 눈동자와 마주친 린지는 결국 쓴웃음을 흘리고 말았다.

'예전의 내 꼴이군.'

사실 린지도 예전엔 저 소년과 다를 바 하나 없는 신세였다. 하지만 유시젠이 그녀를 거두어 주었다.

'나는 이 아이를 거둬 줄 힘은 없지만…….'

린지는 놀라서 덜덜 떨고 있는 소년에게 말했다.

"어떻게 할래?"

"네?"

린지는 옷깃에서 두둑한 주머니를 꺼내 내밀었다. 그 안에서 딸랑거리는 금화 소리에 소년의 눈이 더더욱 커졌다.

"나는 네 인생을 구해 줄 순 없지만 새 시작을 할 만한 자금 정도는 줄 수 있어. 그런데 이건 널 위한 게 아니라 내 자기만족이라, 그 후는 네가 알아서 해야 돼. 난 책임 안 질 거거든. 이거 가지고 갈래, 아님 이 사람 아래에서 계속 노예로 일할래?"

소년은 린지의 말을 정확하게 이해했다. 그리고 망설임 없이 두 손을 내뻗었다.

"그래, 잘 선택했어."

린지는 피식 웃으며 소년의 손 위에 주머니를 올려놓았다. 그 묵직함에 또다시 놀란 소년이 린지를 쳐다보더니 결심에 찬 눈빛으로 말했다.

"이 은혜는 언젠가 갚겠습니다. 존함이라도 알려 주십시오."

"필요 없어. 은혜랄 것까지야."

"아뇨, 갚겠습니다."

"됐어, 됐어."

린지는 손을 흔들며 그 자리를 떠났다. 소년이 뒤에서 무어라고 말하는 소리가 들렸지만 린지는 더 이상 그에게 신경 쓰지 않았다. 그때 소년이 큰 목소리로 쩌렁쩌렁하게 외쳤다.

"제 이름은 체사르입니다! 언젠가 반드시 은혜를 갚겠습니다, 누님!"

삐끗! 누님이라는 소리에 린지는 하마터면 넘어질 뻔했다. 누님이라니, 틀린 호칭은 아니었지만 난생처음 들어 보는 단어였던 것이다. 그녀는 피식 웃으며 고개를 절레절레 흔들었다.

'이 정도는 은혜도 아니지. 그냥 자기만족인걸.'

은혜라면 린지 그녀가 유시젠에게 갚아야 할 것…….

'은혜는 내가 갚아야지. 나의 오라버니에게.'

언제 복잡했냐는 듯 마음이 차분해졌다. 그녀는 자신이 무엇을 해야 할지, 무엇을 하고 싶은지 정확하게 깨달았다.

그녀는 한결 상쾌해진 기분으로 밤하늘을 올려다보았다. 그러고는 밝은 달빛을 음미하듯 눈을 감으며 밤공기를 들이마셨다. 다음 순간, 눈을 뜬 그녀는 허리춤에 매단 단도를 꺼냈다. 그리고 단숨에 긴 머리칼을 잡고 싹둑 잘라 냈다.

"은혜 갚을게요, 오라버니."

그녀는 스스로에게 중얼거리듯 말하며 길가의 쓰레기통 안으로 머리칼을 미련 없이 집어 던졌다. 붉은색 긴 머리칼이 나풀거리며 흩어졌다.

'기대하세요, 오라버니. 멋지게 임무를 수행할 테니까.'

오라버니, 저는 당신을 위해서 오랫동안 기른 머리카락을 자릅니다. 그게 여자에게 어떤 의미인지……, 오라버니는 아시나요?

chapter 2. 시종 린지안

르카플로네 백작가의 저택은 12년 동안 텅 비었었다는 것이 믿기지 않을 정도로 활기찼다. 특히 저택의 정원은 귀족들 사이에서도 입소문을 타고 있었는데, 이미 몇몇 화가들의 화폭에 담길 정도로 크고 아름다웠다.

이 정도 규모의 정원을 유지하기란 쉽지 않은 일. 때문에 르카플로네 저택에는 수십의 정원사들이 고용되어 있었고 시종 중에서도 정원사 자격증을 가지고 있는 사람들을 우대하여 뽑았다. 이번에 새로 들어온 시종 중 한 명 또한 정원사 자격증을 가지고 있었다. 때문에 그 시종은 정원사의 보조로 배치되어 일했는데, 그 외모가 어찌나 뛰어난지 이미 저택 내의 시녀들 사이에서는 인기인으로 떠오른 후였다.

"어머, 저기 있다!"

무려 열댓 명이나 되는 시녀들이 나무나 수풀 뒤로 몸을 숨긴 채 얼굴만 빼꼼 내밀고 있었다. 화제의 그 시종은 정원사를 도와 수풀의 잔가지를 치고 있었는데 무심하게 내리깐 눈매나 하얀 피부하며, 자태가 삽

화 속에서 튀어나온 미소년 같았다.

"재가 걔야? 린지안?"

"이름도 예쁘지. 어쩜 저런 미소년이 있을 수 있는 거야!"

"야 이것들아, 재 내가 찜했어. 두고 봐, 내가 꼬신다!"

……다 들린다, 이것들아. 누가 누굴 꼬셔! 린지는 그렇게 외치고 싶은 것을 애써 삼키며 시녀들이 있는 쪽으로는 시선조차 주지 않았다.

"도도하다. 너무 멋지지 않아?"

"야, 눈독 들이지 말라고! 쟤는 내가 찜했어."

그렇다. 린지 아즈벨은 난생처음으로 열망에 가득 찬 시선들을 한꺼번에 받고 있었다. 그런데 그게 동성이라는 것이 문제랄까.

'아, 짜증 나 죽겠네.'

솟구치는 짜증 때문에 표정 관리가 힘들었다. 익숙지 않은 시종복을 입고 있는 것도 불편한데 수많은 시선이 꽂혀 있으니 편하게 숨을 내쉴 수도 없다. 성격 같아서는 시녀들을 노려보고 뭘 봐, 눈알 뽑아 줘?! 하고 외치고 싶은 심정이었다.

"야, 똑바로 안 해?!"

정원사의 노호가 떨어지자 린지의 어깨가 움찔 떨렸다. 그녀가 보조하고 있는 정원사는 린지보다 서너 살 많아 보이는 사내로 정원 손질이라는 섬세한 작업과는 상당히 동떨어져 보이는 거대한 몸집과 우락부락한 근육의 소유자였다.

"저기 잔가지들이 남아 있잖아. 각 맞춰서 깨끗하게 자르라고 했지!"

정원사 카쥬탄은 일부러 시녀들에게까지 들리도록 쩌렁쩌렁 소리를 질러 댔다. 그가 가리킨 곳은 흠잡을 곳 없이 깨끗했지만 린지는 한숨을 삼키며 사과했다.

"죄송합니다, 선배."

"흥! 어디서 얼빠진 녀석이 굴러들어 와 가지고! 가지 하나 제대로 못 자르고, 비리비리한 뼈다귀 같은 녀석!"

카쥬탄은 이 새로 들어온 신참이 마음에 들지 않았다. 더 솔직히 말하자면, 싫었다. 들어온 지 얼마 되지도 않은 주제에 팬클럽이 생기느니 마느니 하는 얘기가 떠돌며 시녀들의 인기를 독차지하는 것이다! 계집애처럼 허여멀건 녀석이 뭐가 좋다는 건지!

'근데 일은 잘한단 말이지, 에잇!'

어떻게든 기회를 잡아 힘껏 괴롭혀서 제 손으로 그만두게 만들고 싶은데, 이 녀석은 얄밉게 일도 잘했다. 초보자답지 않게 두꺼운 가지들도 싹둑싹둑 잘 자르질 않나, 하여튼 여러모로 재수 없는 녀석이었다.

린지는 이런 카쥬탄의 악의를 눈치채고 있었다. 이 사내는 눈에 띌 정도로 그녀를 질투했다. 졸지에 남자에게 시기와 질투를 받는 신선한 경험을 하게 된 린지는 어이가 없어서 허탈할 지경이었다.

'아아, 내 신세야. 이게 무슨 꼴이람. 조사해야 하는 백작은 저택에 없지를 않나.'

하필이면 린지가 들어오자마자 백작은 저택을 떠났다고 한다. 애인과 밀월여행을 떠나 언제 돌아올지 모른다고 하고, 이 얼마나 복장 뒤집어지는 일이란 말인가!

'백작, 내가 너 때문에 이 고생이다!'

순간 분노한 린지의 손끝에 힘이 들어갔고 이는 가위질에 영향을 미쳤다. 풀잎 대신 꽃송이를 잘라 버린 린지가 헉 소리를 내며 카쥬탄의 눈치를 봤다. 아니나 다를까, 카쥬탄은 기다렸다는 듯 호통을 쳤다.

"야, 이 자식아! 너 지금 뭣 하는 짓이야!"

그는 린지의 손에서 가위를 뺏어 들어 바닥에 냅다 집어 던졌다. 멀리서 지켜보는 시녀들이 숨을 죽이는 기색이 느껴지자 카쥬탄은 신이 나서 더더욱 성을 냈다.

"이 꽃이 얼마인 줄 알아? 이 종이 얼마나 희귀한 종인 줄 아냐고! 너 까짓것 팔아도 못 사, 이 새끼야!"

"죄송합니다, 선배."

"죄송하다면 다야? 이 새끼가 들어온 지 얼마 됐다고 실수야? 군기가 빠졌구먼!"

카쥬탄은 의기양양해져서 어깨를 쭉 폈다. 이 시종을 골탕 먹일 좋은 작전이 머릿속을 스쳐 지나가자 그의 입꼬리가 올라갔다.

"내일 아침까지 연못가의 수풀 정리를 다 하도록 해! 너 혼자서!"

"네?"

연못, 말이 연못이지 엄청나게 컸다. 그 주위의 수풀을 혼자 다 정리하라니, 이건 밤을 새우란 얘기가 아닌가!

"저, 선배, 하지만."

"이 새끼가, 말대꾸하는 거야? 하기 싫으면 시종 일 때려치워!"

누군 때려치우기 싫은 줄 아냐, 이 오랑우탄아! 린지는 그렇게 외치고 싶은 것을 간신히 참아 내며 속으로 포효했다. 남장도 서러운데 야근이라니!

린지의 안색이 창백해지자 카쥬탄은 내심 쾌감을 느꼈다.

'크흐흐. 연못 수풀 정리를 하려면 내일 아침까지 꼬박 밤을 새워야 할 것이다.'

네가 제 발로 이곳을 떠나게 만들어 주마. 너처럼 예쁜 남자는 내 왕국, 아니 내 정원에 필요 없다! 카쥬탄은 유치하고도 치졸한 질투심에 불타며 속으로 비릿하게 웃었다.

"이 못된 백작 놈. 카쥬탄, 이 못된 백작의 부하 놈!"

만월이 걸린 밤하늘은 창백하게 빛을 발했다. 달빛이 아른거리는 연못에선 수련 향기가 은은했고 가장자리를 빼곡히 둘러싼 수풀들은 선선한 바람에 사부작 소리를 내며 흔들렸다. 누가 봐도 아름다운 달밤 아래에, 린지 아즈벨은 구시렁구시렁 욕설을 지껄이고 있었다.

"망할 오랑우탄 녀석. 사내새끼가 어디서 질투야, 질투는! 덩치가 아깝다!"

찰캉, 찰캉. 아무리 가위질을 하고 수풀들을 다듬어도 끝이 나질 않는다.

"오라버니. 린지는 이렇게 고생하고 있습니다. 너무해요, 꼭 이 방법밖에 없었습니까, 오라버니!"

백작과 카쥬탄에 이어 유시젠까지 원망하게 된 이유는 다 이 망할 야근 때문이다. 백작을 조사하기는커녕 밤을 새워 가면서 나뭇잎이나 잘라내고 있다니, 새삼 자신의 신세가 처량하게 느껴졌다. 린지는 한숨을 내쉬었다. 이게 무슨 수난이란 말인가.

처음에는 모든 것이 순조로웠다. 집사라는 작자의 까다로운 면접이 있었으나, 위조된 정원사 자격증과 아카데미 수석 졸업 성적표 덕에 다행히 채용될 수 있었다. 그렇게 해서 일을 시작한 지 이제 일주일째. 선배랍시고 붙여 준 카쥬탄이라는 녀석은 자신을 엄청나게 싫어하고 있다. 졸지에 남자에게 질투의 대상이 되어 버린 린지는 그 대가로 온갖 괴롭힘을 당하고 있었다. 조사해야 할 백작은 아직 얼굴도 모르는 상태인데!

'아아, 우울하다. 이게 무슨 꼴이람.'

린지의 암울한 눈망울이 수풀 너머 연못에 걸렸다. 그녀는 한숨을 폭 내쉬며 가장자리로 가까이 다가가 연못을 들여다보았다. 수면 위로는 적색의 짧은 머리칼을 목덜미까지 늘어뜨린 소년이 그녀를 물끄러미 바라보고 있었다.

"……."

솔직히 정말 잘 어울렸다. 역시 유시젠이라고 해야 하나, 그의 눈썰미는 정확해서 머리를 자르고 제대로 차려입고 나니 정말로 예쁘장한 소년 같아 보이기도 했던 것이다. 키벨조차 놀라서 할 말을 잃었던 것이 떠오르자 린지의 입술이 댓 발 튀어나왔다.

'볼 때마다 짜증 나.'

긴 머리에 대한 상실감에 린지는 한숨을 푹 내쉬며 다시 가위질을 하기 시작했다. 그렇게 한동안 일을 해 나가던 린지는 자리에서 벌떡 일어났다.

"아, 못 해 먹겠네!"

이걸 어떻게 혼자 다 하란 말이야!

"카쥬탄 녀석, 차라리 날 때리라 그래. 못 해. 이 정도면 충분히 다 했다고!"

더 이상은 못 하겠다! 가위를 집어 던진 린지는 배 째라는 마음으로 걸음을 떼었다. 지금 대체 뭘 하고 있는 거지. 린지는 자괴감에 견딜 수가 없었다. 유시젠의 명을 받들어 긴 머리를 싹둑 자르고, 가슴을 붕대로 칭칭 매고 남장을 하고 있다. 일주일에 한 번씩, 목소리를 변조시켜 주는 물약까지 먹어 가며 남자 행세를 하고 있다. 이 모든 것이 다 그 수상한 백작 놈의 정체를 캐내기 위해서인데— 캐내기는커녕 백작 놈의 머리털조차 보질 못하고 있으니!

'으, 짜증 나! 짜증 나 짜증 나 짜증 나!'

그렇게 씩씩거리며 연못의 수풀들을 지나쳐 반대쪽으로 가는 다리 위를 건널 때였다.

"……?"

순간 린지의 붉은 눈동자가 동그랗게 커졌다. 그녀는 발걸음을 멈추고 그 자세 그대로 멈춰 서서 눈알을 굴렸다. 사부작, 바람과 함께 나뭇잎들이 우수수 흔들렸다. 아찔한 꽃향기가 코끝을 부드럽게 스쳐 지나갈 때.

'누군가 있어?'

정확히 등 뒤 여섯 시 방향, 거리는 대략 스무 걸음 정도쯤. 또렷한 존재감이 느껴졌다. 뒤따르는 발걸음 소리가 정확히 그녀를 향하고 있었다.

'이 새벽에 사람이라니?'

자신처럼 야간 근무를 맡은 자가 아니라면 이 어두운 정원에 무슨 볼일이란 말인가? 린지가 아는 한 정원사 중 오늘 야간 근무를 하는 것은 자신뿐이었다.

린지는 본능적으로 허리춤으로 손을 옮겼다가 몸을 굳혔다. 목숨처럼 가지고 다니던 검이 없다. 시종들은 무기를 소지할 수 없기 때문이다!

'젠장.'

그렇다면 가위는? 열 걸음 뒤에 있는 수풀 아래로 집어 던졌다. 그녀는 순식간에 머릿속으로 계산했다. 이곳에서 뛰어가 가위가 있는 곳으로 당도할 시간, 그리고 움직임.

뚜벅, 뚜벅. 그렇게 생각하는 와중에도 발소리는 바로 뒤까지 이어졌다. 린지는 이제 그자의 숨소리까지 포착할 수 있었다. 긴장한 린지의 주먹 위로 뼈가 하얗게 도드라졌다.

'어떻게 하지?'

그자는 이제 바로 뒤까지 와 있었다! 상대가 누군지도 모르는 상태에서 섣부르게 반응할 수는 없다, 그렇게 생각한 린지는 눈을 질끈 감았다.

와락!

누군가가 순식간에 그녀를 끌어당겨 품 안에 안았다. 린지는 놀라는 대신, 차가운 이성으로 상대방의 체격을 파악했다. 큰 키의 자신을 단숨에 품을 수 있을 만큼 커다란 체격의 남자다. 그녀를 안은 남자의 가슴팍에서 단단한 근육이 느껴졌다. 이것은 체계적으로 훈련된 자의…….

"많이 기다렸어?"

그 순간 사고가 정지했다. 귓가에서 속삭이는 남자의 달콤한 목소리가 체온과 함께 울려 퍼졌다.

"미안, 일이 좀 늦어져서 말이야."

다음 순간, 남자가 손을 들어 올려 린지의 어깨를 잡자 그녀의 몸이 움찔 떨렸다. 그 반응을 읽었음에도 불구하고 남자는 개의치 않고 그녀의 몸을 돌려세웠다.

"앗……."

린지가 중심을 잃고 비틀거리자 남자는 그녀의 몸을 두 손으로 단단히 잡아 주었다. 얼결에 그의 팔에 기대게 된 그녀는 천천히 고개를 들어 올려 팔의 주인을 바라보았다.

순간 린지는 달에서 사람이 내려온 줄로만 알았다. 잠시나마 그런 말도 안 되는 생각이 들 정도로 아름다운 남자였다.

'아?'

가장 먼저 눈에 들어온 것은 눈부신 은빛이었다. 어둠을 뿌리치듯 빛나는 신성한 은색 머리칼은 그의 뒤에 걸린 달빛과도 같았다. 순간 불어온 바람에 그의 머리칼이 부드럽게 흩날리며 곧은 이마가 드러났다. 그 아래로 보이는 선명한 눈매. 그리고 마치 깎아 만든 양 날카로운 콧날에서부터 매끄럽게 이어지는 입술 선은 조각처럼 이상적이어서 비현실적이기까지 했다.

'어어……?'

솔직히 말해서 이렇게까지 잘생긴 남자는 유시젠 이후로 생전 처음이었기에, 린지는 깜짝 놀랄 수밖에 없었다. 암살자의 습격 같은 것을 예상하고 있었던 터라 그 놀람의 정도가 배가되었다.

린지가 멍하니 그를 바라보는 것처럼 남자 또한 가만히 그녀를 내려다보았다. 그는 이윽고 부드럽게 웃음을 짓더니 그녀의 붉은 머리칼을 귓바퀴 뒤로 넘겨 주었다.

"머리가 짧아졌구나. 그래도 잘 어울려."

"에?"

"못 본 사이에 더 예뻐졌네. 이 정도로 귀여웠던 줄은 몰랐어."

속삭이듯이 말한 남자의 입가에 매력적인 웃음이 맺혔다. 그리고 다음 순간, 남자의 얼굴이 순식간에 가까워졌다.

"……?"

몇 초 정도 지났을까? 린지는 잠시 동안 무슨 일이 일어난 건지 알아차리지 못했다. 그녀는 눈을 깜빡거리며 자신의 눈앞에서 감긴 남자의 속눈썹을 응시했다. 세상이 멈춘 것처럼 숨죽인 가운데 남자의 숨결이 뺨에 와 닿아 신기루처럼 흩어졌다. 그리고 입술에서 느껴지는 따뜻한 체온이……?

'……?!'

남자의 입술이 그녀의 입술 위로 겹쳐져 있었다. 살포시 얹혀 있는가 싶더니, 능숙하게 움직여 그녀의 입술 안으로 부드럽게 파고들었다. 그 생소하면서도 야릇한 느낌에 린지의 눈이 크게 떠졌다.

퍽!

린지는 남자에게 주먹을 날리며 소리쳤다.

"이, 이, 이게 무슨 짓이야, 이 정신 나간 놈아!"

갑자기 입을 맞추다니! 그녀는 입술을 벅벅 문지르며 발작하듯이 화를 냈다. 어두워서 보이지 않았지만 린지의 얼굴은 머리칼만큼이나 붉어져 있었고 손가락 끝은 벌벌 떨리고 있었다.

"이게 미쳤나, 죽고 싶어?!"

남자는 당황한 듯 얻어맞은 뺨을 감싸 안고 그녀를 쳐다봤다. 자신이 당한 일을 믿지 못하는 표정이었다. 그 시선과 마주친 린지는 그제야 정신을 번쩍 차렸다.

지금 자신은 남장 중이다. 근데 같은 남자에게 어떻게 이런 일을 당할 수 있단 말인가? 설마 여자라는 것을 들킨 건가?! 순식간에 머릿속이 새하얗게 물들었다. 패닉에 빠진 린지는 주춤주춤 뒷걸음질 치다가 냅다 등을 돌려 도망쳤다.

"이봐, 잠깐!"

뒤에서 남자가 부르는 소리가 들렸지만 린지는 돌아보지 않고 자신의 숙소로 달려갔다.

쾅! 거의 쓰러지듯이 방 안으로 들어온 린지는 문을 닫고는 숨을 헐떡이며 엎어졌다. 침대 위에 엎어진 린지의 몸이 잘게 경련했다.

지금, 무슨 일이 일어난 거지. 린지는 베개에 얼굴을 파묻으며 몸을 바들바들 떨었다. 뭐가 뭔지, 도대체 어떤 상황인지 잘 모르는 가운데 단 하나는 확실하게 다가왔다. 지금 자신은 첫 키스를 빼앗겼다는 것, 그것도 알지도 못하는 남자에게!

"으아아아!"

한밤중에 갑자기 나타난 은발의 남자는 그녀를 껴안았고, 돌려세웠고, 귀엽다고 한 다음, 입을 맞추었다. 린지는 넋이 나간 목소리로 횡설수설했다.

"내가 있을 줄 알았다는 말투였는데? 기다렸냐고 했잖아. 늦어서 미안하다고 했잖아. 즉 누군가랑 약속이 있었다는 소리인데? 또 나한테 머리를 잘랐냐고 했고. 약속을 잡은 사람과 나를 착각한 건가?"

그러니까 그 남자는 자신을 누군가와 착각해서 입을 맞추었다. 입을 맞춘 걸 보아하니 애인일 텐데 얼굴을 착각하다니? 애인의 얼굴을 헷갈린다는 게 말이 된단 말인가? 애인이 열댓 명이 있어서 헷갈릴 정도가 아니면 말이 안 되잖아!
"대체 뭐야아아아!"
린지는 자리에 주저앉아 한동안 머리를 쥐어뜯었다.
어쨌든 지금 중요한 건 첫 키스가 날아갔다는 것! 예전에 키벨이 첫 키스는 자신이 접수하겠다고 그렇게 꼬실 때에도 피떡이 되도록 쥐어 패 가면서 지켜 낸 건데, 어떻게 아껴 둔 건데!
"거짓말이야아아아!"
달빛이 아름다운 어느 날 밤, 르카플로네 저택의 자그마한 방에서는 이불을 걷어차는 소리, 벽을 긁는 소리 등의 정체불명의 소음이 늦게까지 이어져 갔다.

스무 살 여인의 첫 키스가 날아가든 말든 시간은 냉정하게 지나갔고 내일의 태양 또한 정해진 시간에 떠올랐다. 어기적어기적 움직여 샤워를 하고 밥을 먹고 정원으로 나서는 린지의 눈에는 생기가 없었다. 밤잠을 설친 것을 증명이라도 하듯 하얀 얼굴에는 다크 서클이 도드라져 있기도 했다.
"어머, 린지안이다. 귀여워."
"그런데 표정이 왜 저러지? 안 좋아 보인다."
"기운 없어 보여, 그래도 귀여워!"
평소라면 짜증스럽게 들릴 시녀들의 뒷담화도 지금 이 순간만큼은 그녀에게 영향을 끼치지 못했다. 아니, 사실 아무것도 귓가에 닿지 않았다.
'거짓말이라고 해 줘. 어제 있었던 일 거짓말이라고.'
린지는 한숨을 푹 내쉬었다. 어제 있었던 일이 주마등처럼 자꾸만 머릿속을 스쳐 지나가고 있었다.
'내 첫 키스가 그렇게 날아가다니.'

아무리 주위에서 여자 취급을 안 해 주었어도, 친구들이라고는 온통 사내들밖에 없었어도, 치마 한번 제대로 입어 본 적 없었어도 린지의 마음 깊은 곳에서는 여성이 살고 있었다. 언젠가는 멋진 이상형의 남자와 바다가 보이는 테라스에서 석양을 바라보며 첫 키스를 하고 싶다는, 키벨이 들었으면 평생 놀렸을 유치한 낭만을 남몰래 품고 있었던 것이다! 그런데 그 낭만이 1. 예고도 없이, 2. 알지도 못하는 남자한테, 3. 남장을 한 상태에서 뺏겨 버리다니! 이 얼마나 열 받는 쓰리 콤보란 말인가!

절망에 빠진 린지는 저 멀리서 카쥬탄이 씩씩거리면서 다가올 때까지도 알아차리지 못하고 있었다.

'도대체 어떤 놈이야 그놈? 그 망할 놈이 감히 내 첫 키스를!'

죽일 거야. 찾아내서 족치고 말리라! 그렇게 마음속 분노를 활활 불태우고 있을 때, 뺨에서 번쩍이는 고통이 내리쳐졌다.

짜악!

린지의 얼굴과 함께 돌아간 몸이 바닥으로 힘없이 쓰러졌다. 이어지는 순간, 통증을 인식하기도 전에 그녀의 몸이 본능적으로 움직여 카쥬탄의 발길질을 피해 냈다. 그것은 머리로 한 계산이 아닌 오랜 훈련에 의한 반응이었다. 덧붙여 카쥬탄의 분노에 기름을 끼얹은 실수이기도 했다.

"이 새끼가, 지금 피했어?!"

린지는 얼떨떨한 심정으로 그를 올려다보았다. 덩치가 산만 한 남자가 화를 주체하지 못하고 몸을 떨고 있었다.

'아차. 맞아 줬어야 하는데.'

멍하게 있다가 실수로 발길질을 피해 버리고 말았다. 린지는 최대한 잘못했다는 표정을 만들어 보이며 자리에서 일어났다.

"죄송합니다, 선배. 이번에 다시 때리시면 피하지 않고 맞겠습니다."

그녀 딴에는 진심으로 한 말이었지만 카쥬탄 입장에서는 비꼬는 것

이상으로는 들리지 않았다.

"이 새끼가…… 때리라면 못 때릴 줄 알아?"

카쥬탄이 손바닥을 들어 올리는 것을 린지는 덤덤한 시선으로 응시했다. 그 눈빛에는 폭력에 대한 한 점의 두려움도, 흔들림도 없었다.

"지금 뭐 하는 짓인가!"

복도를 울리는 노호와 함께 카쥬탄의 손이 잽싸게 내려갔다. 카쥬탄과 린지는 물론 주위에서 훔쳐보던 고용인들이 깜짝 놀라 고개를 돌렸다.

"지금 뭐 하는 짓이냐고 물었다!"

소리가 들린 쪽에서는 한 노인이 걸어오고 있었다. 백발에 주름이 졌기 때문에 노인이라고 칭하는 거지, 그 외의 모든 것들은 젊은이 못지않은 힘이 느껴지는 사내였다. 카쥬탄보다 커다란 체격에 당당하게 펴진 어깨. 그리고 부릅떠진 눈에서 풍기는 강한 기운이 인상적이었다. 심지어 대체 어디서 얻은 것인지, 왼쪽 뺨에는 긴 상처가 그어져 있어서 험악해 보이기까지 했다.

"지, 집사님!"

카쥬탄과 린지가 고개를 숙이며 자세를 바로잡았다. 빠른 걸음으로 단숨에 그들의 앞까지 당도한 집사는 노기가 가득한 얼굴로 둘을 노려보았다.

"지금 무슨 짓이냐. 말해라."

"그, 그, 그, 그것이……."

카쥬탄은 심각할 정도로 말을 더듬으며 몸을 벌벌 떨었는데, 잔뜩 숙여진 그의 얼굴에는 선명한 공포가 드러나 있었다.

"말해라! 내 말이 안 들리는가!"

그 짧은 순간, 린지의 붉은 눈동자에 이채가 스쳐 지나갔다. 면접에서도 느끼긴 했지만 화를 내니까 장난이 아니다. 그에게서 느껴지는 기운은 농담으로라도 평범한 집사라고 말할 수가 없었던 것이다.

'수상해.'

수상하든 말든, 어쨌든 이 상황을 수습해야 한다. 린지는 두려움에 떠는 카쥬탄을 힐끔 쳐다본 후 입술을 열었다.

"제 잘못입니다. 죄송합니다, 집사님."

분노로 타오르는 집사의 눈이 린지에게 향했을 때에도 그녀는 덤덤했다. 집사는 의외라는 듯 눈썹을 슬쩍 들어 올렸다.

"제가 맡은 할당량을 다 하지 못하였습니다. 때문에 카쥬탄 선배께서 노하신 것은 당연한 일입니다. 물의를 일으켜서 죄송합니다. 벌은 달게 받겠습니다."

카쥬탄이 좋아서 감싸 주는 게 아니라 더 이상의 소란은 원치 않았기 때문에 한 일이었다. 그런데 이상하게도 카쥬탄은 더 심하게 떨기 시작했다. 덩달아 표정이 안 좋아진 집사가 험악하게 되물었다.

"할당량이라고? 신입은 선배를 따라다니며 당분간 수습 기간을 갖는 것이 백작가의 룰이다. 누가 멋대로 너에게 일을 맡겼나."

"그, 그것이……."

그제야 자신이 더 일을 크게 벌였다는 것을 깨달은 린지의 안색이 나빠졌다.

"카쥬탄, 네 이놈! 당장 네 입으로 말해라!"

집사가 소리치자 바르르 떨던 카쥬탄이 무릎을 털썩 꿇으며 고개를 숙였다.

"죄송합니다, 집사님! 제가 잘못했습니다. 제발 용서해 주십시오!"

"네놈이 감히 백작가의 규율을 어겨?!"

복도를 쩌렁쩌렁 울리는 그 목소리에는 살기에 가까운 분노가 깃들어 있었다.

"그리고 네놈이 감히 멋대로 체벌을 해? 누가 네게 그런 권리를 주었지? 고용인들을 체벌하는 자는 따로 있다. 수석 시종이 됐다고 기고만장해하는구나, 카쥬탄!"

"죄송합니다! 한 번만 용서해 주십시오!"

카쥬탄이 덜덜 떨며 비는 것을 보며 린지는 이 백작가에서 집사가 얼마나 막강한 힘을 가지고 있는지 다시 한 번 느꼈다. 집사가 멋대로 시녀를 고용하지 않겠노라고 선언했다는 것을 들었을 때부터 그 권위가 상당할 것이라고 예상하긴 했지만, 이 정도였을 줄이야?

"수석 시종 자격을 박탈하고 일반으로 강등하겠다! 물론 체벌도 주어질 것이다. 불만이 있다면 시종 일을 그만둬라. 어떻게 하겠느냐?"

"주어진 벌 받겠습니다. 정말 죄송합니다."

"알겠으면 당장 체벌실로 꺼져!"

집사가 소리치자 카쥬탄이 자리에서 일어나 후다닥 사라졌다. 그의 뒤꽁무니를 무시무시하게 노려보던 집사는 단숨에 표정을 바꾸어 린지를 바라보았다.

"그래, 들어온 지 얼마 안 돼서 고생이구나. 내가 대신 사과하마."

"아, 아뇨. 당치도 않습니다. 물의를 일으켜서 죄송합니다."

"그래, 참 예의가 바른 녀석이로구나."

집사는 린지가 퍽 마음에 든 듯 싱긋 웃음을 지었는데, 그의 눈빛에서는 따스함마저 느껴지고 있었다. 방금 전 카쥬탄을 대할 때와는 180도 다른 모습에 린지는 그제야 처음으로 공포를 느꼈다.

'뭐, 뭐야. 이 집사, 무서워!'

집사는 린지를 더 두려움에 떨게 만들려고 작정한 듯 사람 좋아 보이는 인자한 웃음을 터뜨렸다.

"허허허. 아까 보니까 당돌하게 말도 잘 하던데. 제법 배짱이 있는 녀석 같구나."

"아, 아뇨. 그냥 사실을 말한 것뿐입니다."

아무래도 집사는 린지의 솔직함이 마음에 든 듯, 호감이 가득한 눈으로 그녀를 응시하고 있었다.

"어쨌든 이는 내가 시종 교육을 잘못 시킨 탓이다. 다시 한 번 사과하지."

"아닙니다, 그러실 필요 없습니다. 정말로 괜찮습니다."

대체 이 집사 왜 이러는 걸까? 린지는 진심으로 집사의 두 얼굴이 무서워지기 시작했다.

"이제 저 녀석은 강등되었으니 신입 시종을 데리고 다닐 자격이 없다. 그러니 너에게는 새로운 일을 주지. 따라와라."

린지는 머쓱하게 머리를 긁적이며 이동하는 집사의 뒤를 쫓았다.

'뭐, 잘된 일인가? 카쥬탄 녀석은 나를 싫어하는 것 같았으니까.'

일주일, 짧은 시간이었지만 카쥬탄은 린지를 아주 열심히 괴롭히지 않았던가? 덕분에 어제 연못에서 그런 해프닝이…….

'으으, 생각하지 말자. 생각하지 마!'

린지가 썩은 표정으로 머리를 흔들고 있을 때 앞서가는 집사가 말을 꺼냈다.

"르카플로네 백작가에서 시녀를 모집하지 않는 것을 알고 있나?"

물론 알고 있지. 덕분에 머리를 자르고 시종 옷을 입고 있는 것이 아닌가? 린지는 뾰루퉁하게 볼을 부풀리며 대답했다.

"예, 알고 있습니다."

"그래. 이유는 알고 있나?"

이런 질문에는 어떻게 대답해야 할까. 물론 이유는 알고 있었지만 이는 백작의 명예가 걸린 일이라 쉽게 답할 수가 없었다.

"괜찮으니 말해 보게."

"……백작님께서 시녀들과 과하게 어울리신다고 들었습니다. 때문에 몇 번 문제가 불거졌다고……."

"그래, 그렇다네."

집사는 한숨을 푹 내쉬며 어깨를 축 늘어뜨렸다.

"개인 시중을 드는 고용인 또한 시녀였지. 아니나 다를까 백작님께서 그 시녀를…… 흠흠, 그래서 그 시녀는 얼마 전에 백작가에서 내보내졌다. 해서 지금은 개인 시중을 드는 사람이 없다네."

역시 르카플로네 백작은 소문대로 어마어마한 바람둥이인 것이 확실했다. 사교계에서 귀족 영애들을 건드리다 못해 저택의 시녀들과 놀아나다니, 정말이지 여자의 적이 아니던가?

'그런 녀석이 뭐가 좋다고 여자들이 넘어가는 거야?'

그런 남자, 아무리 잘생기고 돈 많아도 절대로 사절이다. 자고로 남자라면 묵직함과 과묵함, 어느 정도의 금욕과 절제력을 갖추고 있어야 하는 것이 아닌가. 마치 유시젠처럼…….

'아니, 뭐. 오라버니가 내 이상형이라는 건 절대 아니고. 그런 바람둥이는 싫다는 거지.'

어쨌든 린지는 이 집사의 고민이 조금 이해가 가기 시작했다. 그녀가 집사였어도 시녀는 더 이상 모집하지 않았을 것이다.

"그래서 개인 시종은 남자로 뽑기로 결정했지. 몇 명 후보를 추려 두었으니 백작님께서 직접 고르실 것이다."

"그렇군요. 그런데 이제 저는 무슨 일을 하면 되나요?"

그때였다. 린지의 물음에 답하기 전, 그들의 앞에 한 여자가 걸어오는 것이 보였다. 그녀를 마주한 집사가 걸음을 멈추고 허리를 숙였다.

"예르시카 님!"

그들의 앞에 당도한 여자는 독특한 개성을 가진 미인이었다. 허리까지

굽이치는 금발에 그을린 피부에서 건강미가 느껴지는 여인이었는데, 파란 눈동자에는 얼음이 맺혀 있는 것이 아닐까 싶을 정도로 차가운 기운을 풍기고 있었다.

'뭐지, 이 여자?'

린지가 그녀를 눈여겨본 것은 시선을 사로잡는 미모가 아닌 차림새 때문이었다. 활동하기 편한 바지를 입고 있는 여인의 허리에는 검이 흔들리고 있었다.

"집사님. 개인 시종이 될 후보들은 뽑아 놨습니까?"

"예, 지금 대기하고 있습니다. 그리고."

집사는 린지의 팔을 덥석 잡고 자신의 옆으로 끌어당겼다. 그 악력이 얼마나 무시무시한지, 순간 린지의 미간이 좁혀질 정도였다.

"이 녀석 또한 후보입니다."

……뭐라고? 린지는 순간 자신이 잘못 들은 게 아닐까 생각했지만, 예르시카의 차가운 눈동자가 자신에게 꽂힌 걸 보아하니 제대로 들은 것이 맞는 듯했다.

"따라오십시오."

집사는 린지의 팔을 잡은 상태 그대로 예르시카의 등 뒤를 쫓아 걸었다. 그 힘에 잡아끌리듯 걷게 된 린지의 얼굴에는 당황이 역력했다.

"저, 집사님? 저는 처음 듣는 소리인데요."

"처음 듣는 소리겠지. 지금 내가 결정한 일이라네."

그 말에 린지는 어처구니가 없었지만 곧 생각을 달리했다. 이것은 좋은 기회다. 백작의 개인 시종이 되면 일거수일투족을 감시할 수 있으니까.

"물론 다른 후보들이 몇 명 더 있기 때문에 확정된 것은 아니다. 백작께서 개인 시종은 한 명 이상 두신 적이 없으니, 뽑히지 않으면 다시 정원으로 돌아가야 할 것이야. 그때에는 다른 정원사를 네 선배로 붙여 주마."

"네. 좋은 기회에 감사드립니다, 집사님."

그때 예르시카가 걸음을 멈춰 서서 문 하나를 열었다. 조심스럽게 방 안으로 걸어 들어간 린지는 다섯 명의 시종들이 서 있는 것을 발견했다. 시종들은 예르시카와 집사에게는 정중하게 인사를, 그리고 린지에겐 불청객 보는 듯한 시선을 던졌다.

'뭐야 이 녀석은? 신입 주제에 감히.'

딱 봐도 이렇게 말하는 눈이었기에 린지의 등골이 서늘해졌다.

"집사님의 안목을 믿겠습니다."

예르시카는 린지를 포함한 다른 시종들을 꼼꼼히 훑은 후 나지막이 말했다.

'저 여자는 누구지?'

여자임에도 불구하고 검을 차고 바지를 입은 것을 보아하니 귀족 같지는 않았고, 고용인 중에서 가장 높은 지위를 가진 집사가 예를 갖추는 것을 보니 평범한 시녀 같지는 않은데…….

'이 백작가, 여러모로 수상한데?'

쉰은 되어 보이는 집사의 힘이 어마어마하질 않나, 정체불명의 여자가 검을 차고 다니질 않나, 역시 유시젠이 린지를 스파이로 잠입시킬 만했다. 이들의 정체를 파헤치고 말리라! 린지가 침을 꿀꺽 삼키며 결심을 다질 때였다.

벌컥!

"이런, 또 늦었군. 미안."

그때 문이 열리고 한 사내가 들어왔다. 그와 동시에 시종들이 허리를 깊숙이 숙이자 린지도 서둘러 그들을 따라 했다.

"백작님, 오셨습니까?"

"응, 예르시카. 오늘도 예쁘네. 늦어서 미안해."

“아침 식사는 하셨습니까, 백작님?”

“아아, 집사. 물론이지. 요리사 솜씨가 나날이 좋아지는걸?”

린지는 방 안에 당도한 새로운 인물의 다리를 응시하며 주먹을 꽉 쥐었다. 백작이다. 드디어 백작이 나타난 것이다!

‘어디 한번 얼굴 좀 보자, 이 재수 없는 자식아!’

린지는 노려보듯이 백작의 다리를 응시하며 속으로 중얼거렸다. 백작에 대한 린지의 감정은 상당히 좋지 않았다. 백작이라는 수상한 놈 때문에 오랫동안 기른 머리를 자르고 남장을 하고 있지 않은가!

“이번에 새로 들이실 개인 시종을 고르십시오. 괜찮은 녀석들을 몇 명 데리고 왔습니다.”

“이런, 집사가 단단히 화가 났나 봐? 내 시중을 드는 것은 시녀가 좋은데 말이야.”

백작의 능청스러운 말에 집사는 단호하게 끊어서 말했다.

“시녀는 안 됩니다!”

“알았어. 집사의 뜻이 그렇다면 내가 따라 줘야지. 내 마음 알지, 집사?”

백작의 목소리는 예상했던 것보다 듣기 좋았다. 굉장히 비열하고 느끼할 거라고 생각했는데, 의외로 소년 같은 맑음이 느껴졌다. 적당한 저음의 톤에 우아한 억양과 매끄러운 말투. 과연 여자들이 좋아할 만했다.

“부디 이번에는 체통을 좀 지켜 주십시오. 제가 얼마나 마음고생하고 있는지 아십니까?”

“물론, 집사를 위해 내가 할 수 있는 일은 다 할 작정이니까 걱정하지 마.”

‘……쇼를 해라.’

백작이라는 작자, 말하는 것을 들어 보니까 보통이 아니다. 노령의 집사를 완전히 가지고 놀고 있었던 것이다.

'역시 마음에 안 들어.'

검은색 정장 바지 아래 감싸인 백작의 다리는 키가 큰 집사보다도 길었고 굉장히 탄탄해 보였다. 보아하니 근사한 몸을 가지고 있을 것이 분명하다.

"인사는 이제 됐으니 고개를 들어 봐."

그래, 이제 그 잘난 면상 좀 확인하자!

백작의 말이 떨어지자마자 린지는 허리를 획 들어 올려 눈앞의 사내를 응시했다. 다음 순간, 린지는 할 말을 잃고 입을 벌렸다. 고개를 들자마자 눈이 마주친 백작 또한 놀란 표정이었다. 린지는 파르르 떨리는 손끝을 들어 올려 저도 모르게 백작을 가리켰다.

"……!"

너 이 새끼, 라고 말할 뻔한 것을 겨우겨우 삼켜 내며 재빨리 팔을 내렸다. 다행히 백작을 손가락질한 무례는 그 외의 사람들은 보지 못한 듯했다.

'저, 저 새끼가 왜 여기에?'

찾아서 족치고자 한 상대가 눈앞에 있었다! 린지는 또다시 입술에서 부드러운 감촉이 느껴지는 것 같은 착각을 느끼며 얼굴을 붉혔다.

과연 소문대로 백작은 대단한 미남이었다. 목덜미 위까지 매끄럽게 내려온 은빛 머리칼에 신비한 보라색 눈동자를 가진 사내였는데, 남자다우면서도 요염한 얼굴에서는 강렬한 매력이 흐르고 있었다. 무엇보다도, 어젯밤에 봤던 그 자식이랑 똑같이 생겼다!

"너? 나랑 만나지 않았었나?"

백작은 다른 시종들에게는 눈길조차 주지 않고 린지의 앞으로 걸어왔다. 그리고 고개를 푹 수그린 린지의 턱을 잡아 올려 눈을 마주 보았다.

"맞네, 맞아. 어제 연못에서 나 만났었지?"

린지를 살핀 백작은 씩 웃음을 지으며 얼굴을 놓아주었다. 린지가 아무런 말도 하지 못하고 다시 고개를 숙이자 백작이 웃음을 터뜨렸다.

"아하하!"

갑작스런 백작의 반응에 집사는 물론 예르시카마저 놀란 표정이 되었다.

"아, 이제야 알겠네. 어제 그 반응을 이제야 이해했어."

그 말에 린지의 얼굴이 창백해졌다. 어젯밤, 백작의 뺨을 사정없이 갈기고 도망간 일이 떠올랐다. 한낱 평민이 귀족을 때렸다. 그것도 고용인인 가주, 백작의 작위를 가진 사내에게 폭력을 휘둘러 버렸다. 잘리는 것은 물론 따로 죄를 물어 벌을 받더라도 할 말이 없는 상황!

린지의 표정을 본 백작은 또다시 웃음이 터졌는지 풉, 하고 바람 빠지는 소리를 냈다.

"너 말이야, 자르거나 벌을 주거나 하지 않을 테니까. 세상이 끝난 것 같은 표정 그만 짓지 않겠어?"

"……네?"

린지는 조심스럽게 고개를 들어 올려 백작을 마주 보았다. 백작은 마치 소년처럼 해맑게 웃고 있었다.

"솔직한 녀석이네? 무슨 생각하는지 얼굴에 다 나와 있어."

유시젠에게서 종종 들었던 말이 백작에게서 똑같이 튀어나왔다. 린지가 할 말을 찾지 못해서 침묵을 지키고 있을 때 백작이 돌연 등을 돌려 집사 쪽으로 다가갔다. 집사와 예르시카는 이 상황에 대해 의구심 가득한 표정이었다.

"백작님. 아는 녀석이십니까?"

"으응, 그런 건 아니고. 나 시종 골랐어."

"예?"

"저기 붉은 머리카락의 귀여운 녀석 말이야."

골랐다고? 다른 시종들에게는 질문은커녕 시선조차 주지 않았으면서, 이렇게 간단하게 골라 버렸다고? 집사는 뭔가 묻고 싶은 표정이었지만 이내 할 말을 삼켜 내고 고개를 끄덕였다. 아무리 집사일지언정 한낱 고용인. 가주의 의견에 토를 다는 불충을 저지르고 싶지 않았다.

"알겠습니다. 린지안을 제외한 자들은 나가 봐라."

"예."

다섯 명의 시종들은 허리를 숙인 후 방을 빠져나갔다. 린지는 사라지는 그들의 등에서 적개심을 느끼고는 침을 꼴깍 삼켰다. 면접은커녕 시선조차 받지 못하고 기회를 박탈당했으니 어지간히 억울할 것이다.

"뭐 하고 있느냐? 백작님께 인사를 올리지 않고."

집사의 말이 떨어지자 린지는 그제야 백작에게 시선을 옮겼다. 백작은 뭐가 그렇게 즐거운지 싱글싱글 웃는 얼굴로 그녀의 소개를 기다리고 있었다.

"리, 린지안 아르즈벨입니다. 백작님을 모시게 되어서 무한한 영광입니다."

"나는 휘안이야. 휘안 데 르카플로네. 잘 부탁해, 린지안 군."

백작이 눈을 찡긋 감으며 웃자 린지는 허겁지겁 시선을 피했다.

'뭐, 뭐야 저 백작!'

모든 것이 생소했다! 저 서글서글한 말투와 눈웃음이라니? 저런 종류의 남자를 생전 처음 겪는 린지는 도저히 어떻게 반응해야 할지 감을 잡을 수 없었다. 그저 당혹스러울 뿐이었다.

"예르시카랑 집사는 이만 나가 봐. 나는 린지안 군이랑 친목을 더 나눠 보도록 할게."

예르시카의 눈이 린지안에게 꽂혔다. 그녀는 무언가가 마음에 들지 않는지 살짝 미간을 좁혔지만 잠시일 뿐, 허리를 숙인 후 집사와 함께 문을 나섰다.

탁!

문이 닫히자마자 백작이 린지의 앞으로 한걸음에 성큼 다가왔다. 갑작스런 접근에 린지는 화들짝 놀라 몸을 움츠렸다.

“왜, 왜, 왜 그러십니까?”

백작이 멈추지 않고 다가오자 린지는 계속 주춤주춤 뒷걸음질 치다가 벽에 가로막혔다.

“배, 백작님?”

백작의 그림자가 린지의 몸을 단숨에 삼켰다. 고개를 뻣뻣이 들고 백작을 올려다보는 린지는 그가 굉장히 크다는 것을 다시 한 번 깨달았다. 키가 큰 편인 린지가 이렇게까지 얼굴을 한껏 들어 올리면서까지 봐야 하는 남자는 드물었던 것이다.

“흐음.”

린지의 앞까지 바싹 다가온 백작은 다시 한 번 그녀의 턱을 들어 올렸다. 그러곤 다른 사람들이 있을 때보다 훨씬 더 꼼꼼한 눈빛으로 그녀의 얼굴을 훑어보았다.

‘으왓. 대체 뭐야.’

턱을 잡고 요리조리 돌려서 살펴보는 백작의 보랏빛 눈동자에 온몸이 얽매인 듯한 기분이 들어서 손끝 하나 쉬이 움직일 수 없었다. 눈빛 하나만으로 단숨에 잡아먹힐 것만 같은 위기감이 느껴져 절로 목이 뻣뻣해졌다. 그의 눈동자에는 그러한 마력이 있었다.

“착각할 만해. 그치, 린지안 군?”

백작은 싱긋 웃으며 한 발자국 뒤로 물러섰다.

“어제 내 애인이랑 연못 다리 위에서 만나기로 했었는데, 린지안 군이 너무 예쁘게 생겨서 착각하고 말았네. 본의 아니게 무례를 저질러 버려서 미안. 용서해 주겠어?"

백작은 미안한 듯 웃음을 지으며 린지에게 손을 내밀었다. 그것을 멍하게 쳐다보던 린지는 이윽고 백작의 의도를 깨닫고는 서둘러 손을 들어 올렸다.

"시, 신경 쓰지 마세요. 저는 괜찮으니까요."

린지가 손을 내뻗자마자 백작이 단숨에 그녀의 손을 가로채 잡았다. 그의 손끝에 힘이 들어가 린지의 손을 사로잡듯이 감싸 쥐었다. 악수라고 하기엔 미묘하게 다른 느낌을 받은 린지는 서둘러 손을 뗐다. 그의 손이 닿은 곳이 덴 것처럼 강렬하게 다가왔다.

"흐음."

백작은 어쩔 줄 몰라 하는 린지를 바라보며 턱을 괴었다.

"용서해 주니 고마워. 어제 보니까 왠지 첫 키스였던 것 같아서 말이야."

그래, 첫 키스였지! 순간 분노가 솟아올랐지만 린지는 애써 감추었다. 하지만 그 노력과는 달리 백작은 그녀의 마음을 간파하고는 다시 한 번 웃음을 터뜨렸다.

"아하하! 역시 처음이었던 거야?"

"……."

"푸하하!"

백작은 아예 배를 잡고 웃음을 터뜨렸다. 참으로 웃음이 헤픈 사람임이 분명하다. 그런 평가와는 별개로 린지는 순간 백작의 뒤통수를 한 대 쳐 버리고 싶은 욕망을 느꼈다. 갑자기 백작을 만나게 돼서 당황하긴 했지만, 린지의 마음 안에는 어제 그 일에 대한 분노가 여전히 자리 잡고 있었다.

'이 얼굴만 번드르르한 녀석이 내 첫 키스를 가져가 버렸단 말이지!'

그녀가 가지고 있던 모든 낭만을 깨부순 놈이지 않은가. 심지어 애인의 얼굴을 헷갈릴 정도니 얼마나 많은 여자들을 만나고 다니는 건지! 그런 바람둥이에게 첫 키스를 빼앗기다니, 차라리 키벨이 나을 뻔했다.

"아이고, 배야. 너무 웃었다. 린지안 군, 미안해. 그러니까 쥐어 패 버리고 싶다는 표정 좀 그만 거둬 줄 수 없을까?"

그 말을 듣고서야 린지는 아차 하는 느낌으로 잽싸게 고개를 돌렸다. 이놈의 표정 관리는 여기 와서도 문제였다.

돌연 백작이 정색을 하며 말했다.

"너무 억울해하지 마, 린지안 군. 사실은 나도 첫 키스였거든."

뭐? 린지가 헛소리를 들었다는 듯 입을 떡하니 벌리자 백작은 진지하게 강조했다.

"정말이라니까?"

"웃기…… 아니, 농담하지 마시죠."

린지는 웃기지 마, 새꺄! 라고 말하고 싶은 것을 애써 삼키며 떨리는 목소리로 말했다.

"남자랑 키스한 건 나도 처음이었어. 그러니까 나도 첫 키스."

그녀는 순간 한 대 때리고 싶어서 불쑥 올라오려는 주먹을 애써 다스려야 했다.

"와하핫!"

린지의 표정을 본 백작은 배를 부여잡고 미친 듯이 킬킬거리기 시작했다. 그의 웃음이 이어질수록 린지의 썩어 가는 표정에 가속도가 붙었다. 서서히 이 백작의 정신 상태가 의심되기 시작했다.

"아아, 귀여워. 이렇게 귀여운 시종이 있었을 줄이야. 재밌어."

마치 신기한 장난감을 발견했다는 듯한 태도에 순간 열이 확 뻗쳐올랐다. 결국 린지는 참지 못하고 한마디 던지고 말았다.

"마치 애완동물 취급하시는군요."

그녀의 말에 백작은 웃는 낯 그대로 린지를 물끄러미 쳐다보았다. 보라색 눈동자에 묘한 빛이 스쳐 지나간 것을 본 린지는 순간 자신의 실수를 깨달았다.

'아이고, 저질렀다.'

귀족의 말에 시종이 말대꾸를 해 버리다니! 린지는 입술을 깨물며 자책했다. 보통 귀족이라면 당장에 매질을 명했을 것이다. 백작의 침묵이 길어지자 린지는 내심 그의 불호령을 각오하며 주먹을 쥐었다.

"애완동물이라. 생각해 보니 그것도 좋겠네."

린지는 수상쩍은 기운을 느끼며 슬그머니 고개를 들었다. 백작이 몹시 매력적인 웃음을 지으며 그녀에게 다가오고 있었다.

"애완동물은 주인의 사랑을 먹고 살아간다지. 그럼 어디 한번 귀여워해 줘 볼까?"

순간 등 뒤로 소름이 쫙 돋아 올랐다. 단박에 얼굴이 새파랗게 질린 린지는 어깨를 잔뜩 움츠렸다.

"왜, 왜 이러십니까?"

"귀여워해 주려고 그러는데. 왜? 안 돼?"

은근한 목소리로 속삭인 백작의 손이 린지의 얼굴 위를 감쌌다.

"히익! 이, 이러지 마십시오! 소리 지를 겁니다!"

설마 이 작자, 남자 여자 안 따지는 스타일이란 말인가! 린지는 절체절명의 위기 속에서 두려움을 느끼며 두 손으로 어깨를 감싸 안았다. 이런 종류의 위기감은 생전 처음이었던 것이다!

린지가 두 손으로 몸을 감싸며 눈을 질끈 감자 지켜보던 백작의 입가가 씰룩거렸다. 그는 잠시 참아 보려고 노력하는 것 같았으나, 결국 어쩔 도리 없이 폭소하고 말았다.

"아하하!"

갑자기 터진 웃음소리에 린지가 슬그머니 실눈을 떴다. 악마처럼 유혹적인 기세는 어디 갔는지 백작은 한쪽 손으로 얼굴을 감싸며 몸을 부들부들 떨고 있었다.

"하하하하! 아, 진짜 장관이다! 푸하핫!"

그가 웃는 모습을 지켜본 린지는 서서히 상황 판단이 되기 시작했다. 그러니까 이 백작은…….

'이 자식이 날 가지고 놀아?!'

잠시 후 백작은 폭소를 멈췄지만 여전히 웃음기가 가득 남아 있는 얼굴로 린지의 어깨를 톡톡 쳤다.

"아아, 진짜 재밌었어, 린지안 군. 고마울 정도로 웃었네."

"노, 놀리지 마십시오."

"미안, 미안. 어쨌든 걱정하지 말라고. 난 여자가 좋거든. 남자한테 관심 가져 본 적 없어."

그렇게 말한 백작의 눈에 다시 한 번 장난기가 깃들었다.

"린지안 군을 만나기 전까지는 그랬었지."

"네? 그게 무슨?"

린지가 또 당황하자 다시 한 번 백작이 푸흐흐, 하고 웃음을 흘렸다. 연속적인 웃음 폭탄에 린지는 마치 원맨쇼라도 하는 것 같은 기분이었다.

"후후, 농담이야. 그러니까 그렇게 눈 동그랗게 뜨고 놀라지 않아도 돼."

그렇게 말한 백작은 손을 들어 올려 린지의 머리칼을 가볍게 헤집었다. 그 친근한 태도에 린지의 몸이 굳었다.

'대체 뭐야, 이 백작?'

마치 친한 동생 대하듯이 이렇게 쓰다듬다니. 누군가가 자신의 머리를 쓰다듬은 것은 처음인지라 린지는 아무런 반응을 보일 수 없었다. 잠시 후, 생글생글 웃는 백작의 얼굴을 보고 정신을 차린 린지는 서둘러 고개를 숙여 보였다.

"제, 제가 무례했습니다. 용서해 주세요."

"그럴 리가. 웃겨 줘서 고맙다고 했잖아? 말대꾸한 것도 재밌었으니까 계속 그럴 수 있도록 해."

"네……?"

이건 또 무슨 소리인지? 아니, 애초에 이 대화가 정상적인 대화가 맞는 건가? 저자가 정신이 나간 건지 내가 정신이 나간 건지……? 린지가 혼란스런 표정을 짓자 백작은 웃음으로 답하였다.

"앞으로 잘 부탁해, 린지안 군."

"저, 저야말로 잘 부탁드립니다."

린지는 상쾌하게 미소 짓는 백작의 얼굴을 바라보며 얼떨결에 따라서 웃었다.

탁. 백작의 방문을 닫고 빠져나온 린지는 방전된 것만 같은 느낌을 받았다. 마치 열 시간 강행 훈련을 한 것처럼 온몸에 힘이 하나도 없었다. 백작에게 모든 기운을 빨린 것 같았다.

'대체 뭐야, 저 백작?'

휘안이라고 했던가? 짧은 대화였지만 그는 린지를 혼란의 구렁텅이에 빠뜨리기에 충분했다. 종잡을 수 없는 파격적인 성격에 린지는 정신이 붕괴돼 버리는 것만 같았다. 백작은 린지가 태어나서 처음 접해 보는 이상한 타입이었던 것이다.

'귀족 맞아?'

린지가 아는 귀족은 권위적이고 자신의 지위에 대한 자긍심으로 가득한 자들이다. 때문에 그 권위에 도전적인 자세를 취하는 자들에게는 불쾌함을 표하는 것이 당연지사. 그런데 저 백작은 린지의 말대꾸에 기분 나빠 하기는커녕 즐거워했다. 심지어 재미있으니까 계속하란다!

'대체 뭐지?! 진짜 이상해, 저 인간!'

그때 뒤에서 인기척이 느껴지자 린지는 잽싸게 뒤를 돌았다. 그곳엔 아리따운 금발을 늘어뜨린 여인, 예르시카가 서 있었다.

"백작님과는 무슨 관계지?"

그녀는 다짜고짜 그 얼음 같은 눈으로 쏘아보며 차갑게 물어 왔다.

"예?"

"백작님의 태도를 보아하니 안면이 있던 사이 같던데. 어디서 처음 만났지?"

"그게 무슨……."

"토 달지 말고 대답해라. 내 말이 들리지 않아?"

순간 기분이 확 나빠졌으나 린지는 참아 냈다. 앞으로 이런 대우는 자주 받을 것이다. 지금 자신은 백작의 시종, 이 저택의 고용인이니까 일일이 화를 내면 안 되는 것이다. 하지만 순순히 대꾸해 주고 싶진 않았다.

"백작님께 직접 물으시는 것이 어떠신지요."

그녀는 눈썹을 슬쩍 들어 올리며 린지를 노려보았다.

"백작님께서 대답해 주지 않으셨으니 너에게 묻고 있지 않느냐? 그러니 건방 떨지 말고 말하도록."

"그건 곤란합니다."

그 말에 예르시카의 표정이 일그러졌다. 설마 이러한 대답을 들을 것이라고는 예상치 못했다는 눈빛이었다. 놀란 그녀의 눈동자는 서서히 분노로 물들어 갔다.

"건방진……, 시종 주제에 어디서 감히. 매질을 당하고 싶은 거냐?"

백작가에 체벌실이 따로 있다는 집사의 말이 떠올랐지만 린지는 동요하지 않았다. 오히려 입꼬리에 미소를 만들어 보이며 태연하게 대답했다.

"백작님께서 말씀을 아끼신 부분에 대해 어찌 함부로 입을 놀릴 수 있겠습니까. 그것은 백작님의 뜻과 어긋나는 일 같습니다만."

린지의 차분한 답에 예르시카는 순간 할 말을 잃고 말았다. 여기서 더 이상 뭐라고 하겠는가? 백작의 뜻에 따라 말하지 않겠다는데 더 추궁한다면 그것은 백작을 무시하는 일이 될 터. 예르시카가 말문이 턱 막혀 자신을 노려보자 린지는 생긋 웃어 주었다.

"그럼 이만 물러나겠습니다, 예르시카 님."

말싸움으로 이기는 것도 기분 좋군. 항상 몸싸움에서만 이겨 왔던 린지에게는 신선한 경험이었다. 등을 돌린 린지가 키득거리고 있을 때, 예르시카의 손이 어깨 위로 올라왔다.

"……!"

린지는 놀랐다. 어깨를 잡은 힘이 강해서가 아니라, 그 움직임이 너무나 빨라 대비하지 못함에 있어 놀란 것이다.

예르시카는 린지의 어깨에 손을 얹은 상태에서 날카롭게 경고했다.

"나는 백작님의 호위 기사이자 이 백작 가문의 기사 단장이다. 여자라고 무시한다면 큰코다칠 거야."

호위 기사? 기사 단장이라고? 저 여자가?

린지의 놀란 기색을 느낀 예르시카는 입가에 옅은 조소를 만들어 보이며 그녀를 휙 지나쳐 갔다.

'어쩐지. 뭔가 이상하다고 했어.'

그래서 집사가 그렇게 정중했던 거로군. 멀어져 가는 예르시카에게서 시선을 돌린 린지의 눈에는 묘한 동질감이 스쳐 지나갔다. 다른 사람들도 자신이 검사라는 것을 알았을 때 이러한 기분이었을까? 문득 여자라고 무시하지 말라고 경고하는 예르시카의 마음을 알 것 같기도 했다.

'끙, 괜히 미안하군. 그러게 왜 시비조로 말을 걸고 그래.'

그런데 백작의 호위 기사가 여자라? 그것도 저런 미인이라면…….

'분명히 뭔가 있겠군. 그 바람둥이 백작이 놔뒀을 리가 없지!'

하여튼 이 백작 가문, 이상해도 뭔가 단단히 이상했다. 방금 전 백작과의 만남을 떠올린 린지의 머리가 지끈거리기 시작했다. 개인 시종이 되어서 감시하기는 편해졌는데 어째서인지 기분이 찜찜했다. 왠지 어마어마한 고생길로 걸어가고 있는 것 같은 불길한 예감이 찾아온 것이다.

'아닐 거야, 설마. 그냥 시종 일인데. 암, 그렇고말고.'

불길한 예감은 틀리는 일이 없다는 오래된 격언이 떠올랐으나 린지는 고개를 저으며 애써 무시했다.

그 후, 린지는 바로 집사에게 '시종이란 무엇인가'에 대한 교육을 받기 시작했다. 다음 날 바로 투입되어야 하기 때문에 그녀의 교육은 새벽 늦게까지 계속되었다.

"아아, 피곤해!"

교육을 마치고 방 안으로 들어온 린지는 곧바로 욕실로 직행했다. 그녀는 문을 굳게 잠근 후, 온몸을 옥죄듯이 타이트하게 달라붙어 있던 시종복을 벗어 던졌다.

"으으, 답답해 죽겠네."

시종복보다 더 답답한 것은 바로 이 압박 붕대였다. 그녀는 가슴을 칭칭 동여매고 있는 붕대를 조심스럽게 풀어 헤쳤다.

'에잇. 그렇지 않아도 작은 가슴, 더 작아지게 생겼어!'

군살이라고는 눈곱만큼도 찾아볼 수 없는 몸매이기에 가슴에도 살이 많은 편이 아니었다. 그렇지 않아도 아담한 사이즈인데 이렇게 붕대로 꽉꽉 눌러 재끼니 더 작아질 것만 같았다.

'너무해요, 오라버니!'

자신의 가슴 따위 신경도 쓰지 않는 유시젠에 대한 원망이 살포시 고개를 들었다. 생각해 보니 임무 맡기 싫다고 왕가슴이라고 뻉뻉 우겨 댔던 것은 정말 말도 안 되는 핑계였다. 붕대로 몇 번 누르면 납작해질 사이즈이건만!

그녀는 한숨을 푹 내쉬며 수도꼭지를 돌렸다. 쏴아아. 따스한 물줄기가 그녀의 온몸을 적시며 쏟아져 내렸다. 그 따뜻함에 어깨를 팽팽하게 당기고 있던 피로와 긴장감이 스르륵 녹아내리는 것만 같았다. 린지는 뺨 위로 붙은 붉은 머리칼을 쓸어 넘겼다.

'어쨌든 지금까진 성공적이야.'

쏟아지는 물줄기 아래에서 그녀의 눈꺼풀이 살짝 열렸다. 그 아래로 드러난 예리한 붉은 눈동자는 지금껏 어쩔 줄 몰라 하며 어리바리하게 굴던 시종 린지안의 그것이 아니었다.

'정말 잘됐어. 오라버니가 알면 기뻐하실 거야.'

이렇게 백작을 바로 옆에서 감시할 수 있게 되다니, 이건 하늘이 주신 기회였다. 물론 백작의 성격을 보아하니 조금 귀찮을 것 같긴 하지만, 임무에 있어서 그 정도는 감수해야 하지 않겠는가.

샤워를 마친 그녀는 옷을 주섬주섬 입고 물기 젖은 머리칼을 수건으로 말아 올렸다. 머리가 짧으니 감은 후에 말리느라 고생할 일이 없는 것이 딱 하나 좋기는 했다.

린지는 책상에 앉아 새하얀 종이 위에 편지를 끼적였다.

오라버니.

린지는 낯선 듯 연필을 깨작거리며 글을 써 내렸다.

오라버니, 잘 계시나요? 저는 잘 있습니다.

좋은 일이 생겼어요. 요행이 일어나 백작의 개인 시종으로 일하게 되었습니다. 덕분에 밀착 감시를 할 수 있을 것 같아요.

그리고 아무도 저를 의심하지 않아요. 모두가 저를 남자라고 생각하고 있어서 다행이면서도 씁쓸하네요.

남장은 조금 불편하긴 하지만 곧 익숙해지겠지요.

다시 뵙는 날까지 건강히 계세요.

뵙고 싶습니다.

망설이다가 마지막 문장을 덧붙인 린지는 피식 웃으며 종이를 들어 올렸다. 자신에게는 글을 쓰는 능력이라고는 눈곱만큼도 없는 게 분명하다. 나름 애틋한 마음으로 썼는데 고작 이 정도 표현력밖에 안 된다니…….

'뭐, 어차피 보내지도 않을 편지…….'

편지를 읽은 린지는 의미 없는 웃음을 흘리며 벽난로 안으로 휙 집어 던졌다. 정성껏 쓴 편지는 한순간에 불길 안으로 삼켜져 녹아내렸다.

린지의 아침은 새벽 다섯 시에 시작됐다. 일어나서 샤워를 하고 밥을 먹고 깔끔하게 몸단장을 마치니 대략 여섯 시. 그때에 백작에게 찾아가 그를 깨웠다.

"백작님, 일어나십시오. 백작님?"

아무리 노크를 해도 백작에게는 반응이 없다. 손가락이 아플 정도로 두드리던 린지는 결국 한숨을 푹 내쉬며 천천히 방문을 열었다.

새벽녘의 햇살이 상의를 벗은 백작의 몸 위로 쏟아지고 있었다. 잘 다듬어진 조각상처럼 넓고 매끈한 등을 본 린지의 시선이 잠시 향할 곳을 잃고 허공을 더듬었다. 앞으로 자주 볼 테니 동요하면 안 된다, 린지는 속으로 되뇌며 그에게 다가갔다.

"저, 백작님? 기상하셔야 합니다. 흠, 흠!"

백작은 여전히 감감무소식이었다. 아무리 헛기침을 해 대고 소음을 일으켜 봐도 반응이 없자 린지는 슬슬 짜증이 올라오는 것을 느꼈다.

'키벨 녀석보다 더 심하잖아!'

키벨도 늦잠꾸러기라 몇 번이나 그녀가 깨우러 가긴 했지만 이 정도까지는 아니었다. 옆에서 열심히 지껄여 대고 있는데 미동 하나 없지 않은가! 린지는 어쩔 수 없이 손을 내뻗어 백작의 어깨 위로 올렸다.

"백작님, 기상하셔야……."

그 순간이었다. 백작이 눈을 번쩍 뜨더니 린지의 손을 획 낚아채 침대로 끌어들였다. 린지의 몸이 순식간에 백작 아래로 깔렸다.

"배, 백, 백작님?"

"좋은 아침, 린지안 군."

잠에서 막 깬 듯 부스스한 머리에 실눈을 뜬 백작이 천진하게 웃으며 인사를 건넸다.

"조, 좋은 아침……이 아니라! 왜 이러십니까!"

"우움, 졸려. 조금만 더 자자."

그러고는 린지를 품 안으로 끌어당기며 이불 안으로 파고들었다. 따뜻한 체온이 온몸으로 부딪쳐 오는 생경한 느낌에 린지의 몸이 절로 굳었다.

'뭐, 뭐야 이 자식!'

귓불까지 빨개진 그녀가 서둘러 그를 밀치자 백작의 팔에 힘이 들어갔다.

"오 분만 더 잘래."

"아, 알았으니까 이거 놔주시죠!"

"추워서 그래. 오 분만……."

추우면 윗도리를 입으면 되잖아! 린지는 그렇게 외치고 싶었으나 백작은 이미 다시 잠에 빠져 버린 것 같았다. 그의 단단한 가슴팍에 얼굴을 묻게 된 린지는 버르적거리며 고개를 빼내려고 노력했다. 하지만 백작의 납덩이처럼 무거운 팔다리가 그녀의 몸을 뱀처럼 휘감은 상태여서 쉽지가 않았다.

'대체 이게 뭐야!'

어이가 없어서 말조차 나오지 않는다! 린지는 허탈한 웃음을 흘리며 고개를 들어 올려 백작을 노려다보았다. 그는 소년처럼 순해 보이는 얼굴로 잠에 빠져 있었다.

'대체 뭐야, 누군 안 졸린 줄 아나. 이런 놈이 어떻게 백작이랍시고!'

당황이 지나간 곳엔 분노가 대신했다. 아니, 누구는 늦잠 자기 싫은 줄 알아? 어제 하루 종일 집사에게 시종 교육을 받고 나니 새벽 두 시였고, 아침에 일어난 건 다섯 시였단 말이다. 세 시간밖에 못 잤다고! 이 이기적인 백작, 스케줄 표를 보니까 할 일이 산더미인데 이렇게 게으름 피워도 되는 거냐! 백작가의 미래가 걱정되는구나, 이 나사 빠진 자식아! 당장 일어나지 못할까! 눈을 떠! 눈을 뜨란 말이다!

"눈을 떠, 린지안 군."

핫! 린지의 눈이 번쩍 떠졌다. 백작이 침대에 누운 상태로 그녀를 물끄러미 바라보고 있었다.

"뭐…… 뭐죠?"

"잘 자던데? 많이 피곤했나 봐."

린지의 얼굴이 새빨갛게 달아올랐다. 설마…… 아니야, 그럴 리가 없어.

"린지안 군, 졸았어."

이럴 수가! 린지는 한 대 얻어맞은 표정으로 입을 벌렸다.

졸았다. 졸고 말았다. 백작 욕을 열심히 하다가 저도 모르게 자 버리고 만 것이다!

당황이 파도처럼 밀려왔고 린지의 목덜미까지 붉어지기 시작했다. 어떻게 이런 실수를 할 수 있단 말인가! 심지어 입도 벌리고 잔 듯 침까지 고여 있다. 이런 추태를 부리다니!

"푸하하!"

왜 안 웃나 싶었다! 백작은 히죽거리며 또 하나의 믿기 힘든 사실을 전해 주었다.

"린지안 군, 코 골면서 잤던 거 알아?"

"그, 그럴 리가! 저는 코 안 곱니다!"

"아냐. 린지안 군 코 고는 소리 때문에 깼다고."

망했다. 망해도 제대로 망해 버렸다! 린지가 자기혐오를 느끼고 있을 때 백작의 입가에 난처한 미소가 걸렸다.

"그건 그렇고, 얼굴 좀 들어 주지 않겠어? 이제 일어나야 할 것 같아서."

그 말에 린지는 설마 하는 심정으로 천천히 고개를 들어 아래를 내려다보았다. 아니나 다를까, 린지는 백작의 팔베개까지 하고 있었던 것이다! 깨우러 들어와 놓고 백작의 팔을 베개 삼아 코 골고 침 흘리면서 자 버리다니!

"죄송해요! 정말 죄송해요!"

정말이지 입이 열 개라도 할 말이 없다. 린지는 자리에서 벌떡 일어나 무작정 사죄했다. 어떻게 시종이 돼 가지고 백작을 깨우기는커녕 같이 잘 수 있단 말인가!

그러나 다행인지 불행인지, 백작은 굉장히 즐거운 표정이었다.

"괜찮아. 아침부터 재밌었는걸. 근데 린지안 군 피부 되게 좋더라."

"에?"

"자는 거 구경 좀 했어. 무슨 남자 피부가 그렇게 맑아? 귀부인들이 질투하겠는걸?"

장난스럽게 말한 백작은 벽에 걸려 있던 실크 가운을 몸 위로 둘렀다.

"자, 목욕하러 가자, 린지안 군."

목욕……. 그 단어에 당황으로 가득했던 린지의 얼굴이 싹 굳었다. 드디어, 올 게 오고 말았다. 린지는 침을 꿀꺽 삼키며 앞장서는 백작의 등을 바라보았다. 당연한 말이지만, 목욕 시중 역시 개인 시종이 해야 할 일이었다.

'해낼 수 있어, 린지!'

이 정도는 각오한 일이다. 절대 놀라면 안 된다. 단 한 번도 남자의 알몸을 본 일이 없다는 것을 티 내면 안 되는 것이다. 같은 남자처럼 자연스럽게, 냉정하게, 눈빛 흔들리지 않고, 훔쳐보거나 하지 말자!

'잠깐, 심호흡 한번 하고!'

린지가 그렇게 호흡을 고르며 마음의 준비를 할 때였다.

"목욕은 나 혼자 할 수 있으니 대기하고 있도록 해."

저 혼자 열을 올리며 대비하고 있던 린지의 마음가짐이 무색해질 정도로 백작은 가볍게 상황을 마무리시켰다. 욕실 문을 열고 들어가려던 백작은 린지의 놀란 표정을 보고 장난기 가득한 웃음을 지었다.

"왜 그런 표정이야, 린지안 군? 무슨 문제 있어?"

"네? 아, 아뇨!"

보아하니 백작은 혼자 목욕하는 타입인 듯했다. 그녀 입장에서는 횡재였다. 린지는 혹여나 백작이 마음을 바꿀세라 고개를 휙휙 저으며 손을 휘둘렀다.

"문제없습니다, 없고말고요!"

"서운해하는 것 같은데?"

백작의 한쪽 입꼬리가 올라가 미소를 만들었다.

"같이 할까? 욕조 굉장히 넓어."

"에엑?!"

망치로 머리를 얻어맞은 것처럼 뒤통수가 얼얼했다. 지금 무슨 소리를 들은 거지? 린지가 아무 말도 못 하고 입술만 뻐끔거리자 백작의 고개가 갸우뚱 기울어졌다.

"왜? 싫으니?"

"저, 저, 저는, 저는 이미 목욕을 했습니다."

"또 하면 되잖아?"

"아, 아뇨. 어, 엄마한테 혼나요. 그게, 하루에 목욕을 한 번만 하라고, 저기, 물 낭비라고, 그렇게 가르치셨기 때문에……."

머리가 새하얗게 돼서 되는대로 지껄이는 것을 잠자코 듣고 있던 백작의 어깨가 부르르 떨렸다. 그는 손으로 얼굴을 가리며 몸을 떨더니, 이윽고 커다랗게 웃음을 터뜨렸다.

"큭, 크큭…… 어, 어머님 핑계를 대다니, 아무리 그래도 그렇지! 아하하하!"

린지가 무안해질 만큼 호탕하게 웃은 백작은 왠지 모르게 상쾌한 표정으로 그녀의 머리를 쓰다듬었다.

"당연히 농담이지. 린지안 군, 생각보다 멍청하네."

탕. 린지는 닫힌 목욕탕 문을 얼빠진 표정으로 쳐다보았다. 마치 폭풍이 휩쓸고 지나간 듯한 정적만이 고요하게 머물렀다. 침묵이 이어지는 가운데, 철저하게 농락당한 린지의 손끝이 분노로 바르르 떨리기 시작했다.

'이…… 이 망할 백작!'

저 백작, 생긴 건 천사처럼 생겨 가지고는 완전히 사람을 가지고 놀고 있다! 방 안에 들어온 순간부터 지금까지 백작의 손바닥 위에서 열심히 춤을 춘 기분이었다. 분한 마음이 휘몰아친 린지는 입술을 깨물며 주먹을 꽉 쥐었다.

'얄미운 녀석! 어디 두고 보라고, 네가 이럴수록 더 철저하게 조사해 줄 테니까!'

복수할 거야. 네놈의 모든 것을 파헤쳐서 보고를 올릴 테다. 남에게 알리고 싶지 않은 수치스러운 부분까지 다 조사해서 까발릴 테다!

백작이 목욕을 하고 나오는 동안 린지는 그의 아침 식사를 수레에 담아 끌고 왔다. 집사의 말에 따르면 백작은 항상 방 안에서 간소하게 아침을 먹는다고 했다.

'그런데 진짜 간소하잖아!'

테이블 위로 접시를 늘어놓는 린지는 내심 경악했다. 나름대로 귀족들의 생태에 대해 잘 아는 린지였기 때문에 백작의 아침 식단에 놀랄 수밖에 없었다.

'뭐야, 이 녀석. 토끼야?'

일단 접시는 꽤 많았으나 그 안에 든 음식은 소량의 야채들뿐이었다. 양배추, 토마토, 오이, 기타 등등! 온갖 가지 야채들이 자그마한 양으로 담겨 있었다. 린지의 눈에는 따끈따끈하게 김이 피어오르는 수프만이 제대로 된 음식으로 보였으나, 그 역시 귀족의 식탁에 올라와 보이기엔 간소하긴 마찬가지였다.

"그럼, 먼저 먹어 보겠습니다."

린지는 집사에게 교육받은 대로 소량의 음식을 집어 한 입 한 입 맛보았다. 독의 유무를 검사하는 절차였는데 귀족과 왕족들의 개인 시종들에게는 흔한 업무 중 하나였다.

'으익. 더럽게 맛없네.'

온갖 야채를 입에 담은 린지는 표정 관리가 힘들어지는 것을 느꼈다.

신선한 1등급 야채임은 인정하지만 최소한의 간조차 되어 있지 않았던 것이다. 그야말로 100퍼센트 유기농 생야채!

"맛없어?"

휘안은 그녀를 물끄러미 바라보며 물었다. 그럼 맛이 있겠냐? 이렇게 대꾸하고 싶은 린지였지만, 그녀는 입꼬리를 올려 보이며 웃었다.

"아뇨, 맛있습니다."

"음? 그래?"

"네. 맛있어요."

린지의 연기가 먹혀든 것인지 휘안이 아찔할 만큼 화사한 미소를 지어 보였다.

"뻔뻔하게 거짓말을 하네, 린지안 군. 그렇게 예쁜 얼굴로 거짓말하는 거 아냐. 솔직하게 얘기해 봐."

그럼 텃밭에서 지금 막 뜯어 온 듯한 이 야채가 맛이 있을 리가 있나. 린지는 한숨을 푹 내쉬며 진심을 말했다.

"네. 솔직하게 말해서 제 스타일은 아니네요. 적어도 곁들일 소스나 닭 가슴살 정도는 있어도 될 듯싶어요."

그러자 휘안이 돌연 정색했다.

"하지만 이건 내 아침 식사잖아? 내 밥 가지고 이래라 저래라 하는 거 아니야, 린지안 군."

그럼 애초부터 왜 물어본 건데? 어처구니가 없어진 린지는 허탈한 눈으로 그를 바라보았다. 거짓말은 나쁘다는 둥, 솔직하게 말하라고 해서 말했더니 면박을 주다니, 이게 무슨 경우란 말인가.

"푸하핫. 장난이야, 장난. 기분 상했어?"

"그럴 리가요. 제가 어찌 감히."

휘안은 뭐가 그렇게 재밌는지 연신 웃음을 내뱉어 냈다.

"거기 그렇게 서 있지 말고 옆에 앉아."

옆에 서 있던 린지를 향해 휘안이 옆자리 의자를 꺼내 보였다. 그 제안에 린지는 눈을 휘둥그렇게 떴다.

"네? 아뇨, 괜찮습니다."

그러자 휘안은 뻔뻔한 표정으로 말을 이었다.

"명령인데?"

그 말에 린지는 잠시 망설이다가 쭈뼛거리며 그의 옆자리에 앉았다. 그러고는 최대한 시선을 테이블에 고정하려고 했지만, 옆에서 느껴지는 따가운 눈빛을 무시할 수가 없었다.

'윽, 뭐야 대체?'

실컷 놀리고 난 뒤 갑자기 옆자리를 권해 앉히고 난 뒤 노골적으로 쳐다보고 있다. 린지는 그야말로 가시방석에 앉은 것만 같은 불편함을 느꼈다. 르카플로네 백작, 이상하다고 생각하긴 했지만 너무 이상하다. 무슨 귀족이 이렇게 격식 없이 군단 말인가? 린지는 이런 귀족을 겪어 본 적도, 들어 본 적도 없었다.

'그렇다고 해서 천박한 것도 아니고.'

이렇게까지 격식을 차리지 않는데 기품을 잃지 않는 것이 신기할 정도였다. 린지는 슬며시 고개를 휘안 쪽으로 돌렸다. 아니나 다를까, 휘안은 보라색 눈동자를 빛내며 린지를 뚫어지게 쳐다보고 있었다. 바로 옆에서 눈이 딱 마주친 린지는 허둥지둥 고개를 돌려 그의 시선을 피했다.

"아하핫!"

그리고 이어지는 휘안의 웃음소리. 대체 뭐가 그렇게 웃겨서 눈만 마주치면 웃음을 빵 터뜨리는 건지, 린지로서는 감조차 잡을 수 없었다.

"아, 웃겨 죽겠네. 린지안 군, 더 편하게 있어도 좋아."

"지금도 편합니다."

"그렇게 영혼 없는 대답은 하지 말고."

다음 순간, 그가 손을 뻗어 린지의 머리에 얹었다. 길고 유려한 손가락 사이로 붉은색 머리칼이 휘감겼다. 그는 강아지 쓰다듬듯 그녀의 머리카락을 휙휙 헤집었다.

"나랑 함께하면서 어려운 일은 없을 거야. 불편해하지 말고 편한 마음으로 일하도록 해."

휘안의 손이 떨어지고 나서도 린지는 한동안 멍한 눈빛으로 테이블 위를 응시했다.

'뭐, 뭐야?'

식사가 끝나 가고 나서야 린지는 당혹감에서 벗어나 제정신을 차릴 수 있었다. 그만큼 그가 자신의 머리를 쓰다듬는 행위는 충격적이었다. 자신의 머리를 쓰다듬는 손길은 대충 휘젓는 그것과는 달랐다. 너무나 다정하게, 마치 연인을 쓰다듬는 듯한 진한 애정이 느껴졌다.

"그러고 보니 어제는 제대로 얘기도 못 했네. 린지안 군, 자기소개라도 좀 해 봐."

그는 다정한 웃음을 짓고 있었다. 그 눈빛은 너무나도 소중한 대상을 향한 것과 같아서, 그녀는 순간 자신이 그의 애인이 된 것만 같은 착각을 느꼈다.

'이, 이 바람둥이!'

그런 눈빛으로 여자를 대하니까 누가 안 넘어가겠는가. 동료들 사이에서도 철벽녀라고 소문난 린지 또한 헷갈릴 정도니 어지간한 여자들의 마음을 여는 것은 식은 죽 먹기일 것이 뻔했다.

"앞으로 계속 나랑 붙어 다닐 텐데 서로에 대해 잘 알고 있어야 일하기 편하지 않겠어? 그동안 개인 시종이 너무 많이 교체돼서, 더 이상 바뀌는 건 사절이거든."

그동안 개인 시종은 다 여자였으며 하나도 빠짐없이 휘안과 스캔들을 내고 집사에게 쫓겨났었다. 하기야, 저런 눈빛으로 이렇게 친근하게 대하는데 어떤 여자가 반하지 않을 수 있을까. 남자를 대할 때도 이 정도인데 여자를 대할 때는 더하겠지.

린지는 헛기침을 한 후 마음을 진정시켰다. 진정해라, 린지. 이 사람은 내가 감시해야 하는 대상이다!

"제 이름은 린지안 아르즈벨, 열여덟 살입니다. 파비르 영지 출신이고요."

"파비르? 꽤 먼 곳에서 살았네. 어쩌다가 여기까지 온 거야?"

린지는 짜인 각본대로 차분하게 이야기했다. 유시젠, 오라버니의 손에 의해 철두철미하게 조작된 '린지안 아르즈벨'의 과거 이야기를.

"가족들과 사별하게 되어 새로 시작할 겸 수도로 올라왔습니다."

"그곳에선 무엇을 했지?"

"아버님의 일을 도우면서 아카데미를 다녔습니다."

휘안은 흐음, 소리를 내더니 물 한 컵을 마셨다. 그리고 테이블 위로 컵을 올려놓으며 아무렇지도 않게 물었다.

"검술은 아카데미에서 배운 건가?"

"……!"

순간, 린지는 너무 놀라 테이블에서 일어날 뻔했다. 그런 그녀의 기색을 느꼈는지 휘안이 천천히 고개를 돌려 린지를 쳐다보았다.

"왜 그래? 놀랐어?"

"아, 그게……."

"이력서를 보니까 검을 배웠다는 이야기는 없더라고. 일부러 안 쓴 거야?"

들킨 건가? 찰나의 순간, 휘안의 웃는 보랏빛 눈동자를 응시하며 린지는 빠르게 머리를 굴렸다.

'아니, 안 들켰어.'

들킨 것은 아니다. 린지는 그의 눈을 마주하며 다시 한 번 확신했다. 정체를 들키진 않았다. 하지만 자신이 검을 쓰는 자라는 것을 이미 알고 있다. 궁금해하는 것이 아닌 사실을 확신하고 있는 눈빛이다. 그렇다면 더 부정할 수 없다. 린지는 최대한 침착함을 가장하며 대답했다. 당혹스러워했던 것과는 달리 입술에서 흘러나오는 목소리는 차분하기 그지없었다.

"기사로 지원한 것이 아니니 검술에 대해서는 쓸 필요가 없다고 생각했습니다."

"헤에. 그래? 왜 기사로 지원하지 않았지?"

휘안은 대뜸 린지의 손을 낚아챘다. 놀란 린지가 재빨리 뿌리치려고 했지만 그는 싱긋 웃으며 한 번 힘을 주는 것만으로 움직임을 봉했다. 그러고는 엄지손가락으로 그녀의 손바닥을 쓸어내렸다.

"부드럽네. 하지만 검을 잡은 손이지."

"……."

"알고 있겠지만 기사의 대우는 시종과는 차원이 달라. 왜 시종으로 지원했어?"

그렇게 묻는 휘안의 눈동자는 처음과 같이 너무나도 부드러워서 린지의 등에 소름이 돋아 올랐다.

"……기사로 지원해도 뽑히지 않았을 겁니다. 다룰 수는 있지만 쟁쟁한 기사들 사이에서 두드러질 만큼은 아니라서."

"아아, 그래?"

안 믿고 있어. 그의 눈을 바라보며 린지의 본능이 속삭였다. 그는 지금 너의 말을 믿고 있지 않아. 순간 벼락과도 같은 깨달음이 내리쳤다.

백작은 일부러 그녀에게 다정하게 군 것이다. 일부러 무방비하게 만들어서 저도 모르게 허점을 노출시키도록 의도한 것이다. 린지는 상상조차 하지 못했다. 그가 자신을 벌써부터 의심하고 있을 것이라고는, 아주 짧은 만남과 대화만으로 수상한 점을 발견해 내고 파고들고 있었을 것이라는 것을 예상조차 하지 못했다.

'위기다.'

짧은 순간이었지만 린지는 실감했다. 지금 그녀는 갈림길에 서 있다. 이 의심은 대수롭지 않게 여겨지고 있지만 동시에 너무나도 확고했다. 이 순간을 넘지 못한다면 임무는 실패할 것이다. 그녀는 머릿속으로 유시젠을 떠올렸다.

'오라버니.'

그의 얼굴을 떠올리는 순간 거짓말처럼 마음이 차분해졌다. 언제 당황했냐는 듯, 그녀의 마음은 잔잔한 바다처럼 고요하기 그지없었다. 린지는 흔들림 없는 눈빛으로 휘안을 쳐다보았다.

"저는 검이 싫습니다."

린지는 휘안의 눈을 똑바로 쳐다보았다. 순간 그 또렷한 보라색 눈동자를 견디지 못하고 시선을 돌릴 뻔했지만 유시젠을 생각하며 간신히 참아 냈다.

"부모님이 다른 사람의 검에 의해 돌아가셨습니다. 그래서 저는 더 이상 검을 잡지 않습니다. 이런 이야기까지 이력서에 기입했어야 하는 겁니까?"

마지막 문장을 내뱉는 린지의 목소리는 분노로 인해 조금 떨리고 있었다. 의도된 분노였지만, 그녀 스스로도 놀랄 정도로 자연스럽고 진실된 감정이었다.

'됐다, 먹혀들었어.'

마지막 한마디를 내뱉는 순간 린지는 확신했다. 자신의 말이 너무나도 '진짜' 같았다는 것을 느꼈던 것이다.

그것은 휘안에게 그대로 전달되었다. 그는 잠시 말없이 그녀를 쳐다보더니 뺨을 긁적였다.

"미안해."

연기가 자연스러워 휘안이 속았을 것이라고 짐작은 했다. 휘안이 아니라 그 누구라도 속았을 것이다. 하지만, 이 사과는 짐작하지 못했다.

"기분이 상했다면 사과할게. 묻지 말아야 할 것을 물었군. 미안해, 린지안 군."

정면으로 상대방을 응시하며 내뱉는 사과는 가식 한 점 없는 미안함으로 넘치고 있었다. 린지는 순간 당황하여 어깨를 움츠렸다.

"아, 아닙니다. 사과하지 마세요. 어찌 제가……."

"용서해 주겠어?"

"요, 용서라뇨! 제가 어찌 감히……."

"내가 잘못했어. 사과할게."

거듭되는 사과에 린지의 얼굴이 새빨갛게 달아올랐다. 그녀는 너무나 부담스러워 자리에서 벌떡 일어나 손을 휙휙 저었다.

"그, 그만하세요! 사과하지 않으셔도 됩니다!"

그러고는 저도 모르게 얼굴을 붉히며 말을 이었다.

"백작님, 저는 일개 시종입니다. 그런데 왜 저에게 사과를 하시는 겁니까? 제가 기분이 나쁘든 말든 그냥 무시하고 넘어가셔도 됩니다!"

빠르게 말을 뱉어 낸 린지의 숨소리가 조용한 방 안에 울렸다. 그 모습을 멍하니 쳐다보던 휘안이 불현듯 푸하핫, 하고 웃음을 터뜨렸다.

"하, 하핫!"

"……배, 백작님?"

“하하하하!”

뭐지, 이 갑작스러운 장면의 전환은? 린지는 얼빠진 얼굴로 웃는 휘안을 쳐다보았다. 방금 전까지만 해도 무섭게 추궁하다가, 갑자기 죄인된 표정으로 사과했으면서, 이번엔 웃음을 터뜨려?

‘뭐야 대체. 이 백작, 조울증인가?’

예상할 수 없는 백작의 행동에 린지는 머리가 어지러울 지경이었다. 잠시 후, 웃음을 멈춘 백작은 키득거리며 말했다.

“린지안 군, 굉장히 특이하다. 좀 이상하다는 소리 많이 듣지?”

그건 제가 할 말입니다만……. 린지는 입술 끝까지 치솟아 오르는 이대사를 간신히 참아 냈다.

“나 린지안 군 같은 시종은 처음 봐. 되게 신기하다.”

“그건 저도 마찬가지입니다.”

“응? 뭐라고?”

“아, 아닙니다.”

린지는 헛기침을 하며 재빨리 자리에서 일어났다. 아무래도 여기서 더 백작을 상대하다가는 그녀의 페이스를 잃어버릴 것만 같았던 것이다.

“다 드셨으면 정리하겠습니다.”

“응, 부탁할게. 고마워.”

그렇게 시종에게 일일이 인사 안 해도 됩니다만. 린지는 그렇게 말하고 싶었지만 입 밖으로 내뱉지 않았다.

‘보편적인 귀족적 환경에서 자라났으면 이렇게 격식이 없을 리 없지.’

그렇다면 귀족들 사이에서 자라지 않은 걸까? 하나 그렇다고 하기엔 몸에서 풍기는 기품, 절도 있는 예의범절들은 한순간에 나오는 것이 아닐 텐데…….

‘에이, 모르겠다.’

조금 더 지켜봐야 알겠지. 정말이지 미스터리한 백작이야, 린지는 이렇게 생각하며 한숨을 푹 내쉬었다.

"예르시카, 이거 선물."

예르시카는 눈을 깜빡이며 백작이 내미는 것을 멍하니 바라보았다. 그녀가 쳐다보기만 하자 백작이 손을 흔들며 다시 말했다.

"예르시카? 이거 선물이라니까."

"아, 감사합니다."

그제야 예르시카는 백작의 말을 이해하고는 선물을 받아들였다. 포장지로 감싸져 있는 그것은 아마도 옷인 것 같았다. 예르시카는 오후에 백작이 여자를 만나 데이트하며 이것저것 선물을 사던 것을 기억해 냈다. 그중에 아마 자신의 선물도 들어 있었나 보다.

'물론, 드레스는 아니겠지.'

다른 여자에게는 드레스를 선물했지만 자신에게는 아닐 것이다. 활동하기 편한 여성용 바지가 있겠지. 예르시카의 입가에 쓴웃음이 맺힐 때였다.

"이제 슬슬 들어갈까? 저녁은 저택에 들어가서 먹어야겠어."

"들어가시겠다고요?"

예르시카는 미간을 좁히며 백작의 스케줄을 기억해 냈다. 아직 약속 하나가 더 남아 있을 텐데?

"루이샤 영애와의 약속이 있으십니다만?"

루이샤는 백작의 애인 중 한 명이었다. 예르시카의 머릿속에 붉은 머리칼을 아름답게 늘어뜨린 여인, 루이샤의 얼굴이 스쳐 지나갔다. 설마 바람맞힐 작정이란 말인가?

"알아. 하지만 오늘은 그녀를 만날 기분이 아니군. 편지를 보내서 약속을 취소해야겠어."

루이샤 영애의 성격을 알고 있는 예르시카는 침을 꿀꺽 삼켰다. 한바탕 난리가 벌어질 것이 눈에 보였던 것이다.

"영애께서 노하실 텐데요."

"괜찮아. 걱정하지 마."

하여간, 자신의 주군은 예측할 수 없는 변덕쟁이였다. 가끔 이렇게 아무런 예고도 없이 약속을 취소하고는 했던 것이다. 그럼에도 불구하고 여자들은 백작이 좋다고 난리니…….

예르시카는 백작의 결정을 바꿀 수 없다는 것을 깨달으며 마부에게 저택으로 향할 것을 명했다. 마차에 탄 예르시카는 백작을 마주 보다가 문득 루이샤 영애와 같은 붉은 머리칼을 가진 시종을 떠올려 냈다.

'건방진 녀석.'

눈을 가만히 내리깔고 있다가 문득 마주칠 때면 당당하게 쳐다보던 그 녀석, 또박또박 말대답을 하던 그 시종 녀석! 정말이지 마음에 들지 않는 녀석이었다. 게다가 집사에게 듣자 하니 시종으로 들어온 지 얼마 안 되는 새파란 애송이라고 한다. 그런 작자를 시종 후보로 추천한 집사도 이해 가지 않지만 단박에 그를 뽑은 백작의 심중은 참으로 알 수가 없었다.

"저, 백작님."

"휘안이라고 부르라니까, 예르시카. 예전처럼."

백작이 턱을 괸 상태 그대로 예르시카를 똑바로 쳐다보았다. 신비로운 보라색 눈동자와 정면으로 마주친 예르시카는 저도 모르게 시선을 내렸다. 마치 눈부신 빛을 마주한 사람처럼.

"어찌 그런 무례를 저지르라 하십니까."

"흐응, 예르시카는 고지식하다니까."

잠시 할 말을 찾지 못하던 예르시카는 짧은 침묵 후에 본론을 다시 꺼냈다.

"개인 시종에 대해서 드릴 말씀이 있습니다."

"개인 시종?"

백작이 의아한 표정을 짓다가 이윽고 소리 내어 웃었다. 짧은 폭소를 터뜨린 백작이 손을 설레설레 저으며 말했다.

"미안. 오늘 아침 일이 생각나서. 푸흣……."

백작의 입가에 유쾌한 웃음이 걸리자 예르시카는 저도 모르게 주먹을 쥐었다. 칼날처럼 날카로운 무언가가 그녀의 마음을 할퀴고 지나갔다. 익숙한 고통을 담담히 받아들인 예르시카는 다시 이야기를 꺼냈다.

"다른 시종으로 바꾸시는 것은 어떻습니까?"

"뭐?"

"집사에게 듣자 하니 시종 일을 시작한 지 얼마 안 된 신입이라고 합니다. 아직 미숙할 터이니 더 경력이 많은 시종으로……."

예르시카의 목소리가 줄어들었다. 백작이 그만 말하라는 듯 손을 들어 올린 것이다. 그는 싱긋 미소 지으며 타일렀다.

"괜찮아, 예르시카. 신경 써 줘서 고마워."

"하지만."

"응? 괜찮다니까?"

"백작님, 그 시종은……."

예르시카가 더 말을 이어 가려 하자 백작은 그녀를 빤히 응시하였다. 입가는 여전히 호선을 그리고 있지만 눈동자만큼은 단호했다. 그제야 자신의 실수를 깨달은 예르시카가 고개를 숙여 보였다.

"죄송합니다. 용서해 주십시오."

"용서라니? 예르시카, 우리 사이에 너무 뻣뻣한 거 아냐?"

맑은 미소를 지은 백작은 불현듯 마차의 덧문을 열어 올려 창밖을 내다보았다. 상쾌한 바람이 흘러들어 그의 은빛 머리카락을 가볍게 훑고 지나갔다.

"그 녀석, 꽤 웃겨. 놀리는 재미가 있다고 해야 할까."

"……."

"푸핫!"

또 무언가를 떠올렸는지 활짝 웃는 백작을 지켜보는 예르시카의 눈이 가라앉았다. 그녀의 푸른 눈동자에는 가질 수 없는 빛에 대한 갈망이 숨겨져 있었다.

어느덧 린지가 시종으로 일한 지 한 달이 지나갔다.

처음 백작의 개인 시종이 되었을 땐 이것을 어떻게 버텨 내나 싶었는데, 슬슬 적응이 되어 가고 있어서 다행이었다. 하루의 시작을 백작을 깨우는 것으로 시작하는 린지는 오늘도 문을 노크하고 있었다. 역시나 대답은 없었다.

'이 잠꾸러기 같으니라고!'

휘안 백작은 아침에 약했고 잠버릇도 고약했다. 아침에 깨우다가 몇 번이나 침대에 끌려들어 갔는지 말도 못 한다. 린지는 한숨을 내쉬며 문을 열어 침대 쪽으로 다가갔다.

"백작님, 기상하셔야…… 끄아앗!"

린지는 저도 모르게 비명을 내질렀다가 재빨리 손으로 입을 막았다. 하지만 이미 때는 늦어 있었다. 그녀의 소음을 들은 자의 눈이 떠진 것이다.

"……뭐야, 시종이잖아."

처음 보는 여인이 알몸으로 백작을 꼬옥 끌어안고 있었다! 백작은 아직도 잠에 빠진 듯, 역시나 벗은 몸을 웅크리고 잠들어 있었다. 여인은 하품을 하면서 다시 눈을 감았다.

"나가 봐. 나랑 휘안은 더 잘 거니까."

"어, 어어……."

어떻게 해야 하지? 이런 상황엔 어떻게 해야 하지? 석상처럼 굳어서 아무것도 못 하고 있을 때 문득 섬광 같은 기억이 스쳐 지나갔다.

"여자와 함께 있어도 놀라지 말고 깨워야 한다, 알겠느냐!"

개인 시종이 막 되었을 때 집사의 가르침이 떠오른 것이다! 에이 설마요, 라고 웃어넘겼지만 실제로 일어나니 어떻게 대응해야 할지를 모르겠다.

"나가 보라는 내 말 안 들리니?"

린지와 같은 붉은 머리칼을 가진 여인은 눈을 매섭게 뜨며 말했다. 미인이긴 하지만 꽤나 신경질적으로 보이는 여자다. 린지 역시 마음 같아서는 당장에 이 방에서 뛰쳐나가고 싶지만 그럴 수 없었다. 그녀에게는 자신의 매뉴얼을 따라야 할 의무가 있다.

"죄, 죄송합니다만 백작님께서는 지금 기상하셔야 합니다."

린지의 말에 여자가 인상을 팍 찡그리며 천천히 몸을 일으켰다. 여인은 침대 아래에 떨어져 있던 가운을 걸쳐 입고는 린지의 앞에 섰다.

"시종 주제에 건방지구나. 나가 보라는 내 말 안 들려?"

마치 당장이라도 따귀를 올려붙일 기세인지라 린지는 갈등했다. 집사의 가르침이냐, 여자의 협박이냐, 무엇을 선택해야 한단 말인가!

린지가 답 없는 고민에 빠져 있을 때였다. 곱게 잠들어 있던 백작이 기지개를 펴며 몸을 일으켰다.

"흐아암. 다들 좋은 아침."

"휘안!"

백작이 일어나자 여자의 험악한 인상이 단숨에 나긋하게 풀어졌다. 그녀는 백작에게 다가가 그를 꼬옥 끌어안았다.

"굿모닝, 달링."

"응, 응."

백작은 잠이 덜 깬 표정으로 고개를 끄덕이면서 여자의 입맞춤을 받아 주었다. 고의 아니게 애정 행각을 목격한 린지는 얼굴을 붉히며 재빨리 시선을 돌렸다.

"너 아직도 있었니? 언제까지 방해할 작정이야?"

여자가 백작의 뺨에 입술을 쪽 맞추며 린지를 흘겨보았다. 백작까지 깨어난 마당에 버티고 있을 이유가 없어진 린지가 정말로 나가 봐야겠다, 라고 결심한 순간이었다. 휘안의 목소리가 린지의 발목을 잡았다.

"나가지 마, 린지안 군."

잠시 침묵이 흘렀다.

"휘안? 그게 무슨?"

"일어날 시간이야. 루이샤, 당신은 돌아가야 할 시간이고."

그 말에 루이샤라고 불린 여인의 얼굴이 머리카락 색처럼 붉게 물들었다. 그녀는 모욕감에 부들부들 떨다가 자리에서 벌떡 일어났다.

"흥, 좋아요. 돌아가 드리죠, 바쁜 백작님. 아침에는 다른 애인과 선약이 있으신가 보죠?"

"오늘 아침은 린지안 군이랑 보내기로 했거든. 미안."

이번에는 린지의 눈이 커질 차례였다. 설마 나를 희생양으로 삼는 거냐! 아니나 다를까, 루이샤의 표독한 눈매가 더더욱 날카로워졌다.

'저 백작 녀석이 무슨 헛소리야!'

흥 하고 코웃음을 뿜어낸 루이샤는 거친 손동작으로 드레스를 입기 시작했다.

"굿모닝, 린지안 군. 잘 잤어? 오늘도 귀엽네."

아니 이 백작이 왜 이래? 린지가 당황하든 말든 백작은 신경 쓰지 않는 듯 자리에서 일어나 그녀의 머리를 쓱쓱 쓰다듬었다.

"자, 목욕하러 가자. 오늘도 시중들어 줄 거지?"

"그, 그게 무슨……."

"루이샤, 집사가 마차를 준비해 놨을 거야. 조심히 들어가."

백작은 루이샤 쪽을 쳐다보지도 않고 말한 후 린지의 손을 잡고 걸어갔다. 도리어 루이샤를 돌아본 쪽은 당황한 린지였다. 루이샤는 입술을 깨물며 백작이 아닌 린지를 노려보고 있었다.

욕실 문 앞까지 당도한 백작은 린지의 손을 놓아주며 말했다.

"그럼 대기하고 있어, 린지안 군."

평소처럼 혼자 목욕하러 들어가는 백작의 발을 린지의 목소리가 잡아챘다.

"방금 왜 그러신 거죠?"

"으응?"

"저 영애분께서 저를 독사처럼 노려보셨다고요!"

키벨의 여자들에게서 받았던 살기 어린 눈빛과 똑같았단 말이다. 왜 내가 남장을 해서까지 그런 눈빛을 받아야 하는데!

"그만 만나고 싶거든. 한데 아무리 얘기해도 계속 찾아오고, 이렇게라도 하면 포기해 주지 않을까 싶어서."

놀랍도록 차가운 말을 내뱉어 내는 반면 얼굴은 평소처럼 친절하게 웃고 있었다는 것이 무서웠다. 그게 하룻밤을 함께 보낸 여자를 상대로 할 말이란 말인가!

"너무하시네요! 그럼 왜 저 영애분과 밤을 보내셨습니까?"

"루이샤 양이 다짜고짜 찾아와서 달려들었단 말이야. 그걸 어떻게 뿌리쳐?"

아무렇지도 않게 대답한 백작이 싱긋 웃으며 말했다.

"린지안 군도 남자라면 알 텐데. 아름다운 여인이 무작정 덤벼드는데 거부할 수 있겠어?"

남자가 아니라서 모르겠다, 자식아! 린지가 돌처럼 굳어 아무 말도 못 하자 백작은 다시 한 번 웃어 주며 욕실 안으로 들어갔다. 그 문을 노려보던 린지는 다시 한 번 실감했다.

'저 바람둥이! 여자의 적!'

여자들은 대체 왜 저런 남자가 좋다는 거야!

충격적인 아침을 보낸 린지는 백작이 외출하자 그의 옷을 바구니에 한 아름 담고 세탁실로 향했다.

"백작 아니랄까 봐 옷들이 다 고급이군. 으휴."

때문에 찢어지거나 상하기라도 하는 날에는 집사에게 문책을 당할 것이 뻔했다. 린지는 행여나 떨어뜨리기라도 할까 조심스럽게 바구니를 잡고 이동했다. 그때, 그녀의 귓가가 쫑긋 움직였다.

"내 말이 말 같지가 않아?!"

"웃기는 계집애네, 진짜!"

린지는 저도 모르게 발걸음을 그쪽을 향해 옮겼다. 계단 아래의 좁은 복도에는 아니나 다를까, 서너 명의 여인이 한 여인을 둘러싸고 면박을 주고 있었다.

"내가 오늘까지 접시 다 닦아 놓으라고 했잖아. 네가 선배 말을 무시하는 거야?"

"하, 하지만……."

그들에게 추궁을 당하던 여인이 어깨를 움츠리면서도 자신의 의사를 표현했다.

"천 개가 넘는 접시를 저 혼자 어떻게 다 닦나요. 제게 주어진 업무도 아닐뿐더러 시간도 충분하지 않고……."

"흥. 다 네 의지가 부족해서 아니겠니? 의지만 있으면 뭘 못 하겠어! 지금 당장 가서 하도록 해!"

여인의 얼굴이 울상으로 일그러졌다. 그녀는 눈물이 그렁그렁 고인 눈으로 조심스럽게, 하지만 확실하게 대꾸했다.

"선배, 저 혼자서는 무리예요. 애초부터 제 업무도 아니었잖아요. 시간을 늘려 주세요. 한 시간 안은 무리란 말이에요!"

"이게 지금 선배 말에 토를 다는 거야?!"

데자뷔 현상일까, 지난날 카쥬탄의 핍박 아래에서 야근하던 자신의 모습이 스쳐 지나가자 도무지 그냥 지나칠 수 없었다. 선배 시녀가 손을 들어 올리는 것을 린지가 잡아챘다.

"뭐야?!"

손을 잡힌 시녀가 고개를 들어 올리자 그곳에는 붉은 머리칼의 미소년(으로 알려진) 린지가 멀뚱한 표정으로 서 있었다.

'어, 어머. 린지안이잖아!'

이미 언급됐다시피 린지는 저택의 시녀들 사이에서 인기를 독차지하고 있었다. 이 시녀 또한 평소에 린지를 눈여겨보던 사람들 한 명이었기에, 얼굴을 새빨갛게 붉혔다.

"지금 뭐 하시는 겁니까?"

린지의 차가운 시선이 꽂히자 시녀들이 어쩔 줄 몰라 하며 당황하기 시작했다. 후배를 괴롭히는 모습을 들켜 버리다니! 그것도 저 끝내주게 예쁜 미소년에게!

"후, 후배 훈육 중이었어. 네가 신경 쓸 일이 아니야."

시녀는 린지에게 잡힌 손을 쳐 내며 단호하게 말했다. 그 말에 린지의 눈썹이 슬쩍 올라갔다.

"지금 보아하니 멋대로 체벌하려고 하신 것 같은데요."

"그, 그건……."

"집사님께서 아시면 좋아하시겠군요."

집사라는 단어가 등장하자 시녀들의 얼굴이 흠칫 굳었다. 역시나 집사는 고용인들 사이에서 공포의 대상인지, 시녀들은 당황하다가 재빨리 그 자리를 떠났다. 그 뒷모습을 지켜보던 린지는 한숨을 푹 내쉬며 고개를 돌렸다.

"괜찮아?"

시녀들에게 괴롭힘을 당하던 여인은 어깨를 잔뜩 움츠리고 있었다. 자그마한 체구에 새하얀 얼굴, 옅은 금빛 머리칼이 수수하면서도 몹시 귀여운 소녀였다. 다른 시녀들의 질투를 받을 만큼 예쁜 얼굴인지라 린지는 동정심이 들었다. 자신이 카쥬탄에게 받았던 핍박을 똑같이 받고 있을 거라고 생각하니 한숨이 절로 나왔다.

"고, 고마워요. 덕분에 살았어요."

"너도 힘들겠다. 힘내."

린지는 안타까운 눈빛으로 시녀의 어깨를 톡톡 두드렸다. 그리고 다시 옷 바구니를 잡아 들고 자리를 떠나려고 할 때, 시녀의 손이 옷깃을 잡아당겼다.

"아?"

린지가 물끄러미 쳐다보자 시녀는 자신의 행동에 본인이 놀란 듯 화들짝 놀라며 손을 뗐다.

"미, 미안. 미안해요."

"아니, 뭐. 근데 무슨 일이야? 할 말이라도 있어?"

용건이 있으면 빨리 말하란 말이다. 세탁해야 할 옷이 산더미라고. 린지는 이렇게 말하고 싶은 것을 애써 참으며 시녀가 말하길 기다렸다.

"제, 제 이름은 레이라예요. 그쪽은…… 린지안이죠?"

"응? 날 알아?"

린지가 눈을 동그랗게 뜨자 레이라의 하얀 얼굴에 홍조가 물들었다.

"시녀들 사이에서 유명하니까요. 저도 이름은 몇 번 들어 봐서 외우고 있었어요."

레이라의 말처럼 시종 린지안 아르즈벨은 유명인이었다. 남자면서도 여자보다 더 새하얀 피부를 가진 그는 햇살 아래에 있을 때면 하얀 도자기처럼 반짝거렸다. 게다가 비율은 얼마나 좋은지, 저 작은 얼굴에 눈코입이 다 들어가 있는 게 신기할 정도였다. 무엇보다 여자보다 더 예쁘장한 얼굴은 묘하게 매력적인지라 이미 린지안앓이를 하는 시녀들과 정체불명의 시종들은 넘쳐나고 있었던 것이다.

"어쨌든 만나서 반가웠어, 레이라. 할 말 없으면 이만 가도 되지? 내가 할 일이 많아서."

"저기, 제가 도와 드릴까요?"

린지가 눈을 동그랗게 떴다. 도와준다니? 듣던 중 고마운 소리긴 했지만…….

"너는 할 일 없어?"

"제 업무는 다 해 놨어요. 조금이라도 밀리면 선배들께 혼이 나기 때문에……."

린지는 대충 상황을 이해했지만 단호하게 고개를 저었다. 자신의 일은 자신이 해야 한다. 항상 독립적으로 살아온 린지에게는 이런 호의가 익숙하지 않았다.

"괜찮아. 내 일은 내가 할게."

그렇게 린지가 떠나가려고 하자 레이라가 크게 외쳤다.

"고마워서 그래요. 저, 은혜를 갚고 싶어서……."

레이라가 얼굴을 붉히면서 말하자 린지는 피식 웃음을 흘렸다. 은혜라니, 그렇게까지 말하니까 거절할 명분이 없다.

"그렇다면 그 호의 고맙게 받을게."

"네에!"

린지의 수락에 레이라가 환하게 웃음을 지었다. 아마 남자였다면 단번에 반해 버렸을 만큼 어여쁜 미소였다.

레이라의 제안을 수락한 것은 탁월한 선택이었다. 그렇잖아도 가사에 서툰 린지 홀로 했다면 몇 시간이나 걸렸을 일이 레이라 덕에 반 이상으로 확 줄어든 것이다. 린지는 물기 어린 백작의 옷을 탁탁 털어 내며 건조대에 걸었다. 레이라 역시 옆에서 그녀와 함께 옷을 걸고 있었다.

"고마워, 레이라. 네 덕에 금방 끝나겠어!"

그녀의 미소를 정통으로 마주 본 레이라가 얼굴을 살포시 붉혔다.

"도움이 됐다니 기뻐요."

"응. 너 정말 일 잘한다."

린지는 진심으로 감탄하고 있었다. 키도 작고 손도 작아서 빨래는 제대로 널 수 있으려나 생각했는데 린지보다 훨씬 더 나았던 것이다. 역시 시녀는 다르다고 해야 할까. 그에 비해 자신은 참으로 부족한 시종이라는 생각이…….

'핫! 아니지, 아니야! 난 진짜 시종도 아닌데 왜 부러워하는 거야!'

순간 자아 정체성에 혼란이 온 린지는 고개를 획획 저었다.

"넌 일한 지 얼마나 됐어?"

"시녀 일을 한 것은 삼 년이고, 르카플로네 저택에서 일한 건 네 달

정도 되었어요. 린지안 씨는요?"

린지는 어깨를 으쓱였다. 이제 한 달이 좀 넘은 정도였으니, 말 그대로 새파란 신입이다.

"그런데도 백작님의 개인 시종이 되셨으니 좋으시겠어요. 보통은 경력이 많은 시종들이 맡거든요."

"아아, 운이 좋았다고 해야 할까……."

지금 생각해 보니 정말로 운이 따랐던 것 같다. 우연히 집사의 눈에 들어 그의 호감을 사서 후보로 추천된 것이 아닌가? 만약 그때 집사가 자신을 발견하지 못했다면 아직까지도 카쥬탄의 괴롭힘 속에서 정원 손질이나 하고 있었을 거다. 분명 백작을 관찰하는 일도 힘들었겠지.

"그런데 왜 존댓말? 같은 고용인끼리 편하게 말 놓자."

"예에?"

예상하지 못한 제안이었는지 레이라가 그 동그란 푸른 눈을 커다랗게 떴다.

"어, 하, 하지만……."

"왜? 몇 살인데 그래?"

린지는 그렇게 말하면서 그녀의 나이를 눈대중으로 가늠했다. 자그마한 체구에 앳된 얼굴, 기껏 해 봐야 열여섯이나 열일곱…….

"스, 스물다섯 살이에요."

뭐라고! 린지는 입을 쩍 벌리며 놀란 눈으로 레이라를 쳐다보았다. 그러한 반응이 익숙한지 레이라는 어색하게 머리칼을 꼼지락꼼지락 만지며 수줍게 말했다.

"저, 생각보다 나이가 많죠? 놀라셨나요?"

"아…… 아니."

솔직히 엄청 놀랐다.

'물론 스물다섯도 어린 나이지만, 이 외모에 비하면 말도 안 되는 숫자라고!'

아무리 봐도 앳된 십 대 중후반의 소녀인데 자신보다 연상의 여인이었다니. 딱히 자신을 노안이라고 생각해 본 적은 없지만 이 무시무시한 동안 앞에서 린지는 한없이 작아질 수밖에 없었다.

"마, 많이 어려 보이네……요……."

린지는 저도 모르게 말을 높였다.

"왜 갑자기 말을 높이세요? 그러지 마세요."

"어, 하지만……."

어쩔 줄 몰라 하는 린지의 모습이 재미있었나 보다. 레이라가 싱긋 웃자 린지는 에라 모르겠다, 이런 심정으로 툭 내뱉었다.

"그럼 레이라도 말 놔. 내가 동생인데."

"으음…… 하지만."

"안 놓으면 나도 존댓말 하겠습니다!"

린지가 막무가내로 나오자 레이라가 까르르 웃음을 터뜨렸다. 그녀는 눈가에 맺힌 눈물을 닦아 내며 고개를 끄덕였다.

"아, 알았어. 그럼 린지안은 몇 살이야?"

"나는 스……."

……무 살인데. 린지는 서둘러 조개처럼 입을 다물었다. 하마터면 진짜 나이를 말해 버릴 뻔했다. 린지 아즈벨은 스무 살이지만, 린지안 아르즈벨로서는 열여덟 살인 것이다.

"열여덟 살이야."

"응, 그쯤 될 것 같았어. 내 동생이랑 같은 나이구나."

"동생이 있나 봐, 레이라."

"으응. 여동생이야."

레이라의 얼굴이 어두워졌지만 순간이었을 뿐, 다시 밝은 표정으로 돌아왔다.

"린지안은 형제 있어?"

있을 리가. 형제는커녕 부모 얼굴조차 모릅니다. 린지는 피식 웃었다.

"없어. 그건 그렇고……."

그때였다. 뺨에 꽂히는 시선과 함께 누군가의 기척을 느낀 린지는 최대한 자연스럽게 고개를 돌렸다. 아니나 다를까, 멀리서 누군가가 그들 쪽으로 다가오고 있었다. 린지는 어렴풋한 형체만으로도 그가 누군지 간파하고는 인상을 찡그렸다.

"왜 그래, 린지안?"

레이라가 영문을 모르겠단 표정으로 묻자 린지는 어색하게 웃어 주었다. 그녀는 고개를 갸웃거리다가 린지가 쳐다보았던 곳으로 시선을 돌렸다. 동시에 그녀의 표정 역시 린지의 것처럼 구겨졌다.

"뭐야. 너희 왜 둘이 같이 있는 거냐?"

카쥬탄이었다. 그는 정원 손질을 하고 돌아왔는지 허리춤에 가위와 칼 등을 찬 상태에서 눈을 부라렸다.

'레이라랑 아는 사이인가?'

린지는 똥 밟은 심정으로 고개를 돌렸다. 카쥬탄이 마음에 들지 않은 그녀는 대화를 섞고 싶은 마음이 없었던 것이다.

"내 말이 안 들려? 엉?"

카쥬탄이 언성을 높이자 레이라가 자그마한 목소리로 대답했다.

"제가 린지안의 일을 도와주고 있었어요."

"뭐?"

카쥬탄은 일그러진 인상으로 레이라를 쳐다보았다. 그녀는 두려움과 혐오가 동시에 깃든 표정으로 용기를 내어 대꾸했다.

"제 일을 다 마치고 자유 시간에 한 일이니 문제는 없다고 생각해요. 그런데 무슨 상관이신가요?"

"하. 둘이 언제 이렇게 친해졌지?"

카쥬탄의 얼굴이 기묘하게 일그러져 있었다. 평소에 린지에게 시비를 걸거나 성을 낼 때와는 묘하게 다른 느낌이었다.

"카쥬탄 씨가 신경 쓸 일이 아니잖아요."

"뭐라고?!"

아하, 그렇군. 린지는 눈치가 빠른 스타일은 아니었지만 이러한 상황 정도는 읽을 수 있었다. 카쥬탄과 레이라의 태도를 보아하니…….

"저는 더 할 말 없다고 했잖아요. 이만 가 주세요."

"레이라!"

레이라가 외면하듯 고개를 돌리자 카쥬탄의 얼굴이 울상으로 일그러지는가 싶더니 이윽고 분노가 서렸다. 카쥬탄은 울화를 참아 내는 듯 심호흡을 하며 레이라의 팔을 탁 잡아챘다.

"그러지 말고 잠시 나랑 둘이 얘기 좀 하지."

그러자 레이라가 새파랗게 질린 얼굴로 정색했다.

"왜 이러세요? 이거 놔주세요."

"할 얘기가 있다고 하잖아!"

"저는 없어요. 이것 놔요! 아앗!"

카쥬탄이 레이라의 팔을 강하게 쥐고 잡아끌자 그녀의 입에서 비명이 터졌다. 그 여린 신음에 린지의 인내심이 뚝 하고 끊어졌다.

"이거 놓으라고 하잖아!"

린지는 카쥬탄의 팔을 잡아채고 단숨에 뒤로 꺾었다. 기묘하게 팔이 비틀리자 참기 힘든 고통이 카쥬탄을 내리쳤다.

"으아악! 이, 이것 놔!"

카쥬탄이 비명을 지르자 린지는 땅으로 내동댕이치듯 팔을 뿌리쳤다. 바닥에 엎어진 그가 경련하듯 떨며 비명을 내질렀다.

"으윽, 내 팔! 내 팔이!"

그가 고래고래 소리를 질러 대자 린지의 붉은 눈동자에 경멸이 깃들었다.

"엄살 피우지 마시지. 안 부러졌으니까."

부러지기 직전까지 꺾었으니 아프기는 엄청 아플 거다. 린지는 굳이 부연 설명을 덧붙이지 않고 그대로 고개를 돌려 레이라를 쳐다보았다. 레이라는 갑자기 벌어진 이 상황이 믿기지 않는지 눈을 동그랗게 뜨고 있었다.

"가자, 레이라."

"응? 으, 으응……."

린지가 레이라의 어깨를 감싸자 그녀의 얼굴이 새빨갛게 달아올랐다. 그렇게 그녀와 함께 자리를 떠나기 전, 린지는 마지막으로 카쥬탄에게 한마디 던졌다.

"한 번만 더 레이라에게 그렇게 대했단 봐라. 정말로 팔을 부러뜨릴 테니까!"

그 말에 레이라의 눈망울에 감동 어린 눈물이 고였다.

그들이 떠나고 혼자 남은 카쥬탄은 땅에 엎어져서 부르르 떨었다. 아직까지도 팔에서 느껴지는 고통이 물어뜯듯 그를 놓아주지 않았던 것이다.

"린지안……."

그의 입술에서 짓눌린 증오가 흘러나왔다. 카쥬탄은 있는 힘껏 주먹을 쥐며 몸을 떨었다. 비단 고통 때문만은 아니다. 온몸에 휘몰아치는 증오가 터질 듯이 부풀어 와 숨 쉬기조차 힘들었다.

"네놈, 죽여 버리겠다……."

chapter 3. 덫에 걸리다

좌악!

백작의 얼굴에 정통으로 물이 쏟아졌다. 피할 수 있었겠지만 그는 그렇게 하지 않았다. 하얀 피부와 눈부신 은발이 물기를 머금었지만 백작의 표정은 변하지 않았다. 그는 처음과 다름없이 담담한 표정으로 옅은 미소를 유지하고 있었다.

"이 나쁜 인간. 당신이 어떻게 나한테 이럴 수 있어요."

백작의 얼굴에 물을 뿌린 여자의 이름은…… 아무리 생각해 봐도 기억이 나지 않았다. 린지는 백작의 뒤에 그림자처럼 서서 골똘히 생각했지만 결국은 실패했다. 아무렴, 그렇잖아도 기억력 나쁜 린지인데 백작의 수많은 애인들의 이름을 어떻게 외우란 말인가?

"나보고 예쁘다고 했잖아. 사랑스럽다고 했잖아! 그게 다 거짓이었나요, 휘안?"

여자는 눈가에 그렁그렁 맺힌 눈물을 닦아 내며 처절하게 외쳤다. 안

아서 보듬어 주어도 괜찮을 텐데, 백작은 자리에 앉은 그 상태 그대로 그녀를 가만히 쳐다보기만 했다.

"미안, 아를린. 내가 했었던 말은 거짓이 아니야. 다만 모든 것에는 끝이 있을 뿐이지. 그때 난 당신을 사랑스럽다고 생각했지만 지금은 그런 느낌이 없군."

"그…… 그런…… 어떻게 그렇게, 심한 말을……."

웃는 얼굴로 독설을 지껄인 백작의 차가움에 여자는 결국 으왕, 하고 울음을 터뜨리며 방 안을 뛰쳐나갔다.

'우와, 이 나쁜 자식 같으니라고.'

린지는 백작의 은색 뒤통수를 빤히 노려보았다. 백작이 물을 맞는 장면에는 왠지 모르게 익숙해서 동질감이 느껴졌지만 동정심이라고는 눈곱만큼도 없다. 솔직히 물벼락 맞는 것으로 끝난 게 다행이라고 생각한다. 도대체 이렇게 울리는 여자가 몇 번째란 말인가!

백작이 바람둥이라는 소문은 진실이었다. 이는 그저 여자를 많이 만나고 다니나 보다, 라고만 생각할 일은 아니다. 쉬이 여자를 만나면서도 끝내야 하는 순간에만큼은 잔인할 만큼 냉정한 사람이었던 것이다.

'이 나쁜 자식. 키벨도 이러진 않았다.'

그녀의 친구이자 유시젠의 또 다른 그림자, 키벨 역시 잘생긴 외모 탓에 따르는 여자가 많았다. 하나 그는 단지 여자를 만나는 주기가 짧을 뿐이지 동시에 여럿을 만난 일은 결코 없었다. 그런데 이 백작은 동시에 몇 여자를 만나는 건지, 애초에 이름을 다 기억하는 게 신기할 정도가 아닌가!

'이 저질. 나쁜 놈. 천벌 받을 녀석.'

"린지안 군, 내 욕 하는 거 다 들려."

헛! 린지는 저도 모르게 손으로 입을 막았다. 설마 소리 내어서 말한 것인가? 백작은 뒤를 빼꼼 돌아 그녀의 표정을 확인하고는 풋, 웃음을 내뿜었다.

"소리 내서 말하진 않았지만 시선이 느껴져."

"그, 그런…… 저는 욕하지 않았습니다."

"욕해서 찔린다는 표정으로 그런 말 해 봤자 신빙성이 없다고."

린지는 입술을 쭉 내밀며 준비해 놓은 타월과 셔츠를 내밀었다. 그것을 받아 든 백작은 얼굴을 닦은 후 셔츠를 갈아입었다. 아무 일도 없었다는 듯 상쾌한 표정이었다.

"아아, 덕분에 잠이 확 깼네. 안 그래도 졸린 참이었는데."

백작의 책상에는 여러 가지의 책과 서류들이 가지런하게 정리되어 있었다. 처음에 그가 서류들과 전투를 벌이는 것을 보고 업무를 보고 있다고 생각했다. 물론 그 생각은 맞았다. 저 종이들은 백작으로서 처리해야 할 갖가지 업무들이었다. 하지만 지금 펼쳐져 있는, 그리고 옆에 쌓여 있는 저 책들은.

'……백작이 공부벌레라니.'

공부용 서적이었던 것이다! 린지로서는 이해할 수도 없는 '남대륙 희귀어 1 : 시얀마어'라든가 '남대륙의 희귀한 식물도감', '사라진 학문-고대 연금술' 등등의, 딱 봐도 지루해 보이는 책들을 파는 것이 아닌가.

하지만 놀랍게도 이것은 백작의 단순한 변덕이 아니었다. 그는 딱히 외출할 업무가 없는 이상 이렇게 책상에 앉아서 공부하는 시간을 가지곤 했던 것이다. 그것도, 굉장히 열심히.

'안 어울려.'

아니나 다를까, 백작의 학식은 이미 사교계에서 입소문을 타고 있었다. 잘생겼는데 유식하다면서 귀족 영애들의 마음에 불을 지피고 있는 모양이었다.

'재수 없어. 쳇.'

"왜 그래?"

그녀의 시선을 느꼈는지 백작이 고개를 돌려 쳐다보았다. 린지는 재빨리 표정 관리를 했지만, 이미 삐뚜름해진 입꼬리를 내리기엔 너무 늦어 있었다.

"어라? 지금 뒤에서 내 흉을 본 모양인데?"

"아, 아뇨. 그게 아니라……."

"그게 아니라?"

"공부를 열심히 하시기에…… 저, 신기해서."

그러자 백작이 이해한다는 듯 피식 웃음을 흘렸다.

"그치. 나도 가끔 이런 내가 신기해."

"……아, 예."

"린지안 군도 공부 한번 해 볼래? 책, 선물로 줄까?"

"아뇨, 마음만 감사하게 받겠습니다."

하지만 이미 휘안은 책상 위에서 책 한 권을 집어 린지에게 내민 후였다. 어쩔 수 없이 책을 받아 든 린지는 제목을 확인하고는 미간을 좁혔다.

'이건 뭐야! 고대의 사라진 학문 연금술? 제목부터 지루해!'

휘안은 싱긋 웃으며 그녀의 머리를 쓰다듬었다.

"읽을 거지?"

"예, 그럼요, 당연하죠, 감사합니다."

린지는 가식적으로 웃으며 영혼 없는 대답을 내뱉었다. 물론 속으로는 내가 미쳤나, 잠잘 때 베개 대용으로 쓸 테다, 라고 생각하고 있었지만 말이다. 그런 그녀의 마음을 읽었는지 휘안이 더더욱 화사하게 웃음을 지었다.

"독후감 써서 내야 해."

"……너무하시네요."

"너무하긴. 책은 마음의 양식이야, 린지안 군. 특히나 고대 학문인 연금술에 대한 책은 구하기 힘들다고. 돈 주고도 못 사는 책이지."

물론 알고 있다. 연금술- 오랜 시간 전에 존재했던, 상식을 파괴하는 학문. 돌을 금으로 만들고 모래를 불로 만들고 물을 돌로 만드는, 괴이하고도 이해할 수 없는 초자연적인 학문. 몇몇 고대의 연금술사들이 아직까지 살아 영생을 누리고 있단 헛소문 외에, 연금술은 현대에서 사라진 지 오래였다. 스스로 연금술사의 후예라고 칭하는 자들, 알케미스트들은 불법 실험을 일삼는 범죄자에 불과했다.

'쳇, 마음의 양식은 댁이나 많이 드시지. 난 책은 딱 질색이야.'

연금술에 관한 것이라면 눈에 불을 켜고 달려들 알케미스트들에게는 값진 책임이 분명했다지만 린지에게는 베개로도 못 쓸 종잇조각에 불과했다. 린지가 속으로 투덜거리고 있을 때였다.

"백작님, 손님이 찾아오셨습니다."

노크 소리와 함께 시종의 목소리가 들려왔다. 그 말에 백작은 물론 린지도 눈을 동그랗게 뜨며 고개를 갸웃거렸다.

"손님이라니? 린지안 군, 오늘 찾아올 손님이 있었던가?"

"아, 아뇨. 미리 언질받은 것은 없었는데……."

"헤에? 말도 없이 찾아왔단 말이야?"

백작은 히죽 웃으며 옷매무새를 만졌다. 아마 상대방을 무례하다고 생각하고 있으리라. 예의범절을 중요시 여기는 귀족 세계에서는 방문하기 전에 미리 고용인을 보내 시간 약속을 잡고, 서로의 합의 후에 만나는 것이 일반적이다. 그런데…….

'시간 약속도 뭣도 안 잡고 일방적으로 찾아오다니? 대체 누구기에?'

"들어오시라고 해."

백작의 말이 끝나는 순간 문이 벌컥 열리며 한 사내가 성큼성큼 들어왔다. 큰 키에 마른 체형, 금발을 가진 사내였는데 쭉 찢어진 눈과 코 아래에 기른 콧수염이 야비한 인상을 풍겼다.

"이렇게 갑자기 찾아와서 죄송합니다, 르카플로네 백작님."

"아아. 칼튀루스 후작님 아니십니까."

칼튀루스 후작! 그 이름을 듣는 순간 린지는 구겨지려는 표정을 간신히 잡아당겼다. 칼튀루스 후작은 린지 또한 아는 이름이었다.

'도박꾼, 마약꾼, 술꾼!'

칼튀루스는 국법으로 금지된 도박과 밀매된 마약, 술 등을 즐기는 것으로 유명한 작자였다. 게다가 그 성정이 얼마나 포악한지 그의 후작가에서 죽어 나가는 시종과 기사들만 수두룩하다고 하니……. 그리고 무엇보다.

'변태 남색가!'

칼튀루스 후작은 외모만 예쁘면 남자, 여자 가리지 않는 변태라는 소문이 자자했다. 유시젠에게 들은 기밀 정보에 의하면 그는 젊고 예쁜 남녀 노예를 주기적으로 사들여 저택 안에서 사육하듯이 기른다고 한다. 그야말로 쳐다보기도 싫은 쓰레기였던 것이다.

'그런데 그런 쓰레기가 연락도 없이 갑자기 백작가에?'

설마 친분이 있는 것인가, 라고 여기기에는 둘의 분위기가 심상치 않았다. 칼튀루스 후작은 양해도 구하지 않고 소파에 털썩 앉더니 린지에게 손짓했다.

"어이, 뭐 하고 있나? 차 한 잔 가져오도록!"

저런 무례한 놈을 봤나! 린지가 얼빠진 얼굴로 입을 벌리자 백작이 웃으며 그녀에게 말했다.

"린지안 군? 나는 따뜻한 홍차로 부탁해."

"아, 알겠습니다."

휘안은 저 무례한 행동 앞에서도 용케 표정 하나 변하지 않고 웃음을 유지하고 있었다. 하여간 보통내기가 아니었다.

방에서 나가 차 수레를 준비해 가는 린지의 머릿속엔 물음표가 가득했다.

'대체 뭐지? 칼튀루스 후작이 왜 르카플로네 백작을 찾아온 거지? 약속도 없이 갑자기?'

똑똑.

"들어와."

노크 후 린지는 문을 열고 방 안으로 들어갔다. 그리고 눈을 내리깐 상태로 테이블 위에 찻잔을 올려놓았다.

'뭐지, 이 분위기는.'

이미 심상치 않은 대화가 오고 갔던 것인지 휘안과 칼튀루스 후작 사이에서는 차가운 정적만이 맴돌고 있었다.

"고마워, 린지안 군. 나가 봐도 좋아."

"아, 알겠습니다."

고개를 꾸벅 숙이면서 린지는 휘안을 슬쩍 쳐다보았다. 그는 처음과 변함없이 웃는 표정이었으며, 칼튀루스 후작은…….

'히익.'

거의 살기마저 느껴지는 표정으로 휘안을 노려보고 있었다. 그 날카로운 눈빛에 놀란 린지가 숨을 들이마실 때, 그의 시선이 린지에게 꽂혔다. 린지는 재빨리 고개를 숙인 후 등을 돌렸다.

"이봐, 너."

하지만 칼튀루스 후작의 목소리가 린지의 발목을 잡아챘다.

"시종, 너. 린지안이라고 했던가?"
"네, 네?"
린지는 어깨를 움츠리고는 칼튀루스 후작을 쳐다보았다. 그는 흥미로운 눈빛으로 그녀의 몸을 훑어보았다. 그 끈적하고도 묘한 시선에 린지의 등에 소름이 돋아 올랐다.
"예쁜 시종이군그래. 르카플로네 백작, 웬일로 남자 시종을 곁에 두십니까?"
"린지안 군의 외모가 뛰어나긴 하지요."
"백작께서는 지금껏 여자 시종만 두셨을 텐데. 저 녀석이 어지간한 계집들보다 예쁘긴 하지만…… 크크, 백작께서도 취향이 바뀌었나 보군요?"
듣는 사람이 민망해질 정도로 모욕적인 언사였다. 하지만 린지는 모욕감 대신 참을 수 없는 호기심을 느끼며 백작을 쳐다보았다. 과연 이 노골적인 도발 앞에서 백작은 어떻게 대응할 것인가? 화를 낼 것인가? 기가 찬 표정으로 후작을 노려볼 것인가? 그의 반응이 궁금했다.
"기대에 부응하지 못해서 미안하군요. 제 취향은 그대로입니다."
웃고 있었다. 그 정도로는 조금도 기분 나쁘지 않다는 듯, 아니 마치 아무 얘기도 듣지 못했던 것처럼 유유자적하게 웃으며 차를 한 모금 마시는 것이 아닌가. 보통 귀족이었다면 잔뜩 붉어진 얼굴로 언성을 높였을 것이 분명한 모욕이었으나 휘안은 눈썹 하나 흔들리지 않았다. 연기라고 하기엔 지나치게 평온해서 칼튀루스 후작의 말을 잘못 들은 게 아닐까 싶을 정도였다.
'하지만 들었겠지. 그리고 무시한 거고.'
역시 보통이 아니다. 이쯤 되면 모욕한 쪽이 모욕감을 느낄 정도였다. 아니나 다를까, 칼튀루스는 휘안의 태연한 대응에 오히려 더 화가 난 모습이었다. 그는 시뻘게진 얼굴로 휘안을 노려보더니 돌연 웃음을 터뜨렸다.

"하하하! 그래, 백작님의 여성 편력이 어딜 가겠습니까. 하지만 아시다시피 전 예쁘다면 사내 또한 마다하지 않아서 말이지요."

그렇게 말한 후작은 갑자기 벌떡 일어나 한걸음에 성큼 린지에게 다가와 손을 잡아챘다. 린지가 깜짝 놀라 손을 빼려고 했지만 그는 더욱 강한 힘으로 끌어당겨 허리를 붙잡았다.

"이, 이게 무슨……."

갑자기 허리를 휘감긴 린지가 놀라서 입을 뻐끔거렸다. 칼튀루스 후작은 마치 끌어안듯 그녀를 잡고 백작에게 말했다.

"그렇다면 이 시종, 제게 넘기지 않겠습니까? 사내 주제에 색기가 가득하군요. 맘에 들었습니다."

이 미친놈이! 린지는 그를 한 대 패지 않기 위해 주먹을 꽉 쥐며 부르르 떨었다. 시종의 입장으로 있는 게 아니라면 당장에 어퍼컷을 날리며 잘근잘근 밟아 주었을 테지만…….

'서, 설마 날 넘기는 건 아니겠지?'

린지는 성급히 백작을 쳐다보았다. 잔뜩 약이 올라 있는 칼튀루스 후작과 당황해서 어쩔 줄 몰라 하는 린지와는 달리, 백작 혼자만이 이 소동과는 관계없는 사람처럼 태연한 표정이었다.

탁. 백작은 차분하게 찻잔을 내려놓았다. 그러고는 흐음, 소리를 내며 팔짱을 꼈다. 팔에 얹힌 그의 기다란 검지가 까닥거리며 한두 번 가볍게 흔들렸다. 다음 순간, 내리깔았다가 들어 올린 보라색 눈동자가 린지에게 향했다. 그리고 그는 천천히 눈을 움직여 칼튀루스 후작을 바라보았다.

"칼튀루스 후작."

그리고 처음으로 웃음기 없는 목소리가 내뱉어졌다. 린지는 침을 꿀꺽 삼켰다. 휘안은 잔잔한 눈빛으로 칼튀루스와 린지를 응시하고 있었다. 웃음기는 없었지만, 화난 표정은 절대 아니었다. 심지어 숨결 하나 거칠어지지 않았다. 차분하고 평온한 그의 말투는 정중했다. 그뿐이었는데, 이상하게도 숨이 막힐 것 같은 기운이 느껴졌다.

"칼튀루스 후작."

"……."

다시 한 번 호명되는 이름에 칼튀루스 후작은 저도 모르게 린지를 끌어당긴 손에 힘을 풀었다.

"후작께서는 제게서 아무것도 가져가지 못합니다. 후작께서 이 백작가에서 얻어 갈 수 있는 것은 찻잔 속의 차 몇 모금뿐. 그러니 이제 제 것에게서 손을 떼 주었으면 좋겠군요."

정중한 부탁처럼 들렸지만 백작의 보라색 눈동자에서는 위압감이 느껴졌다. 할 말을 잃은 칼튀루스 후작은 떨쳐 내듯이 린지를 밀쳐 냈다.

"흥! 좋아. 더 이상 자네에게는 아무것도 부탁하지 않겠어. 그 선택을 후회하지나 말라고!"

역정을 낸 후작은 콧방귀를 뀌며 방 안을 빠져나갔다. 쾅! 거칠게 닫히는 문소리에 린지의 몸이 움찔 떨렸다.

'대, 대체 뭐야, 저 작자?'

하는 말을 보아하니 백작에게 무언가를 부탁하러 왔다가 거절을 당해서 단단히 뿔이 난 것 같은데…….

"미안해, 린지안 군. 많이 놀랐지?"

"아, 백작님."

멍하니 있는 사이 백작은 린지에게 다가와 있었다. 그는 난감한 눈빛으로 린지를 보더니 그녀의 망가진 옷매무새를 정리해 주었다.

"나 때문에 봉변을 당했네. 미안해."

"괘, 괜찮습니다. 그리고 미안하다는 이야기 좀 하지 마시라니까요……."

"하지만 미안한걸."

백작은 싱긋 웃으며 린지의 머리를 쓰다듬었다. 마치 아끼는 사람을 대할 때의 행동인지라, 린지는 이번에도 어김없이 당황스러움을 느꼈다. 친근한 그의 행동은 항상 진심처럼 느껴져서 매번 헷갈렸던 것이다.

"린지안 군이 너무 예쁘게 생겨서 그래. 칼튀루스 후작은 예쁜 것만 보면 혈안이 되거든."

"하, 하하하……."

"정말 괜찮니?"

걱정스런 백작의 시선을 받은 린지는 고개를 끄덕였다.

"네, 괜찮습니다. 뭐 잠깐 끌어당긴 것뿐인데요. 그게 뭐 별거인가요. 입맞춤을 당한 것도 아니고……."

라고 말하는 순간, 린지는 자신이 말실수를 했다는 것을 깨달았다. 순간적으로 그녀의 머릿속에 지난날 연못가의 다리 위에서 벌어졌던 일이 스쳐 지나갔던 것이다. 불가항력적으로 그때 느껴졌던 입술 감촉이 떠오르자 린지의 얼굴이 새빨개졌다. 그런 그녀의 변화를 물끄러미 쳐다보고 있던 백작이 피식 웃음을 흘렸다.

"무슨 생각해, 린지안 군?"

"아, 아, 아닙니다!"

"아닌 것 같은 게 아닌데?"

실수했다. 린지는 눈을 질끈 감으며 새빨개진 얼굴을 숙였다. 자신의 이런 반응을 보았으니, 놀리는 것을 좋아하는 백작이 이 기회를 놓칠 리가 없…….

"뭐 어쨌든 괜찮다니 다행이네."

그의 짓궂은 다음 말을 기다리고 있었던 린지에게는 의외의 대사였다. 분명 그때 입맞춤 사건으로 놀릴 줄 알았건만 휘안은 아무것도 모른다는 듯 화제를 돌렸다.

"그, 그럼요. 하하하하."

평소의 그와는 다른 반응이었지만 린지에게는 좋은 일이었다. 그녀는 일부러 호탕한 척 웃으며 손으로 부채질을 했다. 그런 그녀를 쳐다보던 백작은 피식 웃더니 기지개를 쭉 폈다. 그러고는 갑자기 떠오른 듯 기지개 켜는 것을 멈추더니 입을 열었다.

"린지안 군."

"네?"

"기분도 꿀꿀한데 정원에서 간식 먹을까?"

"……?"

뜬금없는 제안에 린지가 눈을 크게 뜨자 백작은 단숨에 결정하고는 손을 부딪쳤다.

"그래, 정원에서 간식이나 먹자. 요리사에게 간단한 도시락을 준비하라고 해."

"……아 네, 그러죠."

그야말로 급속도로 내린 뜬금없는 결정이었지만, 린지에게는 좋은 기회였다. 그녀는 안도의 한숨을 푹 내쉬며 산책을 나갈 채비를 마쳤다.

"날씨 좋지, 린지안 군?"

린지안과 백작은 연못 근처의 정원으로 피크닉을 나왔다. 볼 때마다 드는 생각이지만 백작가의 정원은 그야말로 장관이었다. 색채의 향연이라는 말이 어울릴 정도로 다양한 식물들로 가득했던 것이다. 특히나 날씨가 좋은 날에는 연못은 하늘빛을 그대로 빨아들여 거울처럼 빛났는데, 아쉽게도 오늘은 아니었다.

"네, 좋군요. 먹구름이 몰려오고 곧 비가 올 것이 분명해 보이긴 하지만요."

"뭐 어때. 시원하고 좋지."

샌드위치를 베어 먹은 백작은 돗자리 위에 편히 누웠다. 그러고는 자리에 서 있는 린지를 흘낏 쳐다봤다.

"린지안 군도 앉아. 불편하게 왜 일어나 있어?"

"하지만……."

같은 자리에 앉으라니, 집사에게 걸리면 호되게 혼날 것이 분명했다. 그녀의 생각을 알아차렸는지 백작이 부드럽게 웃었다.

"괜찮아. 내가 허락하잖아? 앉아서 샌드위치 좀 먹어."

"그렇게 말씀하신다면야."

본래 빼는 것을 싫어하는 린지는 괘념치 않고 자리에 털썩 앉아 샌드위치를 집어 들었다. 그렇잖아도 배가 고프던 참이었는데 잘됐다고 생각하며 우유까지 한 잔 따라 마셨다. 백작가의 요리사가 만든 샌드위치 아니랄까 봐, 빵은 부드러웠고 그 사이로 잘게 채워진 계란과 햄, 야채의 맛이 일품이었다.

"푸하핫!"

린지가 맛나게 먹는 것을 지켜보던 백작이 불현듯 웃음을 터뜨렸다.

"린지안 군, 진짜 잘 먹는다. 내가 먹으라고 권유 안 했으면 서운했겠네?"

"그 정도는 아니고요. 맛있어서 그래요."

내가 그렇게 허겁지겁 먹었나? 린지는 얼굴이 붉어지려 하는 것을 애써 자제하며 태연한 척 대답했다.

'남이 먹는 걸 왜 쳐다보고 그래? 민망하게.'

맑게 웃는 얼굴로 그녀를 빤히 쳐다보던 백작이 말했다.

"린지안 군은 여자친구 있어?"

"……사생활입니다만. 대답해야 합니까?"

"물론이지. 린지안 군도 내 사생활을 마음껏 감상하고 있잖아?"

린지는 욱해서 무언가 대꾸하고 싶었으나 묘하게 맞는 말인지라 할 말이 없었다. 하긴 백작을 졸졸 쫓아다니면서 사적인 것을 목격하지 않는가?

"……없습니다."

"그래? 의외네. 인기 많을 것 같은데 말이야."

백작이 안타깝다는 표정을 짓자 린지는 발끈해서 대답했다.

"인기는 많습니다!"

"남자에게? 아니면 여자에게?"

그 말에 린지의 얼굴이 굳어졌다. 설마 자신이 여자인 것을 눈치챈 것은…….

"린지안 군은 딱 보니까 남자한테 인기 많을 스타일이거든. 칼튀루스 후작처럼 특이 취향을 가진 남자들 말이야."

……그냥 놀리는 거였군. 린지는 능글맞게 웃는 백작에게 말리지 않기 위해 침착해지려고 노력했다. 저 백작과는 조금만 말을 섞어도 금방 휘말리고 만다. 다시는 손바닥 위에서 놀지 않으리라!

"걱정해 주셔서 감사합니다만, 여자에게 더 인기 많습니다."

"운이 좋은 거야, 린지안 군. 귀족 중에서는 남색을 밝히는 자들도 굉장히 많거든. 칼튀루스 후작 같은 사람이 드문 것도 아니지. 내가 그들 중 하나가 아니란 걸 감사히 여기라고."

농담인 것 같으면서도 진담인 백작의 말에 린지는 수긍했다. 그녀 또한 그러한 사실을 잘 알고 있었던 것이다. 만약 칼튀루스 후작 같은 변태의 시종으로 잠입을 했었다면…….

'으으, 생각도 하기 싫군. 백작이 여자를 밝혀서 다행이야.'

시답잖은 대화를 나눈 백작은 린지를 물끄러미 응시했다. 린지는 샌드위치를 한 입 더 베어 물면서 생각에 잠겨 있었는데 오물오물 움직이는 빰이 정말로 부드러워 보였다. 이미 피부 좋은 것은 알고 있었지만 햇살 아래에서 보니 마치 진주처럼 매끈하게 빛나고 있었던 것이다. 그런데도 묘한 분홍빛이 감돌아서, 어쩐지 복숭아가 떠오르는 외모였다. 린지를 응시하던 백작은 속으로 감탄했다.

'저 정도로 뽀얀 피부는 처음 봐. 여자들이 질투하겠어.'

그의 눈동자가 저도 모르게 린지의 몸을 훑었다. 붉은 머리칼로 반쯤 덮인 목덜미 역시 눈송이처럼 새하얘서, 단단히 잠긴 셔츠 아래의 모습이 어떠할지 묘한 상상력을 자극했다. 백작은 즐기듯이 시선을 이동시켰다. 반듯하게 다림질된 셔츠와 타이트하게 붙은 까만 조끼로 드러나는 등의 선, 돗자리를 짚고 있는 길고 새하얀 손까지. 잠시 동안 린지를 감상한 휘안은 결론 내렸다.

'이 녀석, 남녀 불문하고 여러 사람 좀 홀리고 다니겠어. 칼튀루스 후작이 색기가 있다고 하더니 정말이네. 보통이 아닌걸?'

그 순간 린지가 고개를 획 돌렸고 백작과 정면으로 눈이 마주쳤다. 루비색 눈동자와 부딪치는 순간 백작은 그제야 자신이 린지를 몰래 훔쳐보고 있었다는 것을 자각했다. 물론 그렇다고 해서 백작은 당황하지 않았다. 당황하기는커녕, 시선을 피하지 않고 뚫어지게 그녀를 마주 보기까지 했다. 도리어 허둥거리는 쪽은 린지였다.

"뭐, 뭡니까? 사람을 그렇게 쳐다보시고."

내가 그랬었나. 백작은 속으로 실소하며 방긋 미소를 그렸다.

"귀여운 녀석이구나 싶어서."

린지는 할 말을 잃고 고개를 돌렸다. 아무렇지도 않게 시종에게 저런 말을 하다니, 역시 바람둥이의 정신세계란 이해할 수가 없었다. 하나 그런 마음과는 별개로 린지의 얼굴이 붉어지자 백작이 웃음을 터뜨렸다.

'저 녀석, 진짜 재밌네.'

백작에게 있어 린지는 마치 고무공 같은 존재였다. 던지면 그만큼 튕겨 오르는, 신기할 정도로 솔직하고 재밌는 반응을 보이는 녀석. 겉으로는 차가워 보이는 소년이 보여 주는 반응 하나하나가 신선하고 재미있었던 것이다.

툭. 투툭.

그때였다. 연못 위로 작은 파장이 그려지는가 싶더니 순식간에 소나기가 쏟아져 내렸다.

"이런. 정말로 비가 오네."

백작이 즐거운 듯 하늘을 쳐다보며 말할 때 그의 눈 위로 천이 풀썩 내려왔다. 천의 정체가 무엇인지 알아차리기도 전에 린지의 목소리가 들렸다.

"백작님, 일단 이거 덮으세요."

그러고는 천으로 얼굴을 가려서 앞이 보이지 않는 백작의 손을 덥석 잡았다. 백작은 뿌리치지 않고 순순히 그 손에 이끌려 갔다. 하늘거리는 천 아래로 린지의 손에 붙들려 가는 자신의 손이 보였다.

'손도 작네. 아직 성장기라서 그런가?'

남자의 손이라고 하기엔 신기할 정도로 고와 보이는 손이다. 그가 그렇게 생각하고 있을 때 그 손이 다가와 눈앞을 반쯤 가린 천을 들어 올렸다. 다음 순간 린지의 얼굴이 불쑥 다가왔다.

백작은 말없이 눈앞의 얼굴을 쳐다보았다. 새하얀 피부 위로 늘어진 젖은 머리칼을 보자 기분이 묘해졌다. 하얀 셔츠 또한 빗물에 젖어 살결이 보일 듯 말 듯 비치고 있었는데 그것이 굉장히 선정적으로 다가와서, 백작은 스스로 의아해했다. 왜 자신이 어린 소년을 상대로 이런 생각을 하고 있단 말인가?

"일단 여기 계세요, 저는 짐을 마저 챙겨서 오겠습니다."

그 말을 끝으로 린지가 후다닥 달려가 그에게서 멀어졌다. 문득 정신을 차리고 보니 백작은 돗자리로 썼던 보자기를 몸에 두르고 나무 아래에 서 있었다. 그는 눈가 위에서 하늘거리는 보자기를 치워 내며 린지를 쳐다보았다. 샌드위치와 우윳병들을 바구니에 마구 담아 대고 있는 소년의 모습이 눈동자 안으로 들어왔다. 문득 백작의 입가에 웃음이 맺혔다. 그는 망설임 없이 린지에게 다가갔다.

"백작님? 왜 저기에 계시지 않고……."

백작은 자신이 두르고 있는 보자기를 들어 올려 린지를 안으로 끌어당겼다. 얼떨결에 그에게 딱 붙어 같이 천을 둘러쓰게 된 린지의 얼굴이 당황으로 물들었다.

"저, 저는 괜찮습니다. 지금 몸이 젖어서 백작님께……."

"괜찮아."

백작은 꿈틀거리는 린지의 어깨를 단단히 잡아채고는 나무 그늘 아래로 데려갔다.

"비 그칠 때까지 기다렸다가 가자."

"저, 전 괜찮은데…… 엣취!"

말이 끝나기도 전에 기침이 나왔다. 언행이 불일치한 린지가 새빨개진 얼굴로 백작을 힐끔 올려다보았다. 아니나 다를까, 그는 미안해 보이는 기색이었다.

"미안해, 린지안 군. 내가 괜히 나오자고 했네."

"괜찮습, 엣취!"

기침을 해 댄 린지의 표정이 민망해졌다. 생색내는 것도 아니고 왜 자꾸 기침이 나온단 말인가! 그 생각이 얼굴 위로 드러나자 백작이 풋 웃으며 린지를 자신의 가슴 앞으로 끌어당겼다.

"배, 배, 백작님?"

백작은 린지의 젖은 머리칼 위로 자신의 턱을 올리며 말했다.
"감기 걸리면 내가 미안할 것 같아서 그래, 린지안 군."
"이러다가 백작님 옷이 다 젖는다고요."
"괜찮아, 괜찮아."
괜찮지가 않아! 린지는 등 뒤로 느껴지는 체온에 정신을 못 차리고 있었다. 자신의 몸을 품 안에 쏙 껴안은 어깨와 긴 팔, 그리고 귓가에서 느껴지는 숨소리가 불편했다.
'그런데…….'
그런데 이 백작…… 매번 느끼는 거지만, 상당히 친절하다. 웃는 얼굴로 사람 속 뒤집어 놓는 말만 할 줄 아는 줄 알았는데 이 정도까지의 상냥함이 있었다니 의외였다. 그 어떤 귀족이 시종에게 이런 배려를 베푼단 말인가?
'역시 지난 12년 동안 귀족이 아닌 자들과 어울려서 지냈던 것이 틀림없어.'
그렇지 않고서야 권위 의식이라고는 눈곱만큼도 느껴지지 않는 이 행동을 설명할 수는 없었다.
그때였다. 저 멀리서 금빛 머리채가 빗속을 뚫고 다가오고 있는 것이 보였다. 예르시카가 오른손으로는 우산을 쓰고, 왼손으로는 여분의 우산을 들고 다가오고 있었다.
"야아, 예르시카. 이쪽이야."
백작이 반가운 듯 말하며 손을 흔들었다. 그들의 앞까지 다가온 예르시카의 표정은 평소보다 더 차갑게 얼어 있었다.
"돌아가시지요, 백작님."
"찾아와 줘서 고마워."
백작은 린지를 한 손으로 끌어안은 상태 그대로 우산을 썼다. 그 순간 예르시카의 미간이 좁아졌다.
"지금 뭐 하는 거지? 어디서 감히 백작님과……."
"너무 그러지 마, 예르시카."
백작은 상냥한 말투로 그녀의 말을 뚝 끊으며 발걸음을 옮겼다.
"일단은 비를 피하자고. 엄청 쏟아지네."
백작이 그렇게까지 말하자 예르시카도 아무 말 없이 그들의 뒤를 쫓아왔다. 더 이상의 사족은 없었지만 린지는 확실히 느낄 수 있었다. 등 뒤로 꽂히는 적개적인 그녀의 시선을.

그날 린지는 하루 종일 기침을 해 댔다. 그리고 그다음 날 아니나 다를까, 감기에 걸리고 말았다.
'으으, 창피해.'
비 조금 맞았다고 이게 무슨 꼴이란 말인가? 나름대로 자신의 체력에 자부심이 있던 린지였기에 이번 일은 충격으로 다가왔다.
린지가 감기에 걸리자 백작은 쉴 것을 권유했다. 아프다는 핑계로 자신의 일을 미뤄 본 경험이 없는 린지였기에 괜찮다고 거부했지만, 백작은 명령이라는 말까지 덧붙였다. 결국 그의 '명령' 덕분에 린지는 침대 신세였다.
똑똑. 멍하니 누워 천장을 올려다보며 시간을 죽이고 있을 때, 노크 소리가 들려왔다.
"린지안, 들어가도 돼?"
레이라였다. 린지는 침대에서 몸을 일으키며 대답했다.
"물론이지. 들어와."
레이라는 쟁반을 든 채로 들어왔는데 그 표정에는 걱정이 한가득했다. 그녀는 일어나려는 린지를 만류하며 다가갔다.

"일어나지 말고 누워 있어."

레이라가 들고 온 쟁반 위에는 물수건과 찬물을 떠 놓은 바가지, 그리고 탕약이 있었다. 레이라는 린지의 반듯한 이마 위로 물수건을 올려 주었다.

"열이 심하네? 어쩌다가 이렇게 된 거야."

"하하, 민망해라. 비를 조금 맞았거든……."

거짓말이 아니라 정말로 민망했다. 자신의 손을 잡으며 안타까운 표정을 짓고 있는 레이라의 표정이라니……. 이런 구도는 너무나도 생소했다. 아파 본 적이 열두 살 이후로 없긴 했지만 누군가가 이렇게 간호해 주는 것은 생전 처음이었다.

"이번 감기 독하다고 했어. 이불 꼭 덮고 약 먹고 푹 쉬어. 알았지?"

"걱정하지 마. 한숨 푹 자면 낫는다고."

린지의 말은 허세 없는 사실이었지만 레이라는 센 척이라고 생각했는지 입가에 웃음을 머금었다.

"약 먹고 쉬어. 이만 나가 볼게, 린지안."

"고마워, 레이라."

이 정도로 뭘, 레이라는 이런 표정으로 미소를 지어 보이며 방문을 닫고 나갔다. 그 온기에 린지는 가슴이 따뜻해지는 것을 느끼며 레이라가 두고 간 탕약을 집어 들었다. 쓰디쓴 냄새가 코끝으로 확 퍼졌다.

'으으, 먹기 싫어!'

하지만 레이라가 모처럼 가져온 건데 안 먹을 순 없지. 린지는 숨을 멈추고 단숨에 탕약을 들이마셨다. 예상했던 것보다 쓴맛이 입 안을 독하게 채웠다.

"으읍, 써."

써도 너무 쓰지 않은가? 혀가 뽑혀 나갈 정도로 쓰다. 린지는 쓴 만큼 좋은 약이라는 말을 생각해 내며 스스로를 위로했다.

'레이라는 정말 착한 아이야. 이렇게 신경 써 주고…….'

쨍그랑!

린지는 자신의 손끝에서 탕약 그릇이 바닥으로 떨어지는 것을 보았다. 파편으로 부서진 유리 조각이 침대 아래로 나뒹굴었다.

'뭐지? 갑자기 왜 떨어진 거지?'

그 순간 그녀의 팔이 힘없이 툭 떨어지며 눈이 감겼다. 몸이 침대 위로 기우뚱 기우는 것을 마지막으로 느끼며, 순식간에 암흑 속으로 빨려 들어갔다.

카쥬탄은 정원사가 되기 전 용병으로 일했다. 그럭저럭 먹고살 만했지만 용병의 세계란 너무나 험하고 잔인했기에 그는 오래 버티지 못하고 발을 뗐다. 그리고 정원사 자격증을 취득하여 운 좋게 백작가에 취직했다.

그전까지 그는 꽤나 실력 있는 용병으로 여러 곳에 연줄이 있었는데, 그 연줄은 대부분 음지와 관련이 있었다. 때문에 그에게 수면제를 구하는 일은 서점에서 책을 사는 것처럼 쉬웠다.

'마침 감기에 걸리다니, 내가 운이 좋은 건지 놈이 운이 없는 건지 모르겠군.'

그는 주머니에 다량의 수면제를 넣고 탕약실로 걸어갔다. 그가 들어가기 전, 레이라가 쟁반에 탕약을 들고 문을 열고 나섰다. 그와 마주친 레이라의 얼굴이 창백하게 굳어졌다.

"오, 레이라. 어딜 가는 거지?"

탕약과 물수건, 대야를 보아하니 린지안 녀석에게 문병을 가는 듯싶었다. 그렇게 생각하자 분노가 거세게 피어오르고 자신이 하는 일에 대한 일말의 죄책감 역시 사라졌다.

"신경 쓰지 마세요. 좀 비켜 주시겠어요?"

"무거워 보이는데 내가 들어 주지."

카쥬탄은 레이라의 대답도 듣지 않고 쟁반을 뺏어서 들어 올렸다. 그리고 그녀가 무어라 말하기도 전에 등을 돌려 빠른 걸음으로 걸어갔다. 등 뒤에서 레이라가 허둥지둥 쫓아오며 외쳤다.

"무슨 짓이에요. 돌려주세요!"

카쥬탄의 입꼬리가 길게 올라갔다. 그는 레이라의 말을 들은 척도 안 하고 빠르게 걸어가 모퉁이를 급하게 돌았다. 레이라의 시선에서 벗어난 순간, 그는 재빨리 주머니에서 수면제를 꺼내 탕약 안으로 뿌렸다. 하얀 가루가 갈색 빛의 약물 안으로 서서히 녹아들었다.

"무슨 짓이에요!"

그 순간 레이라가 그의 등 뒤에서 소리치며 쟁반을 낚아챘다. 마침 수면제는 탕약 안으로 완전히 녹아들어 어디에도 보이지 않았다.

"너무하는군. 내가 들어 준다는데 이젠 그것도 싫은 거야?"

"당신의 친절은 필요 없어요."

레이라는 차갑게 뱉어 내며 등을 획 돌렸다. 자그마한 여인의 등을 바라보며 카쥬탄은 질끈 입술을 깨물었다. 이 백작가에 들어온 순간부터 그는 레이라를 쫓아다녔다. 자그마한 어깨, 하얀 얼굴의 귀여운 여인을 단 한 번이라도 품어 보고 싶었다. 그런 꿈틀거리는 욕망을 참지 못하고 한번 강제로 그녀를 안으려 했다가 호되게 뺨을 맞은 기억이 되살아났다. 울먹이면서 저항도 못 할 줄 알았던 계집은 의외로 강단 있게 칼날 같은 거부를 표현했던 것이다.

'흥. 나한텐 그렇게 비싸게 굴더니, 반반한 시종 녀석의 뒤꽁무니나 쫓아다니다니. 재수 없는 계집!'

하나 그러한 생각과는 달리 마음이 아파 왔다. 많이, 너무 많이 아팠다. 욕망일 뿐이라고 치부했지만 사실 그것은 사랑이었다. 사랑은 사람을 미치게 만들었고 카쥬탄 또한 예외일 수 없었다.

그는 길모퉁이에 숨어 레이라가 린지안의 방에 들어갔다가 나오는 것까지 확인했다. 그리고 잠시의 간격을 둔 후 방 안으로 들어갔다. 아니나 다를까, 탕약을 마신 린지안 녀석은 침대 위로 쓰러져 있었다. 카쥬탄은 린지안의 몸을 업었다. 귓가에서 색색거리는 숨소리에도 카쥬탄은 일말의 망설임도 느낄 수 없었다. 이 녀석이 백작가에 온 뒤로 그는 수석 시종 자리는 물론 레이라마저 빼앗겼다. 더 이상은 손 놓고 두고 볼 수 없었다.

카쥬탄은 린지안의 몸을 미리 준비해 놓은 수레에다가 넣고는 그 위로 세탁물들을 덮었다. 그리고 그는 여유롭게 콧노래까지 부르며 수레를 끌고 지나갔다.

"어, 카쥬탄. 이 밤에 세탁 업무라도 맡은 거야?"

그때 한 시종이 수레를 발견하고는 자리에서 멈춰 섰다. 순간 카쥬탄의 목덜미가 긴장으로 인해 뻣뻣해졌지만, 목소리만큼은 여유롭게 뱉어져 나왔다.

"아아, 이건 버리는 옷들이야. 이 시간에 저택 밖까지 나가서 처리하고 와야 해."

"이런, 귀찮겠군. 수고하라고."

시종이 그의 어깨를 격려하듯 툭툭 치며 지나가자 카쥬탄은 안도의 한숨을 쉬었다. 그는 그렇게 누구의 의심도 받지 않고 저택 밖으로 빠져나갔다. 한동안 수레를 끌며 걸어가던 카쥬탄의 발이 어두운 밤 골목 한 곳에서 멈춰 섰다.

"이봐, 늦었잖아."

두세 명의 사내들이 기다렸다는 듯 자리에서 일어났는데 그 행색이 참으로 거칠어서 누가 봐도 위험한 일을 하는 자들이었다.

"미안. 생각보다 일이 늦어졌군."

"그건 그렇고, 물건은?"

그들 중 한 명이 다가오자 카쥬탄은 수레 안의 세탁물을 치워 보였다. 붉은 머리칼의 소년이 곤히 잠들어 있는 것을 확인한 사내가 휘파람을 불었다.

"휘유. 이거 상등품인걸. 백작가의 시종인가?"

"그래, 어서 가져가라고."

사내들은 린지의 몸을 들어 올려 마차 안으로 구기듯이 집어넣고는 카쥬탄에게 묵직한 돈주머니를 전해 주었다.

"오랜만의 거래라서 두둑하게 넣었다. 그런데 웬일로 다시 인신매매를 시작한 거냐? 다시는 그런 일 안 한다고 나갈 땐 언제고."

카쥬탄은 입술을 깨물었다. 돈주머니의 무게만큼 가슴 한구석에 묵직한 무언가가 내리눌린 듯 숨을 편히 쉴 수가 없었다. 그는 용병으로 일하며 몇 명의 어린 여자들이나 소년들을 팔아넘긴 경험이 있었다. 잊고 싶었던 경험이었지만, 그 지우고 싶은 기억 속으로 제 발로 걸어 들어오고 말았다.

"이번이 마지막이다. 다시는 이런 거래할 일 없을 거야."

"훗, 과연 그럴까. 네놈은 뼛속까지 이쪽 사람이야."

사내는 진득한 비웃음을 남기며 마차 안으로 들어갔다. 동시에 말의 울음소리와 함께 마차가 달리기 시작했다. 자신이 팔아넘긴 소년의 몸이 담긴 마차가 서서히 멀어지자 카쥬탄은 입가에 미소를 그렸다.

"린지안 아르즈벨, 나를 원망하지 마라."

죄책감을 느낀 것이 십 년 전 일인 양 가슴이 시원해졌다. 드디어 거슬리던 녀석을 눈앞에서 치워 버렸다. 더 이상 그를 방해하는 자는 없으리라. 카쥬탄은 비릿하게 웃으며 돈주머니를 품 안으로 집어넣었다. 그러고는 아무 일 없었다는 듯 수레를 끌며 다시 저택을 향해 걸어갔다.

"……."

그의 등 뒤 멀리에서 금발의 여인, 예르시카가 차가운 눈빛으로 카쥬탄을 지켜보고 있었다.

"아우, 머리야……."

린지의 입에서 처음 나온 목소리는 신음에 가까운 불평이었다. 지끈지끈 두통이 머리를 조여 오는 가운데 땅이 사정없이 흔들리니 죽을 지경이었다. 린지는 눈을 꽉 감으며 몸을 웅크렸다.

'머리 아파. 추워…….'

덜컹, 덜컹.

'……아?'

덜컹거리는 소음의 연속에 린지는 눈을 번쩍 떴다. 그럼에도 불구하고 눈앞에 보이는 것은 하나도 없었다.

"뭐야, 이거."

린지는 누운 몸을 반쯤 일으키다가 자신의 손이 자유롭지 못하다는 것을 깨달았다. 보이진 않았지만 느낌상으로는 단단한 밧줄로 묶여 있었다. 발 또한 마찬가지였다.

'뭐야 이거!'

당황이 밀려왔지만 린지는 숨을 들이마시며 심호흡을 몇 번 한 후, 감았던 눈을 번쩍 떴다. 그리고 일말의 감성적인 느낌 하나 없이 냉정하게 상황을 분석했다.

'짐마차 안이로군. 손발이 묶여 있으니 누군가가 강제로 끌고 가는 것이 분명하고.'

순식간에 두 가지의 가능성이 떠올랐다. 첫째, 백작이 자신의 정체를 눈치채고 어딘가로 끌고 가고 있는 것이다. 둘째, 백작가에서 자신에게 원한이 있는 자로 인해 끌려가고 있다.

'백작은 아니야. 내 정체를 알 방법이 없어.'

철두철미한 남자, 유시젠이 직접 꾸민 일인 만큼 신분에 대한 위조는 완벽했으며 스파이라는 증거는 어디에도 없다. 백작가에 들어온 이후로 다른 그림자들과 접촉한 일도 없으며 유시젠에게 따로 보고를 올린 일 없이 충실히 시종 일만 했으니, 들키는 것은 불가능하다. 그렇다면.

'카쥬탄.'

아마 자신이 마신 탕약에 문제가 있었을 것이다. 레이라가 자신에게 호감을 가지고 있는 것은 분명하니 그녀는 아니다. 다른 시종들 또한 자신을 좋아하는 편은 아니지만 이런 일을 벌일 만큼 밉보인 적도 없다. 백작가 안에 이러한 일을 할 만큼 자신에게 원한을 가지고 있는 자, 카쥬탄뿐이다. 그가 남몰래 자신에게 오는 탕약에 수면제를 넣었을 것이 분명할 터.

"그 자식, 이런 일을 꾸미다니……."

린지는 억눌린 목소리로 중얼거렸다. 하나 지금은 카쥬탄을 원망할 때가 아니다. 또한 당황하거나 두려워할 때 역시 아니다. 유시젠의 그림자로서, 그녀는 보통 사람들은 상상할 수도 없는 숱한 위기들을 헤쳐 온 여자였다. 위기 상황일수록 침착해지는 여자였던 것이다.

'밧줄을 자력으로 끊는 것은 불가능해.'

그녀의 손목만큼이나 두꺼운 두께의 밧줄들이 칭칭 감겨져 있는 것을 보아하니 이런 일을 전문적으로 하는 자에게 넘겨진 것 같았다. 인신매매 집단이다. 자신은 누군가에게 팔려져 가고 있겠지.

그렇게 냉정하게 상황을 정리해 가고 있을 때였다. 덜컹거리던 마차가 멈춰 서고 굳게 닫혀 있던 마차의 문이 열렸다.
"어이, 내려!"
순식간에 빛이 덤벼들어 눈이 부실 만도 하지만 린지는 눈 하나 깜짝 하지 않고 주변을 살폈다. 검을 든 열댓 명의 험악한 사내들이 마차 주위를 둘러싸고 있었다.
"내리라는 내 말 안 들려!"
한 사내가 우악스럽게 린지의 어깨를 잡아끌고 마차 아래로 끌고 왔다. 두 발까지 묶여 자연스럽게 움직이지 못하는 린지의 몸이 땅바닥 위로 풀썩 넘어졌다.
"에이 씨. 이 밧줄은 풀어야겠군."
사내가 단도를 꺼내 린지의 발을 묶은 밧줄을 끊었다.
"여기가 어디죠?"
린지가 묻자 사내는 피식 웃음을 날렸다.
"네놈이 제이의 인생을 시작할 곳이다. 따라와라!"
린지는 고개를 들어 올려 재빨리 주위를 살폈다. 거대한 저택을 보아하니 귀족에게 팔려 온 듯싶었다.
'지금은 못 도망가겠어.'
자세히 둘러보니 저택 주위로 검을 맨 기사들이 잔뜩 있었다.
'용병이 아닌 사병이야. 귀족의 저택이로군.'
그녀를 끌고 들어간 사내가 린지의 몸을 던지듯이 한 남자에게 내밀었다. 남자의 제복 위로 새겨진 푸른색 문양을 본 린지는 그제야 이곳이 어디인지 깨달았다.
'칼튀루스 후작 가문이다!'
칼튀루스 가문의 기사는 린지를 훑어보고는 인신매매단에게 말했다.
"오늘은 한 명뿐인가?"

"그렇소."

"적군. 하지만 질이 좋으니 후작께서 기뻐하시겠어."

기사는 비릿한 웃음을 지으며 린지를 훑어보았다. 그러다가 린지의 복장을 보고는 미간을 좁혔다.

"뭐냐, 이 시종 복장은. 이 녀석 어디서 데려온 거지?"

"르카플로네 백작가의 시종이요. 왜, 반품하겠소?"

반품이라니, 사람한테 그런 말 쓰지 말란 말이다! 린지는 그렇게 외치고 싶었지만 애써 참았다.

"하하하하! 후작께서 가장 싫어하는 휘안 데 르카플로네 백작의 시종이라! 재미있게 됐군."

기사는 호탕하게 웃음을 터뜨리며 돈주머니 세 개를 사내에게 내밀었다.

"여기 있다. 이제 나가 봐라."

"큭큭큭, 고맙소."

인신매매단이 사라지자 기사는 린지에게 고갯짓했다.

"따라와라."

린지가 대답 없이 따라가자 기사는 의외인 듯 눈살을 찌푸렸다.

"조용하군. 현실을 받아들인 건가?"

"……."

"뭐, 아무래도 좋다. 이제 후작님의 침실로 갈 것이니 밤 시중을 들도록 해라. 본래는 깨끗하게 씻은 후 후작님을 뵈어야 하지만, 들어오는 대로 당장 부르라는 명이 있어서 이번만은 예외로 친다. 다음에 부름이 있으면 깨끗이 몸단장을 하고 가도록."

린지는 기사에게 이끌려 후작의 방으로 향했다.

'하필이면 칼튀루스 후작에게 팔려 오다니.'

그녀의 붉은 눈동자는 그 어느 순간보다도 차갑게 가라앉아 있었다.

사실, 마음만 먹는다면 여기서 저택을 빠져나가는 것은 일도 아니었다. 하지만 문제가 있다면…….

'난 지금 백작가의 시종이라는 거지!'

함부로 움직일 수 없는 상황이다. 여기서 멋대로 활개를 쳤다가 르카플로네 백작, 휘안의 귀에 들어가게 된다면 정체를 의심당할 수도 있지 않은가.

'어떻게 해야 하지?'

"뭐라고?"

백작은 서류를 읽던 와중 잘못 들은 게 아닐까 싶어 고개를 돌리고는 다시 물었다. 그의 시선 끝에는 복잡한 표정을 짓고 있는 예르시카가 서 있었다.

"뭐라고 했지, 예르시카?"

예르시카의 푸른 눈이 백작을 향했다. 그녀는 한숨을 푹 내쉬며 다시 한 번 말했다.

"린지안 아르즈벨이 끌려간 것을 보았습니다. 카쥬탄이라는 시종 녀석이 팔아넘기더군요."

"……그래서?"

의외로 백작의 어조는 차분했다. 표정 또한 놀란 기색 하나 없이 차분하고 담담한지라, 예르시카는 더욱 알 수 없는 기분이 되어 말을 이었다.

"인신매매단을 따라가 보니 칼튀루스 후작가에서 멈춰 서더군요. 그곳에 팔렸습니다."

"칼튀루스 후작이라…… 악연이로군."

백작은 피식 웃으며 종이를 넘겼다. 그는 눈으로는 계속 서류를 읽어 내려가며 물었다.

"왜 구하지 않았지, 예르시카?"

"……."

예르시카는 입술을 잘근 깨물었다. 이런 추궁을 받을 것이라고 각오하고 한 말이었다. 아니 애초부터 모른 척, 아무것도 못 본 척 말하지 않을 수도 있었겠지만…….

'그 녀석도 결국엔 백작가의 일원. 사사로운 감정 따위로 판단 내려서는 안 될 일이다.'

하여 일단은 백작에게 보고를 한 것이다. 왜 구하지 않았던가? 카슈탄이 인신매매단에게 린지안을 넘기는 것을 보았지만 그들의 정체를 알 수 없기에 선뜻 나설 수가 없었다.

그리고 그들을 쫓아 칼튀루스 후작가에 도착했을 때도 마찬가지. 백작의 개인 기사로 얼굴이 알려져 있는 자신이 나선다면 이것은 백작이 나선 거나 마찬가지다. 그녀의 선을 넘어서 가문끼리의 분쟁이 돼 버린다.

"잘했어, 예르시카."

질타를 받을 것이라는 예상과는 달리 칭찬이 날아왔다. 예르시카가 의아한 표정으로 백작을 올려다보았는데, 그는 여전히 서류를 읽고 있는 중이었다.

"네가 내 기사인 것은 대부분의 귀족들이 알고 있지. 네가 함부로 나서지 않고 내게 먼저 보고한 것은 잘한 일이야."

그렇게 말한 백작은 어느 때와 같은 미소를 지어 보였다. 하나 예르시카는 안심할 수가 없었다.

"흐음, 어떻게 할까……."

백작은 그렇게 말하며 서류를 보았지만 사실 글자는 눈에 들어오지 않았다. 그는 의미 없는 시선을 종이 위로 꽂으며 생각했다. 자신의 귀여운 개인 시종이 칼튀루스 후작, 그 남색가에게 팔려 갔다. 백작은 칼튀루스 후작을 아주 잘 알고 있었다. 그가 얼마나 호색한인지, 얼마나 잔인한지……. 문득 지난날 그가 불쑥 찾아왔던 날이 떠올랐다.

"린지안 군, 난 따뜻한 홍차로 부탁해."

휘안의 명령에 그의 개인 시종은 방문을 나섰다. 탁, 소리와 함께 문이 닫히는 순간 휘안이 입술을 열었다.

"무슨 일로 찾아왔습니까, 칼튀루스 후작님?"

칼튀루스 후작은 다리를 꼬고 앉아 휘안을 빤히 쳐다보더니 예고 없이 웃음을 터뜨렸다. 그는 낄낄거리며 조소하듯 말했다.

"내가 반갑지 않은가 보군, 휘안?"

갑작스럽지만 매우 자연스런 하대였다. 하나 휘안은 조금도 당황하지 않고는 어깨를 으쓱였다.

"예고 없이 찾아온 무례한 사람을 반가워할 정도로 착한 사람이 아니라서 말이지요."

"킬킬킬. 예고라…… 우리 사이에 그런 게 필요하던가?"

그는 조소 가득한 눈빛으로 휘안을 응시했다. 신비로운 은빛 머리칼, 준수한 이목구비를 가진 사내는 흔들림 하나 없는 눈빛으로 칼튀루스를 마주하고 있었다. 마치 조각상처럼 아름다운 사내를 보며 칼튀루스는 입꼬리를 비틀어 웃었다.

"그 자리, 아주 잘 어울리는군. 마치 12년 동안 이 백작가를 떠난 적이 없는 것 같아."

"칭찬으로 듣도록 하지요."

"그래, 칭찬이고말고. 자네가 백작가에 돌아오기 전…… 마지막으로 봤던 게 3년 전이었던가."

칼튀루스 후작이 회상하는 척 눈알을 위로 굴리는 시늉을 했다.

"그때나 지금이나 잘생겼어. 다만, 지금의 자리가 더 어울리는군."

그의 얘기를 가만히 듣고 있던 휘안의 눈동자에 문득 지루함이 서렸다. 화가 난다거나 짜증이 난다거나 하는 감정을 넘어선 상태였다. 칼튀루스 후작이…… 그와의 대화가 몹시도 지루했다.

"용건만 말해, 에르벨 데 칼튀루스."

한순간에 공기가 바뀌었다. 공손한 웃음만 보여 주던 휘안의 눈가에 노골적인 오만함이 서렸다. 호선을 그리고 있는 입가도 더 이상 호의적인 종류의 것이 아니었다.

"……!"

풀 네임과 함께 갑작스럽게 하대가 내뱉어지자 칼튀루스 후작의 입가에 맺혔던 웃음이 사라졌다.

'저 개자식이……!'

그는 입술을 깨물며 휘안을 노려보았으나 휘안의 표정에는 변화가 없었다. 잠시 그를 노려보던 칼튀루스 후작은 한숨 같은 웃음을 내뱉더니, 본론을 꺼냈다.

"돈이 필요해, 휘안."

"그 얘기일 줄 알았어."

휘안은 싱긋 웃으며 머리를 쓸어 넘겼다. 지긋지긋함이 그의 눈가에 어려 있었다.

"도박으로 재산을 탕진한 건가? 아니면 자네의 그 고상한 취미, 노예 사들이기로 돈을 다 쓴 건가?"

"자네가 알 바 아니야!"

칼튀루스 후작은 의자 손잡이를 강하게 내려친 후 씹어 먹듯이 내뱉었다.

"나에겐 지금 돈이 필요해. 그리고 자네는 돈이 아주 많지."

"그래. 내게는 돈이 넘치도록 많아. 하지만 자네에게 줄 돈은 없을 것 같군."

담담한 거절의 말이 내뱉어져 나왔으나 칼튀루스는 당황하지 않았다. 오히려 예상한 반응인 듯 곧바로 받아쳤다.

"다시 한 번 생각해 보고 말하는 게 좋을 거야. 자네의 또 다른 얼굴…… 다른 사람들이 알게 되면 어떻게 될 것 같나?"

협박의 말을 내뱉는 칼튀루스의 입가에 비열한 웃음이 퍼져 나갔다.

"내가 입 한번 벙긋하면 자네의 정체가 알려질 거야."

"……."

휘안은 대답 없이 칼튀루스 후작을 응시했다. 그 보랏빛 눈동자는 너무나도 평온해서 방금 전 노골적인 협박을 당한 사람이라고는 믿을 수 없을 정도였다. 그의 무반응에 오히려 당혹스러운 쪽은 칼튀루스 후작이었다. 아무리 태평한 휘안 데 르카플로네일지언정 이 협박만큼은 먹힐 거라고 생각했던 것이다.

"해 봐."

"……!"

휘안의 입술에서 나온 첫마디는 예상치 못한 것이었다. 그는 부드러운 미소를 지어 보이며 깍지 낀 두 손을 무릎 위에 올렸다.

"자네 마음대로 떠들어도 좋아. 이미 나에 대한 갖가지 추측과 낭설들은 충분히 떠돌고 있으니까. 얼마 전에는 12년 동안 신대륙을 탐험하다가 지금 막 귀환했다는 소문도 있었지."

"……내가 못 할 것 같나?"

"응. 자네는 못 해."

그렇게 웃으면서 말하는 휘안의 눈동자가 차갑게 냉각됐다. 깊은 보라색에서 뿜어져 나오는 살기에 칼튀루스 후작의 몸이 굳었다.

"자네는 절대 못 해. 내 말이 틀리나?"

"……."

"그래, 자네는 나를 잘 알지. 때문에 더 못 할 거야."

휘안은 매혹적인 웃음을 머금으며 담담하게 말을 이었다.

"내가 어떤 사람인지 잘 알고 있을 테니까."

질끈.

칼튀루스 후작은 손가락 끝이 떨리는 것을 막기 위해 의자 손잡이를 애써 잡았다. 겁먹은 것을 숨기려 하는 그 모습을 보며, 휘안은 다시 한 번 참을 수 없는 지루함을 느꼈다.

'그랬었지.'

그리고 방 안으로 들어온 개인 시종 린지안. 칼튀루스 후작의 분풀이 대상이 되어 곤욕을 치렀다…….

회상을 마친 휘안은 미간 사이를 주물렀다. 아마 칼튀루스 후작은 린지안이 수중에 들어온 것을 알게 되면 무척 좋아할 것이다. 자신에게 당한 스트레스와 모욕을 린지안에게 풀겠지. 아마 린지안은, 그 당당한 표정을 지을 수 없을 만큼 잔혹한 짓을 당할 것이다…….

'구해 줄까?'

순간 백작의 눈앞으로 지난날의 광경이 선명하게 떠올랐다. 정원 위로 뿌옇게 비가 부서진 날, 자신의 품 안으로 쏙 들어왔던 흠뻑 젖은 몸. 붉은 머리칼이 달라붙은 새하얀 목덜미와 살결이 비치는 셔츠, 그리고 숨소리……. 뜨거울 만큼 강렬했던 그 순간이 다시금 재현됐다.

"내버려 둬."

결단은 한순간이었다. 갈등 속에서 내려진 차가운 결정이 입술 밖으로 튀어나왔다.

"……."

도리어 망설이는 것은 예르시카 쪽이었다. 아무리 마음에 들지 않는 녀석이라고 해도 남색가의 노예가 되는 것은 바라지 않았다. 하지만 백작의 명령 없이 그 녀석을 구할 수는 없는 일.

"아직 어린 소년입니다. 그렇게 노예로 사는 것은 안된 일이지 않습니까?"

"그렇지. 하지만 그런 일들은 이 세상에 흔히 일어나. 재앙 같은 불행, 삶을 부서뜨리는 불행."

백작은 씨익 웃으며 서류를 책상 위로 올려놓았다. 그의 보랏빛 눈동자와 마주친 예르시카의 등 뒤로 소름이 돋아 올랐다. 백작의 눈동자 깊은 곳에서는 상상도 할 수 없는 냉기가 존재했다.

"너도 알다시피 우리 둘 다 그러한 불행을 겪었어. 그때 누가 우리를 구해 주었던가, 예르시카? 우리는 스스로의 힘으로 살아남았어. 그리고 여기까지 왔지."

"……."

"그러한 불행이 린지안 군에게도 일어난 것일 뿐, 그뿐이야. 지루할 만큼 흔한 일이라고."

백작은 그렇게 말하면서 다시 한 번 결심을 굳힌 듯했다. 그는 다시 책상 위의 서류로 시선을 돌리며 단호하게 말했다.

"내버려 둬."

예르시카는 아무런 말도 덧붙이지 않았지만 못 박힌 듯 자리에 서서 떠날 줄 몰랐다. 그 침묵을 이해한 백작의 입가에 가벼운 미소가 맺혔다.

"무엇을 원해, 예르시카? 후작 가문과 전면전을 선언하며 사병들을 이끌고 린지안 군을 구해 올까?"

"……."

"왕을 비롯한 많은 귀족들이 나를 주시하고 있어. 12년 만에 갑자기 나타난 나를 수상하게 생각하고 있다고. 그리고 칼튀루스 후작은 지금 왕실에서도 특별 감시 대상이야. 여기서 섣불리 움직였다가는 내가 가진 비밀이 드러날 수도 있지. 시종 한 명을 구하자고 그런 도박을 해야 한다고 생각해?"

예르시카는 고개를 저었다. 이성적으로 생각한다면 백작의 결정이 천 번 만 번 옳았던 것이다. 그녀는 말없이 허리를 숙인 후 방을 나섰다.

"그래, 그런 도박은 할 수 없어. 아무것도 하지 않는 것이 옳아."

예르시카가 나간 뒤에도 백작은 스스로를 설득하듯 중얼거렸다. 그 목소리는 마치 변명처럼 방 안을 울린 후 흔적 없이 사라졌다.

린지는 그대로 칼튀루스 후작의 방으로 끌려갔다. 그곳에서 만나게 된 후작은 커튼이 늘어진 침대에 누워 그녀를 반겼다.

"하, 하하하하! 이게 누구야? 르카플로네 백작의 개인 시종이잖아!"

그렇게 말하면서 웃는 칼튀루스 후작의 눈동자는 몽롱함에 젖어 있었다. 그의 말투, 표정, 눈빛을 보아하니…….

'약을 했군.'

이미 마약에 취한 상태인 것 같았다. 게다가 그는 마약으로도 모자랐는지 한 손에는 와인으로 가득 채워진 잔을 들고 있다.

"크크큭, 휘안 데 르카플로네! 꼴좋다! 뭐? 내가 백작가에서 가져갈 수 있는 건 차 몇 모금뿐이라고?!"

웃으면서 혼잣말을 하던 그는 갑자기 분이 솟구쳤는지 대뜸 와인 잔을 내팽개쳤다. 쨍그랑 소리와 함께 날카로운 유리 파편들이 사방으로 튕겨 나갔다.

"개 같은 자식! 웃기지 마, 난 네 시종을 손에 넣었어! 아하하하!"

제정신이 아님이 증명하듯 그는 마치 휘안을 눈앞에 둔 것처럼 소리쳤다. 그렇게 벽을 보며 씩씩거리던 칼튀루스 후작은 고개를 획 돌려 린지를 마주 보았다. 사납게 올라갔던 그의 눈꼬리가 부드럽게 스르륵 내려왔다.

"손님을 너무 오래 기다리게 했군. 이렇게 다시 보게 되어 반갑다. 린지안이라고 했던가? 환영 선물로 좋은 걸 주지."

그는 새 잔에 와인을 따른 후 정체불명의 청록색 가루를 부었다. 그리고 히죽 웃으며 린지에게 내밀었다.

"자, 마셔라. 마시면 기분이 좋아질 것이다."

마약인가? 린지는 외면하듯 고개를 돌렸다. 그러자 칼튀루스 후작이 연신 웃음을 터뜨리며 말했다.

"이 좋은 걸 안 마시겠다고? 이건 마약이 아냐! 그것보다 훨씬 더 강한 거지. 알케미스트들이 만든 환각제라고!"

"......?"

알케미스트, 그 단어에 린지의 시선이 절로 칼튀루스에게 향했다. 설마 이자가 알케미스트들과 거래를 한단 말인가?

"크큭, 알케미스트는 개뿔. 연금술의 연 자도 모르는 가짜 연금술사들이, 어디서 고대의 사라진 학문을 연구하겠답시고...... 크하하! 안 그러냐, 시종? 연금술을 모르는 것들이 스스로를 연금술사로 칭하며 그 학문을 연구하는 꼴이? 기껏 한다는 것이 기묘한 약 따위나 만드는 게 전부면서!"

맞는 말이었지만 적어도 그 약에 취해 있는 작자가 할 말은 아니었다. 린지가 말없이 외면하자 칼튀루스는 기괴한 웃음소리를 흘렸다. 그는 비틀거리며 린지에게 다가와 그녀의 팔목을 잡았다.

"가만히 있는 게 좋을 거야. 얌전히만 굴면 죽이진 않으마."

후작의 손끝이 린지의 뺨을 쓰다듬고 턱을 어루만졌다.

'윽……!'

등골을 타고 순식간에 소름이 끼쳐 올랐다. 당장에라도 놈을 걷어차고 싶은 마음이 굴뚝같았지만 참아야 했다.

'참자. 밧줄만 풀면 돼.'

아무리 검술이 뛰어나도 여자인지라 팔 힘으로 밧줄을 끊어 낼 악력은 없다. 린지는 구역질이 치솟아 오르는 것을 애써 참아 내며 후작의 손길을 견뎠다.

털썩. 칼튀루스 후작은 린지를 침대 위로 쓰러뜨리고는 그 위로 올라탔다. 그리고 그녀의 부드러운 피부를 즐기듯 손끝으로 얼굴과 목을 가볍게 훑어 내렸다.

"이럴 수가, 피부가 기가 막히는군."

칼튀루스 후작의 입에서 불쾌한 웃음소리가 흘러나왔다.

에르벨 데 칼튀루스, 그는 지금 기분이 좋았다. 그것도 아주 많이. 그의 기분을 위로 끌어 올려 주는 것은 비단 마약과 술뿐만은 아니었다.

'크크크, 휘안 자식! 네놈의 것이 지금 내게 있다!'

얼마 전 그에게 당한 모욕이 이러한 결과로 되돌아올 줄이야! 칼튀루스 후작은 찢어지도록 올라가는 입꼬리를 참을 수 없었다.

'네 것을 엉망진창으로 만들어 주마, 휘안!'

칼튀루스 후작은 복수심과 음욕에 불타는 눈빛으로 린지를 내려다보았다. 그의 몸 아래에 깔린 붉은 머리칼의 소년은 이상할 정도로 순순했다. 그날, 백작가에서 느꼈다시피 이 소년이 풍겨 내는 분위기는 묘할 만큼 선정적이었다. 신비하게 위로 치켜 올라간 눈매와 아름다운 루비색 눈동자, 그와 대비되는 흰 피부는 보는 것만으로 자극적일 정도였다.

"시종 주제에, 귀족 영애들보다 피부가 좋군."

칼튀루스 후작의 손끝이 린지의 입술을 지나쳐서 턱과 귓불을 훑기 시작했다. 린지가 입술을 악물며 참아 내고 있을 때, 후작이 그녀의 귓가에 입술을 바싹 대고 속삭였다.

"말해 봐라. 정말 휘안 백작과는 아무 관계가 아니었던 거냐?"

남작은 흥이 오르는지 잔뜩 상기된 표정으로 린지의 옷깃을 풀기 시작했다. 그제야 밧줄이 방해된다는 것을 느낀 것일까, 그는 서둘러 단검을 집고 밧줄을 잘라 냈다.

그것은 린지가 그렇게나 기다려 온 순간이었다. 그녀는 밧줄에 억눌려 있느라 욱신거리는 팔뚝을 문지르며 남작을 올려다보았다. 그는 그녀의 단추를 푸는 데 집중해 있었다.

"잠깐."

그녀가 이 방에 들어온 순간 처음으로 입을 열자, 칼튀루스 후작의 손이 멈췄다.

"잠깐, 잠깐만요."

"……뭐지?"

린지는 두 손으로 칼튀루스 후작의 손을 살짝 밀어내며 그를 응시했다.

"후회할 겁니다."

"뭐?"

"지금 저를 풀어 주지 않으면 후회할 거라고요."

"뭐? 그게 무슨 헛소리냐?!"

처음으로 입을 열기에 뭔 얘기를 하나 궁금해서 들어 봤더니 역시나 들을 가치 없는 이야기였다. 이곳에 끌려온 노예들이라면 늘 지껄이는 이야기들. 어떤 노예는 너무나 절박한 나머지 자신이 왕족의 딸이라는 등 말도 안 되는 거짓말을 내뱉기도 했다. 가뿐하게 그 협박을 무시한 칼튀루스가 다시 단추를 풀려는 순간, 린지의 입이 다시 열렸다.

"르카플로네 백작님께서 후작님을 가만두지 않으실 겁니다."

멈칫.

먹혀든 것일까? 칼튀루스 후작의 손이 다시 한 번 멈췄다. 그가 잠시 멈춰서 가만히 있는가 싶더니, 다음 순간 손을 들어 올려 린지의 뺨을 내리쳤다.

찰싹! 따끔한 고통과 함께 그녀의 얼굴이 홱 돌아갔다. 새하얀 피부 위로 붉은 생채기가 그어졌다. 하지만 칼튀루스 후작에게는 감흥 없는 장면이었는지, 그는 린지의 멱살을 잡고 흔들었다.

"이 시종 새끼가 감히 나를 협박해?!"

그는 야수처럼 살기 어린 눈을 빛내며 외쳤다.

"백작이 네깟 시종을 신경 쓸 것 같나?!"

"신경 쓸 겁니다."

린지는 뺨에서 느껴지는 쓰라린 고통을 무시하며 눈에 힘을 주었다. 그리고 한마디 한마디에 확신을 담아 말했다.

"백작님께서는 저를 아낍니다. 저번에 못 느끼셨습니까?"

"뭐?"

"저택에서 저를 아끼시는 것, 못 느끼셨냔 말입니다."

물론, 린지는 백작이 자신을 아끼고 있다고 생각하지 않았다. 분명 그는 개인 시종인 그녀에게 친절을 베풀고 다정하긴 했지만 그 이상의 것은 아니었다. 그에게 있어서 상냥함이란 마치 습관과도 같은 것이었으니까. 하지만 린지는 허세를 부리려고 작정했기 때문에 당당한 표정을 유지하며 외쳤다.

"저를 조건으로 걸고 백작님과 거래하시죠."

"뭐? 그건 또 뭔 헛소리냐!"

"저번에 보아하니 백작님께 무언가 부탁을 하려던 것 같던데요. 그 부탁은 거절당한 것 같고요. 저를 조건으로 걸고 다시 협상을 해 보시는 건 어떻습니까?"

건방져 보이기까지 한 린지의 말과 태도에 칼튀루스 후작은 어이가 없는 듯 몸을 일으켜 세워 앉았다. 린지도 천천히, 최대한 저항적으로 보이지 않으려고 노력하며 허리를 세웠다.

"너를 조건으로 다시 협상을 해 보라고?"

방금 전 보여 주었던 그 노기는 어디로 사라졌는지, 칼튀루스 후작의 눈가에는 당혹함만이 가득했다. 그런 그의 눈동자를 똑바로 쳐다보며 린지는 또박또박 말을 이어 갔다.

"그래요. 저번에 저택에서도 느끼셨겠지만 백작님께서는 저를 아끼십니다. 돌려보내 준다는 조건으로 부탁을 들어 달라고 하시면 되잖습니까?"

칼튀루스 후작은 초점 없는 눈빛으로 멍하니 린지를 쳐다보다가 풋 하고 웃음을 내뱉었다.

"하하하하하. 이 시종 새끼가, 말도 안 되는 소리 하고 있군!"

그렇게 말한 그는 다시금 화가 나는지 침대 위를 주먹으로 내리쳤다.

"휘안 그 새끼한테 그런 게 통할 것 같나? 그놈에게 네 녀석 따위는 먼지만 한 존재야, 알아?!"

그는 얼굴을 새빨갛게 붉히며 열변을 토해 냈다.

"저택에서 그놈이 보여 준 행동이 네놈 때문인 것 같나?! 아니! 네놈 때문이 아니야. 그놈은…… 너를 빌미 삼아 날 위협한 거야!"

그는 주먹을 으스러지게 쥐며 침대를 다시 한 번 내리쳤다. 약에 취한 것일까, 아니면 혼란스러운 감정 때문일까, 그의 두 눈동자가 격한 감정을 주체 못 하고 흔들리고 있었다.

"그놈이 감히 나를! 이 칼튀루스 후작을……!"

그 순간 린지안의 붉은 눈동자가 빛났다. 그것은 그녀가 기다려 온 순간이었다.

'역시 뭔가 있어.'

칼튀루스 후작과 휘안 데 르카플로네 사이엔 무언가가 있다. 그때, 예고 없이 찾아온 후작의 방문으로 인해 예감하고 있었던 린지였다. 때문에 지금 당장 바로 탈출할 수 있음에도 불구하고 그에게 뺨을 맞아 주고 있었다. 그리고 아마 몇 대는 더 얻어맞을 것을 예상하면서도 린지는 다시금 입술을 열었다.

"그깟 놈이라뇨? 그동안 자리를 비우시긴 했지만 르카플로네 백작 가문의 가주이십니다."

"하! 그거야 그렇지! 백작 가문의 가주, 휘안 데 르카플로네! 하지만 그 새끼는……!"

그래, 더 말해! 린지의 심장이 두근두근 맥동했다. 칼튀루스 후작이 조금만 더 말을 잇는다면, 뭔가 더 이야기해 준다면……!

"……."

하지만, 더 이상의 목소리는 흘러나오지 않았다. 다만 칼튀루스 후작은 몸을 바르르 떨며 소리 없는 욕설을 입 안에서 굴리고 있을 뿐이었다. 차마 입 밖으로 내뱉지 못하는 어떠한 감정…… 그것이 그의 온몸을 뒤흔들고 있는 것이 보였다.

'젠장, 말하라고!'

조급해진 린지는 다시 한 번 그를 도발했다.

"왜요? 르카플로네 백작님께서 과거에 어떠하셨든 지금 모습은 훌륭하시지 않습니까? 당신보다 훨씬 더요!"

문장을 끝맺기 전부터 칼튀루스 후작은 손을 높이 들어 올려 내리치고 있었으나 린지는 눈을 피하지도, 말을 멈추지도 않았다.

찰싹!

"이 건방진 자식!"

린지의 빰이 다시 한 번 돌아갔다. 이번엔 정말로 힘껏 때렸는지 눈앞에 잠시 별이 번쩍일 지경이었다. 입 안이 찢어졌는지, 비릿한 피가 혀를 감아 왔다. 린지는 피를 뱉어 내며 다시금 날아오는 후작의 손을 받아 냈다.

짜악!

"네깟 놈이 뭘 안다고 지껄여! 네깟 시종 놈이 감히 나를 무시해?"

그렇게 린지의 빰을 내려친 후작은 분노에 못 이겨 숨을 몰아쉬었다. 그 숨결이 얼마나 뜨겁고 거칠었는지 린지의 목덜미에 씨근덕거리며 와 닿을 지경이었다.

"그 새끼는…… 악마야……."

잘못 들은 게 아닌가 싶을 만큼, 그 목소리는 짧고 조용하게 그녀의 귓가를 스치고 지나갔다. 린지는 눈을 동그랗게 뜨고 칼튀루스 후작을 올려다보았다. 하지만 그는 무슨 말을 했냐는 듯 다시금 살기에 가득 찬 눈빛으로 그녀를 노려보았다.

"네깟 시종 놈이 나를 모욕하고도 살아남을 수 있을 것 같으냐?"

그렇게 말한 그는 거친 손길로 린지의 옷깃을 잡았다. 그러고는 비릿한 웃음을 지으며 진득하게 말했다.

"네놈을 죽여 주마. 물론 볼일이 끝난 뒤에 말이야."

'……제정신이 아니군.'

마약 때문인지 소리를 지르는가 싶더니 다시 웃음을 터뜨리는 둥, 감정의 기복이 너무나도 잦았다. 아무래도 더 이상의 유도 신문은 통하지 않을 듯싶었다. 린지가 한숨을 푹 내쉬는 순간, 칼튀루스 후작이 그녀의 옷깃을 잡아챘다.

"이것 봐!"

그가 옷을 잡아 뜯으려는 것을 눈치챈 린지가 그를 걷어찼다. 퍽 소리와 함께 그의 몸이 침대 아래로 나뒹굴며 떨어졌다.

"이, 이 새끼가 감히!"

칼튀루스의 눈이 거의 뒤집어지듯 살기로 넘쳐흘렀다. 그는 벽걸이에 장식되듯 걸려 있던 검을 뽑으며 린지를 가리켰다.

"미천한 시종 새끼가 귀족을 때려? 죽여 버리겠다!"

"죽는 건 내가 아니라 너일 거다, 변태 새끼야."

린지는 결정했다. 이제 이 저택을 탈출하기로. 어차피 더 이상의 유도신문은 먹히지 않는다. 여기서 그녀가 알아낼 수 있는 것은 '그 새끼는 악마 같은 놈이야'라고 말한 마약에 취한 목소리일 뿐. 제정신이 아닌 작자를 상대로 더 이상의 시간도, 체력도 낭비하고 싶지 않았다.

'탈출하려면 저 작자를 해해야겠지.'

실력을 드러내면 마음먹은 일을 이루는 것은 쉽겠지만 문제는 그것이 백작의 귀에 들어가면 안 된다는 것이다. 그러기 위해서는.

'죽여야 해.'

칼튀루스 후작을 죽인다. 그리고 후작의 기사들을 죽인 후, 오라버니에게 부탁하여 다른 곳에서 토벌한 것처럼 꾸며 대면 될 것이다. 계산을 끝낸 린지의 눈동자에 날카로운 기운이 서릴 때였다.

챙그랑!

'아?'

문밖에서 불현듯 소음이 들려왔다. 뒤이어 무언가 부서지는 소리, 비명 소리, 쇠붙이가 부딪히는 소리가 한데에 엉켜 어지럽게 울려 퍼졌다.

"뭐, 뭐야. 이게 무슨 소리야!"

칼튀루스 후작 또한 이 소리를 들었는지 잔뜩 어깨를 움츠리며 검을 세워 잡았다. 다음 순간, 문이 벌컥 열리며 기사들이 들이닥쳤다.

"칼튀루스 후작! 국법을 어긴 죄로 네놈을 처단하겠다!"

셀 수 없이 많은 기사들이 한순간에 방 안으로 밀려들어 왔다. 그들은 이미 후작의 기사들과 전투를 치렀는지 피 묻은 검을 들고 있는 상태였다.

"네, 네놈들은 뭐야! 이것 놔라!"

린지는 침대 위에서 멍하니 눈앞에 펼쳐지는 장면을 지켜보았다. 순식간에 들이닥친 기사들이 칼튀루스 후작을 제압하고, 몸부림치며 검을 들고 저항하는 그를 쓰러뜨린 후, 밧줄로 몸을 묶는 장면까지…….

"이것 놔! 내가 누군지 알고 감히! 나는 칼튀루스 후작……!"

"아니지."

밧줄로 칼튀루스 후작을 꽁꽁 묶은 기사가 피식 웃으며 그의 멱살을 잡아챘다.

"너는 지엄한 국법을 어긴 범죄자일 뿐이다. 그러니 입 닥쳐!"

"웃기지 마, 이 개새……!"

퍽!

칼튀루스 후작이 침을 튀기며 발악하려 하자 기사는 귀찮은 얼굴로 그의 목덜미를 후려쳤다. 숨이 격하게 내뱉어지는 소리와 함께 칼튀루스 후작의 몸이 스르륵 앞으로 쓰러졌다.

'뭐, 뭐야, 이거.'

순식간에 일은 마무리되었다. 발악하는 칼튀루스 후작을 기절시킨 기사들은 그를 질질 끌고 밖으로 나갔고, 몇 명의 기사들만 남아 증거물-마약들을 모았다. 그중 한 기사가 린지에게 다가왔다.

"너도 노예로 잡혀 왔나?"

"네, 네에……."

"신분을 밝혀라."

린지는 당황한 표정을 유지하며 기사의 갑옷을 응시했다. 왕실 기사단의 문양, 사자가 포효하는 모습이 정밀하게 묘사되어 있었다.

'왕실에서 칼튀루스 후작을 지켜보고 때를 노리고 있었다는 건 알고 있었지만, 어떻게 이렇게 정확한 타이밍을 찾아낸 거지?'

린지는 얼떨떨해하면서도 충실히 기사의 질문에 답했다.

"리, 린지안 아르즈벨입니다. 르카플로네 백작가의 시종으로 일하고 있습니다."

"여기는 어떻게 해서 잡혀 온 거냐?"

"누군가가 음식에 약을 타서 납치되었습니다."

그 말을 들은 기사는 다른 기사들과 눈짓으로 소통한 후 말했다.

"잠시 대기하도록. 우리가 직접 너를 백작가로 데려다주겠다."

"네, 네에."

린지는 멀뚱하게 앉아서 머리를 긁적였다. 대체 어떻게 된 일인지는 모르겠지만…….

'뭐, 잘된 건가?'

손 안 대고 코 푼 격이니까, 좋은 거겠지.

잠시간의 증거 수집 후 린지는 기사들 몇 명과 함께 백작가로 향했다. 야심한 새벽이었지만 저택의 문지기는 백작에게 이 소식을 전달했고, 자느라 일어나지 않을 줄 알았던 백작은 의외로 빠르게 그들을 맞이했다.

"만나 뵙게 되어 영광입니다, 르카플로네 백작님. 저는 왕실 제1 기사단 소속 기사 단장 카르텔이라고 합니다."

"그래, 반갑군. 그런데 이게 어떻게 된 일이지?"

일어나자마자 바로 나온 것인지 백작은 새하얀 실크 가운을 입은 상태였다. 린지는 기사들의 옆에 엉거주춤 몸을 움츠리며 서 있었다. 칼튀루스 후작에게 이런저런 일을 당할 당시엔 아무렇지도 않았는데, 막상 자신의 꼴을 의식하고 나니 굉장히 수치스러웠다.

'으, 이게 무슨 꼴이람.'

머리는 헝클어져 있는 데다가 옷깃은 찢어져서 속살이 드문드문 드러나 있었다. 게다가 뺨은 붉게 부어올랐고 입술은 터져서 피딱지가 고여 있다. 누구에게도 보여 주고 싶지 않은 모습이었던 것이다.

하지만 다행히도 백작은 린지에게 시선조차 주지 않았다. 오로지 기사들과 시선을 맞추며 대화를 할 뿐 눈빛 한번 마주치지 않았다. 상황 설명을 들은 백작은 미간을 좁히며 고개를 끄덕였다.

"고맙군. 내 가문의 시종을 구해 주었으니."

"아뇨. 할 일을 했을 뿐입니다. 어차피 조만간 수색에 들어갈 집이었으나 칼튀루스 후작이 하도 주도면밀해서……."

그래, 그런데 어떻게 이 타이밍을 알고 들이닥쳤느냐 말이다! 귀족의 집에, 그것도 후작급의 상위 귀족의 집에 들이닥칠 때는 확실한 증거가 필요하다. 단지 심증만으로 들어와 '조사해 보겠습니다'는 불가능하다. 때문에 왕실에서도 때를 노리며 대기하고 있었던 것이고…….

'그런데 단순한 조사도 아니고 기사들을 보내서 들이닥친 건 이미 이 상황을 알고 있다는 건데.'

린지의 의아함을 풀어 주려는 듯 기사가 한마디 덧붙였다.

"신원을 밝히지 않은 정체불명의 정보 제공자가 왕실에 편지를 보내왔습니다. 지금 칼튀루스 후작가에서 노예 거래가 이루어지고 있다고요. 그 덕에 저희가 움직일 수 있었죠."

정보 제공자라? 누군가가 왕실에 정보를 흘렸단 말인가? 대체 누가?

"잘된 일이군."

휘안은 씩 웃으며 처음으로 린지를 쳐다보았다. 그의 보랏빛 눈동자와 마주친 린지는 왠지 모를 당혹스러움을 느끼며 서둘러 고개를 돌렸다.

잠시 후 기사들이 사라지고 나자 휘안은 린지에게 산책을 제안했다. 이 새벽에 이제 막 노예에서 벗어난 시종에게 산책이라니, 정말 배려라고는 눈곱만큼도 없다고 생각했지만 린지는 어쩔 도리 없이 그를 따라나섰다.

'그런데 말도 없고. 할 얘기가 있어서 산책을 제안한 게 아닌가?'

차가운 새벽이었다. 풀벌레조차 숨을 죽인 밤은 너무나도 어둡고 고요해서 숨소리마저 생경할 지경이었다. 그녀는 연못가에 어슴푸레 비치는 달빛에 의지해 걸음을 옮겼다. 휘안은 그녀의 앞에서 걷고 있었는데, 먼저 나가서 산책하자고 한 주제에 말을 꺼내기는커녕 한번 돌아보는 일이 없었다.

'나쁜 놈. 시종이 잡혔다가 이제 풀려났는데 좀 쉬라고 해야 정상 아니야?'

과연 칼튀루스 후작이 악마라고 할 만한 성정이지 않은가! 린지가 불만에 차서 입을 쭉 내밀고 있을 때였다. 문득 멈춰 선 휘안은 연못가를 잇는 다리의 난간 위에 팔을 올리고 편하게 몸을 기대었다. 린지는 잠시 머뭇거리다가 그의 옆에 엉거주춤 섰다.

"린지안 군."

"네?"

처음으로 입을 연 휘안의 목소리가 나부끼는 바람 소리에 실려 들려왔다.

"카쥬탄이라고 하더군, 린지안 군을 넘긴 자."

"……아."

린지의 입술에서 놀란 신음이 터져 나왔다. 예상하고 있던 이름이었지만 백작의 입에서 나왔기에 놀라울 수밖에 없었다.

"어떻게 알아내셨습니까?"

"에르시카 경이 봤어."

이렇게 대답한 휘안은 천천히 고개를 돌려 린지를 내려다보았다. 어둠 속에 묻힌 보라색 눈동자 안에 붉은 머리칼의 시종이 담겼다.

"에르시카 경이 매매 현장을 목격했다고 하더군."

순간, 불어오는 바람이 멈췄다. 사각거리던 나뭇잎 소리도, 스쳐 지나가던 바람의 소리도 모든 것이 정적 속으로 파고들었다. 들리는 것은 오로지 린지와 휘안의 숨소리뿐이었다. 다음 순간, 린지의 당혹스러운 목소리가 침묵을 깨뜨렸다.

"그게 무슨 소리지요?"

황당했다. 아니, 황당한 것을 넘어서 어이가 없을 지경이었다. 방금 휘안이 내뱉은 한마디, 그 한마디에는 너무나 많은 사실이 내포되어 있었기 때문이다.

'저 백작이 지금 뭐라고 하는 거야.'

에르시카가 그 매매 현장을 보았다고 한다. 그녀는 분명 휘안에게 보고를 했을 것이고 그는 그 사실을 이미 알고 있었을 것이 분명하다. 기사들이 찾아와 보고를 받기 전부터, 문지기에게 소식을 듣고 일어나기 전부터, 가운을 입고 침대에 눕기 전부터…….

"알고 계셨군요."

그는 알고 있었다, 자신이 노예로 팔려 간 것을. 휘안은 부정하거나 변명하지 않았다. 그럼에도 불구하고 그는 그녀의 눈빛을 피하지 않고 가만히 마주 보기만 할 뿐이었다. 순간, 린지는 괜히 머쓱해져서 머리를 긁적였다.

'뭐야, 이 기분은…….'

휘안은 알고 있었다. 아주 일찌감치 자신이 노예로 팔려 간다는 것을 알고 있었음에도 불구하고 평소처럼 아무렇지도 않게 잠자리에 들었던 것이다.

'알고는 있었지만 역시 칼튀루스 후작의 말이 맞아.'

그를 일부러 도발시키기 위해 백작이 자신을 아낀다고, 이 사실을 알면 가만두지 않을 거라고 협박했을 때 후작이 말했다. 그에게 자신은 먼지 같은 존재라고, 신경조차 쓰지 않을 거라고…….

'그래, 알고 있었다고. 백작이 날 아낀다는 것도 그냥 도발하기 위해 한 말이잖아?'

린지는 스스로에게 그렇게 말하며 잠시나마 심장 위로 올라왔던 감정을 가볍게 밀어 넣었다. 그것은 찰나와도 같은 순간이라서, 어둠 속의 휘안은 그 변화를 보지 못했다. 그의 눈에 보이는 것은 린지의 차분한 표정뿐이었다. 휘안은 고개를 갸웃 기울이며 말했다.

"화 안 났어?"

그 말에 린지는 한숨을 푹 내쉬며 주먹을 불끈 쥐었다.

"화납니다. 정말 화가 나요."

"……."

"카쥬탄 그 녀석."

갈 곳 잃은 감정의 표적은 카쥬탄이었다. 그녀는 그의 험악한 얼굴을 떠올리며 주먹을 부르르 떨었다.

"그 녀석일 거라고 예상은 했습니다. 가만두지 않을 거예요."

"그 시종이라면 직접 볼 일은 없을 거야. 내가 충분한 벌을 내리고 백작가, 아니 이 수도 밖으로 추방시켰으니까."

"아…… 그, 그렇군요. 감사합니다."

직접 한 대 치고 싶었는데 미리 선수를 친 건가. 하긴, 시종 관리는 백작가의 일이기도 하니까. 그녀가 그렇게 생각하고 있을 때 휘안이 다시 입을 열었다.

“나는 충분히 널 구할 시간이 있었지만 그러지 않았어. 내가 더 일찍 나섰더라면 너는 아무런 해도 입지 않고 무사했을 거야.”

담담하게 말을 이어 간 휘안은 입꼬리를 살짝 올렸다.

“구해 주지 않아서 화났니?”

“…….”

린지는 딱히 대답을 찾을 수 없었다. 아무 말 없이 그를 마주 보았지만 휘안이 대답을 기다리고 있다는 것을 깨닫고는 어떻게든 자신의 감정을 표현하려 했다. 아주 솔직하게.

“제가 왜 화가 나요?”

린지는 꾸밈없이 현재의 생각을 그대로 내뱉었다. 그 말을 하는 그녀의 표정은 너무나도 솔직해서 거짓이라고는 단 한 줌도 찾아볼 수 없었다. 심지어 그녀는.

“제가 화가 왜 나야 하죠? 이해가 안 되는데…….”

그렇게 가정한 휘안을 도리어 이해하지 못하는 것 같았다. 아니, 실제로도 그러했다. 린지는 몹시 당황스러웠다. 왜 화가 날 거라고 생각했을까? 물론 그가 미리 알고 있었다는 사실을 알았을 때 묘한 감정이 밀려오긴 했었다. 하지만 그것은 백작에 대한 서운함이 아닌, 칼튀루스 후작 앞에서 떵떵거리면서 부린 허세에 대한 일말의 수치심일 뿐이었다. 백작에 대한 개인적 서운함은 단 한 줌도 없다.

“백작님께서 왜 저를 구하셔야 합니까?”

린지는 머리를 긁적이며 말을 이었다.

“음, 그러니까…… 저는 일개 시종일 뿐이고 백작님은 고귀하신 귀족이십니다. 그러니 저 하나 때문에 같은 귀족분과 등지는 건 말도 안 되는 일이죠.”

이것은 진심이었다. 린지는 미소를 만들어 보이며 말했다.

"그러니까 걱정 안 하셔도 됩니다."

이 정도면 제법 말을 잘한 편이겠지? 린지는 스스로에게 흐뭇해하며 어깨를 으쓱였다. 그녀의 솔직한 마음, 휘안이 자신에게 미안해할 필요 없다는 것을 제법 그럴듯하게 표현한 것 같았다. 린지는 뿌듯한 표정으로 휘안을 응시했다. 그는 아마 천연덕스럽게 웃으며 역시 그럴 줄 알았어, 린지안 군, 역시 쿨하구나, 라고 말할 것이다…….

"……."

말할 거라고, 생각했다.

"……저, 백작님?"

때마침 구름이 달빛을 가려 그의 표정이 어둠 속으로 파묻혔다. 아무런 말도 하지 않는 데다가 얼굴까지 보이지 않으니 린지는 내심 불안해졌다.

'뭐지? 갑자기 왜 아무 말도 없는 거야?'

휘안의 침묵 앞에서 린지는 어찌할 바를 몰랐다. 그녀는 최대한 그의 기분을 풀어 주기 위해 횡설수설했다.

"저…… 정말 죄송합니다. 혹시 화나셨나요? 저 때문에 귀찮은 일이 생겨서…… 정말 죄송해요, 백작님."

"……."

"주무시는 것을 방해해서 죄송합니다. 지금쯤 한창 주무셔야 할 시간인데, 괜히 저 하나 때문에……."

뭐라고 말 좀 해 보라고! 이런 말 저런 말을 지껄여 대는데도 상대방이 무응답이니 마치 벽에다가 대고 말하는 기분이었다. 평소의 휘안과는 너무나도 다른 반응인지라, 린지의 불안감은 점점 커져만 갔다.

하지만 다행히도 이 숨 막히는 상황은 오래가지 않았다. 다시 달빛이 드러났을 때 휘안의 미소 짓는 얼굴이 린지의 눈에 들어왔다. 그의 웃음을 보는 순간, 린지의 긴장이 확 풀어졌다.

"알았어, 린지안 군."

"네?"

"린지안 군의 생각은 잘 알겠어."

그렇게 말한 휘안은 한 번 싱긋 웃으며 그녀의 어깨를 톡톡 두드렸다.

"많이 피곤하지? 어서 들어가서 쉬도록 해."

"네?"

아니, 산책하자고 잡아끌고 온 사람이 누군데……. 린지가 황당해하든 말든 백작은 다시 한 번 미소 지었다.

"나는 더 산책하다가 갈게. 어서 들어가 봐."

"……저 혼자요? 괜찮으시겠습니까?"

"그래. 들어가 봐."

들려오는 백작의 대답은 평소와 다름없이 산뜻하고 맑았기에 린지는 마침내 안도할 수 있었다.

"그럼 날이 밝으면 다시 뵙겠습니다."

그 말을 끝으로 린지는 재빨리 걸음을 옮겼다. 백작은 멀어지는 린지의 등을 가만히 쳐다보다가 그녀가 사라지고 나서야 연못가로 시선을 옮겼다.

"백작님께서 왜 저를 구하셔야 합니까?"

그 말이 뜻하는 바가 너무나도 명쾌했다. 백작은 입가에 알 수 없는 미소를 띠며 린지의 마음이 전한 것을 속으로 읊조렸다.

나에게는 당신이 필요 없어.

휘안의 시종은 그렇게 말하고 있었다.

chapter 4. 산장에서의 하룻밤

칼튀루스 가문, 본래는 유서 깊고 명망 있는 귀족 가문이었으나 이번 대 가주의 방탕함과 과소비로 인해 쇠락을 향해 걸었다.

에르벨 데 칼튀루스 후작. 그는 어린 십 대 시절부터 도박과 마약에 빠져 낭비벽이 심했으며, 정식으로 후작의 작위를 물려받고 나서는 정도가 더 악화되어 가문이 기우는 수준까지 가게 되었다. 뿐만 아니라 불법적인 일- 왕국 법으로 엄하게 금지되어 있는 마약과 노예 경매에 빠져 골칫덩어리 같은 존재로 등극하고야 말았다.

그런 칼튀루스 후작이 드디어 범죄 현장에서 체포되었다. 충분한 증거와 노예를 사들이는 현장을 습격했기에 그는 바로 철창으로 직행하여 곧 있을 심문을 기다렸지만......

다음 날 아침, 그는 싸늘한 시체로 발견되었다.

"독살입니다."

레란의 국왕, 칼바스 라뤼오르 빈 레란은 왕실 기사 단장이 하는 보고를 진중한 표정으로 들었다.

"검사 결과 두피에 독침을 침투시켰습니다."

"어떤 독이지?"

"천천히 고통 없이, 잠드는 것처럼 죽음에 이르도록 만드는 게 특징입니다. 남대륙 고산 지대에서만 자라는 라투나탄 꽃에서 생산되지요. 대륙적으로 지정된 희귀종이라 구하기는 하늘의 별 따기라고 할 수 있습니다."

칼바스는 자리에서 일어나 창가로 다가갔다. 그는 정원에 만발한 장미꽃들에 의미 없는 시선을 두다가 한숨을 내쉬었다.

"그런데 그 독이 쓰였다?"

"네. 어제 칼튀루스가 체포된 새벽 한 시경부터 새벽 여섯 시 사이에 암살된 것으로 추정됩니다."

"그래……."

칼바스는 천천히 기사 단장을 돌아보았다. 나긋한 고갯짓에 따라 햇살에 흠뻑 젖은 백금색 머리카락이 부드럽게 살랑였다. 그가 인상을 찡그리자 깊게 팬 주름이 도드라졌다.

"암살이라."

"네. 왕실에 침입하여 그 누구에게도 들키지 않고 감옥에 들어가 칼튀루스 후작을 죽인 후…… 다시 감쪽같이 떠났습니다."

그렇다. 암살자- 그자는 세계에서 가장 경비가 투철하다는 레란 왕실에 은밀하게 침입하였다. 뿐만 아니라 수십 명의 훈련된 정예 기사들이 지키고 있던 감옥에, 그 누구에게도 들키지 않고, 단 한 명과도 맞부딪히지 않고 들어갔을 뿐만 아니라 소리 없이 죽인 후 다시 떠났다.

그게 가능하단 말인가? 국왕의 가지런한 눈가가 좁혀졌다.

불가능하다. 비단 자신이 이 왕국을 다스리는 국왕이기 때문에 내리는 평가가 아니었다. 그는 객관적으로 왕실이 얼마나 철두철미한지, 기사들의 실력이 얼마나 뛰어난지 잘 알고 있었다. 대륙에서 내로라하는 실력가들을 뽑은 것이 바로 왕실 기사단이지 않은가? 그런데 그자들 모두의 눈을 속이고 칼튀루스를 죽이고 사라져?

"그 정도 실력을 가진 자가 있단 말인가?"

"숨겨진 강자는 많습니다. 마치카 국 루시아 공주를 납치한 알케미스트들을 단숨에 때려잡았다는 여인도 있지 않습니까?"

칼바스는 미간을 좁혔다. 다른 사람들은 공주가 실성해서 헛소리를 한다고 생각했지만, 그는 그녀의 증언이 사실이란 것을 알고 있었다. 한데 그 여인의 정체는 알려지지 않았다. 그림자 속에서만 존재하는 숨겨진 강자였다. 그 여인과 같은 강자 중 한 명이 이 일에 끼어들어- 그를 죽인 것이다.

"그리고 제 생각입니다만……."

기사 단장은 조심스럽게 말했다.

"암살자와 후작을 고발한 자가 동일 인물일 가능성이 큽니다."

"그래, 나도 그렇게 생각하고 있었다."

"고발의 내용이 담긴 편지와 노예 상단과의 거래를 증명하는 장부를 감쪽같이 두고 사라졌어요. 이 역시 그 누구의 눈에도 띄지 않고, 조용히."

국왕은 고개를 끄덕였다. 어떻게 잊을 수 있을까? 칼튀루스 후작의 범죄를 고발하는 편지와 증거들은 그의 집무실…… 바로 이곳, 그의 책상 위에 놓여 있었다. 마치 바람처럼 들어왔다가 사라진 것이다.

"동일인일 것이다."

그는 의자 팔걸이에 올린 손가락을 까닥거렸다. 그렇다면 나는 그자가 원하는 대로 움직여 준 셈이군. 그자- 암살자는 칼튀루스를 죽이고 싶어 했다. 죽이려 하면 얼마든지 죽일 수 있었겠지만 정당해 보이는 상황에서, 그리고 감쪽같이 죽이고 싶어 했다.

'그래서 나는 그놈의 의도대로 후작을 체포하여 감옥에 가두었고, 놈은 그 기회를 틈타 후작을 죽였다…….'

칼바스는 웃었다. 그것은 절대 좋은 기분에서 나오는 것은 아니었고, 도리어 그 반대에 가까운 종류의 웃음이었다.

"조사해라. 철저하게."

"네. 알겠습니다."

기사 단장은 나지막이 대답을 남겼다. 그가 그러고 나서 곧장 사라졌다는 것은 보지 않아도 느낄 수 있었다. 국왕은 잠자코 서 있다가 문득 창밖을 바라보았다.

'내게는 이런 시답잖은 사건에 신경 쓸 여유가 없다. 더 중요한 일이 있어. 그 일을 처리해야 해…….'

밝은 햇살을 바라보는 국왕의 눈빛이 순간 음울하게 젖어 갔다.

"린지안. 유부남이라는 게 사실이야?"

푸웁! 갑작스런 말에 린지는 찻물을 뿜고 말았다. 그 바람에 시종복이 젖자 레이라가 서둘러 손수건을 꺼내 건네주었다.

"미, 미안. 놀랐구나!"

린지는 레이라가 건네는 손수건을 받지도 못하고 당황해서 그녀를 쳐다봤다. 이게 무슨 뜬금없는 소리란 말인가. 유부남이라니?

"그게 무슨 소리야!"

린지가 새빨개진 얼굴로 소리치자 레이라가 어쩔 줄 몰라 하며 그녀의 눈치를 봤다. 레이라는 괜한 말을 했다고 생각했지만 호기심 때문에 묻지 않을 수 없었다.

"이미 결혼한 유부남이라고, 그래서 시녀들에게 더 이상 선물 같은 거 하지 말라고 했다는 이야기를 들었어."

최근 린지에게 수많은 시녀들이 선물을 주며 고백을 해 왔다. 때문에 린지는 좋아하는 사람이 있으니 더 이상 받지 않겠다는 거짓을 말했는데…….

'결혼했다는 소린 안 했다고!'

이렇듯 소문이란 두려운 것이었다. 좋아하는 사람이 있다고 말했을 뿐인데 어떻게 사람을 결혼한 유부남으로 만들어 놓는 건지! 린지는 골이 아파 오는 것을 느끼며 관자놀이를 문질렀다.

"헛소문이야. 그런 거 믿지 마."

"역시 그랬구나."

그녀의 대답에 레이라는 활짝 웃음을 지었다. 레이라를 바라보던 린지가 피식 웃으며 말했다.

"그런데 너 안색이 안 좋다. 괜찮아?"

레이라는 오늘따라 기운이 없어 보였다. 표정에도 생기가 없었고 전체적으로 축 처진 느낌이다. 그러자 레이라가 서둘러 손을 저었다.

"아, 으응. 그냥 컨디션이 안 좋아서."

그렇다고 하기엔 너무 안 좋아 보이는데……. 잠시 레이라를 꼼꼼히 살펴보던 린지는 그 이유를 알아냈다. 레이라는 그날이었다.

'그날이 되면 그렇게 힘든가?'

한 달에 한 번 마법에 빠지는 날, 여자들은 감정적으로도 육체적으로도 예민해지고 지치기 마련이다. 하지만 린지는 그것을 이해할 수 없었다. 그녀는 월경을 하지 않기 때문이다. 때문에 몇 년 전 검사를 받은 적이 있었는데, 몸에 별다른 문제는 없지만 앞으로도 월경을 하지 않을 거라는 진단을 받았다. 즉 아이를 낳을 수 없는 몸이라는 소리였다.

'뭐, 나야 편하고 좋지. 어차피 결혼할 생각도 없었고.'

월경을 하지 않는다는 것에 대한 감상은 이것이 전부였다. 린지가 어깨를 으쓱이려는 찰나, 레이라가 깜짝 놀라 말했다.

"그건 그렇고 린지안 네 옷이 다 젖었네. 어떻게 하지?"

레이라는 걱정스러운 듯 린지의 옷깃을 잡아 물을 꽉 쥐어짰다. 물방울들이 후드득 떨어지며 정원의 풀잎들 위로 흩어질 때.

'아.'

린지는 뒤에서 느껴지는 기척에 재빨리 고개를 돌렸다. 은발의 남자가 한 여자와 찰싹 달라붙어 다가오고 있었는데, 남자의 얼굴을 확인하는 순간 린지의 얼굴이 구겨졌다.

"이거 방해한 건가?"

하필이면 백작과 마주쳐 버렸다. 백작의 등장에 레이라는 서둘러 린지의 옷깃을 놓아주며 고개를 숙였다.

"죄송합니다, 백작님. 저희는 물러나겠습니다."

린지는 휘안을 바라보며 말했지만 그의 시선은 레이라에게 꽂혀 있었다. 그녀를 바라보는 휘안의 보랏빛 눈동자에는 노골적인 호기심이 배어 있어서 옆에 있는 여인이 민망해질 정도였다.

"이름이 뭐지?"

"네?"

"네 이름이 뭐냐고 물었어."

그제야 레이라는 백작의 질문이 자신을 향했다는 것을 눈치채고는 허둥지둥 답했다.

"레, 레이라 이엘리스라고 합니다."

"헤에. 그렇구나."

이게 무슨 상황이란 말인가? 불안한 종소리가 린지의 귓가에 울렸다.

아무리 바람둥이라도 그렇지 옆에 여자를 끼고 다른 여자에게 눈독을 들이다니, 그것도 시녀에게!

"휘안, 너무하네요. 제가 옆에 있는데 다른 여자가 눈에 들어오는 건가요?"

여인도 마찬가지라고 생각했는지 입술을 쭉 내밀었다. 화가 났다기보다는 애교 섞인 투덜거림 정도였다. 그제야 휘안이 레이라에게서 눈을 떼 옆의 여자를 바라보았다.

"미안해, 엘리티아. 이 녀석, 내 개인 시종이거든. 친한 것 같아서 확인한 것뿐이야."

그러자 엘리티아라는 여인이 눈을 크게 떴다. 개인 시종이라는 말에 눈빛이 확 달라진 것이다.

"이 아이가 휘안의 개인 시종이라고요?"

린지는 여인의 눈길이 닿자마자 허리를 숙여 공손히 인사를 올렸다. 그녀가 천천히 머리를 들어 올릴 때까지 엘리티아의 눈은 린지에게 꽂혀 있었다.

'뭐야, 왜 그러지?'

줄곧 미소를 머금고 있던 엘리티아의 입가가 삐뚜름하게 비틀어졌다.

"휘안이 이 아이를 그토록 아낀다고 들었는데 사실인가 보군요. 한낱 시종의 인간관계까지 알려고 들다니 말이에요. 제게는 그러신 적 한 번도 없으면서."

레이라에게 추파를 던질 때에도 담담했던 엘리티아였건만 린지를 질투하고 있었던 것이다!

'소문이라니. 내 소문이 났단 말이야?'

문득 지난날, 붉은 머리의 여인-루이사를 떼어 내기 위해 일부러 자신에게 친근하게 굴던 휘안의 모습이 떠올라 한숨이 터져 나올 뻔했다.

아무래도 그 여인이 린지의 소문을 낸 듯싶었다.

"응, 내가 아끼는 녀석이야. 귀엽지?"

하나 휘안은 이 상황을 아는지 모르는지 한술 더 떠서 린지의 머리를 헤집기까지 했다. 그 친근한 태도에 레이라와 엘리티아는 물론 린지마저 놀라서 눈을 커다랗게 떴다. 당황한 린지는 허둥지둥 말을 더듬었다.

"배, 백작님. 왜 이러세요."

"뭐 어때? 새삼스럽게."

새삼스럽다니! 가끔 머리를 쓰다듬긴 하지만, 남들이 보는 앞에서 이렇게까지 살갑게 대한 적은 처음인지라 린지는 가시방석에 앉은 기분이었다.

'그렇지 않아도 이상한 소문이 났는데 이 장면을 본다면…….'

아니나 다를까, 눈을 흘끔 돌려 살펴보니 엘리티아 영애의 표정이 점점 더 사나워지고 있었다.

'히, 히익. 살기다. 남자한테 질투를 넘어서서 살기를 느끼고 있어!'

린지는 위기감을 느끼며 이 자리를 벗어나기로 결심했다.

"어, 어쨌든 방해해서 죄송합니다. 저희는 이만 일이 있어서……."

"잠깐만."

휘안이 떠나려는 린지의 팔목을 대뜸 잡아챘다.

"……!"

그 팔을 뿌리칠 사이도 없이 린지를 끌어당긴 휘안은 곧바로 재킷을 벗어 그녀의 어깨 위로 걸쳐 주었다.

"배, 백작님?"

린지가 당황해하자 휘안이 눈을 가느다랗게 접으며 다시 한 번 그녀의 머리를 쓰다듬었다.

"옷이 젖었잖아? 저번처럼 또 감기 걸리지 말라고 주는 거야."

"이, 이러시지 않아도……."

뭘까, 대체 왜 이렇게 친절한 걸까. 백작이 격식 없고 친절한 사람이긴 했지만 이 정도까지 과하지는 않았었는데. 이건 설마…….

'설마 또 저 엘리티아 영애를 떨어뜨리는 데 나를 이용하는 것인가!'

아니나 다를까, 엘리티아 영애의 표정은 그야말로 살기로 가득 차 있었으며 오므려진 입술 안으로는 빠드득하며 이 가는 소리까지 들렸다. 그녀의 독기 어린 시선을 받은 린지는 문득 울고 싶어졌다.

'예전에도 키벨의 애인들에게 미움받는 역할이었는데, 왜 남장을 해서까지도 이래야 되는데!'

더 이상 여기 있으면 안 된다. 빨리 떠나야 한다. 본능적인 경보가 머릿속에서 알람을 울렸다.

"가, 감사합니다. 그, 그럼 이만……."

"응. 조금 이따가 또 봐, 린지안 군!"

아쉬운 듯 외치는 목소리라니……. 백작은 마지막까지 장렬한 연기를 펼치고 있었다. 린지는 뒤를 돌아 쇼하지 마! 라고 소리치고 싶은 것을 애써 참았다.

"뭔가 이상해."

정원을 재빨리 벗어난 후, 한참을 조용하게 걷던 레이라가 불쑥 말했다. 그녀는 린지의 어깨 위에 걸쳐진 백작의 재킷을 지그시 쳐다보며 말을 이었다.

"린지안, 백작님이랑 무슨 관계야?"

무슨 관계냐니……? 린지가 어리둥절하게 그녀를 쳐다보자 레이라는 모종의 결심을 한 듯 침을 꿀꺽 삼키며 단호히 물었다.

"설마 백작님이 남색가이시니?"

처음에는 무슨 말을 들은 건지 이해할 수 없었다. 저 천사 같고 순수한 레이라의 입술에서 남색가라는 저질스런 단어가 튀어나오다니, 믿기지 않았던 것이다! 하지만 그녀는 스물다섯 살의 여인, 알 것은 다 아는 나이였으므로 그 정도 단어를 내뱉는 것은 아무런 문제가 없었다.

"백작님이 너를 유혹하시는 것 같은데."

"……이봐, 레이라."

엘리티아에 이어서 레이라까지…… 린지는 한숨을 푹 내쉬며 재킷을 벗었다. 그리고 안쪽에 묻은 물기를 탈탈 털어 내며 한숨처럼 말했다.

"백작님은 여자를 좋아하셔. 백 프로, 이백 프로, 삼백 프로 여자만 좋아하신다고."

"하지만 이상한걸."

레이라는 석연찮은 표정으로 백작의 재킷을 다시 흘끗거렸다.

"이런 친절을 베푸시는 거 처음 본단 말이야. 머리도 쓰다듬고 너와 친하다는 이유로 내 이름을 물어보시고."

"그게 다 수법이야, 수법."

"수법? 그게 무슨 소리야?"

"그런 게 있어. 하여튼 네가 생각하는 그런 거 아니니까 쓸데없는 걱정 안 해도 돼."

백작이 귀찮은 애인 떨어뜨릴 때 자신을 이용한다고 말하기에는 자존심이 상했기에 린지는 입을 꾹 다물었다.

'그건 그렇고, 나에 대한 소문이 돌고 있단 말이지?'

귀족 영애들 사이에서는 휘안이 개인 시종을 무척이나 아낀다는 이야기가 돌고 있는 것 같았다. 그렇기에 엘리티아 영애도 레이라 때는 아무렇지도 않다가 자신의 이야기에 그런 과민한 반응을 보인 것이겠지.

'아니, 아무리 그래도 그렇지, 지금 난 남장 중인데 남자에게 질투를 하다니……'

린지는 한숨을 푹 내쉬었다. 저게 다 휘안이 의도한 바이긴 하지만, 왜 하필 남자 시종을 질투의 도구로 써먹느냔 말이다…….

그날 저녁, 조금 이따 보자는 말과는 달리 백작의 모습이 보이지 않았다. 소문을 듣자 하니 다른 여자와 데이트가 있어서 외박을 한다나 뭐라나…….

'이젠 바람피우는 알리바이로 내가 이용되는 건가. 뭐, 어쨌든 저녁 업무가 없어서 좋긴 하군.'

할 일이 없어져서 방 안에 들어온 린지의 눈에 휘안의 재킷이 들어왔다. 오늘 오후, 휘안이 감기 걸리지 말라고 걸쳐 준 가증스러운 재킷!

'아니, 대체 여자들은 왜 남자에게 질투를 하는 거지?'

휘안이 귀찮은 여자 떼어 낼 때 자신을 이용하는 것은 잘 알고 있다. 그것이 효과가 있기 때문에 그렇게 행동하는 거겠지. 한평생 질투란 것을 해 본 적이 없는 린지였기에 그런 여인들의 마음을 이해하지 못했다.

"난 지금 누가 봐도 남자잖아."

그녀는 멀뚱한 표정으로 전신 거울 앞에 섰다. 인정하기 싫지만, 거울 속에 비치는 모습은 소녀라기보다는 소년에 더 가까웠다. 본인 스스로 생각하기 민망하긴 하지만…… 예쁘장하게 생긴 미소년의 모습이었던 것이다.

'백작이 남색가가 아닌 걸 알 텐데, 왜 질투하는 거지?'

그리고 남자인(적어도 그렇게 알고 있는) 자신을 이용해서 여자들을 떼어 낼 생각을 한 백작도 참으로 이상했다. 이용하려면 시녀인 레이라를 이용하는 게 더 낫지 않겠는가? 자신과는 달리 작고, 귀엽고, 가슴도 훨씬 크고…….

'난 붕대 때문에 나날이 작아지고 있는데!'

기분 탓인지 그렇지 않아도 아담한 가슴은 이 붕대 녀석 때문에 점점 쪼그라드는 느낌이었다. 점점 더 작아진다는 생각이 들자 한숨이 절로 튀어나왔다. 그리고 스스로 한숨을 쉰 이유가 웃겨서 웃음을 터뜨렸다.

"푸핫. 나도 여자긴 한가 보다."

가슴 사이즈에 은근히 신경을 쓰다니, 자신에게 이런 여성스러운 면이 있었을 줄이야! 그녀는 키득키득 웃음을 터뜨렸다. 키벨이 알면 박장대소를 하겠지. 그리고 유시젠 오라버니는…….

"껌딱지가 더 작아져 봤자 껌딱지지. 쯧."

'분명해. 이런 대사를 던지실 게 분명해.'

유시젠의 성격상 더하면 더했지, 저것보다 더 상냥한 말은 나오지 않을 것이다. 그녀는 괜스레 웃음이 나오는 것을 느끼며 고개를 저었다.

다음 날 아침, 린지는 백작의 방문을 노크했다. 어제저녁 늦게까지 돌아오지 않았기 때문에 방에 없거나 있다 하더라도 깊은 잠에 빠져 있을 것이다. 린지는 그렇게 예상했다.

똑똑똑.

"백작님, 기상하십시오."

"아, 들어와."

방 안에서 답하는 백작의 목소리에 린지는 순간 자신의 귀가 잘못된 줄로만 알았다. 백작이 이 시간에, 그것도 부르자마자 단번에 대답을 하다니?

"좋은 아침, 린지안 군. 잘 잤어?"

방 안에 들어가 보니 백작이 창가에 서서 활짝 웃음을 짓고 있었다. 심지어 미리 식사를 마친 것인지 빈 접시들이 든 수레가 구석에 자리하고 있었다! 믿을 수 없는 광경이었다. 린지는 눈을 비비며 믿기지 않는다는 목소리로 말했다.

"백작님? 어쩐 일로 이렇게 일찍 일어나셨습니까?"

"아아, 그냥. 오늘은 눈이 일찍 떠지더라고. 일어나니까 배고파서 먼저 식사했어."

아니 그러니까 웬일로? 흔들어 깨워야 눈을 뜨는 작자가 아니던가? 린지가 의아해하든 말든 백작은 맑은 얼굴이었다. 다른 날보다 한층 더 밝아 보이는 그의 표정을 보는 순간 깨달음이 찾아왔다.

'그러고 보니 오늘 백작은 쉬는 날이잖아?'

이 여자 저 여자 만나고 다니느라 놈팡이로 보이기 십상이지만, 의외로 백작의 스케줄은 빠듯했다. 개인적인 공부를 제외하고도 백작가의 수장으로서의 업무량이 어마어마해서 쉬는 모습을 볼 수 없을 정도였으니까. 그런데 오늘은, 린지가 아는 한 백작은 아무 약속도, 일정도 없다.

'아하. 그래서 일찍 일어났군.'

그래서 외박(혹은 새벽 귀가)했으면서도 일찍 일어나서 제대로 놀아보겠다는 거냐? 의외로 귀여운 면이 있군. 린지는 속으로 중얼거리며 피식 웃었다.

"린지안 군도 알다시피 오늘은 쉬는 날이야. 그래서 지금 무엇을 할지 생각하고 있었어."

행복한 고민이로군. 린지는 백작이 은근히 귀엽게 보이기 시작했다. 그는 마치 어린 소년 같은 표정을 하고 있었다.

"린지안 군은 쉬는 날에 뭐 해?"

불현듯 던진 백작의 질문에 린지는 머리를 긁적이다가 말했다.

"아, 저는 뭐…… 밀린 빨래하고, 낮잠 자고, 쉬고, 쇼핑하고……. 별거 없습니다."

쉬는 날에 무엇을 하더라? 일단, 쉴 수 있는 짧은 시간에는 산책을 즐겼다. 아무래도 몸을 움직이는 것을 좋아하다 보니까 멍하니 방 안에 있는 것보다는 밖에 나돌아 다니는 것을 선호했던 것이다.

'으음, 그리고 키벨과 자주 돌아다녔고.'

술을 잘 못하는 그녀와는 달리 키벨은 거의 말술, 술고래 수준이라 같이 선술집에 가고는 했다. 함께 등산을 갈 때도 있었고, 검술 대련을 할 때도 있었고…….

'끄응, 뭐 나도 길게 쉬어 본 적 없어서 그게 전부긴 하지.'

여행을 가 보고 싶긴 했지만 그들, 유시젠의 그림자들은 제법 바쁜지라 길게 떠나는 것은 거의 불가능에 가까웠다.

린지의 말에 백작이 의아해하며 다시 물었다.

"흐음. 그것뿐이야?"

"아, 뭐 가끔 산책도 나가고요. 등산 갈 때도 있고……."

"그렇군."

백작은 좋은 것을 배웠다는 듯 고개를 끄덕였다. 그녀의 말을 귀담아듣는 그 모습에서 린지는 한 번 더 의아함을 느꼈다.

"그렇구나."

백작은 조용하게 중얼거렸다.

"다들 그렇게 쉬는구나."

마지막 한마디는 린지를 향한 것이 아닌 들릴 듯 말 듯 자그마한 혼잣말이었다. 하나 청력이 뛰어나 그 중얼거림을 들은 린지는 확신했다. 이 사람은 쉬어 본 경험이 별로 없는 자일 것이다.

"좋았어."

백작이 손뼉을 부딪치며 그녀의 생각을 끊었다.

"오늘 날씨도 좋은데 등산이나 가자."

"……네?"

"등산 가자, 등산!"

갑자기 등산이라니? 뜬금없는 제안에 린지는 잠시 멍하게 그를 바라보았다. 하나 그렇게 말하는 백작의 미소는 너무나 밝아서 지켜보던 린지조차 따라서 웃을 수밖에 없었다.

"네, 알겠습니다."

백작과 등산을 가게 된 린지는 요리사에게 부탁하여 샌드위치를 비롯한 간단한 도시락을 챙겼다. 그들의 등산행을 알게 된 예르시카는 본인도 동행하겠노라고 말했지만, 백작은 고개를 저으며 단호하게 말했다.

"오늘은 내 휴일이야. 예르시카."

그 말인즉 예르시카의 존재 자체가 '일'의 일부라는 것이었는데, 깜짝 놀랄 만큼 냉정한 말이라서 듣는 린지가 서늘해질 정도였다.

'에? 그렇다면 난 뭐지?'

린지는 뺨을 긁적였다. '일'이라면서 예르시카를 제외했으면서 왜 자신은 데려가는 걸까? 고민은 짧고 답은 빨랐다.

'짐꾼 겸 심부름꾼이 하나쯤은 있어야지.'

그들의 등산을 위한 목적지는 알제레스 산으로 결정되었다. 높고 험준한 길 때문에 등산의 고수들만이 향하는 곳인지라 린지는 다른 산을 추천했지만 휘안의 결정은 단호했다.

산에 오르기 전, 백작은 등산 용품을 사기 위하여 마차를 세워 상점으로 들어갔다.

"이건 어때, 린지안 군?"

"잘 어울리십니다."

"그래? 그럼 이건?"

"그것도 잘 어울리십니다."

흰색, 푸른색 등산복을 번갈아 대 보는 휘안에게 린지는 진심을 담아 말했다. 하나 똑같은 대사였기에 건성으로 느꼈는지 휘안은 미간을 좁혔다.

"린지안 군. 정말 그렇게 생각해?"

"네. 솔직히 다 잘 어울리세요."

얼굴은 끝내주게 잘생긴 데다가 몸은 조각상처럼 완벽한 남자에게 무엇이 안 어울리겠는가? 저기다가 형광 핑크색 누더기 옷을 입혀 놔도 완벽하게 소화할 것만 같았던 것이다.

"린지안 군에게는 이게 잘 어울리겠어."

휘안은 진열되어 있는 옷걸이를 뒤적거리더니 진한 남색의 등산복을 꺼내어 린지에게 대 보았다. 눈썰미가 좋은 것인지, 새하얀 린지의 피부와 대비되어 잘 어울렸지만 그녀는 난감하게 웃었다.

"저는 괜찮습니다."

"응? 왜? 린지안 군도 사야 하지 않겠어?"

"깜박하고 지갑을 두고 와서요."

그렇다. 급하게 휘안의 도시락 및 기타 등등을 챙기다 보니까 본인의 지갑은 두고 와 버렸다. 그녀가 머쓱하게 머리를 긁적이자 휘안의 미간이 또다시 좁아졌다.

"당연히 내가 사 주는 거지. 이걸로 하는 거야?"

그게 왜 당연한 건데? 린지는 잠시 망설이다가 고개를 끄덕였다.

"그러면 제 월급에서 제하는 것으로 해 주세요."

"뭐?"

당연히 그래야 한다고 생각했다. 일단은 고용인 신분으로 있는 건데 함부로 넙죽넙죽 받을 수 없다. 그러나 휘안의 생각은 달랐는지 그는 잠시 당황해하는 표정이었다. 그런 표정은 처음인지라 린지는 자신이 말실수를 한 게 아닐까 불안해졌다.

"그게 무슨 소리야? 이건 내가 선물로 주는 거야."

하지만 휘안은 다시금 미소를 머금으며 린지안의 머리를 쓱쓱 쓰다듬었다.

"아닙니다. 그러지 마시고 제 월급에서 제해 주십시오. 아니면 제가 백작가로 돌아가자마자 값을 드리겠습니다."

'찜찜하게 선물 같은 거 받고 싶지 않아. 감시 대상이잖아?'

이런 마음도 있었지만 진짜 고용인이었어도 받지 않았을 것이다. 그만큼 누군가에게 신세 지거나 대가 없는 호의를 받는 것에 익숙하지 않았기 때문이었다.

"……."

휘안은 린지를 물끄러미 응시하다가 옷을 옷걸이에 탁 걸어 놓았다.

"안 돼."

……뭐라고? 린지는 자신이 잘못 들은 줄로만 알았다. 그런 그녀의 얼빠진 얼굴을 바라보며 휘안은 말을 이어 갔다.

"월급에서 빼는 건 규칙에 어긋나기 때문에 집사에게 혼날 거야. 그건 안 돼. 그리고 나는 누구에게 돈 빌려주지 않아. 그냥 주는 거라면 모를까."

그러고는 화사한 미소를 지어 보였다.

"그러니까 그냥 받는 게 아니라면 해 줄 수 없어, 린지안 군."

이게 무슨 똥고집이란 말인가. 어이가 없어서 웃음이 나왔다. 백작에게 이런 유치한 면이 있는 줄은 몰랐다. 하지만 유치함과 고집이라면 린지 또한 어디 가서 뒤지는 편이 아니었다.

"정말 감사합니다만 저도 아무 대가 없이 받지 않습니다."

묘하게 오기가 생긴 린지는 저도 모르게 이렇게 대답하고 말았다. 휘안은 아무 대꾸 없이 그녀를 내려다보다가 어깨를 으쓱이며 뒤로 돌았다.

"뭐, 알았어. 린지안 군 뜻이 그렇다면야 강요할 수는 없지. 그럼 내 것만 쇼핑할게."

"네. 그러시는 것이 좋을 것 같습니다."

그렇게 말한 린지는 내심 괜한 고집을 부리고 있는 건가, 하며 조금 후회가 되기 시작했다. 시종 역할을 하는 이상 어느 정도 고용주에게 무언가를 기대하거나 바라는 척을 해 줘야 되는 것 같기도 한데…….

'그리고 알제레스 산을 어떻게 이 차림으로 오르지?'

타이트한 시종복은 정장이나 다름없었고 신발은 미끄러운 남성용 구두다. 험준한 산길을 오르기에는 최악의 의상임이 분명했다. 아주 조금 후회가 되긴 했지만 이제 와 말을 바꾸고 싶지 않은 괜한 자존심에 린지는 입술을 꾹 다물었다.

'에잇, 몰라, 몰라!'

그렇게 상점에서 잠시간의 실랑이 후 그들은 알제레스 산에 도착했다. 이미 등산복으로 갈아입은 휘안과 시종복 차림의 린지는 산을 오르기 시작했다.

"아아, 날씨 좋다."

화창한 햇살 아래에서 맑은 나무 향기를 빨아들이는 휘안의 표정은 그야말로 밝음의 극치였다. 그는 신이 난 얼굴로 활짝 웃으며 린지를 돌아보았다.

"기분 좋지, 린지안 군?"

그는 등산용 운동화에 편한 옷차림을 하고 있었다. 평소 입고 있던 정장과는 동떨어진 스타일이었지만 굉장히 잘 어울려서 린지가 깜짝 놀랄 정도였다.

'에잇. 난 불편해 죽겠네.'

아무리 체력 좋은 린지라지만, 역시나 알제레스 산은 만만한 곳이 아니었다. 중심을 조금만 삐끗해도 넘어지기 쉬운 곳이다. 그런 험난한 산을 이런 복장으로 오르고 있으니!

'역시 아까 순순히 백작 말 들을 걸 그랬나…….'

하지만 후회는 아무리 빨라도 늦은 것이었다. 린지는 한숨을 푹 내쉬며 속으로 투덜거렸다.

'플러스로 짐은 왜 이렇게 많은 건데!'

상점에서 휘안은 린지와 약간의 신경전 후 등산용 지팡이, 보온병, 여름용 등산복 여러 벌, 선크림, 모자, 우비, 기타 등등의 잡다한 용품을 구입했다. 하지만 그는 그 용품들을 단 하나도 사용하지 않았다. 등산복과 신발만 입은 채 그 다수의 용품들은 린지가 메고 있는 배낭 속에 묵직하게 자리하고 있었던 것이다.

'우씨, 무거워 죽겠네!'

시종복에 남성용 구두, 묵직한 배낭을 메고 험난하게 산을 오르고 있다. 그런데 휘안은 아주 신이 나서 휘파람을 부는 둥 난리도 아니었다.

'당장 쓰지도 않을 것들을 왜 산 거야! 일부러 그런 거야. 분명히 일부러 그런 거다!'

호의를 거절한 것에 대한 앙심을 품은 것이 분명했다. 그렇지 않고서야 쓸데없는 물품들을 이렇게 사들일 리가 없지 않은가!

"부탁입니다."

"너라면 할 수 있잖아?"

"네가 아니면 안 돼."

"해 줄 수 있지?"

"해 주세요, 제발!"

흙을 밟으며 산을 오르는 휘안의 귓가에 환청과도 같은 목소리가 들려왔다. 그는 멍하니 그 환청들을 들으며 과거에도, 현재에도, 그리고 아마 앞으로도 끊임없이 따라붙을 그 목소리들을 회상했다. 끊임없는 부탁들. 어떻게든 자신이 해 줄 거라는 신앙 같은 믿음들. 소망들. 욕심들……. 그 간절한 목소리들이 아우성치며 귓가에서 맴돌았다. 마치 숨 쉬는 것처럼 숙명처럼 따라붙는 목소리들이었다.

"죄송하지만 사양하겠습니다."

맹세컨대, 그러한 종류의 문장이 자신에게 향한 일은 지금까지의 생에 일어난 적이 없었다. 때문에 휘안은 저도 모르게 당황하고 말았던 것이다.

'특이한 녀석이라니까.'

휘안은 뒤에서 낑낑거리는 소리를 들었지만 일부러 뒤돌아보지 않고 발걸음을 재촉했다. 분명 시종 린지안은 심통 가득한 표정으로 속으로 자신을 열심히 욕하고 있겠지. 보지도 듣지도 않았지만 뒤에서 느껴지는 심술 섞인 시선만으로도 그의 마음을 읽을 수 있었다.

"풋."

저도 모르게 웃음이 나오자 뒤에서 기가 찬 듯 한숨을 푹 내쉬었다. 이번에도 역시 그가 무슨 생각을 하는지 뻔히 보였다. 아마 시종은 '나는 이렇게 힘들게 가는데 저는 앞에서 웃고 있단 말이지?!'라고 생각하고 있을 게 뻔했던 것이다. 휘안은 키득키득 웃으며 슬그머니 뒤를 돌아보았다.

"……!"

아니나 다를까, 삐진 게 분명한 붉은 눈동자가 황급히 시선을 피하듯이 돌리는 것이 보였다. 휘안은 웃음을 터뜨리고 싶은 것을 참으며 자리에 멈춰 섰다.

"여기서 쉬다 가는 겁니까?"

예쁘장한 소년의 얼굴에는 땀 몇 방울이 송골송골 맺혀 있었다. 그는 휘안이 멈춰 서면서 찾아온 짧은 휴식이 반가운지 환하게 웃음을 지었다.

'체력이 좋네.'

그의 시종은 정장 구두를 신고 이 거칠고 경사진 곳을 뒤처지지 않고 잘 따라와서 의외일 정도였다. 휘안은 물끄러미 시종을 쳐다보다가 싱긋 웃어 주었다.

"힘들어?"

"아, 그게, 조금……."

"들어 줄까?"

휘안은 이렇게 물으면서도 내심 시종이 무어라 답할지 이미 알고 있었다.

"아뇨, 괜찮습니다. 제 일인걸요."

그래, 너라면 그렇게 대답하겠지. 휘안은 피식 웃으며 고개를 설레설레 저었다.

"그러면 열심히 등산을 계속하도록 해, 린지안 군."

그는 빙글빙글 웃으며 시종의 원망 섞인 눈을 일부러 외면했다.

'풋, 진짜 재밌는 녀석이네.'

이상하게도 기분이 점점 좋아지고 있다. 뭐랄까, 처음 만났을 때부터 느낀 거긴 하지만 굉장히 특이한 녀석이다. 처음에는 그냥 즉각적이고 솔직하면서도 신선한 반응이 재밌었다면, 요즘에는…….

'이게 무슨 기분이지.'

휘안은 뺨을 긁적였다. 칼튀루스 후작에게서 구해 주지 않았음에도 불구하고 조금도 원망하는 기색을 보이지 않았을 때, 오히려 왜 구해 줘야 하냐고 반문하는 모습을 보았을 때부터 시종을 볼 때마다 드는 기분은 조금 달라졌다.

'모르겠군. 하나 분명한 건 쉬는 날에 데리고 나와도 편한 녀석이라는 거야.'

물론 상대방은 편하지 않겠지만 그건 휘안이 알 바 아니었다. 그는 뒤에서 점점 거칠어지는 시종의 숨결과 따가운 시선을 느끼며 웃음을 참아 냈다.

"우갸!"

그때, 뒤에서 짧은 비명 소리와 함께 소음이 들려왔다. 휘안이 깜짝 놀라 뒤를 돌아보니 붉은 머리칼의 소년이 넘어져서 구른 듯 저 아래에 엎어져 있었다.

"린지안 군!"

그는 깜짝 놀라 재빨리 린지에게 달려갔다. 린지는 나무에 부닥친 듯 어깨를 부르르 떨며 몸을 웅크렸다.

"린지안 군, 괜찮아?!"

휘안은 정신을 못 차리고 있는 소년의 팔뚝을 잡아 올렸다. 그 순간 손아귀에서 잡히는 린지의 팔뚝이 탄탄하지만 너무나도 얇아서 깜짝 놀랐다.

"아이고, 어깨야……."

다행히 린지는 금방 정신을 찾으며 몸을 엉거주춤 일으켰다. 구르는 도중 돌에 찍혔는지 이마에는 기다란 실핏줄이 뺨을 타고 흐르고 있었다.

"일어날 수 있겠어?"

이마뿐 아니라 수풀에 걸렸던 건지 그의 셔츠가 군데군데 찢어져 상처가 나 있었다. 딱 봐도 제법 아파 보였으나 린지는 의외로 씩씩하게 웃으며 고개를 끄덕였다.

"괜찮습니다. 하하, 창피하네요. 애처럼 넘어지기나 하고."

그러고는 휘안이 놀랄 정도로 아무렇지도 않게 자리에서 벌떡 일어났다. 그 기세는 아무 일 없었다는 듯 태연해 보였지만, 휘안은 린지가 오른쪽 발목을 땅 위에 지탱할 때 살짝 인상을 찡그리는 것을 포착했다.

"괜찮아?"

"물론이죠. 이 정도는 아무렇지도 않습니다."

아무렇지도 않은 게 아닌데……. 휘안은 할 말을 잃고 자신의 시종을 훑어보았다. 그냥 땅 위에서 넘어진 것도 아니고 굉장히 가파른 경사의 험준한 땅에서, 저 아래로 떼굴떼굴 굴러서 돌에 찍히고 나무에 부딪혀서 겨우 멈추지 않았는가? 하마터면 대형 사고로 이어질 뻔한 일이었다.

하지만 시종의 표정은 너무나도 밝아서 휘안이 걱정하는 모습이 어색하게 느껴질 정도였다. 그는 린지가 아직도 둘러메고 있는 배낭을 잡았다.

"이거는 나 줘. 내가 들겠어."

"아뇨, 제가 듭니다."

린지는 휘안의 손을 단호하게 거부하며 배낭을 끌어당겼다.

"제가 들겠습니다, 백작님. 그게 제가 여기 있는 이유지 않습니까?"

휘안은 아무 말 없이 린지를 쳐다보다가 다시 한 번 배낭을 향해 손을 뻗었다. 그리고 린지가 만류하는 것도 무시하고 힘으로 획 빼앗으며 말했다.

"내가 들겠어."

"아뇨, 괜찮습……."

"명령이라고까지 말해야 하겠어?"

그 말에 항변하려던 린지가 입술을 다물자 휘안의 기분이 묘해졌다. 이 녀석은 이렇게 '명령'으로 가방을 자신에게 주는 것을 그의 '일'로 만들어야만 주는 것인가? 휘안은 도무지 이해할 수 없는 감정을 느끼며 말했다.

"발목은 어때? 걸을 수 있겠어?"

"네. 살짝 접질린 거라서 괜찮습니다."

"그럼 내려가자."

휘안이 그 말을 끝으로 아래로 향하자 린지가 허둥지둥 쫓아와서 말했다.

"갑자기 왜 내려가십니까?"

"린지안 군이 다쳤는데 어떻게 더 올라가겠어."

그 말에 린지는 사색이 되어 휘안의 두 팔을 붙잡았다. 팔에서 느껴지는 감촉에 휘안은 저도 모르게 발걸음을 멈췄다.

"아뇨. 괜찮습니다. 더 올라갈 수 있어요!"

됐으니까 그냥 내려가자, 라고 말하려고 했으나 시종은 이상할 만큼 절박한 표정을 짓고 있었다. 린지는 지금 일어난 상황 중에서 제일 당황해하며 말을 더듬었다.

"저 때문에 휴일을 망치시면 안 됩니다. 살짝 다친 것밖에 없는데요, 뭘!"

"아니, 하지만……."

"정말이에요. 다리도 멀쩡하다고요!"

그렇게 말하며 린지는 자리에서 콩콩 뛰어 보이며 자신이 아프지 않음을 증명했다. 왠지 모르게 굉장히 노력하는 그 모습에 휘안은 도저히 알 수 없는 기분이 되어 버렸다.

'대체 뭐야, 이 녀석?'

마치 여기서 내려갔다가는 울음을 터뜨릴 것처럼 간절한 눈동자였기 때문에 차마 더 이상 하산을 주장할 수 없었다. 그는 잠시 망설이다가 한숨을 푹 내쉬며 고개를 끄덕였다.

"좋아. 그럼 조금만 더 올라가다가 내려가는 거야. 알았지?"

"네, 알겠습니다."

그제야 웃는 린지의 모습에 휘안은 저도 모르게 따라 웃었다.

'아우, 창피해 죽겠네, 진짜!'

휘안의 뒤를 따라서 걷는 린지는 방금 전 일을 회상하며 얼굴을 붉혔다. 아무리 불편한 복장에 신발을 하고 있다고 해도 그렇지, 넘어져서 데굴데굴 굴러 다치다니! 이렇게 한심할 수가!

'키벨이 보면 비웃겠어. 오라버니께서 보시면 실망하실 거야.'

이렇게 허술해서야 유시젠의 비밀 병기라고 할 수 있겠는가. 심지어 자신이 짊어져야 할 배낭을 다쳤다는 이유로 휘안이 들게 되었다. 린지는 암울한 눈동자로 휘안이 등에 멘 배낭을 응시했다.

'내가 해야 할 일인데…….'

자신이 해야 할 일을 지금 휘안이 하고 있다. 뿐만 아니라 방금 전에는 그녀 때문에 휘안의 귀중한 '쉬는 날'을 망칠 뻔하기도 했었다.

'으으, 안 돼. 그건 안 되지.'

만약 자신 때문에 휘안에게 찾아온 귀한 휴일이 망가졌다면 죄책감에 견딜 수 없었을 것이다. 오늘 아침에 보았던 그 해맑은 미소와 소년 같은 천진함을 보았기에 더욱 그랬다.

욱신욱신.

절대로 휘안의 휴일을 망쳐서는 안 된다. 적어도 그의 휴일이 망가지는 이유가, 자신 때문이어서는 안 된다. 린지는 오른쪽 발목에서 느껴지는 찌르는 듯한 고통을 무시했다.

'이 정도는 아무것도 아니야. 더 심하게 다쳐 본 적도 있잖아.'

툭. 투둑.

처음에는 휘안도, 린지도 착각인 줄로만 알았다. 어디선가 차가운 물방울들이 머리나 콧등 위로 떨어지는 이 느낌을 그저 기분 탓이라고만 생각했다. 하지만 오 분 후, 그들은 착각이 아니었음을 알게 됐다.

쏴아아!

"……."

오는 날이 장날, 엎친 데 덮친 격…… 이러한 말들은 지금 이 상황을 위한 것이지 않을까. 순식간에 쏟아져 내리는 비를 맞으며 린지는 속으로 욕설을 지껄였다.

'이런 젠장…….'

분명 방금 전까지만 해도 화창한 날씨였다. 그 누구도 비를 예상하지 못할 만큼 하늘이 맑았는데…….

'왜 갑자기 비가 오는 거야!'

소나기인지 뭔지, 엄청난 장대비가 땅을 뚫을 기세로 쏟아지고 있었다. 그 빗줄기가 얼마나 강했는지 금세 단단했던 흙이 미끌미끌한 진흙으로 변해 버렸다.

"하하, 이거 곤란한데."

하지만 전혀 곤란하지 않은 웃음을 지으며 휘안이 하늘을 올려다보았다.

"곤란해."

그렇게 말한 그는 비에 흠뻑 젖은 은발을 쓸어 넘겼다. 조각처럼 단아한 이마가 드러나자 그의 얼굴 너머로 후광이 비치는 것만 같은 착각이 들었다.

'잘생기긴 엄청 잘생겼네. 에잇.'

순간적으로 쓸데없는 생각을 하게 된 린지는 스스로 민망해하며 머리를 긁적였다. 그때, 휘안은 배낭을 주섬주섬 열어 우비를 꺼내 린지에게 내밀었다. 그녀는 당연히 거절하기 위해 손을 내저으려고 했지만, 그전에 휘안이 재빨리 말했다.

"명령이야."

"……."

린지는 무언가 말하려고 입을 열었으나 명령이라는 말 앞에서는 그 무엇도 의미가 없다는 것을 깨달았다. 그녀는 마지못해 우비를 몸 위로 둘렀다.

'이미 다 젖었는데 뭘.'

그녀가 입술을 쭉 내밀자 휘안이 뿌듯하게 웃으며 그녀의 머리를 쓰다듬었다.

"명령이라고 해야 말을 잘 듣는구나."

"……아니, 뭐. 어쨌든."

린지는 뭐라 답해야 할지 몰라 중얼거렸다.

"일단 서둘러 내려가야겠습니다."

"아니, 위험할 것 같은데. 또 넘어지고 말 거야, 린지안 군은."

휘안의 말에 린지는 반박하고 싶었지만 그럴 수 없었다. 그녀 또한 내려가는 동안 서너 번 정도는 더 넘어질 수도 있겠구나, 라고 예상하고 있었으니까.

'어쩔 수 없다고!'

지금 땅은 서 있기만 해도 불안한 진흙인 데다가 앞으로도 비에 젖을 예정이니 더 심해질 것이다. 그렇게 미끄러운 땅을, 이렇게 가파른 경사에서, 불편한 정장용 구두를 신고, 힘이 잘 들어가지 않는 다친 발목으로 무사히 내려갈 수 있을 거라고는 생각하지 않았던 것이다.

"여기 조금만 더 올라가면 산장이 있어. 거기서 비가 그칠 때까지 쉬다 가는 게 더 나을 거야."

"산장이요? 그걸 어떻게……."

린지의 의아한 물음에 휘안이 씩 웃음을 지었다.

"옛날에 온 적이 있거든."

옛날이라면 아마 백작가로 돌아오기 전, 감춰진 12년 사이의 일이겠지…….

'혹시 무슨 단서가 있을지도 몰라!'

근처에 산장이 있어서 다행이라든가, 역시 사람은 죽으란 법은 없구나, 쉴 수 있어서 다행이다, 이러한 안도감보다 임무에 관련된 생각이 먼저 드는 것은 스파이로서의 어쩔 수 없는 본능이었다.

휘안의 말대로 조금만 더 올라가자 산장 하나가 떡하니 나타났다. 통나무로 만들어진 좁고 낡은 산장이었지만 비를 피할 수 있으니 더 이상 바랄 것이 없었다.

"이런 곳에 산장이 있어서 다행이네요."

산장 안으로 들어선 린지는 주위를 살피며 말했다. 비록 비좁은 데다가 푹신한 가구 따위는 없었지만 비를 피할 수 있는 것만으로 충분했다. 휘안은 산장 안에 들어서자마자 주위를 휙휙 둘러보더니 구석에 놓인 담요를 꺼냈다. 그는 담요 위에 쌓인 먼지를 탈탈 털어 낸 후 린지에게 건넸다.

"이거 받아, 린지안 군. 그리고 옷은 아예 벗는 게 좋을 거야."

"……!"

올 게 왔다. 린지는 태연하게 담요를 받아 들면서 낭패 어린 표정을 숨겼다.

'그래. 당연하지. 비에 젖은 옷을 벗고 담요를 두르는 게 맞지.'

하지만 휘안의 앞에서 벗었다가는 금방 들통 나고 말 것이다. 때문에 린지는 다시 한 번 고집을 부릴 수밖에 없었다.

"저는 괜찮습니다. 백작님께서 옷을 벗고 덮으시는 게……."

하나 휘안은 린지의 말을 듣는 둥 마는 둥 하며 배낭을 뒤적거리더니, 여분의 등산복을 떡하니 꺼냈다. 뿐만 아니라 마구잡이로 구입했던 비상용 약품들과 옷가지들을 주섬주섬 꺼내었다.

"사길 잘했지?"

"그, 그러게요?"

일부러 린지를 골탕 먹이려고 산 용품들이 이렇게 도움이 되다니. 휘안과 린지는 이렇게 얻어걸리는구나, 이런 표정을 짓고 있다가 서로 눈이 마주쳤다.

"……."

푸 하고 백작이 웃음을 내뱉자 린지도 참지 못하고 키득거렸다. 뭐랄까, 이 상황이 굉장히 우스웠던 것이다.

"아하하."

린지가 어깨를 들썩이며 웃음을 터뜨렸다. 평소에는 얼핏 차가워 보였던 얼굴이 순간 햇살처럼 환하게 반짝였다. 마치 아이처럼 웃는 모습에 휘안이 놀라서 눈을 크게 떴다.

"왜, 왜 그렇게 보십니까?"

그가 물끄러미 자신을 쳐다보고 있는 것을 자각한 린지가 웃음을 거두며 정색했다. 그러자 휘안이 쓴웃음을 머금으며 고개를 설레설레 휘저었다.

"귀한 건 항상 짧구나."

"네? 그게 무슨……?"

"아무것도 아니야, 린지안 군. 어서 벗고 몸 닦은 후에 이걸로 갈아입어."

영문을 묻기도 전에 휘안이 가벼운 반팔과 반바지를 내밀었다. 여름용 등산복이랍시고 미리 사 놓은 옷인데 이렇게 도움이 될 줄이야?

휘안 역시 구입해 놓은 여분의 등산복을 입을 생각으로 상의를 훌러덩 탈의했다. 그의 몸이 드러나자 린지 역시 재빨리 뒤로 돌아 담요를 어깨 위에 걸쳤다.

'빨리 갈아입자!'

담요로 몸을 가린 채로 옷을 갈아입을 생각이었다. 린지는 빛의 속도로 꼼지락거리며 상의를 탈의하고는 젖은 붕대의 물기를 닦아 내고 잽싸게 반팔을 입었다. 바지 역시 똑같은 방식으로 갈아입은 후 담요를 걷어 내고 등을 돌렸을 때, 휘안도 때마침 다 갈아입은 차였다.

"왜, 왜 그러십니까?"

휘안이 자신의 몸을 훑어보고 있다는 것을 눈치챈 린지는 잽싸게 담요로 몸을 가렸다. 설마 갈아입을 때 수상한 것을 보기라도 한 것일까?

"린지안 군, 상처가……."

하나 다행히 휘안의 관심사는 따로 있었다. 그녀의 새하얀 피부 위로 부어오른 새빨간 부기와 핏자국, 상처를 보고 깜짝 놀란 것이다. 무엇보다 그녀의 오른쪽 발목이…….

"……왜 말 안 했어?"

그야말로 퉁퉁 부어 있었다. 지금까지 아무렇지도 않게 신음 하나 안 흘리고 걸어 올라온 것이 신기하게 여겨질 정도였다.

린지는 재빨리 담요로 하체를 가린 후 멋쩍게 웃었다.

"하, 하하. 이게 겉으로만 이러지 별로 안 아파요."

안 아플 리가 있나. 당연히 아팠다. 뼈가 부러진 것까지는 아니지만 아무래도 인대 쪽이 상당하게 다친 듯했다. 하지만 그녀는 고통에 대한 내성이 굉장히 강한 편인지라 이 정도쯤은 가뿐하게 참아 낼 수 있었다. 그리고 무엇보다…….

'짐이 되고 싶지 않았다고.'

그녀의 마음을 읽은 것일까. 휘안의 보랏빛 눈동자가 가라앉았다. 그는 잠시 그녀의 발목을 쳐다보다가 한숨을 푹 내쉬었다.

"일단 앉아 있어. 구급약품이 있으니까 치료해 줄게."

"아뇨, 제가 할 수 있습니다."

린지는 휘안이 말릴세라 빠른 움직임으로 배낭에서 구급상자를 꺼내 들어 헤헤 웃어 보였다. 그 실없는 웃음을 본 휘안이 어쩔 수 없다는 듯 고개를 설레설레 저었다.

"그럼 난 장작에 불을 붙일게."

그는 벽난로에 쌓여 있는 나무에 불을 붙일 생각인 듯 그쪽으로 다가갔다. 하나 이번에도 린지가 잽싸게 그의 옷깃을 탁 잡아챘다.

"제가 붙이겠습니다."

휘안이 그녀를 물끄러미 내려다보자 린지는 다시 한 번 바보처럼 히죽 웃었다.

"백작님께서는 앉아서 편하게 계십시오."

잠시 주위를 살피던 그녀는 구석에 쌓여 있던 마른 나뭇잎을 한곳에 모은 후, 어깨에 걸쳐진 담요를 펼쳐 끝 부분을 찢기 시작했다.

"……?"

휘안은 대체 뭐 하냐는 눈빛이었지만 그녀는 대답하는 대신 행동으로 보여 주었다. 나뭇잎을 모아 폭신하게 만든 뒤 그녀는 찢은 담요를 접어 그 위에 얹었다.

"여기 앉으세요."

그러고는 그의 팔뚝을 탁 잡아끌고 바닥에 앉혔다. 거절하는 게 아닐까 내심 걱정했지만, 휘안은 신기할 정도로 순순히 그녀의 손길에 몸을 맡긴 채 나뭇잎 방석 위로 주저앉았다. 린지는 그런 백작의 몸 위로 남은 담요를 둘러 주며 씨익 웃었다.

"이제부터는 제가 하겠습니다. 편하게 앉아 계세요."

휘안은 눈앞에서 웃는 그녀를 가만히 바라보았다. 그가 무어라 대답하기도 전에 린지는 벽난로 쪽으로 다가가 나무를 꺼내 잡았다.

'어디 보자…….'

옛날에 유시젠이 내린 임무를 수행하는 과정에서 야영을 밥 먹듯이 해야 할 때가 있었다. 그때에 배운 나무에 불붙이는 방법이 여기서 도움이 될 줄이야. 린지는 순식간에 나무에 불을 붙인 후 장작 속으로 집어넣었다. 그리고 적절한 세기로 입김을 불고 부채질을 하며 불길을 거세게 만들었다.

"잘하네, 린지안 군."

그 광경을 쳐다보고 있던 휘안이 의외라는 듯 한마디 던져 왔다. 린지는 머쓱한 듯 웃음을 지으며 장작 속의 불씨를 향해 부채질을 계속해 나갔다.

"아, 붙었다!"

다른 나무들에게 불씨가 옮겨붙기 시작하고 있었다. 잠시 후, 노력 끝에 장작이 타닥타닥 타들어 가며 뜨끈한 열기를 내뿜어 냈다. 린지는 뿌듯한 마음이 되어 어깨를 쭉 폈다.

"엣헴. 제가 좀 하지요."

"이런 건 어디서 배웠어?"

"이 정도는 삶의 지혜지요."

린지는 일부러 대수롭지 않게 그의 질문을 흘려 내며 이번에는 상처 치료에 집중했다. 발목을 고정시켜 주는 붕대를 한 후, 팔뚝과 이마에 난 상처에 약을 발라 밴드를 붙였다. 이것 역시 혼자서 검상을 치료해 본 경험이 수두룩하기에 능숙한 솜씨였다.

휘안은 감탄하며 짧은 박수를 보냈다.

"이야, 대단한데? 린지안 군은 할 줄 아는 게 많구나."

"후훗. 당연하지요."

그녀는 기분이 좋아지는 것을 느끼며 이번에는 굴러다니는 노끈을 벽에 이어 빨랫줄을 만든 후 휘안과 자신의 옷을 걸었다. 장작불 앞에 걸어 놨으니 이대로 두면 뜨끈하게 잘 마를 것이다.

"이제 비만 그치면 되는데……."

하지만 이 통나무 산장을 뚫어 버릴 듯 쏟아지는 비는 그칠 줄 모르고 있었다. 린지는 조심스럽게 문을 열어 밖의 상태를 내다보았다.

"……심한데요."

"그래?"

그녀는 고개를 끄덕였다. 비가 너무나도 쏟아져 땅이 진흙이 됐을 뿐만 아니라 이제 계곡처럼 물들이 흐르고 있었기 때문이다.

"산사태라도 나면 큰일이겠네요."

"아아, 걱정 마. 이 산장은 휩쓸려 나갈 일 없어."

"네?"

"바깥 지형을 봐 봐. 다른 곳은 경사져 있지만 산장이 있는 곳은 어느 정도 평지에 가깝거든."

그러고 보니 산장을 받들고 있는 땅은 그나마 평지에 가까워서 빗길에 쓸려 나갈 걱정은 없어 보였다. 통나무로 만들어진 산장도 작긴 하지만 굉장히 촘촘하고 튼튼하게 지어져 비 한 방울 새지 않았고 말이다.

"예전에 왔을 때는 이것보다 더 심한 폭우가 쏟아져 내렸는데도 끄떡없었어."

그렇게 말한 휘안은 웃으면서 어깨 위에 걸쳐진 담요의 한쪽 측면을 열어 보였다.

"이리 와. 린지안 군."

"……."

린지는 갑작스런 제안에 그대로 얼음이 되어 멍하니 그를 쳐다보았다. 담요는 큰 편이 아니라 딱 한 사람이 덮기에 적당한 사이즈인데, 만약 두 사람이 덮으려면…….

'찰싹 붙어 있어야 한다고!'

린지가 사색이 되어 고개를 저으려고 하자 휘안이 마법의 단어를 내뱉었다.

"명령이야."

아무래도 휘안은 린지를 길들이는 법을 찾아낸 것 같았다.

타닥, 타닥. 이제는 어느 정도 활활 타오르게 된 장작불이 타들어 가는 소리가 들렸다. 쏴아아! 그리고 여전히, 아니 더 강해진 빗줄기가 쏟아져 내리는 소리 또한 들렸다. 그리고…….

'으씨, 어색해 죽겠네.'

바로 옆에서 휘안의 숨소리가 귓가에서 생생하게 들려왔다. 숨소리뿐만이 아니었다. 머리칼을 만지는 소리, 손가락이 흔들리는 소리, 눈을 깜빡이는 소리, 혀로 마른 입술을 축이는 소리……. 그의 모든 사소한 행동 하나하나가 청각화되어 린지의 귓가에 적나라하게 꽂혔다.

그럴 수밖에 없었다. 왜냐하면, 두 사람은 더 이상 가까워질 수 없을 정도로 찰싹 붙어 있었으니까. 그녀는 침조차 쉽게 삼킬 수 없었다. 그녀가 휘안의 모든 것을 느끼고 있듯이 그 또한 그러할 테니까. 그렇게 생각하니까 이상하게도 온몸이 긴장으로 뻣뻣하게 굳어졌다.

'불편해.'

자세가 불편한 게 아니라 이 상황 자체가 너무나도 생경한 종류의 것이었다. 무릎을 끌어안고 쪼그려 앉아 있는 그녀의 왼쪽 팔에, 허벅지에,

다리에 따뜻하고 부드러운 체온이 느껴지고 있다. 사람의 체온이란 게 이렇게 뜨거웠던가. 이제껏 모르고 산 것이 신기할 정도였다.

때문에 린지는 최대한 그에게서 떨어지기 위해 은근슬쩍 몸을 비틀고 있었다. 덕분에 담요가 그녀의 어깨 끝에서 간당간당 걸려 제 역할을 수행하지 못하였지만, 지금 추운 게 중요한 게 아니다.

그녀의 마음은 그러했지만 몸은 역시나 솔직하게 반응했다. 린지는 참으려고 했지만, 결국 참지 못하고 재채기를 하고 말았다.

"엣취!"

그것도 연달아 세 번이나. 린지는 새빨개진 얼굴로 휘안을 힐끔 쳐다보았다.

'히이익!'

휘안 역시 그녀를 쳐다보고 있었는데 그 얼굴이 얼마나 가까웠는지 순간 놀라움을 숨기지 못했다. 린지의 얼굴이 붉어지자 휘안이 장난기 가득한 미소를 지었다.

"왜 그렇게 긴장하고 있어?"

"에?"

"그러지 말고 편하게 있어."

"펴, 편하게 있는 건데요."

물론 누가 봐도 아니었지만 일단 우기고 보는 린지였다. 휘안은 키득거리며 고개를 설레설레 저었다.

꼬르륵.

"……."

빗줄기들이 산장 위를 때리는 소리 속에서, 누군가의 허기가 강력한 자기주장을 펼쳤다. 동시에 린지의 얼굴이 더더욱 새빨개졌다.

"푸하핫!"

"……너무 그러지 마세요."

쥐구멍이라도 있으면 숨고 싶다. 린지는 자신의 배를 원망하며 수치로 물든 얼굴을 가렸다. 그런 그녀의 모습이 더 재밌었는지 한동안 키득거린 휘안이 바로 옆에 놓은 배낭을 뒤적거렸다.

"도시락 먹자, 린지안 군."

배낭 속에서 오늘 아침 요리사가 싸 준 샌드위치가 불쑥 꺼내졌다. 그러고 보니 간단한 음식들을 싸 오지 않았던가! 린지는 활짝 웃으며 휘안이 건네는 샌드위치를 받았다. 휘안 역시 샌드위치를 한 입 베어 물었다. 그렇게 잠시 동안 샌드위치를 먹어 치운 둘은 포만감에 가득 차 서로를 쳐다보았다. 또 웃음이 나왔다.

"풋."

"하하."

린지는 어깨를 들썩이며 웃음을 흘렸다. 이 상황이 왜 이렇게 이상하면서도 웃긴 건지……. 린지는 웃음을 멈추고 심각한 표정으로 배낭을 쳐다보았다.

"저 배낭, 마법의 배낭인가 봐요. 필요한 것들이 다 나오네요."

"그치. 나도 그 생각했어. 뭐가 더 있더라?"

"잡다한 것이 많지요. 백작님께서 오늘 사들인 게 엄청나지 않습니까?"

"응. 사실 나도 되는대로 아무거나 집어서 산 거라 대체 뭘 산 건지 모르겠어."

"왜 그렇게 많이 구입하셨는데요?"

"왜긴 왜야. 린지안 군 골려 먹으려고 했지."

"너무 솔직하십니다만!"

린지는 얄밉다는 듯 한마디 톡 쏘아붙였지만 입가에 머문 웃음은 그대로였다. 그렇게 한동안 시답잖은 대화를 이어 가던 린지는 방금 전까지만 해도 온몸을 돌덩이처럼 만들었던 긴장감이 사라져 가는 것을 느꼈다.

'편하다…….'

타닥타닥, 장작불이 타들어 가는 소리가 이제는 기분 좋게 느껴졌다. 빗줄기는 변함없이 강렬하게 쏟아졌지만 어쩐지 아까보다 더 시원하고 맑아진 것 같기도 했다. 그녀의 왼쪽 몸에 맞닿아 있는 휘안의 체온도 더 이상 불편하지 않았다. 이상할 만큼 편안했다.

'배불러서 그런가…….'

린지는 젖은 머리칼을 이마 위로 쓸어 올렸다. 순간 나른함이 흘러나오자 참지 않고 하품을 늘어지게 해 댔다.

"피곤하네요……."

"그렇겠지. 린지안 군이 고생 많이 했으니까."

린지는 눈을 비볐다. 긴장이 풀려서인지, 배가 불러서인지, 아니면 둘 다 때문인지 갑작스런 나른함이 한꺼번에 밀려왔다. 그런 린지를 쳐다보면 휘안이 나지막하게 말했다.

"잠시 눈 좀 붙이도록 해."

"하지만……."

"어차피 빗줄기가 멈출 때까지는 못 내려가니까."

그렇긴 하지만…… 린지는 점점 무거워지는 눈꺼풀을 힘겹게 들어 올렸다.

"한숨 자."

그의 낮은 목소리가 마치 마법처럼 그녀의 몸 위를 부드럽게 쓰다듬고 지나갔다. 린지는 잠시 꾸벅꾸벅 고개를 흔들더니, 이윽고 끌어 모은 무릎 위에 얼굴을 올리고 눈을 감았다.

'푸훗. 귀여워.'

휘안은 수면의 달콤함에 패배한 린지를 쳐다보았다. 순식간에 잠에 빨려 들어간 그녀는 규칙적으로 새근새근 숨을 내뱉었다.

'피곤하긴 하겠지.'

이 산장에 들어와서, 아니 산에 올라와서 휘안은 아무것도 한 것이 없다. 린지가 무거운 짐을 들어 주고(넘어진 후에 잠시 자신이 맡아 주긴 했지만 말 그대로 잠시였을 뿐이고) 산장에 들어온 이후로 장작에 불을 붙이고, 빨랫줄을 만들어 옷을 널고, 스스로 자신의 상처를 치료하고, 앉아 있을 곳도 만들고…….

'믿음직하네.'

예쁘장해 가지고 뭐든지 뚝딱뚝딱 잘 해내지 않는가? 검도 어느 정도 쓸 줄 아는 것 같고, 정원사 자격증도 있고, 경력도 얼마 안 됐으면서 시종 일도 잘 해내고…….

'재주가 많은 녀석이야.'

휘안은 물끄러미 린지를 응시했다. 물기 어린 붉은색 머리칼 몇 가닥이 그녀의 분홍빛 뺨 위로 붙어 있었다. 비를 맞아서인지 평소보다 더 매끈거리는 얼굴은 마치 물기를 머금은 한 떨기 복숭아꽃 같았다.

'……?'

휘안은 눈을 동그랗게 떴다. 자신의 손이 린지의 얼굴로 향하고 있는 것이 의아했던 것이다. 생각하지도, 계획하지도 않은 움직임인지라 휘안은 스스로 의아해했다. 하지만 그는 움직임을 멈추지 않았다. 휘안은 아주 조심스러운 동작으로 그녀의 뺨에 달라붙은 머리칼을 떼어 주었다. 그의 손은 잠시 망설이듯 린지의 얼굴 위에서 맴돌더니, 이윽고 아쉬운 듯 회수되었다.

'진짜 부드럽다.'

그는 아주 찰나의 순간, 린지의 뺨에 닿았던 자신의 손가락을 응시했다. 그녀의 피부가 닿았던 부분이 이상할 만큼 예민하게 느껴졌다. 아무리 어리다고 해도 그렇지, 소년의 피부가 저렇게 부드러워서야…….

'아깝네.'

속으로 중얼거린 휘안은 미간을 좁히며 고개를 갸웃거렸다. 아까워? 뭐가? 뭐가 아깝다는 거지? 그렇게 스스로에게 물음을 던지려고 하던 찰나…….

"으음……."

린지가 고개를 움직이자 그녀의 몸이 기우뚱거렸다. 휘안은 재빨리 그녀의 어깨를 잡아 몸이 기울어지지 않도록 잡아 주었다.

"푸훗. 린지안 군, 정말 깊게 잠들었네."

휘안은 그녀의 몸을 자신의 가슴팍에 기대게 한 후 어깨를 끌어안았다. 한층 더 가까워진 몸에서는 따뜻한 체온이 느껴졌다. 용케도 린지는 잠에서 깨어나지 않고 그의 가슴에 얼굴을 기댄 채 잠에 빠져 있었다.

'너무 가녀리잖아?'

알고는 있었지만, 이렇게 몸을 거의 끌어안다시피 하고 있으니 린지의 체격이 얼마나 가냘픈지 확실하게 느껴졌다. 탄탄한 근육이 건강함을 증명하는 것과는 별개로 체격 자체가 일반 소년보다 작았던 것이다.

'이렇게 가냘픈 녀석이 남한테는 기대기 싫어하고 말이야.'

오늘 몇 번이나 느낀 거지만 그의 시종은 병적일 정도로 책임감이 강했고 누군가에게 신세 지는 것을 싫어했다. 자신의 일은 자신이 하고야 말겠다는 의지는 거의 목숨을 건 신념에 가까워 보여서 그가 함부로 꺾을 수 없었던 것이다. 분명 이렇게 기대어 자고 있다는 것을 알게 된다면 시종은 소스라치게 놀라며 거부하겠지만…….

'잠든 자는 말이 없지. 잘 자, 린지안 군.'

휘안은 부드럽게 웃으며 그녀의 붉은 머리칼 위로 얼굴을 기대었다.

그녀의 나른함이 옮은 것일까, 눈을 감자 휘안 역시 금방 잠에 빠져들었다. 지금 이 순간이 너무나도 편안했다.

린지가 숙면 속에서 눈을 떴을 때, 언제 비가 내렸냐는 듯 조용한 침묵이 그녀를 반겼다. 화창하게 갠 이른 새벽의 하늘은 맑고 상쾌하기 그지없었다.

'……맙소사.'

린지는 눈만 뜬 상태로 현재의 상황을 파악했다. 그녀는 지금, 거의 휘안에게 끌어안기다시피 한 포즈로 그의 가슴팍에 몸을 기대어 있었다. 휘안은 한 팔로 그녀를 품 안에 안은 채로 얼굴을 그녀의 머리 위로 기대어 자고 있었는데, 이 포즈가 될 때까지 한 번도 깨지 않았다는 것이 황당했다.

'으아아아!'

남자에게 이런 식으로 안겨 보는 것은 처음인지라 린지는 패닉 상태가 되었다. 그녀는 어쩔 줄 몰라 하면서도 조심스럽게 얼굴을 들어 올려 백작을 올려다보았다. 그리고 자신을 내려 보고 있는 보라색 눈동자와 마주쳤다.

"히이이이익!"

린지는 깜짝 놀라 그를 밀치고 자리에서 벌떡 일어났다. 언제부터 일어나서 자신을 보고 있었단 말인가? 그녀가 혼란에 빠져 있자 휘안이 늘어지게 하품을 했다.

"잘 잤어? 나도 방금 일어났어."

"그, 그게……."

"비가 멈췄으니 이제 내려가자."

휘안은 그녀가 당황해하는 것을 아는지 모르는지 태평하게 대답하며 자리에서 일어났다. 그러고는 빨랫줄에 걸린 옷을 만져 보더니 활짝 웃음을 지었다.

"다 말랐네. 갈아입고 내려가자."

"네, 네에. 알겠습니다."

린지는 벗을 때 그랬던 것처럼 담요를 어깨 위에 두른 상태에서 꼼지락거리면서 옷을 갈아입었다. 하나 어떻게 갈아입는지 알 수 없을 정도로 그녀는 패닉 상태였다.

'어떻게 그렇게 무방비하게 잘 수 있는 거야, 린지 아즈벨!'

그에게 거의 안겨서 잠들었다는 부끄러움과 함께 자책감이 밀려왔다. 아무리 편안한 기분이었다고 해도 그렇지, 한 번도 깨지 않고 잠에 푹 빠져 버리다니…….

반면 백작은 아무렇지도 않은지 평소와 같이 말끔한 표정이었다. 옷을 다 갈아입은 그는 상쾌하게 웃으며 말했다.

"자아, 가 볼까?"

"네에……."

우여곡절 끝에 산을 내려와 백작가에 도착했을 때 제일 먼저 그들을 맞이한 것은 예르시카였다. 그녀는 말을 타고 저택을 나서는 중에 그들과 마주쳤다.

"백작님!"

백작을 본 예르시카가 깜짝 놀라며 말에서 내려와 그에게 달려왔다. 그녀의 푸른 눈동자는 걱정과 안도로 가득했다.

"백작님, 괜찮으십니까?"

"물론이야. 비 때문에 산장에서 자고 왔어."

"예, 그러실 거라고 예상은 했습니다. 혹시 몰라서 제가 찾아가려던 참이었습니다만…… 무사하셔서 다행입니다.”

휘안은 싱긋 웃으며 그녀의 어깨를 툭툭 두드렸다.

“린지안 군 덕분에 편안하게 있다 왔어.”

그 이름이 언급되자 예르시카는 처음으로 린지에게 시선을 주었다. 예르시카의 눈에 여기저기 다친 린지의 상처가 눈에 들어왔다.

“네? 그게 무슨……?”

“린지안 군이 잘 보살펴 줬거든. 뭐랄까, 엄마처럼 말이야.”

뭐라고……? 그 말에 린지는 물론 예르시카마저 못 들을 것을 들었다는 듯 입을 떡하니 벌렸다. 그들의 표정 변화가 재밌었는지 휘안이 웃음을 터뜨렸다.

“푸하핫, 아, 장난이야, 장난. 그 정도는 아니었고, 그냥 훌륭하게 보좌해 줬어. 그러니까 그런 표정 짓지 마.”

“죄, 죄송합니다…….”

아무리 장난이라 그래도 엄마라니…… 린지 역시 썩어 가는 표정을 숨기며 속으로 중얼거렸다. 예르시카는 린지를 한번 훑어보더니 나지막하게 말했다.

“어찌 됐든 수고했다. 백작님을 잘 모신 모양이군.”

“아, 네…….”

처음으로 듣는 칭찬에 린지는 얼떨떨하게 머리를 긁적였다. 항상 못마땅하게 자신을 노려보던 예르시카에게 칭찬을 듣다니, 묘하게 뿌듯했다.

“린지안 군, 오늘은 치료받고 쉬도록 해. 발목이 많이 부었잖아?”

휘안의 말에 린지는 재빨리 고개를 저으며 말했다. 아니, 말하려고 했다.

“명령이야.”

“……네.”

이걸로 확실해졌다. 백작은 그녀를 다루는 법을 알아내고야 만 것이다.

chapter 5. 꼬리잡기

[트와일릿의 질주, 어디까지일까]

린지는 백작의 테이블 위에 신문을 내려놓다가 문득 일면에 대문짝만하게 박힌 문구를 보았다.

[트와일릿, 명실상부 엘칸 대륙 최고의 대기업]
[얼굴 없는 대표의 정체는?]

그 신문뿐만 아니라 발행되는 모든 신문의 일면의 주제는 다 같았다. 트와일릿, 대륙 최고의 기업이라 불리는 회사의 이야기였다. 하나 린지는 신문에 주의를 기울일 여유가 없었다. 지금 린지에게 중요한 것은…….

'망할 백작. 어떻게 깨우지.'

새근새근 잠들어 있는 백작을 깨우는 것, 지금 그것만이 린지에게 있어서 가장 중요한 일이었다.

린지는 팔짱을 끼고 백작을 바라보았다. 뽀송뽀송한 이불 속에 파묻힌 백작의 모습은 마치 천사와도 같았다. 몇 번을 봐도 깜짝 놀랄 만큼 아름다운 남자, 동시에 린지가 살면서 만난 최악의 잠꾸러기이기도 했다.

"백작님, 기상하셔야 합니다."

물론 이 한마디로 백작이 벌떡 일어난 일은 지금껏 단 한 번도 없었다.

'또 다가갔다가 침대 안으로 끌어들일 수도 있잖아.'

백작의 못된 잠버릇 중 하나가 잘 때 다가가면 꽉 끌어안아 버린다는 것이다. 게다가 한번 안으면 도통 놓아주질 않으니, 그러다가 같이 곯아떨어져 버린 경험도 있다. 기억하고 싶지 않은 흑역사였다.

그녀는 잔뜩 경계하며 백작의 곁으로 슬금슬금 다가갔다. 그러고는 마치 잠자는 사자를 깨우듯, 조심스레 그의 어깨 위로 손을 얹었다.

"백작님."

"……응?"

그때 졸린 목소리와 함께 휘안의 눈꺼풀이 천천히 열렸다.

"……."

아침 햇살을 받아 맑게 빛나는 보라색 눈동자가 마치 진귀한 보석 같았다. 순간 넋을 놓고 그를 바라보던 린지는 곧 정신을 되찾고는 헛기침을 했다.

"흠흠. 기상하셔야 합니다."

멍하니 린지를 바라보던 휘안은 빙그레 웃더니 다시 눈을 감았다. 설마 또 자려는 걸까? 린지가 한마디 하기 위해 입을 열려는 순간, 휘안이 난데없이 입술을 쭉 내밀었다.

"……."

어이가 없어진 린지는 떨리는 목소리로 물었다.

"뭐, 뭐 하십니까?"

휘안은 입술을 내민 상태 그대로 말했다.

"잠자는 공주님을 깨우는 것은 왕자님의 키스뿐이야, 린지안 군."

"……!"

린지는 얼굴을 확 붉히며 뒷걸음질 쳤다. 하지만 휘안은 이미 그 반응을 예상했는지, 재빨리 그녀의 팔을 낚아채서 끌어당겼다. 그러고는 장난기 가득한 눈으로 린지의 얼굴을 감싸 쥐었다.

"자아, 린지안 군. 빨리 공주님을 깨워 달라고."

"배, 백작니이이이이임!"

이 미친 자식이, 누가 공주라는 거야! 린지는 끌려가지 않기 위해 백작의 어깨를 잡고 있는 힘껏 버텼다. 잠이 덜 깬 것인지, 아니면 원래부터 미친 것인지 모르겠지만 본인이 잠자는 공주라고 주장하다니!

"이, 이러지 마세요! 여긴 현실입니다! 꿈이 아니라고요!"

"아니야, 여긴 꿈이야. 깨어나기 위해서는 린지안 군의 키스가 필요해."

"정신 차리세요, 백작님! 정신 차리시라고요!"

백작의 힘은 우악스럽다는 표현이 어울릴 만큼 강제적이었다. 그의 얼굴이 점점 가까워지자 린지는 저도 모르게 눈을 질끈 감았다. 닿는다!

"……."

닿지 않았다. 린지는 슬그머니 눈을 떴다. 말똥말똥한 보라색 눈과 마주치는 순간, 백작은 웃음을 터뜨렸다.

"아하하하하!"

그는 배를 잡고 끅끅거리며 침대를 뒹굴었다. 겨우 그의 손에서 빠져나온 린지는 그에게서 후다닥 떨어져 벽에 등을 기댔다.

"아아, 진짜 오늘도 너무 재밌었다. 역시 린지안 군이 최고라니까."

한참 동안 웃은 백작이 상쾌한 얼굴로 침대에서 일어났다. 오늘도 역시 성공적으로 린지를 놀려서 매우 행복해 보이는 표정이었다.

또 놀렸다. 또, 또, 또! 하루도 그냥 넘어가는 법이 없는 데다가, 장난은 날이 가면 갈수록 심해지고 있다. 린지는 화가 나서 바르르 떨리는 목소리로 외쳤다.

"너무하십니다! 절 놀리는 게 그렇게 좋으십니까?"

"짜릿해. 늘 새로워. 린지안 군 놀리는 게 최고야."

"전 하나도 재미없습니다!"

"하지만 어쩌겠어. 내가 미치도록 재밌는데."

그렇게 대답하는 휘안의 표정은 몹시 진지했다. 그는 분노로 바르르 떠는 린지를 물끄러미 내려다보다가 뺨을 꼬집었다.

"귀여워."

"……!"

"그런데 아무리 무서워도 그렇지, 거기서 눈을 감으면 어떡해? 한 대 쳤어야지."

"뭐, 뭐라고요?"

기가 막혔다. 놀린 게 누군데 이제 와서 훈계란 말인가!

"내가 순수하고 깨끗한 사람이라는 걸 감사해. 흑심 가득한 사람이었다면 린지안 군은 지금쯤……. 아아, 상상할 수 없군."

"상상하지 마세요! 아니, 애초부터 안 놀리면 되시잖습니까!"

아침부터 빽 소리를 질러서 그런지 뒷목이 당겨 왔다. 린지는 혈압이 급상승하는 것을 느끼며 뒷목을 부여잡았다.

"아침마다 큰 웃음 짓게 해 줘서 고마워. 씻고 올게."

그렇게 말하고 욕실로 향하는 휘안의 뒷모습을 보며 린지는 주먹을 부들부들 떨었다. 얄미워서 속이 뒤집어질 지경이었다.

'아오, 저걸 한 대 쳐 버릴 수도 없고!'

"흐음, 어디 보자."

식사를 마친 후 휘안은 린지가 건네준 초대장들을 고르기 시작했다. 인기 만점의 백작답게 온갖 연서와 초대장들이 하루에도 수십 통씩 쏟아졌는데, 백작이 응하는 것은 몇 개 되지 않았다.

'게다가 의외로 냉정해서, 연서 같은 건 그냥 무시해 버리고.'

린지는 게슴츠레한 눈으로 그의 뒤통수를 노려보았다. 휘안 데 르카플로네 백작은 아주 질 나쁜 바람둥이였다. 여자들의 마음을 빼앗고 다니면서 러브레터에는 답장조차 해 주질 않는다. 그런데도 여자들은 좋다고 계속 연서를 보내오니, 린지는 그녀들의 마음을 도무지 이해할 수 없었다.

'아침에 나한테 하는 모습을 보면 콩깍지가 벗겨질 텐데.'

매일 아침마다 시종을 골리는 재미에 사는 푼수 백작! 그 철딱서니 없는 행동을 자신만 알고 있는 게 억울할 정도였다.

"린지안 군."

"……네?"

그때 초대장들을 골라내던 휘안이 나지막이 말하며 고개를 돌렸다. 그리고 놀란 린지를 마주 보며 빙그레 미소 지었다.

"매번 말하지만, 눈빛으로 욕하는 거 다 들려."

"아, 아닙니다!"

휘안의 다 알고 있다는 눈빛에 린지는 손을 세차게 휘저으며 고개를 흔들었다.

"그렇게 넘겨짚지 마십시오, 백작님! 저 그런 적 없습니다!"

"흐응."

백작은 그녀를 가만히 쳐다보다가 피식 웃으면서 말했다.

"알았어. 귀여우니까 봐줄게."

"가, 감사합니다."

감사해야 할 일인지는 모르겠지만 린지는 어쨌든 그렇게 내뱉었다. 그가 다시 얼굴을 돌려 초대장을 읽자 그녀는 안도의 한숨을 속으로 삼켰다. 뒤통수에도 눈이 달린 건지 눈치가 빠른 건지 모르겠지만, 앞으로 뒤에서도 조심해야 했다.

"좋아. 오늘은 이곳에 가야겠군."

백작은 수십 개의 편지들 중 하나를 뽑아 들어 올렸다.

"린지안 군도 준비해. 같이 가는 거니까."

"네? 어디에 가시는데요?"

휘안이 웃으며 그녀에게 초대장을 내밀었다.

– 리아담 데 르나의 살롱 –

"……에?"

리아담 데 르나는 레란 예술계의 큰손이자 명작들을 모으는 소문난 미술품 수집가였다. 그리고 그것들을 손쉽게 구입할 수 있을 만큼 부유한 여인이기도 했다.

'다른 초대는 다 거절했으면서 예술가들이 득실한 살롱에 간다고?'

휘안에게 어떤 초대장들이 오는지 알고 있는 린지로서는 의외의 결정으로 느껴졌다. 왕실 관료들의 정책 토론 모임, 유망한 귀족 가문 청년들의 모임, 기타 등등을 버려두고 예술가들의 모임에 간다니? 휘안은 평소에 예술에 관심이 없는 사람이었다. 때문에 이 결정은 굉장히 의외였다.

"아마 아름다운 여인들이 많을 것 같은 예감이 들거든."

장난스럽게 웃으며 눈을 찡긋거리는 휘안의 모습에 린지는 한숨을 겨우 참아 내었다. 하여튼, 저 바람기가 문제라니까.

"이렇게 와 주셔서 정말 영광입니다."

리아담 데 르나는 백작이 온다는 소식을 듣고 입구에서 그들을 기다리고 있었다. 통통한 체격과 푸근한 인상, 그리고 총명함으로 빛나는 눈을 가진 여인이었다.

"저야말로 초대해 주셔서 감사합니다. 이런 모임에 함께할 수 있게 되다니, 영광이지요."

린지는 그들의 뒤를 쫓으며 백작이 건네는 가방과 겉옷을 받아 들었다. 그들을 저택 안쪽으로 안내하던 리아담은 문득 린지를 발견하고는 물끄러미 쳐다보았다.

'왜 시종을 여기까지 데려온 거지?'

대부분의 귀족들은 살롱까지 시종을 데려오지 않는데……. 리아담은 린지를 응시하다가 대수롭지 않게 고개를 돌렸다. 백작의 변덕이겠거니 싶었다.

잠시 후, 저택 안쪽으로 들어간 린지는 눈앞에 펼쳐진 광경을 보고 입을 벌렸다.

'뭐, 뭐야, 이거.'

저택 안은 굉장히 분주했다. 악기를 연주하는 자와 그림을 그리는 자들, 소파에 앉아 글을 적고 있는 사람들이 홀 안을 꽉 메우고 있었다. 피아노, 바이올린, 트럼펫 등 연주되는 악기가 여러 개인데 시끄러운 느낌이 없는 게 신기했다. 오히려 제각각 연주되는 곡들이 묘하게 하모니를 이루는 신비로운 현상마저 벌어지고 있었다.

"신사 숙녀분들, 잠시 주목해 주시겠어요?"

리아담 데 르나의 말에 연주가 멎었다. 순식간에 조용해진 살롱 내 모든 이들의 시선이 리아담에게, 정확히 말하자면 그녀 뒤에 서 있는 백작에게 모였다.

"드디어 르카플로네 백작님께서도 이 모임에 참여해 주셨습니다. 귀한 발걸음 해 주신 백작님께 환영의 박수 부탁드려요."

그러자 수많은 사람들이 박수를 치며 활짝 미소 지었다. 특히 여인들의 반응은 뜨거울 정도로 열렬했다.

"이렇게 환영해 주시니 몸 둘 바를 모르겠군요. 레란 최고의 예술 모임에 함께하게 되어 몹시 기쁩니다."

휘안의 말이 떨어지자 살롱에 묘한 활기가 불어왔다. 피아노를 연주하던 사람도, 그림을 그리던 사람도 홍조를 띤 얼굴로 백작을 구경하기 시작했다. 휘안은 몹시 자연스럽게 집중된 관심을 받아들였다. 어디를 가도 가장 돋보이는 존재였기에 이런 열기는 일상과도 같았던 것이다.

리아담 데 르나는 그를 데리고 주요 인사로 보이는 사람들을 한 명 한 명 소개시켜 주었다.

"만나 뵙게 되어 영광입니다, 백작님. 말씀은 많이 들었습니다. 소문대로 굉장한 미남이시군요. 베일리나 후작입니다."

"이런, 과찬이십니다."

린지는 백작의 뒤에 서서 멍하니 그들을 지켜보고 있었다. 휘안은 몰려드는 수많은 귀족들과 인사하며 화기애애한 분위기였지만, 린지는…….

'으으, 지루해. 잠 와 죽겠다.'

지루해서 잠이 오기 직전이었다. 한구석에서 연주되는 피아노, 바이올린 소리는 점점 자장가처럼 들려와서 눈꺼풀이 점점 묵직해지기 시작했다. 그렇게 얼마나 시간이 흘렀을까? 발가락에 힘을 빡 주며 안간힘을 다해 잠을 버티는 중 따스한 체온이 손을 잡았다. 언제 뒤로 돈 건지 백작이 그녀를 향해 웃고 있었다.

"백작님?"

"린지안 군. 배 안 고파?"

휘안은 그녀를 잡고 성큼성큼 걸음을 옮겼다. 홀의 벽에는 마치 뷔페처럼 수많은 음식들이 늘어져 있었는데, 휘안은 그중 초콜릿으로 만들어진 케이크를 접시 위에 집어 올렸다.

“린지안 군, 케이크 좋아하잖아.”

“네?”

“먹고 있어. 심심했지?”

설마 줄곧 신경 써 주고 있던 걸까? 백작은 머뭇거리는 린지의 머리칼을 쓱쓱 쓰다듬으며 얘기했다.

“나만 쫓아다니면 많이 지루할 거야. 사실 인사 나누고 있는 나도 피곤하거든. 그러니까 맛있는 것도 먹고, 저기 그림 그리는 사람 뒤에서 구경도 하고 그러고 있어.”

“아…… 하지만.”

“알겠지?”

거부하려고 했던 린지지만 백작의 눈빛에 못 이겨 결국 고개를 끄덕였다. 휘안은 만족스러운 웃음을 짓더니 다시 그를 기다리고 있는 무리로 돌아갔다.

‘윽, 사람들 다 쳐다보고 있었네.’

백작을 기다리고 있던 사람들은 믿기 힘들다는 얼굴로 그들을 지켜보고 있었다. 하기야 갑자기 이야기를 중단시키더니, 시종을 데리고 맛있는 것을 챙겨 주고 머리까지 쓰다듬는 것은 귀족들에게서 보기 힘든 모습이긴 했다.

‘에이 씨, 몰라. 나도 몰라!’

린지는 얼굴에 철판을 깔기로 결심한 후 케이크를 하나 집어 올려 입에 쏙 넣었다. 그러고 보니 휘안은 그녀가 케이크를, 특히 초콜릿 맛을 좋아하는 것을 어떻게 알고 있었을까? 린지는 또다시 사람들에게 둘러

싸인 휘안을 바라보았다. 리아담 데 르나는 이제 예술가들을 휘안에게 소개시켜 주고 있었다.

'얼씨구. 다들 입이 귓가에 걸렸구먼.'

린지는 작은 목소리로 속삭이는 귀족들의 말을 엿들었다.

"어쩜 저렇게 멋있을 수 있지? 사람이 아닌 것 같아. 나도 애인 삼아 주셨으면 좋겠어."

"어머, 얘. 백작님은 셀 수 없을 만큼 많은 애인을 가지고 있다는 소문 몰라? 심지어 레란뿐만이 아니라 각국의 내로라하는 미녀들이 다 백작님 애인이래."

"뭐? 정말?"

"응. 정보 길드 포그에서도 백작님의 애인을 다 세는 걸 포기했다더라."

"어머, 포그에서도 포기할 정도야?"

순간 린지는 웃음을 터뜨릴 뻔했다. 백작의 소문은 그야말로 무시무시하게 불어나 있어서 거의 괴담 수준이었다. 정보 길드 포그에서도 백작의 애인 세는 걸 포기했다는 말이 나돌 정도이니!

'그 정도는 아닌데.'

정보 길드 포그는 마치 안개처럼 보이지 않는다 하여 '포그'라는 이름이 붙은 조직이었다. 셀 수 없이 많은 첩보원들을 온갖 곳에 심어 놔 이 세상 모든 정보를 손에 쥐고 있다는, 실존하는지조차 알 수 없는 귀신같은 조직이라고 알려져 있다. 그런데 지금 백작은 그런 포그에서도 애인 세는 걸 포기했다는 말이 나올 정도였다.

'하기야 바람둥이인 건 맞으니까.'

남녀 불문하고 백작의 곁에 선 자들은 뭔가에 홀린 눈으로 그를 올려다보고 있었는데, 마치 옛 신화 속에서 튀어나온 사람을 눈앞에서 보는 듯한 표정이었다.

'하기야 나도 처음 봤을 때는 달에서 사람이 내려온 줄 알았지.'

린지는 발걸음을 옮겼다. 휘안의 말대로 그림 그리는 사람이나 구경할 생각이었다.

'……우움. 역시 난 예술은 모르겠어.'

린지가 보기엔 그냥 아무렇게나 붓을 칠하고 있는 것 같았는데 대체 저 어디에서 예술을 느낄 수 있는지 이해할 수가 없었다.

"어떻게 생각해?"

그때 린지는 자신의 옆에 선 남자의 목소리를 들었지만, 설마 자신에게 묻는 거라고 생각하지 못했기에 대꾸조차 하지 않았다. 잠시 후, 린지는 화들짝 놀라며 고개를 돌렸다.

"아, 제게 물으신 겁니까?"

"그래. 너에게 물어본 거야."

한 남자가 장난스럽게 웃고 있었다. 그와 눈이 마주친 순간, 린지는 사슴을 떠올렸다. 크고 가느다랗게 진 쌍꺼풀, 그리고 길게 드리워진 속눈썹이 굉장히 인상적인 사내였다. 갸름한 턱과 얇은 입술이 잘생겼다는 말보다는 예쁘다는 표현이 어울렸다.

"음…… 아, 아름다운 것 같습니다."

린지는 소용돌이치듯 온갖 색채가 섞여 있는 그림을 보고 '뭐가 뭔지 하나도 모르겠다'라고 솔직하게 말할 수 없었다.

"그래? 어느 부분이?"

"음, 저, 그러니까…… 저 여러 개의 색상들이 섞인 것이……."

몹시 이상합니다, 라고 말하고 싶었지만 린지는 애써 웃으며 달리 말했다.

"저 부분이 인상적이네요."

"푸흡."

청년은 갑자기 바람 빠지는 소리를 내더니 이내 소리 내어 웃음을 터뜨렸다.

'뭐야, 왜 웃어?'

잠시 후, 웃음을 멈춘 청년이 그림을 그리고 있는 화가에게 말했다.

"이봐, 아리튼. 언제까지 손 풀기를 할 텐가? 빨리 제대로 된 그림을 그려 달라고."

그러자 아리튼이라 불린 화가가 신경질적으로 대답했다.

"시끄러워. 난 그림을 그리기 전엔 이렇게 손을 풀어야 잘된단 말이야."

"이런. 비싼 물감을 낭비하고 있군."

"흥. 오지랖은."

서로 한마디씩 주고받았지만 신경전이라기보다는 친우들끼리의 토닥거림으로 들렸다. 청년이 웃는 얼굴로 다시 린지를 돌아보았을 때, 그녀의 얼굴은 새빨갛게 달아올라 있는 상태였다.

"푸훗!"

부끄러워하는 린지의 얼굴을 본 청년이 다시 웃음을 터뜨리자 린지가 낮은 목소리로 중얼거렸다.

"……뭐가 그렇게 웃기십니까?"

"아하하!"

"예술에 대해 모르면 저처럼 생각할 수도 있죠."

잠시 후, 웃음을 삼켜 낸 사내가 해맑은 얼굴로 말했다.

"기분 나빴다면 사과하지. 나쁜 의도는 아니었어. 다만 자네의 반응이, 음, 실례되지 않는다면, 귀여웠다고 말해야겠군."

"죄송하지만 남자에게 귀엽다는 말은 실례입니다."

"미안, 미안. 또 사과해야겠군."

린지는 불쾌함을 감추며 청년을 쳐다보았다. 맑은 눈빛과 선한 인상,

단정한 이목구비를 가진 남자다. 하나 생김새와는 달리 장난기가 넘치는 성격임이 틀림없었다.

"실례하겠습니다."

저택에서는 백작이 놀리더니 여기에서는 생판 처음 보는 사람이 놀리고 있다. 내가 놀림당하기 쉬운 체질이었나, 예전에 날 놀리는 것들은 눈에 멍을 만들어 줬었는데, 키벨이 본다면 배를 잡고 웃겠다 등등의 회의감을 느끼며 린지는 등을 돌렸다. 하나 청년이 린지의 팔을 잡아채며 세웠다.

"이봐, 잠깐만."

"예? 무슨 일이시죠?"

"잠깐만 이렇게 있어 주겠어?"

청년은 린지의 어깨를 한번 잡아 자세를 바로 세운 뒤 한 발자국 뒤로 물러섰다. 그러고는 한 손에 들고 있던 스케치북을 펼치면서 연필을 들어 올렸다. 순식간에 모델이 되어 버린 린지는 거절할 기회조차도 갖지 못했다.

'뭐, 뭐야, 갑자기!'

청년은 자리에 선 상태로 빠르게 손을 움직였다. 연필이 얼마나 빨리 움직이는지, 제대로 보고 그리고 있는 건지 의심될 지경이었다. 그때, 손 풀기를 하고 있던 화가 아리튼이 청년이 그림을 그리기 시작하자 호기심 가득한 얼굴로 접근했다. 그를 시작으로 피아노를 연주하던 자, 글을 쓰던 자들 모두가 자리에서 벌떡 일어나 다가왔다.

'뭐야. 갑자기 왜 다 이쪽으로 오는데!'

순식간에 대부분의 인원들이 몰려 구경거리가 되어 버린 린지는 몹시 당황했다. 반면 시선이 몰린 것을 아는지 모르는지, 정작 그림을 그리는 청년의 시선에는 단 한 줌의 흔들림도 없었다.

"다 그렸다."

10분, 아니 5분은 걸렸을까? 그림이라는 것을 제대로 그리기엔 충분해 보이는 시간은 아니었다. 때문에 린지는 별 기대감 없이 청년이 건네는 그림을 받아 들었다. 하지만, 그림을 확인한 린지의 눈동자는 크게 떠졌다.

"어, 우와……."

종이 안에는 린지가 그려져 있었다. 하나 완전한 자신이라고는 할 수 없었다. 청년이 해석한 린지, 종이 속 붉은 머리칼의 소년은 몹시 묘하고 몽환적인 분위기를 풍겨 내고 있었다.

"사과의 표시야. 부디 화를 풀었으면 좋겠군."

청년은 대수롭지 않게 말하며 씩 웃었다. 마법 같은 그림의 효과일까, 린지는 어느새 화가 싹 가라앉아 버렸다.

"아닙니다. 그림을 몹시 잘 그리시네요."

"그야 그게 내 직업이니까."

청년은 씩 웃으며 린지에게 손을 내밀었다. 그 의도를 알아챈 린지는 서둘러 손을 맞잡고 흔들었다. 그리고 다시 놓으려고 했지만, 청년은 손가락에 힘을 꽉 주더니 린지를 끌어당겼다.

"어어?"

"케이크나 먹으러 가자고. 아까 보니까 맛있게 먹던데."

청년은 구경하던 사람들에게 양해를 구하며 그들을 지나쳤다. 디저트 앞에 멈춰 선 청년은 그제야 린지의 손을 놓아주며 케이크를 내밀었다.

"아, 감사합니다."

린지는 저도 모르게 덥석 받아 들며 입 안으로 밀어 넣었다. 오물오물 먹는 린지를 보며 청년이 피식 웃음을 흘렸다.

"잘 먹는군. 자네, 르카플로네 백작님의 시종인가?"

"예, 그렇습니다."

"좋겠어. 백작님께서 고용인들은 물론 모든 사람들에게 몹시 상냥하고 친절하시기로 유명하지 않으신가? 봉급도 상당하겠지?"

"뭐…… 그렇지요."

청년은 이번에 린지에게 홍차를 따라 건네주었다. 왜 이렇게 먹을 것을 주는지 모르겠지만 거절하는 것은 예의가 아닌 것 같았으므로 린지는 이번에도 넙죽 받아 들었다.

"이름이 어떻게 되지?"

"아, 린지안 아르즈벨입니다."

"좋은 이름이군. 어감이 아름다워, 아, 잠시 실례."

말을 이어 가던 청년은 문득 린지에게 가까이 다가와 손을 내밀었다. 부드럽게 쓸어 넘기는 촉감이 목덜미를 스치고 지나갔다.

"실밥이 묻었더군. 그건 그렇고 자네, 훌륭한 모델이야. 영감을 주는군."

"……에?"

"린지안 군에게 묘한 분위기가 풍기거든. 솔직히 말하자면, 지금 당장 한 번 더 그림을 그리고 싶어."

그가 말하는 바의 의미를 정확히 이해할 수 없었다. 린지는 무어라 대꾸해야 할지 찾지 못하다가 문득 손에 든 그림을 보고 말했다.

"그러고 보니 저를 이렇게 그려 주셨더군요. 굉장히 잘 그리시네요. 그림체가 굉장히 몽환적이에요."

"린지안 군에게 그런 분위기가 있거든. 특히 눈매가 몹시…… 뭐랄까……."

청년이 한 발자국 다가와 린지의 턱을 잡아 올렸다. 순간 그와 눈이 정면으로 마주친 린지는 그 안에 맴도는 탐욕을 정확히 읽어 냈다. 칼튀루스 후작에게서 본 것과 똑같은, 그 욕망을.

"뭐랄까. 색기가 있다고 해야 할까?"

남색가다. 린지는 확신했다. 지금 이 청년의 눈빛이 칼튀루스 후작이 자신을 훑어보았을 때와 완전히 똑같았다. 물론 그보다는 덜 음흉한 편이었지만 이 화가가 원하는 것은 명백했다.

린지의 경계를 느꼈는지 청년이 빠르게 변명했다.

"린지안 군이 무슨 생각하는지 알겠군. 그래, 나는 남자도 좋아하지. 정확히 말하자면 아름다운 것을 좋아해. 그것이 남자건 여자건 구분 짓지 않는 편이야."

"그, 그러십니까?"

"그래. 하지만 경계할 필요는 없어. 린지안 군이 불쾌할 만한 생각은 절대로 하지 않으니까. 다만 아름다운 모델이라고 평가했을 뿐이야."

그때였다.

"여기 계셨군요!"

리아담이 지금껏 이 화가를 찾아 돌아다닌 듯 몹시 반가운 기색으로 다가오고 있었다. 그녀의 옆에는 백작 휘안이 추종자들을 이끌고 함께 걸어왔다.

"여기서 뭐 하시는 겁니까, 에드위드 씨. 백작님께 제일 먼저 소개시켜 드리려고 했는데요."

"아아, 죄송합니다. 다음 작품에 대한 영감을 받아서 생각을 하고 있는 와중이었거든요."

리아담은 그의 변명을 듣는 둥 마는 둥 하며 백작을 돌아보았다.

"백작님, 바로 이분이 화가 에드위드 다스비치입니다."

"만나 뵙게 되어 영광입니다, 르카플로네 백작님. 에드위드라고 합니다."

"반갑습니다, 에드위드."

백작과 악수를 하는 에드위드를 보는 린지의 표정은 경악 그 자체였다.

'에드위드? 이 사람이?'

에드위드 다스비치! 예술에 문외한인 린지도 알 만큼 유명한 이름이었다. 아니, 그 이름은 이미 유명을 넘어서 있었다. 현존하는 화가 중 최고라고 일컬어지는 자였던 것이다. 그가 그린 밑그림 한 장이 수억 골드의 고가에 팔리고, 수많은 귀족들은 그의 그림을 하나라도 가지려고 치열한 경쟁을 펼치고 있을 정도였다. 심지어 그는 그림뿐만 아니라 수학, 과학, 건축에서도 두각을 드러내서 미래에서 온 것이 아니냐는 장난스런 의혹을 받을 정도의 천재였다.

'이렇게 젊은 남자였을 줄이야!'

에드위드와 인사를 나눈 백작은 린지에게 흘끗 시선을 주며 말했다.

"제 시종과 담소를 나누고 계셨군요."

"예. 그리고 린지안 군 덕분에 오랜만에 집중해서 그림도 그렸습니다."

그제야 린지는 아까 왜 주위에 있던 사람들 대부분이 몰려와서 구경했는지 이해할 수 있었다. 천재 화가 에드위드가 그림을 그리는데 궁금하지 않은 자가 어디 있겠는가.

백작과 리아담이 호기심 어린 눈으로 린지를 쳐다보자 그녀는 순순히 그림을 내밀었다. 그림을 받아 든 휘안과 리아담, 그리고 주위의 추종자들이 감탄사를 뱉어 냈다.

"훌륭하십니다."

"당장 구입하고 싶군요!"

"저 그림을 사고 싶습니다, 에드위드 씨!"

린지는 그들의 열의 섞인 외침에 얼떨떨한 표정을 지었다. 아무리 에드위드의 그림이라고 할지언정, 이건 노트를 북 찢어서 그린 건데?

'아, 하긴. 이 사람이 낙서하듯이 그린 밑그림도 수억 골드라고 했지.'

펜을 몇 번 움직이는 것만으로도 황금의 비를 뿌리는 자였다.

"죄송합니다. 이것은 제가 이 소년에게 선물로 준 것이기 때문에 팔

생각이 없습니다."

그 말에 구매 의욕을 불태우던 귀족들이 눈을 휘둥그레 뜨며 린지를 바라보았다. 순간 그 뜨거운 눈빛에 린지는 저도 모르게 어깨를 움츠렸다.

"에드위드 씨, 당신이 그림을 선물로 줬다고요?"

"예. 그렇습니다."

사람들의 시선이 린지의 손에 들린 종이에 모였다. 수억 골드의 가치, 그것을 아무렇지도 않게 선물로 받은 세상에서 가장 운 좋은 시종을 보는 눈빛이었다. 큰 압박감을 느낀 린지가 서둘러 손을 저었다.

"아, 아닙니다. 이렇게 귀중한 것을 그냥 받을 수 없습니다."

그럼 그렇지, 귀족들이 당연하다는 듯 고개를 끄덕이자 에드위드가 단호하게 대답했다.

"그럼 찢어서 버리게나."

"……!"

사람들의 충격받은 시선을 무시하며 에드위드는 태연하게 어깨를 으쓱였다.

"린지안 군을 위한 그림인데 자네가 받지 않으면 쓰레기나 마찬가지지. 그러니 필요 없다면 찢어서 버리도록 해."

"……어찌 그런 짓을 할 수 있겠습니까?"

기가 죽은 린지가 자그맣게 중얼거리자 에드위드가 피식 웃음을 흘렸다. 그러고는 손을 불쑥 내밀어 그녀의 머리칼을 쓰다듬었다.

"그럼 소중하게 간직해 주길 바라겠어."

린지는 멍하니 그를 쳐다보다가 문득 위화감을 느끼고는 고개를 돌렸다. 옆에 선 백작이 몹시 묘한 시선으로 그녀를 바라보고 있었다.

"매우 아름다운 시종을 두셨군요, 백작님. 이렇게 영감을 준 사람을 만난 건 정말 오랜만입니다. 부디 실례가 아니었길."

"그럴 리가."

백작은 미소 지으며 린지의 어깨에 손을 올렸다. 다음 순간, 그가 힘을 주어 린지를 옆으로 잡아당긴 후 머리를 헤집듯이 쓰다듬었다.

"나의 시종에게 좋은 선물을 줘서 감사할 따름이군요."

순식간에 그의 옆구리에 달라붙게 된 린지의 얼굴이 붉어졌다. 그녀는 몸을 버르적거리며 빠져나오려고 했지만, 머리를 쓰다듬는 백작의 손에 힘이 강하게 들어가 움직일 수가 없었다.

"아뇨, 저야말로 멋진 그림을 그릴 수 있게 해 주어서 감사드립니다. 나중에 기회가 된다면 꼭 다시 한 번 그리고 싶군요."

"좋은 제안이군요. 언제든지 환영입니다."

웃음 짓는 에드위드와 휘안의 사이에 전류가 오고 간 것 같은 착각은 왜 드는 것일까? 어쩐지 도망가고 싶은 충동이 왈칵 밀려왔다.

리아담 데 르나는 살롱의 안주인답게 에드위드와 휘안의 묘한 분위기를 단숨에 타파했다. 그녀는 그들에게 정원으로 자리를 옮겨 티타임을 가질 것을 권했다. 아쉬워하는 다른 귀족들을 뒤로한 채 에드위드와 휘안, 그리고 리아담과 린지는 정원으로 향했다.

"진작 이렇게 저희끼리만 이야기를 나눌 걸 그랬어요. 안이 조금 소란스럽지요? 백작님께서 오신다는 소식을 듣고 다들 들뜬 모양이에요."

"하하, 아뇨. 활기 넘치고 무척 좋았습니다."

백작은 매끄럽게 말을 이어 가며 찻잔을 들어 올렸다.

"덕분에 에드위드 씨의 실력도 확인할 수 있어서 좋은 기회였지요."

"과찬이십니다, 백작님."

리아담은 사이좋게 대화하는 두 남자를 흡족한 얼굴로 응시했다.

"에드위드 씨, 제가 이미 말씀드렸다시피 백작님께서 에드위드 씨를 후원하고 싶어 하세요. 때문에 오늘 이 자리에 참석해 주신 거고요."

그 말에 뒤에서 멀뚱히 듣고 있던 린지는 눈을 깜박였다. 예상하지 못한 말이었다.

'뭐, 돈 많은 귀족 가문이 예술가를 후원하는 거야 흔한 일상이지만…… 백작이 남자를 후원한다고?'

린지는 수상쩍은 시선으로 웃고 있는 백작을 바라보았다. 바람둥이에 여자를 좋아하는 휘안이라면 여자 예술가를 찾아 후원하며 연애도 즐기는, 일거양득을 택할 줄 알았는데…… 남자라니?

에드위드는 시녀가 내온 애플파이를 한 입 먹은 후 입가에 묻은 가루를 탁탁 털어 냈다.

"정말 영광스럽습니다. 백작님의 제안에 감사할 따름입니다."

"어머, 역시 에드위드는 겸손하다니까요."

리아담은 깔깔깔 웃으며 부채를 확 펼쳤다.

"사실 에드위드 씨가 새로 후원자를 찾는다는 소식에 수많은 분들이 제안해 주셨답니다. 이건 우리끼리의 비밀인데……."

리아담은 여러 사람들에게 똑같이 비밀이라고 말했을 그 사실을 자그맣게 속삭였다.

"트와일릿, 알죠? 그 굴지의 대기업. 대표가 정체를 밝히지 않아 베일에 싸인 기업 말이에요."

"물론 알고 있지요."

휘안은 고개를 끄덕였다. 워낙 유명한 기업인 데다가 린지가 오늘 건네준 신문 1면이 모조리 트와일릿 이야기였으므로 모를 리가 없었다.

"사실은 트와일릿의 대표님께서도 후원 제안을 해 오셨답니다."

그녀의 말에 에드위드는 약간 우쭐하는 듯 입꼬리를 올렸다. 이것은 우쭐하고도 남을 만한 사실이었다. 그 누구에게도 정체를 드러내지 않고 바깥세상과 접촉하지 않기로 유명한 자, 그것이 바로 트와일릿 대표가 아니던가? 그런데 그자가 후원을 하겠다고 제안을 하다니?

'하지만 보통 예술가들은 여러 곳에서 후원받는 것을 예의가 아니라고 생각하잖아. 그럼 에드워드는 트와일릿과 백작 둘 중 하나를 선택했다는 건데…….'

백작이 이곳에 있다는 것인즉 에드워드가 그를 선택했다는 뜻이었다. 린지는 새삼스러운 시선으로 에드워드를 바라보았다. 그는 휘안을 '선택'할 수 있을 만큼이나 실력을 가진 자다.

'그런데 그런 사람이 그림을 그려서 선물해 주다니…….'

린지는 새삼 주머니 속 그림의 가치를 깨닫고는 주머니가 묵직해지는 것 같은 착각을 느꼈다.

"앞으로 에드워드 씨의 창작 활동을 위한 지원을 아낌없이 할 생각입니다. 그러니 필요한 것이 있다면 언제든 거리낌 없이 말씀해 주십시오."

"감사합니다, 백작님. 그렇다면 지금 하나 부탁을 드려도 되겠습니까?"

"물론입니다."

백작의 허가를 받은 에드워드의 눈동자가 린지를 향해 움직였다.

"린지안 군이 제 뮤즈가 돼 주었으면 합니다."

……뭐라고?

"제게 많은 영감을 주는 소년입니다. 혹시 저 소년을 제게 주실 수 있으십니까?"

린지는 등 뒤로 벼락이 내리꽂히는 것만 같은 환각을 느꼈다. 순간 입에서 헉하는 신음이 터져 나왔다.

'저 자식 뭐야! 진짜 칼튀루스 후작이랑 똑같잖아!'

칼튀루스 후작과 비슷한 눈빛을 가졌나 했는데 하는 짓까지 똑같았다. 그보다 훨씬 예의 바르고 공손하긴 했지만 결국 린지를 달라고 요구하지 않는가!

"안 됩니다."

대답은 칼날처럼 빠르고 단호하게 돌아왔다. 마치 고민해 볼 여지도 없다는 듯 단숨에 튀어나온 대답인지라, 린지는 자신이 잘못 들은 줄 알았다.

"그건 안 됩니다, 에드워드 씨."

휘안은 쐐기를 박듯 다시 한 번 강하게 말했다.

"제게도 반드시 필요한 시종입니다. 때문에 그것은 곤란하군요."

"아쉽지만 어쩔 수 없지요. 무례한 부탁이었다면 사과드리겠습니다."

다행히 에드워드는 휘안의 대답에 실망한 기색은 아니었다.

"그렇다면 제가 가끔 저택에 찾아가거나, 혹은 린지안 군이 제 화실에 와서 모델이 되어 줄 수 있겠습니까?"

"그건 제 시종에게 물어보도록 하지요."

깔끔하게 대답한 휘안은 고개를 슬쩍 돌려 의사를 묻는 눈빛으로 쳐다보았다.

"어때, 린지안 군?"

"아. 무, 물론입니다. 영광입니다."

"그래?"

휘안은 가느다랗게 눈을 접어 웃은 후 다시 에드워드를 바라보았다.

"제 시종이 괜찮다고 하는군요."

"하하, 정말 다행이군요. 만약 린지안 군이 거절했다면 정말 마음이 아팠을 겁니다."

이것은 리아담 데 르나에게는 무척 충격적이고 믿기지 않는 대화였다.

'백작님이 시종을 유난히 아낀다는 소문을 듣긴 했었는데……. 하긴 살롱에도 굳이 동행할 정도니.'

하지만 에드위드는 이 모든 것을 자연스럽게 받아들이듯 평화로운 얼굴이었다.

"그렇다면 조만간 부탁드리겠습니다. 린지안 군을 빨리 그리고 싶어서 견딜 수가 없군요."

"하하. 에드위드 씨의 창작 활동이 왕성해지면 저야 좋지요. 그러기 위해서 에드위드 씨를 후원하는 것이니까요. 그 외에 필요하신 것이 있다면 언제든지 말씀해 주십시오."

"감사합니다."

에드위드와의 만남을 끝내고 백작은 살롱을 빠져나와 저택으로 향했다.

'뭐야. 기분이 안 좋은 건가?'

그의 맞은편에 앉은 린지는 휘안의 눈치를 살폈다. 평소와 다름없는 표정으로 신문을 보고 있었지만 단호하게 굳어진 입매가 어쩐지 다르게 느껴졌다.

'에이, 모르겠다. 알 게 뭐야.'

지금 그것보다 더 중요한 일이 있지 않은가. 린지는 주머니 안에 고이 접힌 그림을 떠올리며 인상을 찡그렸다. 생각하면 할수록 이것은 일어나선 안 되는 일이었다. 에드위드의 모델이 되어 그의 화폭에 담기게 되다니…….

'그렇다면 내 얼굴이 담긴 그림은 평생 미술관에 걸리겠지. 그리고 나는 유명해질 테고.'

하지만 린지는 자신이 그래서는 안 된다는 것을 잘 알고 있었다. 유시젠의 그림자, 그의 비밀 병기로 살아오고 또 앞으로도 그렇게 살아갈 그녀였다. 그런데 대놓고 대륙 제일의 화가의 모델이 되어 버린다면 앞으로 활동하는 데 있어서 상당히 귀찮아질 것이 분명했다.

'젠장, 이걸 어떻게 한담…….'

하지만 백작이 후원하는 화가가 청하는 것을 거절할 수도 없다. 그야말로 린지는 진퇴양난에 빠진 상황이었다. 그녀가 지끈거리는 머리를 부여잡으며 한숨을 내쉴 때였다. 언제부터 보고 있었던 건지, 한쪽 턱을 괸 휘안의 눈이 그녀를 향해 있었다.

"백작님? 뭐 필요하신 거 있으십니까?"

"……."

백작은 바로 대답하는 대신 눈을 가느다랗게 뜨고 그녀를 바라보다가 툭 던지듯 얘기했다.

"린지안 군은 의외로 무방비한 것 같아."

"네?"

그건 또 무슨 소리란 말인가? 백작은 본격적으로 얘기할 생각인지 신문을 탁 접으며 그녀를 바라보았다.

"무방비해. 세상에 얼마나 위험한 사람이 많은데 그렇게 허술할 수가 있어?"

"에에?"

"에드위드 말이야. 그자를 언제 봤다고 그렇게 가까이 접근할 때까지 내버려 두는 거야?"

이 사람이 대체 뭔 말을 하는 것인가. 린지는 멍하니 그를 바라보다가 문득 에드위드가 실밥을 떼 주었던 것을 떠올렸다. 하긴 그때 깜짝 놀랄 정도로 가깝게 다가왔었지. 아마도 백작이 그 장면을 우연히 본 모양이었다.

"아아, 오해십니다. 목에 실밥이 붙었다고 해서 떼 주신 것뿐입니다."

"실밥?"

"네, 실밥이요."

린지의 순진무구한 표정을 보며 백작이 한숨을 푹 내쉬었다. 그는 한 손으로 이마를 짚으며 고개를 절레절레 저었다.

"린지안 군, 생각보다 훨씬 순진하네. 당연히 그건 핑계지."

"에에?"

"린지안 군 목덜미가 하얗고 사슴처럼 매끈하니까 한번 만져 보고 싶어서 한 핑계겠지. 어떻게 그런 거에 넘어갈 수 있어?"

그의 말에 린지는 자신의 목을 만졌다. 사, 사슴처럼 매끈하다고? 린지가 그의 말을 이해하든 말든, 휘안은 몹시 진지한 표정으로 충고를 이어 나갔다.

"그리고 언제 그렇게 친해졌다고 머리를 쓰다듬게 내버려 두는 거야? 그 정도는 거절해도 예의에 어긋나지 않아."

"에? 하, 하지만……."

백작의 묘한 훈계에 린지는 점점 기가 막혀 왔다. 머리는 휘안도 마구잡이로 쓰다듬는데? 그러는 주제에 왜 그걸 내버려 뒀냐고 잔소리를 하다니? 린지의 시선을 읽었는지 백작은 표정 하나 바꾸지 않고 답했다.

"난 린지안 군의 주인이잖아. 당연히 나는 만져도 돼."

"……."

"더 정확히 말한다면, 나만 만져도 되는 거지."

"그, 그런 겁니까?"

"그래, 그런 거야. 그러니 앞으로 주의할 수 있도록 해."

"알겠습니다. 조심하도록 하겠습니다."

린지는 뭔가 아닌 것 같으면서도 묘하게 설득당해서 고개를 끄덕였다. 그러자 백작이 만족스러운 미소를 지었다.

"그래, 앞으로 지켜보겠어."

에드위드는 빠른 실행력을 가진 사나이였다. 린지를 뮤즈로 삼겠노라고 말한 그다음 날, 바로 그녀를 만나러 르카플로네 백작가에 찾아왔다. 휘안은 선약이 있어 저택을 비운 상태였지만 그는 괘념치 않았다.

“정원이 근사하던데, 그곳에서 차 한잔할 수 있겠나?”

“예. 물론입니다.”

휘안이 여자 꼬시기용으로 만든 정원은 에드위드의 마음에도 쏙 든 모양이었다. 그는 연못가에 놓인 의자에 앉아 정원을 둘러보며 탄성을 내뱉었다.

“정말 아름다운 정원이야. 많은 화가들이 이곳을 그렸다고 하던데, 그럴 만하군. 특히나 이곳에 린지안 군과 함께 있으니 더욱더.”

린지는 이 자리가 몹시 어색해서 견디기가 힘들었다. 티 테이블에 함께 마주 앉아 있는 것부터가 불편하고 부담스러웠다. 자신을 바라보는 에드위드의 눈빛이 너무나도 뜨거운 것은 단순한 착각일까?

“놀라지 않았나?”

“네?”

“어제 내가 갑작스레 자네를 뮤즈로 삼고 싶다고 했잖아. 놀랄 만도 한데.”

알긴 아는군. 린지는 고개를 끄덕이며 조심스레 질문했다.

“그렇습니다. 왜 저를 선택하신 겁니까? 다른 훌륭한 모델들도 있을 텐데…….”

“린지안 군의 분위기 때문이지.”

에드위드는 찻잔을 테이블 위로 올려놓으며 말했다.

“분위기가 굉장히 묘해. 어떻게 말로 설명해야 할지 모르겠군. 눈빛이 날카로우면서도 맑고, 이목구비가 차가운 느낌을 풍기면서도 귀여워. 그리고…… 실례, 색기라고 해야 할까, 자극적인 느낌이 있어서 신비로워.”

뭔 말인지 하나도 모르겠다. 린지의 마음이 눈에 드러났는지 에드위드가 유쾌하게 웃음을 터뜨렸다.

"게다가 이렇게 맑고 깨끗한 피부는 처음 보는걸. 백옥으로 빚은 것 같군. 피부 관리를 어떻게 하는지 물어봐도 될까?"

살롱의 수많은 귀족 영애들이 물어보고 싶었지만 차마 자존심 때문에 뱉을 수 없었던 질문이 에드위드의 입에서 나왔다. 하지만 딱히 피부 관리라고는 해 본 적이 없었기에 그녀는 뻔한 대답을 할 수밖에 없었다.

"딱히 없는데요. 물 많이 마시고, 잠 잘 자고……."

"하하하."

린지의 간편한, 하지만 진실된 대답에 에드위드는 다시 한 번 크게 웃었다.

"날마다 장미수와 동백꽃 오일로 피부를 가꾸는 여인들이 들으면 분개할 만한 대답이로군."

"따, 딱히 그럴 의도는 없었습니다."

"타고났다는 거겠지. 부모님께 감사해야겠어. 이렇게 아름다운 피부를 선물해 주시다니 말이야."

부모님의 얼굴은 기억나지도 않았으므로 린지는 어색하게 웃는 수밖에 없었다. 즐거운 시선으로 그녀를 바라보던 에드위드가 다시 질문했다.

"다음번엔 내 화실로 오지 않겠어?"

"네?"

"그곳엔 더 많은 도구들이 있거든. 들고 오기가 힘드니, 린지안 군이 한번 찾아와 줬으면 하는데."

린지가 망설이며 바로 대답하지 못하자 에드위드가 덧붙였다.

"물론 백작님의 의사가 가장 중요하겠지. 백작님께 먼저 여쭤 보고 답해 주길 바라."

"아, 네. 알겠습니다."

린지는 고개를 끄덕였다. 화실에 가고 싶지 않았으므로 내심 백작이 거절해 주었으면 하는 마음이었다.

"혹시 누드모델도 가능할까?"

"아뇨."

그녀는 생각해 보지도 않고 바로 대답했다. 그것만은 절대로, 목에 칼이 들어와도 안 될 일이었다. 린지의 단호한 눈빛을 본 에드워드는 절대로 허락하지 않을 거란 걸 깨닫고 더 이상 묻지 않았다. 다만, 다른 것을 물었다.

"린지안 군은 동정인가?"

린지는 멍하니 에드워드를 쳐다보았다. 상쾌한 바람이 불어오자 에드워드의 갈색 머리칼이 부드럽게 흔들렸다. 흩날리는 머리칼 아래로의 눈빛이 너무나도 맑고 선량해서, 린지는 그가 한 말을 믿을 수가 없었다.

"도, 동정심이 많냐고 물으신 건가요?"

"아니. 동정이냐고 물어본 거야."

혼란이 도래했다. 동정심이 아니라 동정이라면, 또 다른 의미를 가진 동정이 있는 걸까? 혹시 동전 있냐고 물은 것을 잘못 들은 게 아닐까? 설마하니 제정신으로 동정이냐고 물어본 것은 아닐 텐데!

얼굴을 새빨갛게 붉히고 기침하는 린지를 보며 에드워드는 침착하게 웃었다. 그리고 아이처럼 순수한 얼굴로 다시 한 번 몰아붙였다.

"여자와 잠자리를 가져 본 적이 있어?"

"그, 그게 무슨!"

설마 진짜로 그런 의미의 동정이었다니!

"놀랐다면 미안해. 하지만 자네에 대해 더 자세히 알고 싶어서. 이야기하는 지금 이 순간에도 나는 영감을 받고 있거든. 이것이 다 나의 창작 활동의 일환이라고 생각해 주길 바라, 린지안 군. 그것이 백작님의 후원에 보답하는 일이니까."

그의 말이 사실이라면 예술이란 엄청나게 성가신 것이 분명했다. 린지는 에드워드의 얼굴을 한 대 때리고 싶은 충동을 참아 내며 작게 답했다.

"……없습니다."

"응?"

"그런 경험 없습니다."

그러자 에드워드가 흥미로운 듯 갈색 눈동자를 빛냈다.

"그래? 그럼 남자와는?"

"당연히 없습니다!"

"그래? 궁금하지 않아? 열여덟이라고 들었는데. 한참 들끓는 성욕으로 괴로워해야 할 나이잖아."

이런 미친 새끼가 다 있나. 린지는 그를 노려보지 않기 위해 온 힘을 다해 참고 있었다. 생각 같아서는 테이블을 뒤집어엎고 들끓는 성욕이 아니라 들끓는 살기로 미쳐 버리겠다! 고 외치며 두들겨 패고 싶었지만 어쩔 도리가 없었다.

"예, 뭐, 그렇죠. 당연히 궁금하지요."

"그런데 왜 아직까지 경험이 없는 거지? 린지안 군이 마음만 먹는다면, 그 어떤 여인과도 충분히 하룻밤을 보낼 수 있을 것 같은데."

"아시다시피 몹시 바빠서요. 백작님의 시중을 드는 일이 만만치가 않습니다. 여자를 만날 시간은 전혀 없어요."

"흐음. 어쩐지 진실치 못한 대답인데."

에드워드가 꿰뚫는 듯한 시선으로 바라보았으나 린지는 시치미를 뚝 떼었다. 어쩌겠는가? 사실은 여자이기 때문에, 같은 여자한테는 눈곱만큼도 관심이 없다고 말할 수는 없는 노릇이었다. 린지는 여기서 이 대화의 주제가 끝나기를 바랐다. 하지만 에드워드는 그녀의 바람을 짓밟으며 한층 더 깊숙한 곳을 건드렸다.

"그럼 남자는? 남자와 관계를 가져 보고 싶다고 생각한 적은 없어?"

어이가 없어진 린지가 차마 대답하지 못하자 에드위드가 속삭이듯이 말을 이었다.

"아름다움이라는 것은 성별을 초월하는 거야. 굳이 남자와 여자의 경계를 따질 것이 뭐 있겠어? 솔직히 말해 보게. 르카플로네 백작님처럼 아름다운 분의 시중을 들면서 한 번도 그런 생각을 해 본 적이 없는가?"

"없습니다."

린지는 딱 잘라 단호하게 대답했다.

"그래? 하지만 내가 보기에 백작님께서는 상당히 자네를 아끼는 것 같던데. 일반 시종을 대하는 것 이상이었어. 만약 백작님께서 잠자리를 요구한다면 자네는 어떻게 할 거지?"

역시나, 또라이가 확실했다.

'뭐야, 이 새끼. 진짜 미친놈이었네.'

그렇지 않고서야 술 한잔 걸치지 않은 맑은 제정신으로 저런 것을 물어볼 리 없다. 제정신 박힌 사람이라면 불가능한 일이다. 에드위드 다스비치, 천재 화가라고 불린 자의 정체는 겉만 멀쩡한 또라이였다.

"당연히 거부할 겁니다."

"그래? 하지만 백작님은 자네의 주인이야. 자네의 목숨을 앗아 간다고 해도 이상할 것이 없는 위치지. 만약 자네가 거부해도 끝까지 원하신다면?"

에드위드의 목소리는 즐거운 동화책을 읽어 내리는 어린아이처럼 순수했지만, 동시에 몹시 잔혹하게 들려왔다. 한편, 린지의 인내심은 점점 한계치에 다다르고 있었다. 더 이상 이 대화를 이어 가고 싶지 않았다. 그랬다가는 테이블을 엎어 버린 채 저 미친 자식의 멱살을 잡아챌 것만 같다. 때문에 그녀는 에드위드가 듣고 싶어 할 답을 내주었다.

"그럼 어쩔 수 없죠. 백작님의 뜻에 따를 겁니다. 저는 그분의 시종이니까요."

다행이라고 해야 할까, 그렇게 말하자 에드워드의 질문은 더 이어지지 않았다. 린지가 안도의 한숨을 내쉬려는 찰나 인기척이 느껴졌다.

"휘안 백작님."

에드워드가 자리에서 벌떡 일어나자 린지 역시 일어나 뒤를 돌았다. 휘안이 연못 다리를 막 건너서 다가오고 있는 것이 보였다.

"에드워드 씨. 또 만나게 되어 반갑습니다. 자리를 비워서 죄송하군요."

"아아, 아닙니다. 저야말로 갑자기 찾아와서 죄송합니다. 하지만 덕분에 린지안 군과 유익한 시간을 보내고 있었지요."

"그거 다행이로군요."

그와 눈이 마주친 린지는 침착하게 허리를 숙여 인사했다.

'설마 듣지 못했겠지?'

태연한 얼굴을 하고 있었지만 린지의 심장은 벌렁거리며 뛰고 있었다. 못 들었을 거다. 아무리 귀가 좋은 사람이어도 들을 수 있을 만한 거리가 아니었다. 하지만 혹시나, 백작이 무지하게 뛰어난 청력을 가지고 있었다면? 불행히도 정원은 린지와 에드워드 목소리 외에는 아무것도 들리지 않을 만큼 조용했다. 백작이 그들의 대화를 들었을지도…….

'저 에드워드 미친놈 때문에! 하필이면 그런 이상한 걸 물어봐 가지고!'

린지는 속으로 이를 갈았다. 역시나 에드워드가 마음에 들지 않았다.

그날 저녁, 에드워드는 식사와 티타임까지 모두 마친 후 저택을 떠났다. 그가 사라지자 린지는 마음이 시원하다 못해 해방된 기분까지 들었다.

"나오셨습니까."

"응."

휘안은 젖은 머리칼을 수건으로 털며 그녀에게 다가왔다. 피로가 풀린 휘안의 표정은 몹시 나긋하게 풀어져 있었다.

"숙면에 도움이 되는 라벤더 티를 준비해 놓았습니다."

"고마워. 역시 린지안 군은 센스 있다니까."

휘안이 눈을 접으며 미소를 보내자 린지는 고개를 숙였다. 매일 밤마다 보는 모습이긴 했지만 매번 적응이 되질 않았다. 목욕을 하고 나온 휘안의 물기 젖은 은빛 머리칼, 그리고 가운 사이로 드러나는 탄력 있는 근육은 아무렇지도 않게 바라보고 있을 종류의 것이 아니었다. 사람들이 린지에게 지겹게 말하는 색기라는 것, 그런 게 존재한다면 이 순간의 휘안을 위한 단어일 것이다.

"저, 백작님. 드릴 말씀이 있습니다."

"응? 뭔데?"

"에드위드 씨께서 제게 화실에 와 달라고 부탁하셨습니다."

그 말에 백작이 찻잔을 내리며 린지를 바라보았다.

"제대로 그림을 그려 보고 싶다고 하시더군요. 백작님께 먼저 허락을 받은 후 알려 달라고 했습니다."

"좋아."

백작은 린지의 말이 끝나자마자 거의 동시에 대답했다.

"다녀오도록 해."

그의 칼 같은 답에 린지는 내심 서운함을 느꼈다. 저번에 에드위드를 조심하라고 충고의 말을 던진 백작이었기에 어쩌면 불허할 수도 있겠노라고 기대한 것이다. 그런데 고민해 볼 필요도 없다는 듯이 허락하다니…….

"더 필요하신 게 없으면 이만 나가 보겠습니다."

"아니, 잠깐만."

휘안은 웃으면서 자신의 옆자리- 그러니까 침대를 손으로 두드렸다.

"잠깐만 앉아 봐."

침대에 앉으라고? 린지는 잠시 망설였으나 더 묻는 대신 그의 말에 따랐다. 백작은 옆에 앉은 린지를 바라보며 말했다.

"오늘도 수고했어, 린지안 군. 별일 없었어?"

"네."

그런데 이 말을 꼭 침대에 앉아서 해야 하나요? 린지는 왠지 모를 불편함을 느꼈지만 내색하지 않았다.

"오늘 에드워드 씨와 무슨 대화를 나눴지?"

"네?"

휘안은 싱긋 웃음을 지으며 수건으로 젖은 머리칼을 털었다. 그리고 다시 질문했다.

"하나부터 끝까지, 빠짐없이 다 말해 봐."

웃고 있는 얼굴이었지만 보라색 눈동자가 몹시 진지했다.

"별다른 이야기는 없었습니다. 저를 뮤즈로 택한 것이 놀랍지 않냐고 물었고…… 그 이유에 대해 설명해 주셨습니다."

"그게 뭔데?"

휘안의 질문에 린지는 쉽게 대답할 수 없었다. 본인의 입으로 말하기에는 너무 민망했다.

"분위기가 묘하다고 했습니다."

"자세히 설명해 보겠어?"

그의 끈질긴 눈빛에 린지는 자포자기의 심정으로 말했다.

"눈빛이 날카로우면서도 맑고 이목구비가 차가우면서도 귀, 귀엽다고 했습니다. 그리고…… 흠, 색기가 있어서 자극적이라고, 신비롭다고 했고요."

최대한 담담하게 말하고 싶었지만 이미 린지는 손발이 오그라들 만큼 부끄러움을 느끼고 있었다. 이런 말을 자신의 입으로 하게 되다니, 에드위드가 죽을 만큼 미워졌다. 왜 저딴 식으로 오글거리게 사람을 표현하냔 말이다!

하지만 다행히 백작은 웃지 않았다. 분명 배를 잡고 웃음을 터뜨릴 거라고 예상했는데 입가에 잔잔한 미소만 띄우고 있을 뿐 태연한 얼굴이었던 것이다. 마치, 당연한 것을 들었다는 듯이…….

“그리고?”

“피부 관리를 어떻게 하냐고 물었고요, 별거 없다고 대답하니 귀족 영애들이 질투하겠노라고 농담하셨습니다. 그리고…….”

다음 그와 했던 이야기가 떠오르자 숨이 덜컥 막혀 왔다. 린지가 말을 끊자 백작은 눈빛으로 재촉해 왔다.

“……계속 얘기해야 합니까?”

“응.”

결국 린지는 한숨을 푹 내쉬며 말을 이었다.

“누드모델을 제의하셨는데 제가 거절했고, 그 후엔 동정이냐고 물었습니다. 저는 그렇다고 대답했고요.”

에드위드, 이 개자식! 언젠가 반드시 한 대 치고 말겠다. 린지는 속으로 에드위드를 저주하며 손을 떨었다. 그녀가 말할수록 부끄러워한다는 것을 알면서도 휘안은 흔들림 없이 물었다.

“그리고?”

“……계속 더 이야기해야 합니까?”

“그래. 하나도 빠지지 말고.”

휘안의 말에 린지는 거의 죽고 싶은 심정이었다. 더 말하라니, 그 끔찍한 대화를 내 입으로 말하라고?!

‘젠장, 거짓말해 버릴까?’

하지만 만약 거짓말했다가 들키면 휘안은 자신을 불신하게 될 것이다.

거짓말하는 시종을 둘 수 없다며 시종직을 박탈해 버릴 수도 있고…….

'에이, 몰라, 몰라! 모르겠다!'

어차피 말해야 한다면 그냥 후딱 말해 버리자. 린지는 시선을 손바닥으로 내리꽂으며 빠르게 말했다.

"여자와 잠자리를 갖고 싶지 않냐고 물었고 바빠서 그럴 시간 없다고 했습니다. 그랬더니 남자와의 관계는 어떻게 생각하냐고 물으셨죠. 관심 없다고 대답했는데, 아름다움은 성별을 초월하는 거라고 하시면서, 배, 백작님과는……."

아무리 결심을 했으나 이 단락에서 린지의 목소리가 떨려 왔다. 그녀는 자신을 쳐다보는 백작의 시선을 느끼며 주먹을 콱 쥐고 말을 이었다.

"백작님을 상대로 그런 생각해 본 적 있냐고 물었습니다. 없다고 대답했고요."

죽고 싶다. 에드워드, 그 미친놈이 지껄인 말 때문에 지금 린지는 몹시 고통받고 있었다. 아마도 지금 이 순간을 영원히 괴로워하겠지. 자다가 몇 번이나 이불을 걷어차며 벌떡 일어나게 될 것이다.

"한데 만약 백작님이 그런 관계를 요구하시면 어떻게 할 거냐고 해서, 저는 시종이니 명대로 따를 거라고 했습니다. 그게 전부입니다."

드디어 다 말했다. 혼란의 도가니와 같은 그 대화를 드디어 다 말해 버린 것이다. 엄청난 정신력이 요구된 일이었기에 온몸의 기가 다 빨린 기분이었다. 그녀는 숨을 거칠게 쉬며 무너진 멘틀을 정리했다.

'끄, 끝났어. 린지, 힘을 내. 다 끝났다고.'

힘든 시간이었다. 하지만 숨김없이 다 말했으니 추호의 후회도 남지 않았다. 린지는 한숨을 푹 내쉬며 천천히 고개를 들어 올렸다.

"……."

휘안이 말없이 그녀를 바라보고 있었다. 그의 잔잔한 보라색 눈동자와 마주친 린지는 순간 할 말을 잃었다. 린지는 다시 한 번 휘안이 얼마나 아름다운 사내인지 실감했다. 마치 그가 있는 공간만 따로 오려 낸 것처럼, 현실과 동떨어진 느낌마저 주는 남자였다. 이렇게 눈이 마주친 순간엔 시간마저 얼어붙는 착각이 들었다.

잠시 후, 휘안이 입가에 진한 미소를 띠었다. 달빛을 받아 반짝거리는 은발과 부드러운 미소가 어우러져 몹시 매혹적이었다.

"그렇게 대답했어?"

"……네."

나는 떳떳하다. 부끄러워할 필요가 없다. 린지는 그렇게 스스로에게 최면을 걸었다. 그렇지 않고서야 도저히 백작의 두 눈을 마주 보고 버틸 수 없었다.

"호오, 그렇단 말이지."

백작은 흥미롭다는 듯 린지를 바라보다가 문득 손을 뻗어 그녀를 잡아당겼다. 그 힘에 린지는 백작의 몸 위로 쓰러지듯 엎어졌다. 그는 뒤로 빠지려고 하는 린지의 허리를 꽉 끌어안으며 속삭였다.

"그럼 요구해도 될까?"

"그, 그게 무슨!"

린지의 얼굴이 순식간에 달아올랐다. 백작은 린지의 얼굴 코앞에서 태연하게 웃으며 말했다.

"내 명령에 따르겠다고 대답했다며? 그럼 해도 되는 거 아냐?"

"뭐, 뭘 해요?"

"설마 한 입으로 두말하는 건 아니겠지."

등 뒤로 식은땀이 맺혔다. 백작의 단단한 몸 위로 밀착되어 있는 이 상황이, 그리고 놓아주지 않고 끌어당기는 백작의 힘이 믿기지 않았다. 린지는 서둘러 고개를 돌리려고 했으나 백작이 린지의 턱을 잡아당겼다.

이제 그의 숨결이 뺨에 닿을 정도였다.

"그, 그렇지만 백작님, 저기……."

"왜? 설마 싫어? 에드워드에게는 그렇게 말해 놓고?"

목욕을 막 마치고 나온 백작의 체향이 확 풍겨 왔다. 피가 얼굴에 쏠린 린지의 심장이 미친 듯이 쿵쾅거렸다. 린지는 대놓고 유혹적으로 나오는 휘안이 몹시 당혹스러워서 어쩔 줄을 몰랐다. 설마 백작이 이렇게 행동할 줄이야!

"하, 하지만…… 마, 마음의 준비가 안 됐기 때문에."

"십 초 줄게. 마음의 준비 해. 십 초 후에 시작할 거니까."

뭐라는 거야, 이 백작이! 린지가 당황한 얼굴로 쳐다보자 백작이 웃으며 천천히 카운트다운을 했다.

"십. 구. 팔……."

"자, 잠깐만요! 십 초는 너무 터무니없이 적단 말이에요!"

"칠, 육, 오."

"잠깐! 백작님! 적어도 일 분은 줘야죠!"

"사."

"잠깐만요! 이러지 마세요!"

"삼."

"으와앗! 제발 진정하세요! 전 남자란 말입니다."

"이."

미쳐 버리겠다. 딱 이 초를 남겨 둔 린지는 그야말로 미치기 직전이었다. 린지가 거의 울기 직전의 수준까지 가자, 백작은 웃음을 간신히 참으며 사형 선고처럼 말했다.

"일 초 남았어, 린지안 군. 마지막으로 하고 싶은 말은?"

"백작님, 정신 차리세요! 이런 분 아니시잖아요!"

뭐가 뭔지 모르겠다. 대체 이 백작이 갑자기 왜 이러는 것일까! 린지는 백작의 팔을 턱 잡으며 간절하게 그를 올려다보았다. 만약 백작이 정말로 그럴 작정이라면 어떻게 해야 할까. 한 대 쳐야 할까? 걷어차야 할까? 그랬다가 잘리면 어떡하지? 임무는? 찰나의 순간 온갖 고뇌가 스쳐 지나갔다.

백작은 지긋이 그녀를 내려다보며 마지막 초수를 뱉었다.

"일."

다음 순간, 그가 린지의 몸을 획 돌려 침대 위로 눕혔다. 단숨에 린지의 몸 위로 올라온 백작은 은밀하게 미소 지었다.

"십 초 지났어."

"어, 그, 그런……."

"마음의 준비 끝났지? 그럼 시작할게?"

뭘 시작한다는 거야! 하지 마! 하지만 린지는 너무나도 놀라 차마 그 문장을 만들어 내지도 못하고 으어어, 하는 괴상한 신음만 뱉어 냈다.

"……푸."

완전히 넋이 나가서 덜덜 떠는 린지를 내려다보던 백작의 입에서 바람 빠지는 소리가 들렸다. 그는 더 이상 참지 못하고 웃음을 터뜨렸다.

"푸우하하핫!"

백작은 린지의 옆자리 위로 쓰러져서 미친 듯이 웃음을 내뱉었다. 미친 듯이, 라는 표현은 절대로 과장된 것이 아니었다. 그는 배를 잡고 몸을 떨면서 거의 숨넘어가듯 웃고 있었다. 그 갑작스런 태세 전환에 놀란 린지는 그를 쳐다보다가 곧 상황을 파악했다.

'이, 이 망할 백작! 또 나를 놀렸어!'

순간 린지는 너무도 화가 나서, 동시에 안심이 돼서 눈물이 찔끔 나올 뻔했다.

"아, 아하하핫. 아아, 미치겠다. 너무 재밌어."

한참을 웃어 댄 백작은 너무 웃어서 촉촉해진 눈을 닦아 내며 몸을 일으켰다. 그는 굉장히 상쾌한 표정으로 린지의 머리를 쓰다듬었다.

"고마워, 린지안 군. 정말 최고였어. 이렇게까지 크게 웃어 보는 게 몇 년 만인지 모르겠네."

"……큰 웃음을 선물해 드려서 영광스러울 따름입니다. 하지만 정말 너무하신 거 아닙니까?"

린지의 두 눈엔 불만이 가득했다. 아무리 시종 골려 먹는 것이 재미있어도 그렇지 이런 민감한 장난까지 쳐도 된단 말인가.

"미안, 미안. 하지만 린지안 군 반응이 너무 재밌는 걸 어떡해."

"너무하십니다! 전 정말 놀랐다고요!"

"미안해, 미안해. 하지만 걱정하지 말라고. 나는 여자가 좋거든."

백작은 웃으며 린지의 뺨을 꼬집자 그녀는 저도 모르게 백작의 손을 뿌리쳤다. 시종이고 뭐고 이런 상황에서 예의를 차릴 수 있을 만큼 린지는 마음이 넓지 않았던 것이다.

백작은 완전히 삐진 린지를 즐겁게 쳐다보다가 충고했다.

"하지만 린지안 군, 이런 상황에선 더 거세게 저항했어야지. 내가 정말로 나쁜 마음을 먹었으면 어떻게 하려고 했어?"

"에?"

"마지막으로 일 초를 셌을 땐 넋 놓고 덜덜 떨기만 하던데. 그렇게 패닉에 빠져 버리면 어떻게 해? 그런 겁먹은 태도가 상대방을 더 자극시킨다고. 예전에 내가 했던 충고 까먹었어?"

린지는 그의 충고를 듣고 울컥 화가 나서 대꾸했다.

"그야 정말로 무서웠으니까 그렇죠! 장난인 줄 몰랐단 말입니다! 그렇게 진지하게 하시니까……."

"그러니까 더 문제야. 그럼 더 거세게 반항해야지. 걷어차든 물어뜯든 어떻게든 스스로를 지키란 말이야."

어이가 없어진 린지는 헛웃음을 내뱉었다. 지금 그게 사람을 실컷 놀려 먹은 작자가 할 말이란 말인가?

"내 충고 새겨듣고 조심하도록 해, 린지안 군."

"네. 다음부턴 반드시 물어뜯고 걷어차도록 하죠."

다음번엔 그 은색 머리털을 사정없이 뽑아내 주마. 린지는 마음속으로 사납게 결심했다.

다음 날 오후, 린지는 에드워드의 저택으로 향했다. 르카플로네 저택과는 비교할 바가 못 됐지만, 그의 저택 역시 수도 샤를에서 손꼽힐 정도로 큰 편이었다.

"어서 오십시오. 린지안 아르즈벨 님."

린지를 반긴 것은 저택의 집사로 보이는 한 여인이었다. 에드워드의 취향인지, 타이트한 검은 정장을 입고 있는 그녀에게는 관능적인 매력이 풍겼다.

"아, 예. 안녕하세요. 에드워드 님과 약속이 있어서 왔는데……."

"얘기 들었습니다. 지금 에드워드 님께서는 연구실에서 실험 중이시니, 화실로 먼저 모시겠습니다."

연구실에서 실험 중이라고? 그 말을 들은 린지는 역시나 에드워드의 이름 앞에 괜히 천재라는 칭호가 붙는 것이 아니라는 걸 실감했다. 이미 예술이라는 분야에서 정점에 다다른 자가 다른 학문에서도 두각을 나타내고 있지 않은가.

'하긴, 트와일릿의 대표와 르카플로네 백작, 두 쟁쟁한 거물이 후원 경쟁을 벌였을 정도니까.'

미친 또라이이긴 해도 역시 천재는 다른가 보다. 아니, 도리어 천재이기 때문에 정신이 나간 걸까. 린지는 그렇게 생각하며 집사의 안내에 따라 저택 안으로 들어갔다.

'으으, 왠지 부담스러워, 이 집.'

아름다운 것을 좋아한다는 에드워드의 말은 거짓이 아니었다. 벽지와 천장, 샹들리에와 작은 조명, 카펫, 이 저택 내의 모든 것이 너무나도 아름다운 예술품이었다. 평범한 물건이 단 하나도 없다. 심지어 꽃병 옆에 놓인 작은 시계마저 아름다운 하나의 작품이었던 것이다.

저택의 인테리어뿐만 아니라 고용인들 역시 마찬가지였다. 지나치는 시종과 시녀들, 그들 모두가 하나같이 다 젊고 아름다웠다. 특히나 소년들의 경우 여자인지 남자인지 헷갈릴 정도로 선이 고운 미소년들이 많았다. 사방이 아름다운 것들로만 둘러싸인 이 집에서 미에 대한 병적인 집착이 느껴졌다.

"잠시 기다려 주십시오."

린지를 화실 안으로 데려온 집사는 장미 무늬가 섬세하게 그려진 찻잔에 홍차를 담아 그녀에게 건네주었다. 얼결에 받아 든 린지는 마시는 대신 화실 안을 구경했다. 집사는 그런 그녀를 흘긋 바라보다가 테이블 위에 놓인 향초 위에 불을 붙인 후, LP판에 레코드를 넣어 음악을 틀었다.

'화실 맞아? 침실 아니야?'

화실이라고 하기에도, 침실이라고 하기에도 애매했다. 마치 그 두 개의 경계 안에 있는 방 같았다. 온갖 미술 도구가 어지럽게 놓여 있었기에 작업실임은 확실했지만, 거대한 침대와 소파들이 사방에 배치되어 있어 침실 같은 분위기도 풍겼다.

집사가 나가자 린지는 찻잔을 내려놓고 본격적으로 화실을 구경하기 시작했다.

‘오오, 여기 그려 놓은 그림들이 쌓여 있네. 실패작인가?’

커다란 캔버스들이 구석에 수북이 쌓여 있는 것을 본 린지는 호기심 가득한 눈으로 손을 뻗었다. 과연 에드워드의 실패작은 어떤 그림일까? 캔버스를 들어 올린 린지는 힘없이 도로 떨어뜨렸다.

“…….”

잘못 본 것일까? 순간 머리가 새하얘진 린지는 고개를 설레설레 저었다. 그래, 잘못 본 걸 거야. 그렇게 생각하며 그녀는 다시 한 번 캔버스를 들어 올렸다.

“히익…….”

잘못 본 것이 아니었다. 순식간에 소름이 돋은 린지는 저도 모르게 신음을 내뱉었다. 캔버스를 잡은 그녀의 손끝에 미세한 경련이 찾아왔다.

“이게 뭐야!”

캔버스 안에는 린지가 있었다. 더 정확히 말하자면, 벗은 린지였다. 새하얀 나신을 한 소년이 소파에 누워 있는 그림, 그 얼굴은 바로 린지의 것이었다. 린지는 헛웃음을 내뱉으며 다른 캔버스를 들어 올렸다. 이것도 역시 린지였다. 창밖을 바라보며 가만히 서 있는, 벗고 있는 린지였다. 그다음 것도, 다음 것도…….

‘미친 변태 새끼!’

린지는 더러운 것을 만진 것처럼 손을 털어 내며 뒤로 물러섰다. 에드워드가 자신의 누드화를 그렸다. 그가 이 화실에 가만히 앉아 자신의 알몸을 상상하며 그림을 그렸을 장면을 떠올리자 속이 울렁거렸다.

‘역겨워.’

먹은 것을 그대로 쏟아 내고 싶은 심정이다. 그런 구역질 나는 마음과는 대비되는 향초의 달콤한 향기와 부드러운 클래식이 화실 안에 울려 퍼졌다. 그때, 린지는 화실을 향해 다가오는 발걸음 소리를 들었다. 다시 자리에 앉지도 서지도 못한 상태로 엉거주춤하게 있는 찰나 문이 열리고 에드워드가 들어왔다.

"린지안 군, 기다리게 해서 미안해."

새하얀 가운을 입고 있는 에드워드는 린지가 왔다는 소식을 듣고 옷도 갈아입지 않고 바로 뛰어온 것 같았다.

"늦었지? 오랜만에 연구를 하니까 쉽게 일어날 수 없더라고. 최대한 빨리 온 거야. 많이 기다렸어?"

린지는 대답하지 않고 가만히 그를 바라보았다. 부와 명예, 실력까지 다 갖춘 대륙적으로 유명한 천재 화가, 에드워드 다스비치. 어쩌면 그에게 있어서 이것은 별거 아닐지 모르지만…….

"이게 뭡니까?"

린지에게는 견딜 수 없을 만큼 불쾌한 사건이다. 그녀는 에드워드가 쌓아 둔 그림, 자신의 나신이 그려진 캔버스를 들어 올렸다.

"아아, 그거 실패작이야. 부끄럽네. 먼저 본 거야?"

이 그림보다 더 괴상한 것은 에드워드의 반응이었다. 그는 당황하거나 어쩔 줄 몰라 하는 대신, 약간 부끄러워하며 머리를 긁적였다.

"아무래도 상상만으로는 한계가 있더라고. 제대로 그려 보고 싶었는데 그렇게 되질 않았어."

린지는 기가 막혀서 웃음조차 내뱉을 수 없었다. 물론 이것이 화가의 입장에서는 단순한 실패작일지 모르겠지만, 그녀에게는 몹시 불쾌한 일에 지나지 않았다. 마치 자신도 모르는 사이에 성추행을 당한 기분이다.

"그래서 오늘 린지안 군을 부른 거야. 제대로 그려 보고 싶거든. 거절했다는 걸 알지만 다시 한 번 부탁해 보고 싶어."

린지는 심호흡을 했다.

'참자, 참자, 린지. 여기서 화내면 안 돼.'

화를 누를 수는 있었지만 웃는 것은 무리였기에 린지는 딱딱한 표정으로 거절했다.

"죄송하지만 거절하겠습니다."

"응?"

"아무래도 전문 모델이 아니라서 거부감이 드는군요."

그녀의 얼굴을 빤히 쳐다보던 에드워드가 멀뚱히 말했다.

"린지안 군, 화났구나?"

그러고 보니 지금 린지는 인상을 쓰고 있었다. 그의 말에 자신이 미간을 찌푸리고 있는 것을 깨달은 린지는 서둘러 표정을 풀었다. 순간 화가 났기 때문일까, 머리가 지끈지끈 아파 왔다.

'젠장, 갑자기 웬 두통이야. 순간적으로 스트레스를 너무 많이 받은 건가?'

두통의 영향 때문인지 손발이 무거운 것 같은 착각마저 들었다. 걱정스런 얼굴로 다가온 에드워드가 린지의 어깨를 잡고 소파 위로 조심스레 앉혔다.

"기분이 상했다면 미안해. 난 별 뜻 없었어. 이해해 줘."

"아뇨…… 괜찮습니다."

지끈!

머리를 터뜨리는 것만 같은 두통이 단숨에 밀려왔다. 순식간에 점령한 고통에 그녀가 정신을 못 차리자 에드워드가 찻잔을 내밀었다.

"그러지 말고 차 한잔하면서 기분 풀어."

"아뇨, 괜찮습니다……."

이렇게까지 심한 두통은 생전 처음이다. 귓가에 울려 퍼지는 클래식 음악과 달콤한 향내조차 고통스럽게 느껴졌다. 부드러운 선율은 마치 귀를 찢는 것처럼 들려왔고 향기는 몸을 짓누르는 것만 같았다.

'아, 이상해. 갑자기 왜 이렇게 어지럽지.'

린지는 식은땀이 나는 것을 느끼며 눈을 질끈 감았다. 그러자 마치- 아주 오래전, 멋모르고 술을 먹었을 때 주량을 뛰어넘어 만취했을 때처럼 세상이 빙글빙글 도는 것만 같은 어지러움이 내려앉았다. 중심을 잡을 수 없는 현기증 속에서 린지는 무언가가 잘못됐다고 간신히 생각해냈다. 하나 그 이상의 생각은 무리였다. 어지러워서 지금 자신이 서 있는 건지 앉아 있는 건지조차 확신할 수 없었다.

"괜찮으니까 마셔, 어서. 두통에 좋은 차야."

에드워드의 목소리와 클래식 음악이 마치 하나로 섞여 엉킨 테이프처럼 늘어지게 들려왔다. 그녀는 그가 자신의 입 안으로 찻물을 넘기는 것조차 인식하지 못했다. 자신의 온몸에 열이 오른 것도, 숨이 가빠 오는 것도, 어지러움에 정신을 못 차리고 있는 것도…….

털썩. 린지는 결국 몸을 가누지 못하고 소파 위로 축 늘어졌다. 뜨겁게 달아오른 몸에서 식은땀이 조금씩 흘러나오고 있었다. 에드워드는 찻잔을 내려놓으며 싱긋 웃었다.

"어때? 기분 좋지?"

아무것도 들리지 않았다. 아니, 들렸지만 아무것도 이해할 수가 없었다. 지금 린지는 자신이 무엇을 보고 있는지, 듣고 있는지 머리로 받아들일 수 없었다. 눈을 뜨고 숨을 내쉬고 있었지만 아무것도 판단할 수 없었다. 에드워드가 그렇게 만들었으니까.

"그런데 의외로 쉽게 쓰러지지 않네. 보통 이 향초를 맡으면 바로 쓰러지는데 말이야. 정신력이 강한 건가? 하지만 이 차까지 마셨으니 쓰러질 수밖에 없겠지."

그는 소파 위에 누워서 숨을 헐떡이는 린지의 머리를 부드럽게 쓰다듬었다.

"알투핀이라고 들어 봤어? 유명한 마약이니까 한 번쯤은 들어 봤겠지. 그것을 응용해서 만든 향초와 차야. 온몸의 감각이 극대화되지만 동시에 아무것도 생각할 수가 없게 돼. 정말 무서운 물건이지? 이걸 무기로 쓰게 된다면 어떤 일이 일어날 것 같아? 하지만 걱정 마, 이걸 만들 수 있는 사람은 세상에 딱 두 명뿐이니까."

천재 화가는 언제나처럼 선량한 웃음을 지으며 이번엔 린지의 목을 어루만졌다.

"그리고 넌 아무것도 기억할 수 없게 될 거야. 나는 해독약을 이미 먹고 와서 영향을 받지 않거든. 즉, 앞으로 벌어질 일은 나만 기억하게 된다는 거지."

에드위드는 신이 나는 듯 히죽 웃은 후 린지를 번쩍 들어 올렸다. 그리고 넓은 침대 위로 조심스럽게 내려놓은 후 말했다.

"걱정 마. 나는 그저 아름다움을 탐구하고 싶을 뿐이니까. 상상 속으로만 그리던 네 모습을 실제로 보고 그리고 싶어. 그리고……."

에드위드는 몸을 낮추고 린지의 귓가에 속삭였다. 손가락 안으로 부드럽게 얽혀 드는 붉은 머리칼이 몹시 자극적이었다. 머리카락마저 이렇게까지 아름다운 소년이라니. 에드위드는 넋을 놓은 린지를 바라보며 감탄하고 또 감탄했다. 이런 아름다움은 혼자만 갖고 있으면 안 돼, 내가 탐구할 수 있게 해 줘. 에드위드는 자그맣게 중얼거린 후 손을 내뻗어 린지의 뺨을 쓰다듬었다. 뜨끈한 열이 오른 뺨이 몹시 매끄러웠다.

'그려야겠어.'

더 이상 참을 수가 없다. 이 아름다운 피사체를 캔버스 안으로 담고 싶어서 견딜 수가 없었다. 그는 기대감으로 떨리는 손으로 시종의 옷깃을 잡았다. 그렇게 단추를 하나 탁, 푸는 순간…….

똑똑.

노크를 들었지만 에드위드는 다른 이의 방해를 받을 생각이 없었다. 그가 완전히 무시하고 시종의 단추를 하나 더 푸는 순간, 노크 소리가 다시 울려 퍼졌다.

'젠장, 대체 뭐야! 방해하지 말라고 경고했을 텐데!'

나중에 혼쭐을 내주겠다, 큰 벌을 내려 줄 것이다! 에드위드는 순간 뻗쳐오르는 화를 참지 못하고 신경질적으로 외쳤다.

"무슨 일이야! 꺼져!"

"저, 에드위드 님."

"꺼지라고 했다! 내가 방해하지 말라고……."

"르카플로네 백작님께서 찾아오셨습니다."

순간 에드위드의 손에 힘이 탁 풀렸다. 그는 겁에 질린 집사의 목소리를 듣고 멍한 표정으로 문을 바라보았다.

르카플로네 백작이 왔다고? 그 말을 이해하는 순간 에드위드는 빠르게 행동했다. 그는 린지를 침대 위에 곱게 눕힌 후, 재빨리 자리에서 일어나 옷매무새를 다듬었다.

'뭐지? 백작이 갑자기 왜 찾아온 거지?'

백작은 오늘 다른 귀족 청년들과 숲으로 사냥을 갔다고 들었다. 제법 먼 곳이라, 갔다 오는 것만 해도 반나절이 걸리는 곳인데 어떻게 이곳에 왔단 말인가?

'아냐, 그건 지금 생각해도 소용없어. 지금 어떻게 해야 하지?'

문으로 향해 걷는 에드위드의 머릿속이 혼란스럽게 움직였다. 백작이 지금 바로 문밖에 있다, 그러므로 어서 문을 열고 그를 맞이해야만 한다. 하지만 지금 이곳엔 그가 아끼는 시종, 린지안 아르즈벨이 마비 약에 취해 완전히 정신을 놓은 상태인데 그가 그것을 보면 뭐라고 생각하겠는가? 대체 어떻게 해야 이 위기를…….

'그래! 어차피 백작 녀석도 마약에 취할 테니까!'

이 방에는 마비 성분이 담뿍 담긴 향초의 향기로 가득 차 있다. 에드위드는 이 향기에 대비해 해독제를 충분히 섭취한 후지만 백작은 무방비한 상태일 터. 그 역시 시종과 다르지 않게 곧 정신을 잃고 쓰러지게 될 것이다.

'잠깐만. 저 시종도 향초로는 쓰러지지 않았잖아?'

설마 제조할 때 실수라도 한 것일까? 보통은 향을 맡으면 1분에서 2분 사이로 바로 쓰러지는데, 시종은 자신을 기다리는 10분 남짓한 시간 동안도 몹시 멀쩡했다. 때문에 마비 성분이 가득 든 차를 억지로 먹여서 쓰러뜨리지 않았던가?

'아닌데. 똑같은 향초로 그동안 수십 명을 취하게 만들었다고! 저 시종 녀석이 특이한 놈일 거야. 만약 백작도 향초로 취하지 않으면 차를 마시게 하면 되잖아!'

그래, 그러면 된다. 그렇게 백작을 쓰러뜨린 후 영문을 모르는 척 간호하고 있으면 되겠지. 그리고 백작이 갑자기 현기증을 일으켜서 기절했다고 말하면 되잖아. 거기까지 생각을 마친 에드위드는 속으로 쾌재를 부르며 문을 열었다. 사실 더 이상 문을 열지 않고 버틸 수 없을 정도로 시간이 지체된 후였다. 그렇게 문을 여는 순간.

'젠장, 저 시종 녀석이 쓰러진 건 어떻게 설명할 건데! 시종도 쓰러지고 백작도 쓰러지면 이상하게 생각할 거 아니야!'

하지만 이미 때는 늦어 있었다. 끼이익— 문이 천천히 열리고 그 너머로 아름다운 은빛 머리카락이 드러났다. 에드위드보다 훨씬 큰 키의 사내가 웃으면서 그를 내려다보고 있었다.

"배, 백작님."

어떻게 해야 할까, 에드위드. 어떻게 해야 하냐고. 에드위드는 속으로 미친 듯이 중얼거리며, 동시에 어색하게 웃으며 그를 맞이했다.

백작 휘안은 싱긋 웃으며 말했다.

"들어가도 될까요?"

"그, 그것이……."

하나 대답도 하기 전 이미 휘안은 그를 지나쳐서 방으로 들어오고 있었다. 순간 에드위드는 눈을 질끈 감으며 속으로 욕설을 지껄였다. 이제 곧 쓰러진 시종을 발견할 테고 백작 또한 쓰러지게 될 것인데, 이 엿 같은 상황을 대체 어떻게 해결해야 한단 말인가!

'모르겠다. 일단 기절시키고 보자.'

최악의 상황엔 백작을 죽여야 할 수도 있다. 그가 이 상황에 의구심을 품고 파고들어, 자신이 불법적인 연구를 일삼는 알케미스트, 아니 그 이상의 존재라는 것을 알아차리면 안 되니까.

다행히도 여집사는 눈치 빠르게 약이 담긴 차를 내왔다. 에드위드는 그녀에게 은밀한 미소를 보인 후 차를 받아 들었다. 그리고 향초의 향기가 빠져나가지 않도록 문을 탁 닫았다.

"차 한잔하시지요."

"고맙습니다."

백작은 아직 린지를 발견하지 못한 것인지 미소 지으며 찻잔을 받아 들었다. 그리고 한 치의 의심도 없이 한 모금 마시기까지 했다.

'됐다! 일단 백작을 쓰러뜨린 다음 생각하자!'

에드위드는 저도 모르게 주먹을 불끈 쥐었다. 그 모습을 물끄러미 바라보던 휘안이 의아한 듯 물었다.

"왜 그러고 있습니까?"

"에, 네?"

"왜 그러고 있느냐고 물었습니다, 에드위드 씨."

뭐야, 이 자식. 왜 안 쓰러져! 에드위드는 순간 당황했지만 휘안이 차를 한 모금 더 마시는 것을 보고 안도했다. 그 시종에 그 주인이라고, 마비 성분이 쉽게 듣지 않는 자들 같았다. 하지만 방 안 가득한 향기와 차까지 마셨으니 이제 곧 효과가 들 것이다. 에드위드는 그렇게 생각하며 떨리는 목소리로 말했다.

"죄, 죄송합니다. 갑자기 뵙게 되어 놀라서 그만……."

"아무 기별도 없이 찾아와서 미안하군요. 내 시종을 그린다고 하기에 궁금해서 와 봤습니다."

"하, 하하. 아닙니다. 백작님의 후원 덕에 제가 그림을 그리는걸요. 언제든지 편하게 찾아와 주십시오."

"그렇게 말해 주니 고맙군요."

왜…….

'……왜 안 쓰러지는 거야!'

휘안은 쓰러지지 않았다. 아니, 도리어 그 어느 때보다도 또렷하고 생기 넘치는 모습이었다. 선명한 보라색 눈동자, 우아하게 웃고 있는 표정, 그의 모든 것에서 넘치는 활력이 느껴졌다. 휘안은 싱긋 웃으며 차를 한 모금 더 마셨다. 그는 거의 한 잔을 다 비워 가고 있었음에도 불구하고 흐트러지는 모습을 보이지 않았다.

"그런데 시종은 어디 있습니까?"

"그, 그것이……."

에드위드의 머릿속이 뒤죽박죽으로 엉켜들었다. 너무나 혼란스럽고 당혹스러워 손바닥이 축축한 식은땀으로 젖어 가는 것조차도 인식할 수 없었다. 대체 왜 이 백작이 아직까지 쓰러지지 않는 건지, 그럴 기미조차 보이지 않는 것인지 알 수 없어서 미칠 것 같았다.

"아, 저기 있군요."

휘안이 맞은편 침대 위에 누운 시종을 보고 자리에서 일어나자 에드위드의 심장이 쿵 하고 떨어져 내렸다. 그는 오금이 저리는 긴장감 속에서 저도 모르게 헛웃음을 흘렸다. 무슨 말을 해야 할지 생각이 나지 않아서 입 안이 허하게 느껴질 정도였다.

"아, 린지안 군이 잠들었군요. 이런, 아픈 것 같기도 한데요?"

휘안은 침대에 누운 린지를 보고 걱정스럽게 말했다. 그의 말에 에드위드는 저도 모르게 웃으면서 되는대로 지껄였다.

"하, 하하하! 예, 조금 열이 있는 것 같더군요! 아무래도 감기 몸살 기운이 있는 것 같습니다! 제가 그럼은 나중에 그릴 테니 한숨 자라고 해 놨습니다!"

그래, 이렇게 말하면 되는구나! 에드위드는 말을 이으면서 자신의 순발력에 감사했다. 백작이 쓰러지지 않는 이유는 모르겠지만, 오히려 잘된 일 아닌가? 두 사람 다 쓰러지면 나중에 해명하는 것이 어렵다. 시종이 아파서 드러누운 걸로 설명하는 것이 더 편했던 것이다. 하지만…….

"응? 린지안 군, 눈을 뜨고 있는데?"

휘안의 말이 맞았다. 지금 이 방 안을 채운 것은 보고, 듣고, 느낄 수 있는 마비의 향이다. 다만 판단하고 사고할 수 없을 뿐, 저 시종의 의식은 이곳에 있는 것이다. 때문에 완전히 기절했다고 둘러댈 수도 없었다.

"하, 하. 아무래도 많이 아픈 모양입니다."

"그래 보이는군요. 걱정입니다."

휘안은 근심 어린 표정으로 린지의 머리칼을 쓸어 넘겼다. 그리고 손가락으로 그녀의 얼굴을 한번 쓸어내리더니, 턱을 잡아 슬쩍 얼굴을 들어 올려 눈을 마주 보았다. 몽롱하게 풀린 붉은 눈동자에 휘안의 미간이 살짝 좁아졌다.

"제, 제가 약을 구해 오겠습니다. 잠시만 이곳에……."

일단 빠져나가자. 에드위드는 그렇게 생각하며 조금씩 뒷걸음질 쳤다. 일단 이 방을 빠져나가서, 시종을 마비에서 빠져나오게 할 해독제를 가져오는 거다. 그리고 효과 좋은 약인 것처럼 속여서 먹이면 해결될 것이다. 모든 것이 아무런 문제없이 끝날 수 있었다. 어차피 저 시종 역시 아무것도 기억하지 못할 테니까!

"귀엽지요?"

"……네?"

뒷걸음질 치는 에드위드의 발이 멈칫했다. 에드위드가 멍하니 백작의 뒷모습을 바라보았으나, 그는 린지의 머리를 쓰다듬을 뿐 시선을 주지 않았다.

"제 시종 말입니다."

"아……."

"그 마음 이해합니다. 남자한테 관심이 없는 나조차도 이 시종의 매력은 충분히 느끼고 있을 정도니까. 귀여운데도 색기 넘치고, 이중적인 면이 있으니까요."

지금, 백작이 무슨 얘기를 하는 걸까. 휘안은 린지의 뺨에 맺힌 땀을 닦아 주며 말을 이었다.

"그러니 당신처럼 남자 여자 가리지 않는 자에게 내 시종은 먹음직스런 먹잇감이겠죠. 그렇게 눈을 뒤집어 까고 환장해서 달려들 정도로 말입니다. 마치 발정 난 개를 보는 것 같군요."

"배, 백작님……?"

에드위드는 자신의 귀를 믿을 수 없었다. 고귀하고 기품 어린 백작의 입에서 그런 상스러운 단어가 튀어나온 것보다, 그가 말하는 의미 때문에 충격을 받은 것이다.

휘안은 천천히 고개를 돌려 에드위드를 마주 보았다. 휘안의 조각처럼 수려한 얼굴은 어느 때처럼 상냥한 미소를 짓고 있었다. 그래서, 그것이 더 무서웠다.

"하지만 린지안 군은 내 것입니다."

"배, 백작님……."

"내 것을 이렇게 만든 대가, 치를 각오는 되어 있겠죠?"

에드위드는 더 이상 이 자리에 서 있을 수가 없었다. 모든 것을 다 알고 있는, 다 간파했으면서 평소처럼 웃고 있는 백작이 두려워서 견딜 수가 없었다.

쾅!

에드위드는 숨을 거칠게 들이마시며 냅다 방문을 열고 뛰쳐나갔다. 그는 마치 악마에게서 도망치는 사람처럼 간절한 마음으로 달렸다.

'무, 무서워!'

어떻게? 아니 언제부터? 그리고 어디까지? 대체 백작은 어디까지 알고 있는 것인가? 에드위드는 몇 번이나 넘어질 뻔했지만 필사적으로 달렸다. 하지만…….

"꺄악!"

"에, 에드위드 님! 도와주세요!"

복도를 빠져나온 에드위드는 사방에서 들려오는 시녀 시종들의 비명소리에 자리에서 멈춰 섰다. 백작가의 사병으로 보이는 기사들이 저택을 점령한 것이다. 기사들에게 잡힌 고용인들이 비명을 지르며 에드위드에게 도움을 청했다.

에드위드는 뒤도 돌아보지 않고 달려 지하로 도망갔다. 손발이 덜덜 떨려 발이 뒤엉킬 것만 같았지만 그는 필사적으로 다리에 힘을 주었다. 여기서 넘어지면 붙잡히고 말 거다, 그러면 지금까지 쌓아 온 모든 것이 물거품으로 돌아갈 것이다!

'도망가자! 연구실에 비밀 통로가 있어, 연구실까지만 가면 돼!'

그의 연금술 연구실은 지하실 아주 깊숙한 곳에 숨겨져 있었다. 온갖 불법 연구- 마약 제조부터 시작해서 불법 인체 실험까지 이루어지는 그 연구실은 이런 상황을 대비해서 바깥과 통하는 비밀 통로를 만들어 놓은 후였다.

허겁지겁 연구실 안으로 들어온 그는 문득 아무도 뒤따라오지 않는다는 것을 깨달았다. 에드위드는 자리에 멈춰 서서 뒤를 돌아보았다. 다행히 기사들이 자신을 못 본 것인지 그를 쫓는 자는 아무도 없었다.

"허억, 허억……."

그는 지친 숨을 몰아 내쉬다가 다시 몸을 일으켰다. 어쨌든 빨리 이곳을 빠져나가야 했다. 에드위드는 연구실을 둘러보다가 증거가 될 만한 것들을 모조리 깨부수며 불을 붙였다. 만약 이 연구실을 들킨다면-.

'젠장, 알려져선 안 돼. 알케미스트라는 것만큼은 들키면 안 돼.'

사람들이 흔히 '알케미스트'라고 불리는 자, 그들 중 한 명이 자신이었다. 물론 에드위드는 스스로를 범죄자라고 생각하지 않았다. 자신은 위대한 발명가이자 시대를 뛰어넘는 혁명가이다. 때문에 그런 자신이 인류를 위해 손수 고대의 사라진 지식, 연금술을 알아내려고 하는 것이다. 한데 그 위대한 지식이 두려운 하등한 것들이 자신 같은 자들을 '알케미스트'라고 불러 대며 올가미를 채워 두려고 하는 것이다!

'거지 같은 것들. 나 같은 지식인들 덕분에 이 세상이 편한 거라고!'

그리고 실제로 그는 고대의 연금술, 그 지식의 일부를 얻어 가고 있는 중이었다. 어느 날 갑자기 그의 앞에 한 사내가 나타났다. 그 신비로운 사내가 자신에게 고대의 연금술을 야금야금 알려 주었던 것이다.

'그래, 나에게 고대 연금술을 알려 주는 자. 그자에게 부탁하면 돼. 그 자에게 휘안 데 르카플로네를 처리해 달라고 하면 돼!'

그는 연구실에 불을 붙인 후 쪽문을 열어 긴 통로로 걸어 나갔다. 연구실은 곧 불에 타 없어질 것이고, 자신이 금지된 실험들과 마약 제조를 했다는 증거 역시 감쪽같이 사라질 것이다.

'백작 녀석, 대체 어떻게 알고 있던 거지!'

르카플로네 백작, 휘안의 보라색 눈동자를 생각하자 소름이 끼쳐 왔다. 에드위드는 서둘러 발걸음을 옮기며 몸을 부르르 떨었다.

'내게 연금술을 알려 준 자, 그자는 먼저 찾아오기 전까지 만날 수 없으니까. 그자가 나타나기 직전까지 트와일릿 대표에게 몸을 의탁하자.'

그는 르카플로네 백작을 자신의 후원자로 택한 것을 뼈저리게 후회했다. 정체를 알 수 없는 대표보다는 아름다운 귀족이 나을 거라고 판단한 자신이 증오스러웠다.

'트와일릿의 대표는 마지막까지 날 원했어. 게다가 언제, 어느 상황에서라도 좋으니 후원을 받고 싶으면 찾아오라고까지 했고!'

트와일릿의 대표, 정체를 알 수 없는 자, 대륙을 호령하는 기업의 대표- 그자는 끝까지 에드위드를 후원하고 싶어 했다. 비록 서로 편지로만 이야기했을 뿐이지만, 에드위드가 백작가의 후원을 받게 되었다는 소식에도 괘념치 않아 하며 언제든지 찾아오라는 말까지 했다. 자신의 예술을 아끼고 경애한다며, 어떤 상황에서라도 힘이 되어 줄 테니 든든하게 생각하라고. 심지어 그는 다른 사람들의 이목을 피해 쉬고 싶을 때를 대비하여 선물한다며, 에드위드에게 별장을 하나 선물하기까지 했다. 창작 활동과 사람들의 관심에 시달려서 도망치고 싶을 때 언제든지 와서 쉬라는 말까지 했었다.

'그래, 그곳에 가자!'

자신의 명의로 된 집이 아니었기에 백작이 찾아낼 수 있는 가능성은 없다. 아무리 다 알고 있는 듯한 백작이라고 할지언정 트와일릿 대표가 선물해 준 집까지 알고 있을 리가 없다.

통로를 통해 바깥으로 빠져나온 에드위드는 서둘러 길가에 지나는 마차를 잡고 별장으로 향했다. 다행히도 별장은 에드위드의 집에서 멀지 않은 곳에 위치해 있었다. 수도의 중심가와는 동떨어져서 레니에스 강이 흐르는 곳을 끼고 있는 몹시 아름다운 별장이었다.

에드위드는 지갑 속에 늘 품고 다니던 별장의 열쇠를 꺼내 열쇠 구멍 안으로 밀어 넣었다. 정확히 아귀가 맞아떨어지는 소리와 함께 문이 천천히 열렸다.

'하아…….'

캄캄한 저택의 내부가 드러나자 이상할 만큼 안심이 됐다. 에드위드는 한숨을 푹 내쉬며 저택 안으로 걸어 들어갔다. 그리고 걸쇠를 단단히 잠근 후, 쓰러지듯 바닥에 주저앉았다.

"살았다."

"글쎄, 속단하기엔 이르지."

어둠 속에서 목소리가 대답했다. 에드위드는 소스라치게 놀라며 자리에서 벌떡 일어났다. 잘못 들은 것이 아니라면, 이 목소리는…….

"왜 그렇게 놀라십니까, 에드위드 씨."

"배……."

백작의 목소리였다. 에드위드는 지금 이 순간이 악몽인지 현실인지 분간이 되지 않았다. 마치 아주 악질적인 꿈속에서 허우적거리는 것만 같았다. 간신히 여기까지 도망 왔는데 이곳에서 그의 목소리가 들리다니!

에드위드는 두려움에 덜덜 떨다가 뒤로 돌아 문고리를 잡았다.

덜컹! 덜컹!

방금 전까지만 해도 열렸던 문은 단단히 잠겨 열리지 않았다. 에드위드는 팔 근육이 소리를 지를 만큼 강하게 잡아당겼지만 문은 마치 바깥에서 잠근 양 꿈쩍도 하지 않았다.

"소용없습니다."

또다시 암흑 속에서 들려오는 목소리에 에드워드의 입에서 신음이 흘러나왔다. 아무것도 보이지 않았기에 더 무서웠다.

"대, 대체 여기에 어떻게……."

어떻게 이곳에 백작이 있단 말인가. 어떻게 그보다 더 먼저 이곳에 와서 기다리고 있을 수 있단 말인가. 이 모든 것이 불가능했다.

'그래, 불가능해! 이건 불가능하다고!'

연금술로 만든 마비 향에 취하지 않는 백작, 다 알고 있다는 듯 말하는 백작, 그리고 이곳에 와 있는 백작— 백작이 보여 준 그 모든 것이 있어서는 안 될 일이었다.

"이, 이 저택은 트와일릿의 대표님이 준 저택입니다! 아무리 백작님이라고 할지언정, 어찌 무단으로, 허락도 없이……!"

"허락이라."

순간, 짙은 암흑 속 저편에서 웃음소리가 들려왔다. 키득거리는 웃음소리가 그치자 백작이 유쾌한 듯 말했다.

"누구의 허락이 필요한 거죠?"

"그야 트와일릿의 대표님이죠!"

보이지 않는 것이 무서웠지만, 덕분에 에드워드는 더 용감해질 수 있었다. 그는 백작이 있을 것으로 예상되는 곳을 향해 미친 듯이 소리쳤다. 에드워드는 혼란스러움과 공포가 뒤섞여 거의 패닉 상태가 되어 가고 있었다.

"트와일릿은 엘칸 대륙 최고의 대기업입니다! 대륙의 경제권을 한 손에 틀어잡은 기업의 주인이라고요! 아무리 르카플로네 백작, 당신이라고 할지언정 그분이 선물한 집에 마음대로 드나들 수는 없는 겁니다!"

에드워드는 반쯤 실성하여 소리쳤다.

"그, 그것뿐인 줄 아십니까! 전, 전 정보 길드 포그의 일원입니다! 포그가 얼마나 무서운지 알고 있겠죠! 여기서 내게 허튼짓을 하면 포그가 가만두지 않을 겁니다!"

이것은 거짓말이었지만, 이 상황에서 아무 말이든 내뱉지 않고서는 견딜 수 없었다.

"미안하지만."

웃음기 어린 백작의 목소리가 조금씩 가까워졌다. 그가 다가오고 있다는 것을 깨달은 에드워드의 온몸에 소름이 쫙 돋아 올랐다.

"트와일릿의 허락은 필요 없습니다."

"뭐, 그, 그게 무슨……."

"그리고 당신이 포그의 일원이 아니라는 것도 알아."

조금씩, 조금씩 그의 웃음소리가 가까워지고 있다. 하지만 신기할 만큼 발자국 소리가 나지 않아 에드워드의 몸이 부들부들 떨려 왔다. 마치 실체가 없는 귀신을 상대하는 것만 같은 끔찍함이었다.

"왜냐하면."

다음 목소리는 바로 코앞에서 들려왔다. 순간, 창문 안으로 스며든 달빛이 저택을 드리웠다. 미세한 달빛 아래에 보랏빛 눈동자가 눈앞에서 번뜩였다.

"……!"

에드워드가 놀라 숨을 들이마시자 거센 힘이 그의 목을 잡아채 벽으로 밀어붙였다. 다음 순간, 달빛이 구름 안으로 파묻히자 마치 악마의 것과 같은 목소리가 어둠 속에서 울렸다.

"트와일릿은 내 것이니까."

머리가 깨질 것 같았다. 그것은 린지가 역겨운 현기증 속에서 처음으로 떠올린 생각이었다. 머리가 깨질 것처럼, 아니 이미 깨져서 죽어 가고 있는 게 아닐까 싶을 정도로 아파 왔다.

"……!"

비명은 고통에 억눌려 아예 목구멍 바깥으로 새어 나올 수조차 없었다. 머리가 부서지는 듯한 고통 속에서 린지는 울렁거림과 어지러움을 느꼈다.

"린지안 군."

자신을 부르는 목소리도, 걱정스럽게 머리를 쓰다듬는 손길도 느낄 수 없었다. 약을 먹으라고 재촉하는 목소리도 알아들을 수 없었다. 지금 그녀가 느낄 수 있는 것은 온몸이 불처럼 타오르듯 뜨겁다는 것, 머리가 너무나도 아프다는 것—.

그녀를 쓰다듬던 손길이 얼굴을 잡아 올렸다. 다음 순간, 입술 위로 따뜻한 감촉이 내려왔다. 꿀꺽. 동시에 린지는 입 안으로 무언가가 깊숙이 흘러들어 와 저도 모르게 삼켜 냈다. 그 후로도 멈추지 않고 몇 번이나 입 안으로 액체가 흘러들어 왔다. 그 횟수가 지속될수록 고통이 서서히 멀어져 갔기에 린지는 마치 동아줄에 매달리듯 앞에 있는 무언가를 꽉 잡고 받아들였다. 그럴 때마다 부드럽고 따뜻한 감촉이 입술에 닿는다는 것은 자각할 수 없었다. 그러고 얼마의 시간이 지났을까? 린지는 서서히 멀어져 가는 고통 속에서 정신이 맑아지는 것을 느꼈다.

"린지안 군, 괜찮아?"

린지는 돌아오는 의식 사이에서 목소리를 들었다. 그러고 보니 아까부터 줄곧 자신의 옆에 있어 주던 목소리였다. 린지는 멍하니 시선을 돌려 위를 올려다보았다. 걱정스런 보라색 눈동자가 그녀를 바라보고 있었다.

"휘, 휘안 님……."

린지는 그를 바라보다가 문득 머리가 지끈거리는 것을 느끼고 인상을 찌푸렸다. 휘안은 그녀의 머리를 쓰다듬어 주며 달래듯 말했다.

"곧 괜찮아질 거야. 약은 충분히 먹었으니까."

"약……이요?"

"응. 한 병을 다 먹였으니 괜찮을 거야."

한 병을 다 먹였다고? 언제? 린지는 그 시간을 아예 기억조차 할 수 없었다. 따뜻한 무언가가 입술 위로 떨어져 액체를 흘려보낸 것 같긴 했지만, 그것이 꿈인지 생시인지 알 수가 없었다. 그저 애타게 매달리듯 무언가를 단단히 붙잡고 있었던 손의 감촉만이 생생했다.

"아."

린지는 문득 자신이 쥐고 있는 것이 휘안의 손이라는 것을 깨닫고 서둘러 힘을 풀었다. 그러자 휘안이 피식 웃으며 땀에 젖은 그녀의 머리칼을 넘겨 주었다.

"부서져라 끌어당길 땐 언제고 이제 와서 놓고 그래?"

"네? 그게 무슨?"

"아니, 아무것도 아니야. 나 혼자만의 뜨겁고 강렬한 추억으로 남길게."

대체 무슨 말을 하는 것인지 영문을 알 수 없었다. 린지가 눈을 끔벅이자 휘안이 걱정스레 물었다.

"이제 좀 괜찮아?"

"아…… 예."

아직까지 머리가 지끈거리긴 했지만 아까처럼 못 참을 정도는 아니었다. 고통이 가시자 린지에게 찾아온 것은 의아함이었다.

'내가 지금 여기에 왜 이러고 있는 거지?'

이곳은 백작의 방이었다. 심지어 그녀는 백작의 침대에 떡하니 누워 있고, 백작은 침대맡에 앉아 그녀를 간호하는 모습이었다. 분명 아까 전까지만 해도 에드워드의 화실에 있었는데…….

린지의 눈빛을 읽었는지 휘안이 걱정스런 눈빛으로 말했다.

"린지안 군, 요새 컨디션이 안 좋았던 거야?"

"네?"

"갑자기 쓰러졌어. 몸이 불덩이처럼 타올랐다고. 열이 있었는데 몰랐었어?"

"네에에?"

"그래서 급하게 저택으로 데려왔어. 많이 아픈 것 같기에 내가 직접 간호했고."

백작의 충격적인 말에 린지는 입을 떡하니 벌렸다. 에드워드의 화실에서 기절을 했단 말인가? 열이 나서?

'그게 무슨 개뼈다귀 같은 소리야!'

생각해 보니 화실에서 엄청난 두통과 발열을 느꼈던 것 같긴 했다. 하지만 린지는 그 말을 곧이곧대로 믿을 수 없었다. 갑자기 열이 나서 쓰러지다니, 그런 일은 린지의 역사 속에서 단 한 번도 없었던 것이다.

"다행히 내가 에드워드 씨에게 볼일이 있어서 저택에 찾아갔었거든. 린지안 군이 쓰러지는 것과 거의 동시에 내가 찾아갔는지라 바로 데리고 나왔어."

"그, 그런……."

"건강 챙겨. 알겠지?"

린지는 어쩔 도리 없이 고개를 끄덕였지만 휘안의 말을 믿고 있지 않았다. 아니, 휘안을 믿을 수 없다기보다는 에드워드를 믿을 수 없었다. 에드워드 녀석이 자신에게 못된 술수를 부린 것이 분명하다!

'하지만 백작이 와 줘서 다행이군. 에드워드 녀석의 술수에 넘어갈 뻔했어.'

대체 놈은 어떤 수작을 부린 걸까? 만약 휘안이 찾아오지 않았더라면 그녀는 에드워드에게 끔찍한 일을 당했을 수도 있다.

'에드워드 녀석, 대체 뭔 짓을 했기에 내가 정신을 잃은 거지?'

역시나 수상한 녀석이다. 린지는 훗날 유시젠에게 에드워드에 대해 특별히 보고를 올리기로 결심했다. 하나 그것은 추후의 일이고, 지금 그녀에게는 먼저 해야 할 말이 있었다.

"저, 감사합니다."

"……응?"

린지는 휘안을 올려다보았다. 만약 그가 오지 않았더라면 끔찍한 일을 당했을 수도 있다. 휘안이 의도하진 않았겠지만, 그 덕분에 린지가 무사할 수 있었던 것이다.

"챙겨 주셔서 정말 감사합니다."

착각이었을까. 항상 단단하던 휘안의 눈빛이 순간이나마 흐려진 것만 같았다. 하지만 역시나 잘못 본 것이었는지 휘안은 곧바로 태연한 미소를 지어 보이며 어깨를 으쓱였다.

"뭐, 이 정도쯤이야. 난 린지안 군의 주인이니까."

모든 것은 계획대로였다. 연극의 시작부터 막까지, 그가 정해 놓은 대로 흘러갔다. 치밀한 간격으로 도미노를 세워 놓은 후 휘안이 한 것은 맨 처음 것을 툭 친 것 외에는 없었다. 그 이후, 모든 것은 그가 세워 놓은 모양대로 엎어졌으니까.

에드워드는 예상대로 자신의 시종, 린지안 아르즈벨에게 관심을 가졌다. 일부러 시종을 살롱에 동행해 그가 있는 곳 근처, 케이크가 있는 뷔페 쪽에 데려간 후 내버려 두었다. 아마 남색을 밝히는 자라면 색기 넘치는 아름다운 미소년 린지안을 그냥 지나칠 수 없을 것이다, 휘안은 그렇게 생각했다. 에드워드는 휘안이 걸어 놓은 덫에 제대로 걸려들었다.

그는 시종에게 접근해 말을 걸었고 그림을 그려 주며 어떻게든 말을 이어 가려고 노력했다.

"실밥이 붙었군요."

실밥은 무슨. 휘안은 어설픈 수법을 쓰며 시종의 목덜미를 만지는 에드위드를 보고 인상을 찡그렸다.

'아무리 내가 의도한 거긴 하지만 린지안 군은 너무 무방비한데. 저럴 때는 어깨를 밀어냈어야지.'

나중에 꼭 제대로 교육을 시켜 줘야겠다, 휘안은 그렇게 생각하며 에드위드와 인사했다. 그리고 자신의 후원을 받겠다고 결정한 그와 화기애애한 대화의 꽃을 피웠다.

'어차피 둘 다 나였지만.'

에드위드는 트와일릿의 대표와 르카플로네 백작이라는 두 쟁쟁한 후원자들 사이에서 수많은 갈등을 했을 것이다. 둘 중 누구를 선택해야 할지 행복한 고민을 했겠지. 하나 누구를 고르든 어차피 휘안이 파 놓은 구덩이 안으로 들어올 수밖에 없는 운명이었다. 트와일릿의 대표, 르카플로네 백작– 둘 다 휘안이었으므로.

에드위드에 대해 최대한 파악하기 위해 휘안은 살롱에 드나들며 그에 대한 것들을 수집했다. 그가 자주 가는 카페, 술집, 공연장, 친한 친구들까지 다– 자신에게 호감을 보이는 살롱 사람들의 입에서 에드위드에 대한 정보가 튀어나왔다. 물론 에드위드에게 자신의 사람들을 몇몇 붙여 미행하는 것도 잊지 않았다.

그중 가장 도움이 된 것은, 역시나 자신의 아름다운 시종이었다. 아름다운 것에 환장하는 에드위드는 린지안을 갖고 싶어서 안달이 난 모양이었다. 매일같이 저택에 드나들어 이야기를 나누고, 화실에 가서는 린지안에 대한 그림만 그려 대니까. 벗은 린지안의 몸을 상상해서 그려 댄다는 정보를 입수한 휘안은 몹시 불쾌해졌다.

'뭐 정상적인 녀석이 아닌 건 알고 있었지만.'

그래도 자신의 시종을 상대로 변태적인 취미를 즐긴다고 하니 짜증이 치밀었다. 어쩐지 다 때려치우고 에드워드 녀석의 뒤통수를 한 대 갈겨주고 싶다는 말도 안 되는 생각까지 들 정도였다.

'나중에 못된 녀석에게 걸리면 큰일 나겠어.'

칼튀루스 후작도 그렇고, 에드워드도 그렇고…… 시종 린지안은 그런 자들에게 있어서 아마 치명적일 정도로 매력적인 모양이었다. 하긴 자신에게도 간혹 깜짝 놀랄 만큼 자극적인 느낌을 주는 소년이니, 알 만도 했다.

"휘안 님."

휘안은 천천히 등을 돌렸다. 어두운 집무실, 금발의 여기사가 기척을 죽이고 그의 앞에 서 있었다. 그는 어쩐지 피곤해 보이는 예르시카를 바라보며 웃음을 지었다.

"왔어?"

"네."

"잘 처리했어?"

"네. 완벽하게."

"수고했어, 예르시카. 편하게 앉아."

예르시카가 머뭇거리면서 소파에 앉는 것을 본 휘안은 그녀를 위해 직접 차를 타 주었다. 예르시카는 그가 만들어 준 차를 황송하게 받아들인 후 한 모금 마셨다.

"수고했어, 정말로."

"아닙니다. 저보다는 휘안 님께서 더……."

수고가 많으셨지요. 에르시카는 그 문장을 입 안으로 삼켜 낸 후 다시 차를 마셨다. 실제로 그러했다. 그저 그녀는 뒤처리를 깔끔하게 해낸 것, 그것뿐이었다. 이 모든 것은 휘안이 만들어 놓은 아름다운 작품이었다.

"에드위드는 어디까지 알고 있었지?"

"고대 연금술을 이제 막 배우고 있던 찰나더군요. 큰 지식은 없었습니다. 고작 만들어 봤자 마비 약 정도랄까요. 그래 놓고 쓸데없는 인체 실험은 왜 그렇게 많이 한 건지……."

에르시카는 에드위드가 실토했던 사실을 떠올리며 미간을 좁혔다.

"갈 곳 없는 아이들을 사들여 마구잡이로 실험해서 죽였습니다. 저택의 고용인들이 그 실험을 묵인하고, 때로는 도왔고요. 그 저택에 있는 자들 모두 구제할 길 없는 쓰레기였습니다."

"그래서."

휘안의 입가가 위험하게 올라갔다.

"에드위드에게 연금술을 알려 준 그 녀석에 대한 정보는?"

"외모와 이름 외에는 아무것도 아는 게 없었습니다."

휘안은 기대도 안 했다는 듯 어깨를 으쓱여 보였다. 에르시카는 문득 휘안의 시종, 린지안을 떠올려 냈다. 그들이 에드위드에게 접근하기 위해 미끼로 써먹은 시종. 린지안 아르즈벨이 위험에 처할 거란 것은 알고 있었지만 휘안은 주저하지 않았다.

"……린지안 아르즈벨은 좀 어떻습니까?"

"괜찮아. 해독제를 마셨거든. 한 통을 다 비웠으니 내일이면 멀쩡할 거야."

그렇게 말한 휘안은 문득 무언가가 떠올랐는지 입술 위에 손을 올렸다. 그리고 키득거리며 알 수 없는 웃음을 흘려 냈다.

"먹이는 데 조금 수고하긴 했지만, 린지안 군을 위해서 그 정도쯤이야 뭐."

대체 어떻게 먹였기에? 예르시카는 몹시 궁금했지만 굳이 물어보지 않았다.

한동안 히죽거리며 웃던 휘안은 예르시카의 맞은편에 앉았다. 기나긴 하루를 보냈을 휘안이었지만 그는 이제 막 일어난 사람과 다름없는 에너지가 느껴졌다. 곧은 은발과 선명한 보랏빛 눈동자가 어둠 속에서 빛이 나는 것만 같았다. 예르시카는 마치 그림 같은 휘안의 자태를 바라보다가 시선을 내리깔았다. 눈이 부셔서 더 이상 지켜볼 수가 없었다.

"조만간 소란스러워질 거야. 세계적인 천재 화가 에드워드가 죽었으니까 말이야."

"……그렇겠지요."

예르시카의 얼굴에 그림자가 걸렸다. 앞으로 어떤 일이 벌어질지 쉽게 예상할 수 있었다. 레란 왕국, 아니 이 나라를 뛰어넘어 엘칸 대륙은 한바탕 왈칵 뒤집어지고 말 것이다. 대륙의 진주, 세기의 보물이라고 불리는 화가 에드워드가 죽었으니까. 자살로 감쪽같이 위장되어 그 누구도 의심하지 못할 테니까.

"어떻게 하실 생각입니까?"

예르시카는 문득 걱정이 되어 질문했다. 에드워드의 저택을 덮친 백작과 그의 기사들, 그 장면을 본 자들은 이미 다 처리해 놓긴 했지만 혹시 모를 사태가 벌어질 수도 있다. 만약 에드워드의 죽음에 휘안이 관련되기라도 한다면…….

하나 휘안은 한 줌의 근심도 없이 말했다.

"더 큰 불을 내야겠어."

그렇게 말한 휘안은 자리에서 일어나 기지개를 폈다. 창밖의 달빛을 바라보는 그의 눈이 가느다랗게 휘어지며 곡선을 그렸다.

"에드워드에 대해서 모두 잊어버릴 만큼, 큰 불을 말이야."

"……설마."

"내가 트와일릿 대표라는 것을 밝혀야지."

예르시카는 바로 대답하지 못했다. 휘안의 결정이 너무나도 대담했던 것이다.

'하지만 휘안 님의 말씀이 옳다. 이것이 더 뜨거운 이슈가 될 테지.'

대륙 최고의 기업 트와일릿의 대표가 대륙 최고의 부자 르카플로네 백작이다! 이 소설 속 이야기 같은 사실이 밝혀지면 대륙은 뜨겁게 들썩일 것이다. 천재 화가 에드워드의 자살 사건을 신문 1면에서 밀어내 버릴 만큼.

"알겠습니다."

"응. 이제 나가 봐. 수고했으니 푹 쉬도록 해."

예르시카는 그에게 인사를 올린 후 방 안을 나섰다. 그녀가 사라지자 조용한 침묵이 다시 한 번 사위를 맴돌았다. 휘안은 그 적막을 즐기듯 창밖을 멍하니 바라보다가 눈을 감았다. 피곤하다는 생각은 들지 않았다. 도리어 휘안은 그 어느 때보다도 살아 있음을 느꼈다. 뜨거운 피가 혈관을 타고 이동하는 소리가 귓가에 맥동하는 것만 같았다.

휘안은 잔 안에 얼음을 채워 위스키를 따랐다. 그리고 단숨에 입 안에 털어 낸 후, 잔을 테이블 위로 올려놓았다. 마치 불덩이를 삼키는 듯한 열기가 목구멍 안으로 개운하게 밀려들어 갔다.

이제 시작이야. 휘안은 마음속으로 중얼거린 후 다시 창밖을 바라보았다. 오늘따라 유난히도 밝은 달빛이 그를 내려다보고 있었다.

'나의 시종은 생각보다 더 유능한걸.'

문득 시종의 얼굴이 떠오르자 휘안의 입술이 호선을 그렸다. 시종은 모르겠지만, 그의 존재는 휘안에게 있어서 몹시 유용했다. 에드워드라는 물고기를 낚는 것에도 린지안의 도움이 몹시 컸다. 이용당한 줄도 모르고 고맙다고 말한, 순진한 시종…….

고맙다고 속삭이는 시종의 목소리가 스쳐 지나가는 순간 휘안은 저도 모르게 입술을 매만졌다. 방금 전까지만 해도 웃고 있던 입꼬리가 어느새 내려가 있었다.

'나야말로 고마운걸. 그리고 미안하고 말이야.'

마약에 취해 열에 들떠 있던 시종의 모습을 떠올리자 미간이 저절로 좁혀졌다. 물론 예상한 모습이긴 했지만 실제로 보고 나니 여간 불쾌한 것이 아니었다.

'하지만 린지안 군은 남색가들을 꾀어내기에 너무 완벽한 미끼야. 남자인데도 그렇게 달달하고 말이야.'

휘안은 또다시 입술을 쓰다듬다가 문득 자신의 행동을 깨닫고는 손을 내렸다. 그의 시종은 남자임에도 불구하고 너무 자극적이었다. 희고 부드러운 살결도, 달짝지근한 입술도…….

'……뭐 나랑은 관계없지만.'

휘안은 고개를 획획 저으며 다시 한 번 잔에 위스키를 따라 마셨다.

chapter 6. 트와일윗

"백작님? 기상하실 시간입니다."

린지는 백작의 방문을 노크했다. 애초부터 대답을 기대하지 않았기에 아무 응답이 없을 때도 그녀는 실망하지 않았다. 린지는 몇 번 방문을 두드리다가 조심스레 문을 열고 들어갔다.

"백작님, 들어가겠습니다."

백작의 방 안으로 들어간 린지의 몸이 굳었다.

'......에?'

휘안은 항상 그러하듯 침대에 누워서 단잠을 자고 있었다. 햇살에 반짝이는 은빛 머리카락, 감탄이 나올 정도로 다부진 어깨와 가슴, 이불 아래로 드러난 단단한 하체의 실루엣은 평소와 다름없었다. 하지만 단 하나, 없었던 것이 있었다.

"배...... 백작님."

백작의 이불이 붉게 물들어 있었다.

붉은 반점들은 이불에 가려진 그의 배에서 시작되고 있었다. 새빨개진 이불과 그의 몸을 본 린지의 마음이 싸늘하게 가라앉았다. 그녀는 비명을 지르거나 자리에 주저앉는 대신, 놀라울 정도로 차가워진 상태로 그에게 다가갔다. 다가가면 다가갈수록 강렬해지는 혈향이 코를 찔렀다.

'아니야, 안 돼. 이렇게 죽으면 안 돼.'

침대맡에 도착한 린지는 떨리는 손을 꽉 잡으며 그를 내려다보았다. 피에 물든 백작의 얼굴은 마치 유리 조각처럼 섬세하고 아름다워서 툭 치면 빛의 입자로 부서질 것만 같았다.

"백작님―."

린지가 손을 뻗는 순간이었다. 백작이 눈을 번쩍 떴다. 그의 보라색 눈동자와 마주친 린지가 깜짝 놀라 뒷걸음질 치려는 찰나 백작이 그녀의 손을 덥석 잡아 끌어당겼다.

"우왓!"

침대 위에 엎어진 린지가 놀라서 어안이 벙벙해진 상태로 백작을 올려다보았다. 그는 언제나처럼 장난기 가득한 표정으로 웃고 있었다.

"배, 백작님!"

"좋은 아침이야, 린지안 군. 많이 놀랐어?"

린지는 문득 피 냄새에 알싸한 달콤함이 섞여 있는 것을 느꼈다. 그러니까 이것은 피가 아니라―.

"만우절용 특제 소스야. 피 냄새 나는데도 맛있어. 먹어 볼래?"

백작이 붉게 물든 목덜미를 내밀자 린지의 얼굴이 확 붉어졌다. 그제야 그녀는 자신이 너무나도 놀라 창백하게 안색을 굳히고 있다는 것을 깨달았다. 이놈의 망할 백작이 또 장난질을 친 것이다!

이번만큼은 린지도 정말 짜증이 났다. 피 냄새가 나는 소스를 가지고 장난을 쳐 대니, 한순간 그가 죽은 줄로만 알았다. 목숨을 가지고 장난치는 백작이 얄미워서 견딜 수 없었다.

"싫습니다. 그리고 오늘, 만우절 아닙니다. 비켜 주세요!"

"아, 이런. 미안. 린지안 군에게 묻었네."

백작이 그녀의 반응을 즐기듯 히죽 웃음을 흘렸다. 린지는 그 말에 자신의 뺨에 붉은 피-를 가장한 소스가 떨어진 것을 깨달았다. 그 차가운 감촉에 더더욱 화가 치밀어 오르려는 찰나.

"……!"

뺨에 와 닿는 간지러운 감촉에 린지가 눈을 커다랗게 떴다. 백작이 뺨 위의 소스를 날름 핥은 것이다! 경악한 린지가 아무런 말도 못 하자 백작이 눈을 가느다랗게 접으며 웃었다.

"역시 맛있어."

"……!"

그제야 그가 자신의 뺨을 핥았다는 사실을 자각한 린지의 얼굴이 터질 것처럼 새빨개졌다.

"비, 비켜 주세요! 너무하십니다!"

"우와. 린지안 군, 목까지 빨개졌어. 이러다가 터지겠는데?"

"아 그만 좀 놀리세요! 백작니이임!"

"아하하하!"

그렇게 한바탕 소란이 벌어지고 린지는 겨우 그를 욕실로 보냈다. 물론 소스 범벅이 된 이불의 뒤처리는 린지의 몫이었다. 늘어난 오후 업무에 린지는 짜증 가득한 얼굴로 한숨을 푹 내쉬었다.

'하여튼 이상해, 저 백작!'

시종인 자신을 놀리려고 저런 소스를 구해 와서 새벽 일찍부터 뿌리고 자는 척을 하고 있었던 것이 아닌가! 이상한 곳에서 의욕적인 백작이었다. 저럴 정신이 있으면 일이나 더 할 것이지!

린지는 투덜거리며 아침상- 풀 쪼가리와 샐러드, 빵과 스프 등을 세팅해 놓은 후 오늘 자 신문을 모아 올려놓았다. 수십 개의 신문사에서 발행된 모든 신문들의 1면은 같은 내용을 다루고 있었다.

[세계적 기업, 트와일릿 대표의 정체는 휘안 데 르카플로네 백작]
[휘안 데 르카플로네의 두 번째 얼굴은 트와일릿의 대표]
[단기간에 세계적 대기업으로 성장한 트와일릿의 비밀, 그 뒤에는 르카플로네 백작이 있었다]

'아직까지 난리 중이군.'

린지는 떨떠름한 표정으로 신문에서 눈을 뗐다. 백작이 트와일릿의 대표라는 게 밝혀진 지 일주일이 다 되어 가는데도 불구하고 어지간히 충격이었는지 그 후유증은 식을 줄을 몰랐다.

세계에서 가장 영향력 있는 5대 기업에 항상 이름을 올리는 트와일릿, 그곳의 대표가 르카플로네 백작이었다! 이 소식은 그야말로 핫이슈였으며 비단 레란 왕국뿐만이 아니라 엘칸 대륙 전체를 뜨겁게 달구고 있었다. 하기야 돈 많고 잘생기기로 유명한 백작이 심지어 단기간에 대기업으로 성장한 트와일릿의 대표라는 건 흥미로운 이슈였다.

시종 놀리겠다고 새벽부터 소스를 뿌려 대며 죽은 척하던 자가 트와일릿의 대표라니, 아직까지 믿기지 않았다.

"린지안 군, 오늘도 고마워. 잘 먹을게."

샤워를 마치고 나온 백작이 생긋 미소를 지으며 식탁 앞에 앉았다. 그는 무심한 눈으로 신문을 흘깃 쳐다보더니, 본인에 대한 내용으로 가득한 1면은 쳐다보지도 않고 다른 면으로 넘겨 버렸다. 마치 남 일 대하는 듯한 태도에 린지는 기가 차올랐다.

'아무렇지도 않게 발표했지.'

트와일릿의 대표가 백작이라는 것은 그의 입에서 나온 이야기였다. 5년간 비밀스럽게 회사를 경영하던 그는- 갑자기 발표했다. 자신이 트와일릿의 대표라고.

사람들은 충격과 열광의 도가니에 빠졌고, 백작 열풍은 일주일이 지난 지금까지도 뜨겁게 불어오고 있었다. 덕분에 백작의 인기와 주가는 하늘 높은 줄 모르고 치솟아 매일 도달하는 연서와 초대장들만 해도 100장이 넘을 정도였다. 그것을 관리하는 린지로서는 고역이 아닐 수 없었다.

'나도 충격이었지. 휘안이 트와일릿의 대표였다니, 맙소사. 아직도 안 믿겨.'

뭐라고 했더라. 린지안 군, 내가 트와일릿의 대표거든. 오늘 그것을 알리는 자료를 배포할 거니까 준비 좀 해 줘, 라고 했었던가. 여하튼 엄청나게 대수롭지 않은 어조로 말했었다. 대체 어떤 생각을 하고 있기에 저렇게 행동할 수 있는 건지 이해가 되지 않을 정도였다.

'정말 무슨 생각인지 모르겠네.'

그 무시무시한 뉴스 때문에 에드워드의 죽음은 완전히 뒷전으로 묻히고 말았다. 신문의 1면과 2면, 3면까지는 거의 트와일릿, 그리고 르카플로네 백작에 대한 이야기고 이후쯤에서야 에드워드의 기사를 찾아볼 수 있었으니까.

그렇다. 에드워드 다스비치- 그 사람이 죽었다. 린지가 알 수 없는 이유로 쓰러진 그다음 날, 그의 시신이 저택에서 발견되었다. 사인은 자살로 밝혀졌으나 린지는 믿지 않았다. 아니, 믿을 수 없었다. 그 전날까지만 해도 그림에 대한 창작 욕구가 넘쳤던 사람이 갑자기 삶에 의욕을 잃고 죽음을 택해?

그럼에도 불구하고 자살임이 명백한 증거와 증인들이 나타나 그렇게 마무리됐다. 하지만 린지의 의혹은 사라지지 않았다.

'뭔가 이상해.'

린지는 복잡한 마음으로 휘안을 바라보았다. 그는 언제나처럼 아름다운 얼굴로 샐러드를 먹고 있다가 문득 린지의 시선을 느꼈는지 고개를 돌렸다.

"왜 그래?"

"아, 아뇨. 아무것도 아닙니다."

그러자 휘안이 의아한 듯 고개를 갸웃거리더니 밝은 미소를 보여 주었다.

"나한테 반하면 곤란해. 아무리 린지안 군이 예뻐도 난 여자가 좋거든."

뭐라는 거야……. 린지는 순간 얼굴을 구겼다가 서둘러 표정 관리를 했다. 이쯤 되면 심각한 왕자병이었다.

"죄송합니다만 저도 그렇습니다. 관심 없으니 걱정 마시지요."

백작의 장난질은 하도 익숙했기에 이 정도 농담은 익숙하게 넘길 수 있다. 그녀의 태연한 반응에 휘안이 안타까운 듯 미소를 흘렸다.

"너무 쉽게 포기하지 마. 사실 린지안 군이 조금 더 적극적으로 대시하면 넘어갈 것 같기도 하거든."

순간 린지는 얼굴을 확 붉히며 발끈 소리쳤다.

"그, 그게 무슨 뜻입니까?"

"알면서 왜 물어. 설마 내 마음을 모른다고 하는 건 아니지?"

"몰라요!"

그녀가 새빨갛게 달아오른 얼굴로 소리치자 백작이 웃음을 터뜨렸다. 맑은 웃음소리가 방 안에 퍼지자 린지는 자괴감에 한숨을 푹 내쉬었다. 또 휘안의 장난에 넘어가고 말았다.

"아하하. 린지안 군, 복숭아 같아."

복숭아라니, 토마토도 아니고 복숭아라니! 린지는 붉어지려는 얼굴을 막기 위해 손으로 부채질을 해 댔다.

"그만 좀 놀리십시오. 그렇잖아도 바쁘신 분께서 이렇게 시간을 지체해도 되는 겁니까?"

물론 농담 따 먹기가 시간을 많이 잡아먹진 않지만, 린지는 일부러 대화를 끊기 위해 그렇게 말했다. 백작과 계속 말을 섞다 보면 끌려들어가 정신을 못 차리게 되는 경우가 허다했다.

백작은 식사를 마친 듯 냅킨으로 입술을 닦은 후 싱긋 웃었다. 휘안의 일상은 그대로였다. 트와일릿 대표란 것을 밝힌 후 조금 바빠진 것 빼고 그는 오싹할 만큼 똑같은지라 대체 대표로서 회사 업무와 가주로서 백작가 운영은 어떻게 하는지 궁금할 정도였다.

'뭐 원래 바쁜 사람이긴 했지만.'

백작은 오늘 아침 일찍 약속이 있기에 나갈 채비를 하는 중이었다. 매번 느끼는 거지만, 그는 참으로 정장이 잘 어울렸다. 넓은 어깨에 딱 떨어지는 하얀 셔츠, 그리고 탄탄하고 긴 다리에서는 남성적인 매력이 느껴졌다.

"린지안 군. 좀 도와주겠어?"

휘안의 말에 린지는 냉큼 그의 앞으로 가 소매 단추 채우는 것을 도와주었다. 평소 휘안은 시종의 도움 없이 옷을 스스로 입었는데, 이렇게 소매 단추를 채울 때만큼은 예외였다. 린지는 그의 손목을 잡고 셔츠를 잡아 올렸다.

"으음, 이거 단추가 조금 끼네요."

"새 옷이라 그런가?"

린지는 꼼지락거리면서 단추를 채우려고 노력했지만 휘안의 말대로 새 옷 특유의 뻣뻣함에 잘 들어가지 않았다.

'뭐야. 무지막지하게 비싼 옷이면서 이래도 되는 거야? 이 도둑놈들.'

휘안은 불만스런 표정으로 앞에서 손을 꼼지락거리는 린지를 응시했다. 창가로 쏟아지는 아침 햇살이 린지의 투명한 피부를 더더욱 화사하게 비추어 주고 있었다. 그는 새삼 그 맑음에 감탄했다.

“린지안 군.”

“네? 아, 잠시만요. 거의 다 됐…….”

린지는 뺨에서 느껴지는 촉감에 깜짝 놀라 고개를 들어 올렸다. 그리고 다음 순간, 자신을 물끄러미 내려다보고 있는 휘안의 보라색 눈동자에 더 놀라서 뒷걸음질 쳤다. 휘안이 린지의 뺨을 꼬집은 채 뚫어지게 쳐다보고 있었던 것이다.

“뭐, 뭐, 뭡니까?”

왜 저렇게 보는 거지? 린지는 불가항력으로 말을 더듬었다. 휘안의 눈은 마성이 느껴질 정도로 깊어서, 이렇게 가만히 응시할 때는 빨려 들어가는 느낌마저 들었다.

“매번 느끼는 거지만 린지안 군은 피부가 정말 투명하다. 안에서 빛이 나는 것 같아.”

휘안은 신기한 듯 린지의 말랑말랑한 뺨을 꼬집었다.

“신기해. 이렇게까지 새하얀 사람은 처음 봐. 그런데도 창백한 느낌 없이 건강해 보이는 게 신기하네. 살짝 분홍빛이 도는 것 같기도 하고…… 뺨이 복숭아색이라서 그런가?”

휘안의 표정이 너무나 진지했기에 린지는 지금 자신이 놀림을 당하고 있는 건지 아닌지도 분간할 수 없었다.

“보, 복숭아 얘기 좀 그만하세요! 그리고 저처럼 하얀 사람 많거든요!”

“아니야. 비싼 돈 들여 가며 관리 받는 귀족 영애들 피부도 이렇진 않아. 와아, 진짜 부드러워. 아기 같아.”

휘안이 반대쪽 손까지 합세하여 얼굴을 만져 대자 린지는 결국 참지 못하고 슬그머니 뒷걸음질 쳤다. 하지만 휘안은 도망가는 그녀를 끈질기게 쫓아갔다.

“린지안 군은 남자한테도 인기 되게 많겠다. 굳이 칼튀루스 후작처럼 남자 취향이 아닌 정상적인 남자여도 혹할 정도인데? 물론 나도 린지안 군이 조금만 대시한다면 넘어갈 것 같긴 하지만.”

그제야 린지는 휘안의 눈동자 안에 맴도는 장난기를 읽어 냈다. 그녀는 빰을 열심히 조물거리는 휘안을 피해 고개를 획획 저으며 외쳤다.

“백작님! 제발 그만 좀 놀리세요!”

“안 놀리는데? 진심인데? 왜 내 마음을 왜곡해?”

백작이 서운한 표정으로 시무룩해하자 린지는 깜짝 놀라 손을 저었다.

“그, 그런 말씀 마세요! 장난이 너무 심하지 않습니까! 그, 그리고 백작님에겐 좋은 여성분들이 많으니까 이러시면 안 됩니다!”

“누구? 좋은 여성 누구?”

“그, 글쎄요. 너무 많아서 누구를 꼽아야 할지…….”

진심으로 당혹스러워하는 린지를 보던 백작의 입가가 씰룩거렸다. 그는 결국 웃음을 터뜨리며 린지의 머리를 마구잡이로 헤집었다.

“아하하하. 귀여운 린지안 군, 정말 놀리는 재미가 있다니까.”

린지는 더 이상 대꾸할 힘도 없었다. 이렇게 놀림당하는 것은 그녀의 일상 중 하나였으므로, 솔직히 이제는 익숙할 정도였다. 그녀는 한숨을 내쉬며 키득거리는 휘안의 소매를 잡아당겼다. 다시 단추 넣는 것에 집중하는 그녀를 바라보던 휘안이 질문했다.

“린지안 군. 혹시 뭐 필요한 거 있어?”

그 말에 린지는 담담하게 답했다.

“아뇨, 없습니다.”

휘안은 그녀를 물끄러미 바라보다가 툭 내뱉었다.

“하지만 곧 환절기인데? 새 옷이 필요하지 않아?”

"괜찮습니다."

묻자마자 1초도 안 돼서 바로 튀어나온 칼 대답이었다. 생각할 필요도 없다는 태도였기에 백작은 입을 다물었다. 하지만 그것도 잠시, 그는 고심하는 표정으로 되물었다.

"린지안 군은 정말 필요한 것 없어?"

"있으면 제가 나중에 따로 나가서 살 테니 걱정하지 마세요. 아으, 이거 되게 안 잠기네요."

아무래도 이 옷은 환불을 해야 할 듯싶었다. 린지는 속으로 값을 못하는 옷이라고 속으로 투덜거리고 있었기에 휘안의 표정 변화를 보지 못했다. 그는 굉장히 특이하고 희한한 무언가를 목격하는 표정이었다.

"그럼 다른 건? 다른 거 필요한 것 없어?"

"네에, 없습니다. 저보단 백작님께서 이 옷을 바꾸시거나 환불하실 필요가 있을 것 같네요. 가격은 엄청난 액수던데, 이렇게 단추조차 안 잠겨서야 되겠습니까."

잠시 후 백작이 다시 말을 꺼냈다.

"승마 자격증이 있다고 했지? 그러면 개인 소유의 말을 가지고 싶을 것 아냐? 혈통 좋은 명마 하나 선물해 줄까?"

"아뇨, 괜찮습니다."

"그럼 집은? 린지안 군 명의로 된 집이 필요하지 않아?"

그제야 린지는 대화가 이상해지는 것을 느끼고는 고개를 들었다.

"혹시 갖고 싶은 거 없어? 복숭아 닮은 귀여운 시종에게 친애의 뜻으로 선물해 주고 싶은데."

휘안이 매혹적으로 웃으며 속삭이듯 제안했다. 그 달콤한 목소리에 린지는 게슴츠레 눈을 뜨며 그를 바라보았다. 대체 뭔 헛소리를 하나 했더니…….

'나도 돈 많거든. 쓸 일이 없어서 그렇지.'

명색이 유시젠의 비밀 병기이다. 그녀가 따로 월급을 받는 건 아니었지만 가끔씩 유시젠이 '수고했다'면서 선물을 주고는 했는데, 그 선물은 일반 왕실 관료들이 일이 년 정도 열심히 일해야 벌 수 있을 만한 금액이었다. 그 선물을 일 년에 서너 번 정도 받는 편이니, 따지고 보면 린지도 나름 재산가였다. 쓸 일이 없었기에 모으기만 했던 것이다. 게다가 린지 본인 자체가 돈에 욕심이 있는 편이 아니었다. 애초부터 아무런 보상을 받지 못해도 유시젠의 곁에서 명령을 따를 것이기에, 돈은 그녀에게 아무런 의미도 없는 물질이었다.

린지는 다시 단추에 시선을 돌리며 대답했다.

"생각해 주셔서 감사합니다. 하지만 괜찮습니다."

단추가 구멍 안으로 쏙 들어가자 린지는 밝은 얼굴로 백작을 올려다보았다. 순간, 그녀의 입매가 굳었다. 백작이 그녀를 아주 가까이에서 내려다보고 있었다.

"에? 제 얼굴에 뭐 묻었나요?"

그렇게밖에 생각되지 않을 정도의 따가운 시선이었다. 손바닥으로 얼굴을 쓸어 보았지만 보드라운 피부의 감촉만 느껴질 뿐, 이물질 같은 건 묻어 있지 않았다. 그러자 휘안이 오묘한 미소를 지으며 말했다.

"린지안 군. 혹시 내가 트와일릿의 대표인 건 알아?"

"……그거 모르는 사람도 있습니까?"

그 사실 때문에 엘칸 대륙이 들썩이고 있는 것을 모르는 걸까? 휘안은 린지 못지않게 궁금하단 눈빛이었다. 마치 풀리지 않는 수수께끼를 보는 듯한 시선이었다.

"근데 나한테 뭐 바라는 거 없어?"

하긴, 휘안은 아무렇지도 않게 섬, 휴양지, 백화점 등등을 사들이는 사람이었다. 그런 사람이 먼저 선물해 주고 싶다는 이야길 꺼냈으니 무엇을 말해도 해 줄 것이다. 때문에 그는 몹시 궁금한 표정이었다.

린지는 무언가를 골똘히 생각하더니 잠시 후 입을 열었다.

"있습니다."

"응? 그게 뭔데?"

"아침에 일찍 기상해 주세요."

"……."

린지의 붉은 눈은 진심이었다.

"그리고 아침마다 하시는, 그 이상한 장난은 그만 쳐 주세요. 음, 그리고 복숭아라고 놀리지도 마시고, 또……."

"아하하하!"

이것저것 말하려던 린지는 휘안의 웃음소리에 깜짝 놀라 입을 다물었다. 휘안은 말 그대로 배를 잡고 낄낄거리고 있었다.

'뭐야. 실성했나?'

잠시 후, 휘안은 너무 웃어서 당기는 배를 부여잡으며 입가를 씰룩였다. 그의 얼굴에는 아직까지 진한 웃음기와 유쾌함이 남아 있었다.

"아아. 귀여워 죽겠네."

그는 린지의 머리를 이리저리 헤집더니 볼을 잡고 쭈욱 눌렀다. 그녀는 볼이 잡힌 상태 그대로 불만스럽게 휘안을 바라보았다.

"린지안 군의 부탁은 잘 들었어. 하지만 유감스럽게도 들어줄 수가 없어. 미안해."

"그럴 거면 차라리 말씀을 꺼내지 마셨어야죠!"

"설마 린지안 군이 그렇게 큰 걸 바랄 줄 몰랐지 뭐야. 염치도 없는 린지안 군, 그런 엄청난 것을 요구하다니. 상당히 뻔뻔하네."

"……!"

그냥 집을 사 달라고 할 걸 그랬나! 린지는 분해서 입술을 꾹 깨물며 뒤를 획 돌았다. 더 이상 백작이랑 얘기하다가는 그에게 또 휘말릴 것만 같았던 것이다. 그녀는 접시들을 수레 안으로 담으며 말했다.

"잘 다녀오십시오, 백작님."

"린지안 군도 같이 가는 거야."

예상치 못한 대사에 린지는 멍하니 휘안을 바라보았다. 휘안은 싱긋 웃으며 옷매무새를 다듬었다.

"트와일릿 본사에 갈 거니 어서 준비하고 나와, 린지안 군. 아까 그 소스가 묻었잖아?"

"아, 알겠습니다!"

뒤늦게 그의 말을 이해한 린지는 후다닥 자신의 방으로 달려가 옷을 갈아입었다.

'휘안이 날 데려갈 줄은 몰랐는데?'

트와일릿 본사에 데려가다니! 그에 대해 뭔가 더 알아낼 수 있을지도 모른다. 린지는 그렇게 생각하며 서둘러 준비했다. 그리고 처음으로 백작의 변덕에 감사했다.

백작은 시종 린지를 대동하고 트와일릿 본사에 들어갔다. 은발의 미남자가 안으로 들어서자 트와일릿의 직원들 사이에서 한바탕 난리가 터졌다. 사실 그들 역시 회사 대표의 정체를 줄곧 모르고 있다가 신문을 보고 알게 된 것이다.

"린지안 군, 표정이 왜 그래?"

린지는 생각보다 훨씬 큰 건물과 사람의 수에 압도되어 있었다. 그녀는 연신 회사 내부를 둘러보며 말을 더듬었다.

"아, 아뇨. 그냥 굉장히 커서요. 사람도 많고……."

"뭐, 크긴 하지."

백작은 대수롭지 않게 말하며 자동 승강기 안으로 들어섰고 린지는 그를 따라 쫄래쫄래 들어갔다.

"르, 르카플로네 백작님……!"

승강기에서 내려 복도를 걷고 있을 때 역시 직원들의 감탄 어린 시선이 이어지고 있었다. 그 누구도 감히-르카플로네 백작이자 트와일릿의 대표에게 말을 걸 용기는 없었으나, 그중 한 명이 큰마음을 먹고 접근했다. 다른 이들이 염려한 것과는 달리 백작은 싱긋 부드럽게 웃으며 자리에서 멈춰 섰다. 검은 머리카락에 뿔테안경을 걸쳐 쓴 젊은 청년이 백작을 바라보고 있었다. 그는 잔뜩 긴장한 얼굴을 붉히며 말했다.

"만나 뵙게 되어 영광입니다, 백……, 아니 대표님! 저, 저는 엘자르데 마하스입니다. 엘테스 왕국 마하스 자작 가문의 차남이지요. 이렇게 만나 뵙게 되어 영광입니다."

"아아, 엘자르 씨. 만나서 반갑습니다. 엘자르 씨 같은 인재가 이 회사에서 일해 줘서 영광이에요."

휘안의 능수능란한 말에 엘자르는 감동받은 얼굴로 활짝 웃었다. 그는 휘안의 다정한 대답에 더 용기를 받은 듯, 말을 이어 갔다.

"예! 트와일릿에서 일하는 것이야말로 제 자부심입니다. 그런데 백작님이 대표님이셨다니, 이런 말씀드려도 될지 모르겠지만, 정말 감명받았습니다. 제가 이 회사의 일원인 것이 더 자랑스러워졌습니다!"

"과찬입니다. 트와일릿은 엘자르 씨 같은 분들 덕분에 존재하는 것이니, 앞으로도 잘 부탁합니다."

엘자르는 거의 사랑에 빠질 듯한 얼굴이었다. 휘안은 눈에서 빔을 쏘아 내는 듯한 엘자르에게 인사를 건네며 다시 발걸음을 옮겼다.

'추종자 수준이네. 직원들의 충성도가 높아졌다는 게 사실이었어.'

트와일릿의 대표가 르카플로네 백작이라는 사실이 알려지고 난 후, 회사에서 일하는 자들의 사기가 높아졌다는 소문이 들렸다. 아무리 어마어마한 자금이 있어도 경영을 제대로 해내지 못하면 기업을 이렇게까지 크게 키우는 것은 불가능하다. 하나 트와일릿은 창사 5년 만에 대륙을 호령하는 기업으로 성장했고, 벌어들이는 액수만 해도 천문학적- 때문에 귀족 가문의 우수한 청년들에게서도 왕실 다음으로 일하고 싶은 직장이 된 것이다.

그런데 그런 회사를 키운 천재적인 인물은 20대의 젊은 백작이다. 사실 이 이유 때문에 대륙적으로 더 이슈가 된 것이었다. 때문에 직원들은 '천재적인' 자가 자신들의 대표라는 사실을 몹시 자랑스럽게 여기고 있었다.

'그런데 그런 작자가 아침에 빨간 소스를 뿌리고 죽은 척을 해 댔지.'

마음 같아서는 신문 1면에 광고로 내고 싶다. 린지는 저 엘자르라는 청년에게 이 사실을 말하면 어떻게 될지 상상해 보았다. 감히 대표님을 모욕했다며 검을 뽑아 들 것 같기도 했다.

"대표님, 오셨습니까?"

백작이 문을 열고 들어간 곳은 거대한 회의실이었다. 그 안에는 몇 명의 인물들이 앉아 있었는데, 그중 한 여인이 자리에서 발딱 일어나더니 백작에게 다가왔다.

"안녕, 레진."

레진이라 불린 여인은 싱긋 웃으며 인사를 하다가 린지를 발견하고는 눈을 동그랗게 떴다. 순간 그녀의 연한 갈색 눈동자에서 이채가 스쳐 지나갔다.

"내 개인 시종 린지안 아르즈벨이야."

"린지안 아르즈벨입니다. 잘 부탁드립니다."

린지가 인사를 하자 레진은 대뜸 손을 내밀어 악수를 청했다.

"린지안이라고? 잘 부탁드려요. 저는 트와일릿의 간부이자 대표님의 보좌관이지요."

린지는 웃음을 흘리며 레진의 시선을 천천히 피했다. 기분 탓일까, 그녀가 굉장히 반짝반짝 빛나는 눈으로 쳐다봐서 몹시 부담스러웠다. 그 외에도 회의실에는 두 명의 인물이 더 있었다. 그리고 둘 다 린지가 너무나도 잘 아는 인물이었다.

"예르시카, 잘 있었어?"

"오셨습니까, 백작님."

금발을 하나로 틀어 올린 이국적인 느낌의 여인, 예르시카가 여성용 정장을 입고 있었다! 이곳에 저런 차림으로 있다는 것은 그녀 역시 트와일릿의 간부라는 소리다. 린지는 그제야 예르시카가 저택을 자주 비운 이유를 알아차렸다. 예르시카는 회사 다니느라 바빴던 것이다!

'맙소사. 백작도 그렇고, 예르시카도 이중생활이 장난 아니잖아.'

나머지 다른 한 명을 보는 순간 린지는 그 자리에서 거의 쓰러질 뻔했다. 이목이 없었더라면 자리에서 팔짝 뛰고도 남았으리라. 하지만 표정만큼은 동요 없이 평안했기에, 그 누구도 린지의 심정을 알아차리지 못했다.

"데일 군. 이쪽은 내 시종이야."

완벽한 정장 피트를 자랑하는 사내가 고개를 끄덕이며 인사했다. 회사원이라기보다는 모델이 더 어울릴 정도로 준수한 외모를 가진 남자였다. 큰 키와 정장이 어울리는 다부진 몸, 그리고 날렵한 눈썹이 몹시 인상적이었다. 데일이라 불린 사내가 의례적인 미소를 만들자 녹색 눈이 부드럽게 휘어졌다.

"데일 카네드입니다. 잘 부탁드립니다, 린지안 씨."

"잘 부탁드립니다."

데일이 씩 웃자 진한 골드 블론드가 반짝였다. 린지는 그에게 마주 웃어 주었다.

'키벨 저 녀석이 트와일릿에 잠입해 있던 그림자였던 거야?!'

데일 카네드, 그는 유시젠의 또 다른 그림자이자 린지의 동료- 키벨리드 칼라일이었던 것이다!

그 외에 몇 명의 간부들이 더 들어오고 백작과 린지와 간단한 인사를 나누었다. 잠시 후 모두가 착석하여 회의에 돌입하자 린지는 눈치 빠르게 그들에게 차를 내주었다. 데일- 아니 키벨의 앞에 잔을 내려놓을 때 눈을 마주치지 않으려고 얼마나 노력했는지 모른다. 다행히 그녀의 노력이 통했는지, 린지는 그 누가 봐도 이상한 기색 하나 없이 자연스러웠다.

'키벨 녀석, 정장도 잘 어울리네. 하기야 잘생겼으니 뭐가 안 어울리겠어.'

린지는 방해가 되지 않도록 회의실 밖 의자에 앉아 대기했다. 유시젠이 부하 중 누군가를 트와일릿에 심어 놓았을 거라고 예상은 했었다. 하나 그게 설마 키벨이었을 줄은, 이렇게 서로 인사까지 하게 될 줄은 예상하지 못했다.

'키벨이 장기간 잠복근무를 하고 있다는 것은 알고 있었지만 특급 비밀이어서 나에게도 얘기해 주지 않았어. 그런데 저 녀석, 분명 제 실력으로 거기까지 올라갔겠지. 원래 학자 출신이었다는 얘기는 들었지만…….'

유시젠의 그림자, 키벨. 본명 키벨리드 칼라일은 린지보다 네 살 많은 스물넷의 청년이었다. 워낙 허물없이 지내서 오빠 동생이 아닌 거의 친구 같은 사이였으며, 린지에게는 둘도 없는 단짝이었다.

하나 린지는 키벨의 과거를 정확히 알지 못했다. 함께 술을 먹다가 언뜻 들었던 것은, 사실 어릴 적의 키벨은 검보다는 책을 좋아했다는 것. 하지만 검을 들지 않으면 안 될 환경에서 자라 왔다는 것이었다. 그럼에도 불구하고 꿋꿋이 공부를 놓지 않아 어린 나이에 학위까지 땄다고 들었지만…….

'결국 다시 검을 들어야 했다고 말했었어.'

그의 인생에 무슨 일이 일어났던 것인지 린지는 잘 알지 못했다. 구태여 먼저 말하기도 전에 캐물어 보고 싶지도 않았다. 유시젠의 그림자로 사는 자들 중, 평화로운 과거를 가진 자는 없을 테니까. 실제로 린지도 그러했다. 유시젠이 거두어 주지 않았더라면 린지는 자신이 지금쯤 무엇을 하고 있을지 상상조차 할 수 없었다.

린지가 생각에 빠져 있을 때, 레진이 조심스럽게 회의실 밖으로 빠져나와 다가왔다.

"린지안 씨라고 했지요? 가지고 와야 할 서류가 있는데 도와주시겠어요?"

"예, 물론입니다."

서류가 쌓여 있는 방으로 들어간 레진은 여기저기 뒤지기 시작했다.

"으음, 이건가? 아니 이게 아닌데……. 린지안 씨, 저 좀 도와주시겠어요?"

레진은 높은 선반에 있는 서류가 닿지 않자 린지를 불렀다. 175센티미터가 넘는 린지에겐 손을 뻗으면 닿을 만한 높이기에 그녀는 기꺼이 다가갔다. 그리고 비켜서라는 듯 눈짓했지만 레진은 모른 척 그 자리에 서서 서류를 가리켰다.

"어서 꺼내 주세요, 부탁해요."

그런데도 비켜서지 않자 린지는 결국 어쩔 수 없이 그녀의 뒤에 바짝 붙어 팔을 뻗었다. 그러는 와중 불가항력적으로 레진과 몸이 맞닿았다.

레진은 자신을 남자로 알고 있기에 기분 나쁠 수도 있다, 그렇게 생각한 린지는 서류를 잡은 후 재빨리 물러섰다. 하나 레진은 불쾌한 기색이 아니었다. 도리어 상기된 얼굴로 미소 지으며 말했다.

"고마워요. 팔다리가 굉장히 기네요. 이런 소리 많이 듣죠?"

질문을 하는 건지 칭찬을 하는 건지 알 도리가 없었다. 린지가 고개를 갸웃 기울이자 레진이 까르르 웃음을 터뜨렸다.

"비율이 너무 좋아서 한 칭찬이에요. 처음 봤을 때 인형인 줄 알았지 뭐예요?"

"아, 감사합니다."

일단은 칭찬이라고 하니 린지는 고개를 꾸벅 숙였다. 그 모습을 본 레진의 눈이 빛났다. 사실, 속으로는 거의 침을 흘리고 있는 수준이었다.

'맙소사, 어쩜 저렇게 예쁘지! 이런 미소년은 처음 봐!'

레진의 마음은 감탄 또 감탄뿐이었다. 백작이 데리고 온 개인 시종은 눈이 휘둥그레질 만큼 예쁘장한 소년이었던 것이다. 레진은 뚫어지게 쳐다보고 싶은 것을 애써 참으며 남몰래 옆모습을 힐끔 훔쳐보았다.

아름다웠다. 아름답다는 말 외에 무엇이 더 적절할지 알 수가 없었다. 막 내린 첫눈처럼 하얗고 뽀송한 피부라니! 어디선가 빛이 뿜어져 나오는 것처럼 윤기 흐르는 피부에 레진은 눈을 뗄 수가 없었다. 그와 대비되는 붉은 눈동자와 입술은 깜짝 놀랄 만큼 색기가 넘쳐흘러서 소년의 묘한 매력을 더해 주었다.

'뭐야. 왜 저렇게 봐?'

한편 린지는 레진의 시선을 모조리 다 느끼고 있는 중이었다. 다시 서류를 가지고 돌아가는 길에 레진은 린지를 해부하듯이 쳐다보았다.

"백작님의 시중을 드는 건 어떤가요?"

레진은 린지와 말을 섞고 싶어 안달이 나 있었다. 저 붉고 촉촉한 입술의 움직임, 그리고 묘하게 중성적인 음성을 듣고 싶었던 것이다.

“워낙에 다정하고 자상하신 분이라, 불편한 것 없이 일하고 있습니다.”

“그죠? 정말 좋으신 분이라니까요. 저도 얼마 전에 대표님의 정체가 백작님이었다는 사실을 듣고 얼마나 놀랐는지…….”

그 말에 린지는 귀를 쫑긋 기울였다. 그렇다면 간부들 역시 대표의 정체를 모르고 있었던 걸까? 다행히 레진은 린지와 대화를 이어 가고 싶었기에 묻지 않아도 계속 떠들었다.

“항상 예르시카 씨를 통해 지시를 내리셔서 저도 정체가 궁금했었어요. 백작님일 줄은 꿈에도 몰랐지요. 아, 예르시카 씨의 얼굴을 보게 된 것도 얼마 안 됐어요. 그녀 역시 가면을 쓰고 다녀서 저희들 사이에서는 의문의 대리인으로 통했거든요. 여하튼 대표님은 나이 지긋한 노령의 귀족일 거라고 예상했었는데 저랑 나이 차이도 얼마 나지 않는 젊은 백작님일 줄이야! 물론 전 이 사실을 몹시 자랑스럽게 생각하고 있어요. 그리고 이제라도 백작님께서 진실을 밝히시고 함께 일할 수 있게 되어서 정말 기쁘답니다.”

그리고 널 만나게 돼서 너무너무 좋아. 레진은 이 말은 꾹 눌러 삼키며 활짝 웃었다.

레진은 서류를 가지고 다시 회의실 안으로 들어갔다. 다시 홀로 남은 린지는 레진이 던져 주고 간 이야기들을 곱씹었다.

‘예르시카가 가면을 쓰고 백작의 대리인 역할을 했다고? 역시 단순한 호위 기사는 아니었군.’

생각하면 생각할수록 의아한 것들투성이였다. 왜 백작은 그가 대표라는 것을 숨긴 걸까? 지금껏 감쪽같이 숨겨 왔으면서 이제 와서 밝힌 이유는 뭐란 말인가? 그리고, 지금 그가 숨기고 있는 다른 것들은 또 무엇이 있을까?

린지는 백작에게 트와일릿뿐만 아니라 또 다른 비밀들이 있을 것이라 믿어 의심치 않았다. 트와일릿의 대표라는 건- 그가 가지고 있는 비밀 중 빙산의 일각일 것이라는 예감이 들었다.

그다음 날도, 그다음 날의 다음 날도 린지는 백작과 함께 트와일릿으로 출근했다.

'역시 이젠 회사까지 파티 초대장이 오는군.'

백작이 트와일릿의 대표라는 게 알려지자, 이제 저택으로만 왔던 초대장들이 회사로도 오고 있었다. 백작을 보고자 하는 대단한 열망이었다.

린지는 회사에 온 백작의 편지들을 수거하는 중 문득 누군가가 자신을 쫓아오고 있다는 것을 깨달았다.

'뭐지?'

린지는 일부러 천천히 걸으며 뒤에 신경을 집중했다. 서른 걸음쯤 뒤로 한 사내가 몰래 따라붙고 있다. 보통 사람이라면 몰랐을 만큼 은밀하고 재빠른 발걸음이었다.

'전문가다.'

절대로 일반인의 추적이 아니다. 린지는 등을 바싹 긴장시키며 자신이 가지고 있는 무기를 점검했다. 손목에 차고 있는 가죽 시계, 손에 들고 있는 종이 편지, 그리고-.

'팔다리가 전부야.'

백작과 함께 다니는 동안 린지는 무기를 일체 소지하지 않았다. 그는 가끔씩 기습적인 스킨십을 해 왔기 때문에, 몰래 가지고 다니다가는 걸릴 위험이 있다.

'용건이 뭔지 들어나 볼까.'

하지만 무기가 없다고 해서 추적자를 피해 도망갈 생각은 없다. 그녀는 일부러 지하의 으슥한 복도, 인적 없는 곳으로 발걸음을 향했다. 주위에 아무도 없다는 것이 명백해지자 추적자의 발걸음이 더 가까이 따라붙었다.

"멈춰 서라."

마침내 린지의 등 바로 뒤로 다가온 추적자의 목소리가 들렸다. 린지는 일부러 소스라치게 놀란 척 어깨를 떨며 멈춰 섰다.

"누, 누구십니까?"

"내가 누군지는 네가 알 필요 없다, 린지안 아르즈벨. 백작의 개인 시종이라지."

자신의 정체를 알고 있다. 린지는 겁을 먹은 척 침을 꼴깍 삼키며 고개를 끄덕였다. 그 순간, 서늘한 감촉이 등 위로 와 닿았다.

"가만히 있어라. 돌아보면 죽이겠다."

차가운 검날이 린지의 등 바로 뒤에서 번뜩였다. 하나 단순한 위협이었을 뿐, 공격할 기세나 살의는 느껴지지 않았다.

"왜, 왜 이러시는 겁니까?"

하나 린지는 당황한 척 충실하게 연기를 해 가고 있었다. 그러자 등 뒤의 추적자는 린지의 반응이 만족스러운 듯 비열하게 웃으며 말했다.

"너에게 시킬 것이 있다. 백작의 일거수일투족을 감시하고 우리가 원하는 정보를 빼 오도록 해라."

"네? 대체 그게 무슨……."

린지가 어리둥절해하자 추적자가 거친 목소리로 위협했다.

"시키는 대로 해! 들키지 않고 성공한다면 막대한 보수를 줄 것이다. 시종을 해서는 벌 수 없는 금액을 주지. 하지만 만약 거절한다면……."

추적자는 린지의 등 뒤로 검날의 등을 밀어 보이며 중얼거렸다.

"지금 여기서 죽여 버리겠다."

"......"

"선택해. 어떻게 하겠는가."

린지가 아무런 말도 못 하자 추적자가 한쪽 손을 내뻗어 그녀에게 무언가를 내밀었다. 묵직한 금화가 가득 들어 있는 주머니였다.

"선금이다. 성공하면 그것의 세 배를 주지. 어떻게 하겠는가?"

무게를 보아하니 어마어마한 액수임이 분명했다. 근데 여기서 세 배 정도라면 시종 일을 십 년 정도 해야 벌 수 있을 정도랄까.

'장난 아니네. 하여간 백작 녀석, 파리들이 많이 꼬인다니까.'

물론 자신 역시 백작의 비밀을 캐내려는 파리 중 하나지만— 린지는 씁쓸하게 웃으며 고개를 저었다. 역시나 백작은 유시젠뿐만 아니라 다른 자들 역시 의문 속으로 밀어 넣은 모양이었다.

"웃기시네."

쨍그랑!

린지가 손을 놓자 금화 주머니가 복도 아래로 떨어져 내렸다. 예상치 못한 반응이었는지 추적자가 놀라는 것이 느껴졌다. 린지는 그의 경악을 고스란히 느끼며 또박또박 말했다.

"그러느니 차라리 죽겠다."

"......이 자식이!"

추적자가 이를 악물며 검을 들어 올리는 순간이었다.

"거기까지."

서늘한 여인의 목소리가 복도 위에 내려앉았다. 그와 동시에 섬뜩한 칼날이 추적자의 목덜미 위로 세워졌다. 에르시카가 그의 등 뒤에서 검을 겨눈 것이다.

"검을 내려놔라."

린지는 천천히 뒤를 돌아보았다. 추적자는 생각보다 훨씬 말끔한 차림이었다. 얼굴에 복면을 두르고 있긴 했지만 말쑥한 정장을 입은 회사원이었던 것이다. 그는 예르시카의 검을 보고 낭패한 기색이었다.

"나와."

예르시카가 조용히 속삭이자 복도 모퉁이에서 여럿의 경호원들이 불쑥 나타났다. 그 압도적인 수를 보고 추적자는 포기한 듯 입술을 깨물며 검을 떨어뜨렸다.

"잡아가."

추적자는 고개를 푹 숙이며 경호원들의 손에 이끌려 갔다. 린지는 그 뒷모습을 바라보다가 예르시카에게 시선을 옮겼다. 그녀는 시리도록 새파란 눈동자로 바닥을 바라보고 있었는데, 그곳엔 린지가 내던진 돈주머니가 흩어져 있었다.

"저, 예르시카 님."

물론 린지는 추적자가 검을 겨누는 순간부터 예르시카와 경호원들이 숨어서 지켜보고 있다는 것을 알아차렸기에 놀란 상태는 아니었다.

"이런 일을 겪게 해서 미안하군. 하지만 네 덕에 잡초를 하나 뽑아냈어."

"아, 아닙니다. 괜찮습니다. 덕분에 무사하게 풀려난걸요."

예르시카는 고개를 끄덕이며 린지를 바라보았다. 어쩐지 린지를 바라보는 시선이 예전보다 훨씬 더 부드러워져 있었다.

"백작님께 가도록 하지."

예르시카와 함께 백작에게 돌아가는 길, 린지는 골똘히 생각에 잠겨 있었다. 예르시카는 분명 이런 일이 생길 것을 알고 있었을 거다. 추적자가 나타나자마자 혼자도 아니고 경호원까지 이끌고 나타났다. 이미 일찌감치 이 사태를 준비하고 있었던 것이 분명했다. 우연히 린지의 위험을 감지하고 나타났다고 하기엔 너무나 재빠르고 침착한 대응이지 않았던가?

'이러려고 날 데리고 다닌 건가.'

린지는 이것이 그들이 의도한 일이라는 것을 깨달았다. 백작이 왜 자신을 트와일릿에 데리고 다니는지 궁금했는데, 이제야 그 답을 찾아내었다. 자신은 미끼였다.

'그런 게 분명해. 백작 녀석, 나를 미끼로 쓴 거야.'

그렇게 생각하자 모든 것이 맞아떨어졌다. 얼마 전, 가지고 싶은 게 있냐는 백작의 물음이 왜 나왔는지도 이해할 수 있었다. 그는 자신에게 혹시 있을지도 모를 위험에 대해 보상해 주고 싶었을 것이다.

역시나라고 해야 할까. 겉으로는 아무리 다정하게 대해도 백작은 무서울 만큼 차가웠다. 자신이 위험에 처할 것을 알고 있었으면서…… 아니, 도리어 위험에 처하기를 의도했다. 하지만 서운한 마음은 눈곱만큼도 없었다. 이런 것으로 백작의 인격을 비난하기엔 린지가 벌이고 있는 일이 훨씬 더 컸다.

사실 린지야말로 어마어마한 배신자였다. 유시젠의 명령을 따라 백작 가문에 잠입하고 그의 일거수일투족을 조사하고 있지 않은가? 이제 그녀가 보고 들은 모든 정보들은 조만간 유시젠에게 디테일한 보고로 올라갈 것이다. 때문에 린지가 백작에게 서운해야 할 이유는 전혀 없었다. 어차피, 그 정도 관계인 것이다.

"왔어?"

예르시카는 고개를 숙여 인사를 올린 후 곧장 그의 옆으로 다가갔다.

"린지안 군에게 접촉해 정보를 얻으려는 자가 있었습니다."

백작의 시선은 여전히 서류를 향해 있었다. 마치 아무런 소리도 듣지 못한 것처럼 태연한 얼굴로 서류를 훑다가 눈을 슬쩍 들어 올려 린지를 쳐다봤다.

"그래서 어떻게 됐지?"

"잡았습니다. 곧 뒤에 누가 있는지 알아낼 테니 기다려 주십시오."

"흐응. 알겠어."

휘안은 큰 관심을 보이지 않고 늘어지게 기지개를 켰다.

"린지안 군. 내려가서 마차를 준비시켜 주겠어? 저택으로 돌아가야겠어."

"네, 알겠습니다."

린지가 고개를 숙인 후 방문을 나섰다. 그녀의 발걸음 소리가 멀어지자 방 안에는 백작이 서류를 넘기며 만년필을 쓰는 소리만이 사각사각 울려 퍼졌다. 그러던 와중 백작이 예고 없이 말했다.

"그래서?"

그의 말에 예르시카는 잠시 당황했다. 백작은 만년필을 탁 내려놓으며 그녀를 올려다보았다.

"더 자세히 얘기해 봐."

"아."

예르시카는 그제야 백작이 무엇을 묻는지 알아차리고는 성실히 대답했다.

"린지안 군의 등에 칼을 대고 위협하더군요. 그리고 돈주머니를 건넸습니다. 만약 거절하면 죽일 것이고, 승낙하면 더 많은 돈을 준다고 하더군요."

"......."

"린지안 군은 차라리 죽이라고 했습니다."

예르시카의 목소리는 담담했지만 린지의 행동에서 감명을 받은 상태였다. 보통 시종이라면 거절하기 힘든 상황이었다. 누군가가 죽음과 막대한 돈 사이에서 협박했는데, 차라리 죽겠다고 대답했다. 사실 예르시카는 린지가 그런 대답을 할 거라고 상상하지 못했었다. 그래서 이 기회에 평소 못마땅했던 녀석이 돈을 선택하는 것을 바라보고, 그 핑계를 대고 쫓아내려고 했건만…….

"제가 사람을 잘못 본 모양입니다."

예르시카는 순순히 인정하며 고백했다. 린지안 아르즈벨은 그녀가 생각했던 것보다 더 괜찮은 사람이었다. 백작이 만족할 정도로 시중을 잘 들었고 일도 싹싹하고 능숙하게 처리했다. 뿐만 아니라 욕심이 없기까지 했다. 윗사람이라면 탐낼 만한 부하였던 것이다.

"……나는 그럴 것 같았어."

잠시 말없이 깍지를 끼고 있던 백작이 작게 중얼거렸다.

"린지안 군은 다른 사람들과 다르더라고. 아주 많이 달라. 그래서 이런 상황이 닥쳤을 때 특이한 선택을 할 것 같다는 생각을 했어."

"……."

그렇게 말한 백작은 또다시 기지개를 켜며 하품을 했다. 그리고 슬슬 갈 준비를 하는 듯 재킷을 걸쳐 입다가 물었다.

"이 사실을 린지안 군이 알게 되면 어떻게 될까?"

"네?"

"내가 의도했다는 것 말이야. 트와일릿에 숨어 있는 버러지들을 걸러내기 위한 장치 중 하나가 린지안 군이었다는 것, 알게 되면 린지안 군의 기분은 어떨까? 더불어 에드워드에게 접근하기 위해 미끼로 썼다는 것을 알면?"

그 말에 예르시카의 얼굴에 걱정이 내려앉았다. 사실 그것이 예르시카가 불편해하는 부분이었다. 방금 전의 사건이 깔끔하게 해결되어 다행이었지만, 사실 목숨까지 위험해질 수 있는 상황이지 않은가? 그리고 실제로 에드워드에게는 약에 당해서 정신이 혼미해지기까지 했었다. 그것을 알면서도 의도했다는 사실을 알게 되면- 그 누가 웃으면서 일할 수 있을까. 예르시카는 내심 죄책감을 느끼며 입을 열었다.

"모르는 게 약이지요."

"알고 있을 수도 있어. 린지안 군이 둔한 것 같으면서도 머리가 굉장히 좋더라고. 눈치도 빠르고."

"알게 되면 일을 그만두지 않을까요?"

예르시카의 근심 어린 말에 백작의 보라색 눈동자가 기이하게 빛났다. 그는 키득거리며 웃음을 터뜨리다가 예르시카를 바라보았다. 아주 재밌는 이야기를 들은 표정이었다.

"나도 궁금해. 과연 이번에도 아무렇지 않게 대응할지 말이야."

"네?"

"아니. 아무것도 아니야."

백작의 입가에 웃음이 어렸다. 문득 그의 머릿속에 칼튀루스 후작과의 사건이 일어났던 밤이 떠올랐다. 밝은 보름달이 구름에 파묻혔던 날, 저택에서 빠져나온 그의 시종과 걷던 연못가…….

"백작님께서 왜 저를 구하셔야 합니까?"

호의를 바라지 않는 그 눈빛이 아직도 생생했다. 아무것도 원하지 않는 얼굴, 휘안 따위는 눈곱만큼도 관계없고, 필요도 없다는 목소리—.

하나 이번만큼은 그 차가운 눈동자가 실망감과 배신감으로 흐려지게 될 것이다. 충격을 받고 울먹이며 자신을 원망할 시종을 상상하자 어쩐지 짜릿한 쾌감마저 일어났다.

'이번만큼은 나를 원망하겠지.'

백작은 자신이 이상하다는 것을 알고 있었지만— 상처받을 시종이 걱정이 되면서, 한편으로는 기대가 되는 것을 막을 수 없었다.

"……적당히 좀 하시고 일어나세요."

린지는 일할 시간임에도 불구하고 침대에 있었다. 부드러운 침대 위에 몸을 눕히고 있었지만, 엄밀히 말하자면 그녀는 일하는 중이었다. 이곳은 휘안의 침대였으니까.

"오 분만."

휘안은 눈을 감은 상태로 그놈의 뻔한 '오 분만 더 자자'를 시전 중이었다. 품 안에는 린지를 끌어안고 말이다.

'아이고, 이게 대체 몇 번째야.'

깨우려다가 침대에 끌려들어 간 것은 이미 한 손가락으로 셀 수 없을 정도였다. 때문에 린지는 더 이상 당황하거나, 화가 난다거나 하지 않았다. 다만 성가실 뿐이었다.

'정신 바싹 차려야 해. 이러다가 존 적이 있잖아.'

백작을 깨우러 간 첫날 침대에 끌려들어 가서 버둥거리다가 결국 코까지 골고 잔 적이 있다. 린지는 자신의 흑역사를 상기시키며 절대로 졸면 안 된다고 스스로에게 당부했다. 하지만 이렇게 침대에, 그것도 따뜻한 사람의 체온에 안겨 있으면 잠이 오기 마련.

"백작님! 이제 그만 일어나셔야 합니다!"

린지는 혹시라도 또 잠이 들세라 일부러 큰 소리로 외쳤다. 그러자 백작이 인상을 찡그리며 린지의 머리를 헤집듯이 쓰다듬었다.

"일 분만, 일 분만 더……."

"안 됩니다. 어서 일어나세요!"

옆에서 계속 쨍알거리는 것이 거슬렸는지 백작이 슬그머니 눈을 떴다. 잠에 진득하게 취한 보라색 눈동자가 불만에 차 있었다.

"또 시끄럽게 굴면 뽀뽀할 거야."

린지가 합죽이가 되어 입을 다물자 백작이 만족스러운 듯 눈을 감으며 그녀의 머리를 쓰다듬었다.

"그래그래. 착하지. 그런데 좀 아쉽기도 하고……."

"그만 좀 놀리세요!"

"푸흐흐흐흐……."

졸려서 힘없이 웃는 백작을 바라보며 린지의 얼굴이 새빨개졌다. 더 이상 이러고 있으면 안 되겠다! 린지는 불끈 결심하며 백작의 어깨를 잡았다.

"백작님! 오늘 중요한 약속이 있다고 하셨잖아요! 데일 님과 레진 님과 함께 아침 식사를 하기로 하셨잖아요!"

린지는 속이 터질 지경이었다.

'이럴 거면 약속을 잡지 말든가!'

그랬다. 백작은 주말임에도 불구하고 쉬고 있는 직원들을 저택에 호출시켜 놓고 정작 저는 늦잠 삼매경이었던 것이다. 이럴 거면 차라리 오후에 부르든가, 아침 식사 같이 하자고 해 놓고 아직까지 침대를 뒹굴고 있으니!

"백작님! 지금 시간이 몇 신 줄 아십니까? 여덟 시 오 분이에요! 제가 지금 한 시간째 옆에서 떠들면서 깨우고 있다고요! 백작니임!"

이러다 목이 쉴 지경이었으나 린지는 포기하지 않았다. 그녀가 계속 쪼아 대자 백작이 미간을 좁히며 다시 눈을 떴다. 그의 보라색 눈동자가 정확히 린지의 눈과 마주쳤다. 순식간에 휘안의 얼굴이 불쑥 다가왔다.

'……!'

재빨리 얼굴을 가린 린지의 손등에 백작의 체온이 닿았다. 정확히 말하자면, 닿은 것은 그의 입술이었다. 린지는 숨을 들이마셨다. 눈앞에서 깜박이는 그의 눈- 그리고 자신의 콧날이 백작의 코와 맞닿아 있던 것이다! 린지는 소스라치게 놀라며 뒤로 물러서다가 침대 아래로 요란하게 굴러떨어졌다.

"린지안 군? 괜찮아?"

린지는 자리에서 벌떡 일어나 저도 모르게 백작을 쏘아보았다. 그녀의 얼굴은 벌겋게 익어 있었다.

"지금 뭐 하신 겁니까!"

그제야 자리에서 일어난 백작이 늘어지게 하품을 했다. 잔뜩 화가 난 린지와는 달리, 그는 아직도 많이 졸린 듯 눈가에 고인 눈물을 닦아 내고 있었다.

"뭐 하긴. 한 번만 더 시끄럽게 하면 뽀뽀하겠다고 경고했었잖아. 그런데 잘 막았네? 아쉬워라."

"그, 그런!"

그렇다고 진짜 하냐! 린지는 대수롭지 않게 말하는 백작의 태도에 기가 차서 말을 이을 수 없었다.

'미친 거 아니야? 저 녀석 날 남자로 알고 있다고!'

그런데 남자에게 뽀뽀를 하려고 하다니, 제정신이 아닌 게 분명하다. 그런 린지의 시선을 읽었는지 백작이 아직까지도 졸린 목소리로 말했다.

"린지안 군은 고양이 같아."

"……에?"

"어릴 때 내가 키우던 고양이랑 닮았어. 내가 뽀뽀하려고 하면 얼굴을 때리고 도망갔었지. 그것까지 닮았네."

혼잣말로 중얼거린 백작이 한 번 더 기지개를 켜더니 자리에서 일어났다. 그는 아직까지도 얼어 있는 린지를 보더니 피식 웃음을 흘린 후 머리를 쓰다듬었다.

"목욕하고 올게, 복숭아 군."

백작은 린지의 황당한 시선을 뒤로하고 욕실로 사라졌다. 린지는 그제야 숨을 내쉬며 허탈하게 웃었다.

'하여튼 알 수가 없다니까.'

린지는 투덜거리면서 그의 아침을 준비했다. 그러는 와중에도 백작이 남기고 간 말이 그녀의 머릿속을 맴돌았다. 고양이를 닮았다고?

'농담이 아니라, 저 녀석은 정말로 나를 애완동물 취급하는 것 같아.'

아무래도 휘안에게 있어서 린지는 인간이라기보다는- 귀여운 동물 느낌이 강한 것 같았다. 대체 어느 부분이 귀여운지 모르겠지만, 확실히 휘안이 자신을 '귀엽다'고 여기고 있는 것은 분명했다. 참으로 괴상한 취향이었다.

'재는 날 남자로 알고 있잖아. 보니까 다른 남자들한텐 안 이러던데.'

휘안이 아무리 친절하고 상냥할지언정, 이러한 행동을 남자들에게 하는 것은 본 적이 없다. 즉, 린지에게만 저렇게 스킨십을 해 댄다는 건데…….

'애완동물처럼 여기는 게 확실해. 동물을 끌어안고 뽀뽀하는 거랑 마찬가지야.'

그렇게 결론 내리자 어쩐지 조금 불쾌해졌다. 자신의 어느 부분이 동물 같다는 걸까? 그리고 대체 어디가 귀엽다는 건데? 마음 같아서는 따져 묻고 싶었지만 그럴 수 없다는 게 답답했다. 화가 나서 투덜거리던 린지는 문득 그럴 필요가 없다는 것을 생각해 냈다.

'그래, 열 받아 봤자 뭐해. 어차피 난 스파이인데.'

감시 대상으로 보는 것과 애완동물 취급하는 것 중 무엇이 더 최악인지는 굳이 깊게 생각하지 않아도 알 수 있다. 린지는 씁쓸하게 웃음을 흘렸다.

레진과 키벨은 휘안의 초대를 받아 저택을 방문했다. 그들은 휘안과는 달리 몹시 부지런했기에 아홉 시가 되기 전부터 만찬실에 앉아서 기다리고 있었다.

"기다리게 해서 미안하군. 이렇게 와 줘서 고마워."

"이렇게 불러 주셔서 감사합니다, 백작님."

키벨은 예의 바르게 말하며 고개를 살짝 숙였다. 그러자 휘안이 싱긋 웃으며 대답했다.

"아니야. 자네 둘은 내가 특별히 믿고 아끼는 사람이니, 한 번쯤은 집에 초대하고 싶었어."

요리사가 성심성의껏 만든 음식들이 테이블 위로 차려졌다. 물론 백작의 주위에는 채식주의자를 위한 야채만 깔려 있었다. 레진과 키벨은 이미 그의 식성에 대해 잘 알고 있는지 놀라는 눈치 없이 음식을 먹었다.

'키벨 녀석, 걱정되네.'

린지는 백작의 뒤에 서서 키벨을 지켜보고 있었다. 황금색 머리칼을 단정하게 하나로 묶은 채 스테이크를 먹고 있는 청년은 누가 봐도 몹시 얌전하고 예의 바른 사람처럼 보였다. 검보다는 책을 가까이하며, 오랜 시간 고등 교육을 받아 온 자. 하지만 그는 린지와 똑같은 신세로 철저한 연기로 자신의 신분을 속이고 있는 중이다.

'조심해, 키벨. 백작이 트와일릿에 첩자가 있다는 걸 알고 골라내고 있다고.'

아침 식사 후 그들은 정원에서 티타임을 가졌다. 고즈넉한 가을이 다가오는 시기에 나뭇잎들은 서서히 다양한 색채로 물들어 가는 중이었다. 그들은 연못가를 마주 본 가장 큰 느티나무 아래의 테이블에 앉아 차를 즐겼다.

"소문으로 듣던 것보다 더 아름다운 정원이에요."

레진은 백작가의 정원에 진심으로 감탄하고 있었다. 여러 번 언급되었듯, 이미 화가들의 화폭에 담길 정도로 아름다운 정원은 소문이 자자했다.

"그렇지. 나도 이 정원이 마음에 들어. 때문에 가꾸는 데 많은 투자를 하는 편이야. 내 시종인 린지안 군도 처음엔 정원사로 들어왔지."

“어머. 정원사였는데 백작님의 개인 시종이 된 건가요?”

“응. 그것도 새파란 신입이었을 때야.”

그러자 잠자코 차를 마시고 있던 키벨이 눈을 흘끗 올려 린지를 쳐다보았다. 거의 처음으로 마주치는 듯한 시선에 린지는 심장이 쿵 내려앉았다. 서로 최대한 마주치지 않으려고 천고의 노력을 해 왔던 것이다.

“흥미롭군요. 정원사가 개인 시종이 되는 것은 드문 경우이지 않습니까.”

키벨의 나지막한 목소리에 린지는 어설프게 웃음을 만들어 보였다. 갑자기 대화의 화제가 자신이 되어 버리다니, 몹시 어색했다.

“그래. 하지만 집사가 린지안 군을 마음에 들어 해서 내게 추천해 주었지. 린지안 군을 내 시종으로 고른 것은 정말 좋은 선택이었어. 굉장히 유능하거든.”

“과찬이십니다.”

린지는 재빨리 대답하며 대화의 싹을 잘랐다. 그들이 다른 이야기로 전환해 주길 바랐지만, 아쉽게도 셋 모두에게 흥미로운 소재였는지 그들은 말을 이어 갔다.

“못 하는 게 없어서 가끔 보면 신기하다니까.”

“어머나. 정말 유능하시네요.”

레진이 눈을 빛내자 휘안이 어깨를 으쓱였다.

“응. 뿐만 아니라 책임감도 몹시 강하고 독립적이어서 굉장히 마음에 들어.”

린지의 얼굴이 붉어졌다. 이렇게 앞에서 대놓고 칭찬을 해 대고 있으니, 어지간히 얼굴이 두껍지 않은 이상 부끄러울 수밖에 없다.

“그렇군요. 때문에 대표님께서 그렇게 총애하시는 거군요.”

키벨이 린지를 빤히 쳐다보며 말하자 백작이 맞장구쳤다.

“그래. 다른 시종들과는 비교할 수 없지.”

린지는 쥐구멍에 들어가고 싶은 심정이었다. 그녀는 연신 어색한 웃음을 흘리며 먼 산을 바라보았다. 제발 그만둬 주길 바랐지만, 그들은 또다시 린지의 이야기를 해 댔다.

"어린 나이인데도 대단하네요. 당연히 여자친구가 있겠지요?"

린지는 레진의 말에 눈을 깜빡이며 그녀를 쳐다보았다. 당당한 갈색 눈동자가 또렷하게 자신을 향하고 있다. 그 눈을 바라보며 린지는 생각했다.

'이 여자 굉장히 당돌하네.'

그동안 마주칠 때마다 몇 번이나 느꼈던 거지만— 굉장히 자존감이 높은 여자였다. 평민이라고 들었는데, 귀족이자 회사의 대표인 백작 앞에서도 기죽은 기색 하나 없이 하고 싶은 말을 다 했던 것이다.

듣자 하니 학창 시절 내내 천재 소리를 들었던 여인으로, 타국에서 수많은 스카우트를 받고 있다고 했다. 그 정도 능력이 되니 저렇게 자신감이 넘치는 거겠지. 그 누구의 도움도 없이 오롯이 자신의 능력 하나만으로 빛나는 여자니까.

'정말 멋진 여자야. 하지만 어쩐지 눈빛이…….'

린지는 레진과 눈이 마주칠 때마다 내심 오싹한 기분을 억눌러야 했다. 그녀의 눈빛은 마치 먹잇감을 눈앞에 둔 사자와도 같았다.

린지는 슬쩍 웃으면서 대답했다.

"예, 있습니다."

그 한마디가 가져온 파장은 컸다. 린지는 대수롭지 않게 대답했으나 순식간에 싸해지는 분위기를 느끼고는 당황했다. 레진은 갑자기 표정을 구겼으며, 키벨은 놀란 것을 애써 참는 눈빛이었고 백작은—.

'뭐야? 왜 쳐다봐?'

노골적으로 린지를 빤히 쳐다보고 있었다. 한동안 살얼음 같은 정적 속에서 당황하던 린지가 용기를 내어 말했다.

"저, 여자친구 있다고 했을 뿐인데. 제가 무슨 말실수라도?"

"아, 아니에요."

그 말에 레진은 눈을 깜빡이더니 서둘러 고개를 가로저었다. 실망한 기색이 완연한 표정이었다.

"그게 누구야?"

백작은 잠시 린지를 빤히 쳐다보다가 찻잔을 들어 올렸다. 그리고 태연하게 차를 한 모금 마시며 물어보았다.

"레이라 이엘리스라고, 이 저택의 시녀입니다. 정말 귀여워요."

다시 한 번 침묵이 내려앉자 린지는 대체 무엇이 문제인지 고민하기 시작했다. 여자친구가 없을 것같이 생긴 것일까? 그렇게 사교성이 없어 보이나?

'흥, 정말인데. 레이라는 내 여자친구라고.'

린지 아즈벨- 그녀의 인생에 있어서 친구들은 모조리 남자뿐이었다. 검을 들고 거친 인생을 살아와서인지, 그녀 주위에는 그 어떤 여자도 없었다. 처음으로 사귄 여자친구가 레이라였던 것이다. 그래서인지 린지에게 레이라는 '친구'라기보다는 '여자친구'로 분류시켜 놓은 상태였다. 그녀의 '친구'들은 모조리 다 남자였으니까.

만약 그들의 의미하는 여자친구가 애인이라는 것을 알았더라면 온몸을 저어 가며 부정했겠지만, 린지는 짐작도 못 하고 있었다.

"그나저나 정원이 정말 아름답군요. 대표님, 괜찮다면 더 둘러보고 와도 될까요?"

키벨의 제안 덕에 무거웠던 침묵이 깨졌다. 린지는 내심 고마워하며 키벨을 바라보았다.

"물론이지. 언제든지 환영이야."

"실례가 되지 않는다면 린지안 군에게 안내를 부탁해도 되겠습니까?"

키벨이 눈을 가느다랗게 접어 웃으며 하는 말에 백작은 바로 대답하지 않았다. 그는 잠시 뜸을 들이며 린지에게 시선을 주었다. 설마 망설이는 것일까? 알 수 없는 머뭇거림에 린지가 의아해하려는 찰나, 대답이 떨어졌다.

"좋아. 린지안 군, 부탁할게."

"예, 알겠습니다. 데일 님, 이쪽으로 오시지요."

백작의 허가가 떨어지자 키벨은 바로 일어나 린지를 따라갔다. 그녀는 키벨에게 주위 장관에 대해 간략하게 설명하며 정원 깊숙한 곳으로 들어갔다. 백작에게서 멀리 떨어져 인기척이 느껴지지 않을 만큼 깊이 들어오자 린지가 뒤로 뱅글 돌았다. 키벨이 빙긋 미소 지으며 린지를 마주보았다. 그들의 주위에는 아무도 없었으나 그는 여전히 '데일'의 표정을 짓고 있었다.

린지는 키벨을 물끄러미 바라보다가 말했다.

"막다른 정원이군요. 바깥쪽으로 나가면 연못이 있습니다. 그 너머로 양귀비 화원이 있는데, 굉장히 아름답지요."

"린지안 군보다 더 아름답진 않을 겁니다."

뭐라는 거야, 이 녀석이. 린지는 주위를 휙휙 둘러보다가 눈을 가느다랗게 뜨고 키벨을 노려보았다. 쓸데없는 소리 하지 말라는 경고의 시선이었다. 임무 중에 쓸데없는 소리를 지껄이다니, 그럴 녀석이 아닌데……?

"칭찬으로 듣지요. 그럼 반대편으로 나가 보도록 할까요?"

린지가 헛소리하지 말라는 시선으로 키벨을 노려본 후 다시 뒤로 돌았을 때였다. 다음 순간, 키벨이 빠른 손놀림으로 린지의 허리를 끌어안았다. 그녀가 놀라서 숨을 들이켜려는 찰나 날카로운 감촉이 목에 와 닿았다.

"……!"

칼날이었다. 키벨이 린지의 목에 칼을 들이댄 것이다!

믿기지 않아서일까, 린지는 아무런 반응을 보일 수 없었다. 심지어 그녀는 흔한 몸부림조차 칠 수 없었다. 키벨이 그녀를 잡고 검으로 목을 짓누른 상황을 이해할 수 없었다.

린지는 멍하니 자신을 붙잡고 있는 키벨을 올려다보았다. 싸늘한 녹색 눈동자는 그동안 그녀가 알고 지냈던 사내의 것이 아니었다. 지금 당장이라도 그녀의 목을 찌를 수 있는—철저한 타인의 눈동자였다. 그 얼음 같은 살기와 마주치자 린지의 등에 소름이 돋아 올랐다.

"으윽!"

목에 와 닿은 단도에 힘이 들어가자 린지의 입에서 저도 모르게 신음이 터져 나왔다. 시큰한 고통이 살결을 가르고 지나간 것이다. 곧이어 혈향과 함께 핏줄기가 하얀 목을 타고 흘러내렸다.

"대, 대체 왜……."

린지는 말을 더듬으며 키벨을 올려다보았다. 키벨이 자신의 목에 칼을 긋다니, 말이 되지 않는다. 꿈에서도 상상해 본 적 없는 일이었다. 하지만 목에서 느껴지는 알싸한 통증은 이것이 현실임을 알려 주었다.

"꺄아악!"

그때 마침 지나가던 시녀가 이 광경을 보고 자지러져라 비명을 질러 댔다. 그러고는 허둥지둥 뒤로 돌아 달려갔다. 린지는 그 모습을 멍하니 바라보다가 다시 키벨을 올려다보았다. 키벨은 더 이상 그녀를 보고 있지 않았다.

"이게 무슨 일이지."

린지는 다시 고개를 돌렸다. 그곳에는 소동을 듣고 온 백작이 미간을 좁히며 그들을 바라보고 있었다. 아무 말 않고 잠자코 있던 키벨이 그제야 싱긋 웃음을 지었다.

"지금 제가 뭘 하는 것 같습니까?"

"내 시종을 위협하고 있군."

"그래요, 맞습니다."

키벨이 린지를 잡은 손아귀에 힘을 주자 그녀의 얼굴이 일그러졌다. 그녀의 표정을 지켜본 백작의 미간이 좁혀졌다.

"데일 군, 정말 너무한데? 목적은 내가 아니었던가? 왜 귀여운 내 시종을 괴롭히는 거야?"

그 말에 린지의 심장이 쿵 내려앉았다. 목적이 내가 아니었냔 그 말인즉, 키벨이 스파이라는 것을 알고 있었단 소리다.

"꺄악! 데일! 지금 뭐 하는 짓이에요!"

뒤늦게 달려온 레진이 눈앞의 광경을 보고 비명을 질렀다.

"소란을 피워 죄송합니다. 하나 이러지 않으면 이곳에서 살아서 빠져나갈 수 없을 것 같거든요."

키벨의 말에 휘안이 부드러운 미소를 지었다. 부하 직원을 대할 때와 같은 따뜻하고 다정한 표정이었다.

"그게 무슨 소리지?"

"제가 틀린 말 했습니까? 애초부터 절 이 저택에서 살려서 내보낼 생각은 없었지요?"

"그럴 리가."

휘안이 어깨를 으쓱이며 태연하게 대답했다.

"만일 내가 그럴 생각이라고 쳐. 자네는 왜 알면서도 내 집으로 걸어 들어온 거지?"

"안 왔으면 사람을 보내 죽였겠지요. 요 근래에 계속 내 뒤를 따라붙는 자들, 백작님께서 붙였다는 거 잘 알고 있습니다."

"이런. 안타깝군."

휘안이 고개를 설레설레 저으며 한숨 같은 미소를 흘려 냈다. 그리고 가느다란 웃음을 지었다.

"그렇게 조심하라고 했는데 들켜 버리다니, 추적자들의 실력이 영 형편없었군."

"……!"

레진은 경악한 눈으로 키벨을 바라보았다. 지금 휘안과 키벨이 나누는 대화를 다 이해하진 못했지만, 키벨이 보통 회사원이 아니었음을- 그리고 백작이 그 사실을 이미 다 알고 있었음을 깨달은 것이다.

"대, 대체 이게 무슨 일이에요! 데일!"

레진은 키벨- 데일을 잘 알고 있다고 생각했다. 그들은 입사 동기였다. 게다가 똑같이 엄청난 출세 가도를 달려 간부의 자리까지 오게 된 수재였다. 말수가 적긴 하지만 예의 바르고 일처리가 확실했던 동료, 데일이- 평범한 회사원이 아니었다는 것인가.

"레진과 저 중 한 명이 스파이일 거라고 의심한 겁니까? 왜 레진이 아닌 저로 확신한 거죠?"

"레진의 관심사는 다른 곳이었거든. 몇 번 떠보니 내 시종에게 완전히 반해 있다는 것을 알아차렸지."

휘안은 문득 린지의 새하얀 목을 타고 흐르는 핏줄기를 보고 눈썹을 찡그렸다.

"내 시종을 놔줘, 데일 군."

"그렇다면 저 역시 놔주셔야 할 겁니다."

휘안은 바로 대답하지 못했다. 그러자 키벨이 그를 몰아붙이듯이 말했다.

"제가 인질을 잘못 잡은 것 같긴 하군요. 하긴 대표님께서 이 시종의 목숨을 생각하실 리가 없지요? 린지안 군을 미끼 삼아 배신자들을 적출하기 위해 회사에 데리고 나오신 거 아닙니까? 시종의 목숨을 배신자 고르는 데 쓰시는 분이니, 제 제의가 어이없을 만도 하시겠군요."

그 말에 처음으로 휘안의 표정이 변했다. 곡선을 그리던 그의 입꼬리가 미세하게 경직되더니 서둘러 린지의 표정을 살폈다. 어쩐지 당혹스러워하는 듯한 눈빛인지라, 시선이 마주친 린지가 더 당황스러웠다.

'뭐야? 지금 당황하는 거야? 저 사실을 내가 알게 돼서?'

물론 짐작하고 있던 상황이긴 했다. 하지만 그 사실을 알게 됐다고 해서 휘안이 자신의 눈치를 볼 거라고는 상상조차 못 했었다.

그녀의 눈을 본 휘안이 입을 다물었다. 잠시 후, 그는 허탈한 웃음을 내뱉으며 키득거렸다.

"아아, 역시 내 시종은 너무 차갑다니까."

대체 무슨 헛소리란 말인가? 린지가 당황할 때, 문득 자신을 잡은 키벨의 손아귀에 힘이 들어갔다. 동시에 목덜미에 닿은 칼날이 살을 짓누르자 비명이 새어 나왔다.

"아윽."

'아우, 젠장! 이 개자식이 힘 조절 못 하나!'

나중에 두드려 패 주고 말리라. 아무리 인질극 연기를 하고 있어도 그렇지, 꼭 이렇게까지 피를 보아야 한단 말인가! 하지만 린지는 충실하게 인질 역할을 하기로 결심하고는 겁먹은 기색을 내보였다.

"어차피 이 저택에서 죽을 거라면, 저 혼자 죽진 않겠습니다. 당신의 시종을 길동무 삼도록 하지요."

그렇게 말하는 키벨의 눈은 진심이었다. 다른 사람의 시선엔 당장이라도 린지의 목에 칼을 쑤셔 박을 눈빛으로밖엔 보이지 않았다.

"대, 대표님! 어떻게 좀 해 주세요! 저러다가 죽겠어요!"

레진은 겁에 질린 목소리로 덜덜 떨며 말했다. 그녀의 말이 끝나는 순간, 동시에 백작가의 기사들이 달려와 검을 뽑았다. 그리고 키벨을 감싸듯 주위를 동그랗게 둘러쌌다. 기사들에게 포위됐음에도 불구하고 키벨은 침착하게 제안했다.

"말과 밧줄을 준비하고 퇴로를 확보해 주십시오. 이곳을 벗어나면 시종을 말과 함께 돌려보내도록 하겠습니다. 약속하지요."

백작은 그때까지 아무 말 없이 린지를 바라보고 있었다. 평소와 다름없는 잔잔한 보라색 눈동자였지만 그 안에 치열한 갈등이 오가고 있음을 알 수 있었다. 린지는 창백해진 얼굴로 그를 바라보다가 시선을 돌렸다.

'에고, 모르겠다. 저 녀석이 날 구할 것 같진 않은데 키벨 녀석 왜 하필 날 인질로 잡은 거야.'

그리고 키벨이라면 굳이 이런 귀찮은 인질극 따위 하지 않아도 백작과 기사들 모두를 따돌리고 도주할 수 있는 실력자다. 그런데 대체 왜 이렇게까지 일을 크게 만드는 것일까.

참담하게 시선을 내리깐 린지를 보며 휘안은 말없이 웃었다. 시종은 그때까지도 흔한 구원의 말 한마디 내뱉지 않고 있었다. 심지어 붉은 눈동자에는 그 어떤 희망이나 간절함조차도 없다. 입술을 열어 도와 달라고, 살려 달라고 이야기할 만한 상황일 텐데……. 그때까지도 시종은 아무것도 원하지 않았다.

'……왜 화가 나지.'

휘안의 입술에서 피식 웃음이 새어 나왔다. 지금 가장 당혹스러운 것은 키벨의 협박도 무엇도 아닌 시종의 태도였다. 길고 새하얀 목에서 흐르는 피가 하얀 셔츠를 물들여 가고 있다. 지금 당장이라도 목 안으로 쑤시고 들어올 수 있는 검날이 얇은 피부 위로 번뜩이고 있다. 그리고 그 상황에서 구원해 줄 단 한 사람, 바로 자신- 휘안 데 르카플로네가 앞에 서 있다. 그런데도 왜 저 녀석은 아무 말도 안 하는 거지? 왜 시선을 피하고 땅이나 보고 서 있는 거지?

화가 났다. 그런데 왜 화가 나는지 이해할 수가 없어서, 웃음이 흘러나왔다. 휘안은 고개를 설레설레 저으며 머리를 쓸어 넘겼다. 그는 여전히 웃음기가 묻어나는 보라색 눈동자로 키벨을 바라보았다.

"데일 군이 원하는 것을 준비시켜."

"하, 하지만!"

백작가의 기사 한 명이 놀라서 눈을 커다랗게 떴다. 하지만 백작은 웃으며 계속 말을 이었다.

"그리고 그대들은 모두 다시 원위치로 복귀하도록 해. 데일 군이 안전히 저택을 빠져나갈 수 있게 쫓지 말고."

"……네, 알겠습니다."

누구도 예상하지 못한 파격적인 결정이었다. 기사들은 납득이 안 되는 표정이었으나 백작의 말에 거역하지 못하고 결국 그 자리를 떠났다. 하지만 키벨은 달랐다. 그는 모든 것이 자신이 예상한 대로 흘러갔다는 얼굴이었다. 그는 백작이 준비해 준 말에 올라타며 린지를 자신의 등 뒤에 태우고 밧줄로 몸을 칭칭 감았다.

백작은 웃으며 그를 바라보다 말했다.

"린지안 군을 되돌려 보내지 않는다면……."

"알고 있습니다. 땅 끝까지 쫓아와 절 찾아내어 죽이시겠죠. 약속은 지킬 테니 염려 마십시오."

그 말을 끝으로 키벨이 말의 고삐를 잡아당겼다. 거칠게 울음을 내뱉은 말이 몸을 한번 크게 들어 올리더니, 땅에 발이 닿자마자 빠르게 달리기 시작했다. 백작의 시선에서 말을 탄 린지와 키벨이 순식간에 멀어져 갔다.

그리고 두 시간 후.

"잘못했습니다, 린지 님. 용서해 주세요……."

눈이 시퍼렇게 멍든 키벨은 무릎을 꿇고 바닥에 넙적 엎드려서 빌고 있었다. 단정하게 묶고 있었던 황금색 머리칼은 이미 잔뜩 쥐어뜯겨 산발이 되어 있었고, 옷 역시 넝마처럼 지저분해진 지 오래였다.

그를 그렇게 만든 장본인, 린지 아즈벨은 엎드린 키벨의 앞에 씩씩거리며 서 있었다.

"죽고 싶냐? 어? 나도 네 목 한번 그어 줄까? 앙?!"

"아이고, 누님! 잘못했습니다, 누니이이임!"

백작가에서 벗어난 키벨은 외곽의 작은 숲에서 내렸고, 내리자마자 죽여 달라는 표정으로 린지를 바라보았다. 자신의 죄를 아주 잘 알고 있는 눈빛이었다. 싱긋 웃어 준 린지는 말에서 점프하여 그대로 키벨에게 니킥을 날렸다.

"인질로 잡기만 하면 되지 왜 상처를 내?! 앙?! 죽고 싶냐?!"

"누님! 악! 린지 님! 잘못했어요! 아아악!"

키벨이 떡이 될 때까지 두들겨 패고 나서야 분이 풀렸다. 린지는 손을 탁탁 털며 키벨을 노려보았다. 그는 코피를 슥 닦으며 우는 시늉을 하고 있었다.

"흑흑, 린지는 너무해……."

"네가 더 너무하거든. 계속 피가 나잖아! 어떻게 할 거야!"

급한 대로 옷을 묶어 지혈하고 있긴 하지만 사실이었다. 그러자 키벨이 입술을 쭉 내밀며 투덜거렸다.

"당연히 위험하지 않은 부위를 그었지. 그리고 깊게 베지도 않았어. 얇게 그어도 피가 많이 나올 쪽을 살짝 찌른 것뿐이라고."

"야! 흐르는 내 피는 어쩔 건데! 이 새끼가 어디서 말대답이야!"

또다시 화가 치민 린지는 키벨의 머리끄덩이를 잡고 사방으로 흔들어 댔다. 손아귀에 잡혀 이리저리 끌려다닌 키벨이 비명을 지르고 나서야 린지는 그를 놓아주었다.

"흑흑, 린지 님, 잘못했어요. 제발 그만 때려요."
"한 번만 더 그래 봐라. 죽는 수가 있다!"
"네, 누님."
"엄살 부리지 마라. 죽는다."
"알겠어……."
키벨은 시무룩한 표정을 지었다. 린지는 한동안 그를 노려보다가 물었다.
"대체 뭐가 어떻게 된 거야? 백작이 널 의심하고 있었어?"
"그래. 그리고 의심하고 있다는 것을 숨기지 않았어. 내가 어떻게 반응하는지 지켜볼 생각이었던 것 같아."
"그럼 얌전히 도망갈 것이지 왜 이렇게 요란하게 일을 만들어?"
그러자 키벨이 초록색 두 눈동자를 반짝반짝 빛내며 말했다.
"내가 이렇게 제대로 해 주면 너는 의심받을 일이 더 없을 거 아냐? 널 위해 이렇게 한 거라고, 린지. 난 결국 백작의 레이더망에 걸려서 들켰지만 넌 아예 의심스러운 인물에서 제외되길 원했어."
그 말에 린지는 입을 다물고 고개를 끄덕였다. 사실 키벨의 말은 제법 그럴듯했다. 만약 그녀가 키벨의 상황이었어도 똑같은 방법을 써서 동료에게 신뢰를 가게 만들 것 같았다. 하지만 목에서 느껴지는 통증에 화가 치밀어 오르는 것은 어쩔 수 없었다.
"그런데 그 인질극이 통할 거란 것, 어떻게 알았어? 솔직히 나도 휘안이 네 제안을 받아들일 줄은 몰랐는데."
백작이 키벨의 제안을 받아들였을 때 린지는 자신의 귀를 의심했다. 그녀는 백작이 당연히 자신을 버릴 거라고 생각했다.
"나도 반반이었어. 뭐, 거절하면 고생하겠지만- 기사들을 따돌려서 도주하면 되는 거고. 제안을 받아들이면 편하게 가는 거고. 어차피 목적은 내가 널 인질로 잡아서 백작이 너를 의심하지 못하게 만드는 거였으니까. 하지만……."

중얼거리듯이 말하던 키벨이 잠시 숨을 삼켰다. 그는 미묘한 표정으로 린지를 바라보더니 슬쩍 웃음을 지었다.

"남자의 직감이라고 해야 하나……."

"응? 그게 무슨 소리야?"

잠시 머뭇거리던 키벨은 결국 웃음을 지으며 고개를 저었다.

"아니, 아무것도 아니다. 다만 백작이 널 아끼고 있는 건 확실해."

"……."

키벨이 미소 지었다. 비록 한쪽 눈에는 멍이 들어 있고 머리는 이리저리 헝클어져 있었지만, 그조차도 가릴 수 없을 만큼 잘생긴 얼굴이었다. 그는 웃으며 린지의 머리를 쓰다듬었다.

"네가 임무를 잘 수행하고 있다는 뜻이겠지. 트와일릿에 침입하여 정보를 캐내는 내 임무는 여기서 끝났어. 하지만 넌 이제 시작이겠지."

키벨은 걱정스러운 눈으로 린지를 바라보며 말했다.

"힘내, 린지. 그리고 항상 조심해."

"알겠어."

린지는 무겁게 고개를 끄덕였다. 키벨과 작별 인사를 한 그녀는 백작이 준 말을 타고 고삐를 휘어잡았다. 이대로 다시 백작 가문으로 돌아가면 되지만…….

'…….'

린지는 잠시 말없이 앉아 고삐를 말아 쥐었다. 윤기 흐르는 갈색 털의 말, 탄탄한 근육의 다리는 어디로든 자신을 데려가 줄 것이다. 고삐의 방향을 어디로 잡느냐에 따라 백작가로도, 오라버니가 있는 곳으로도, 아니면– 전혀 다른 곳으로.

'……됐어. 무슨 미친 망상이야.'

린지는 순간 떠오른 황당한 바람에 스스로 놀라 펄쩍 뛰었다. 그녀는 재빨리 고삐를 흔들었다. 차가운 바람이 팔락이며 붉은 머리칼을 스치고 지나갔다. 다시 백작가로 돌아가야 했다. 그것이 그녀의 임무이니까.

자신을 믿고 있는 백작을 계속해서 속이기 위해— 배신자, 린지 아즈벨은 말을 재촉했다.

린지가 저택에 도착할 때쯤엔 이미 땅거미가 내려앉은 후였다. 낮에 납치 협박 사건이 있었음에도 불구하고 저택은 평소처럼 몹시 고요한지라 괴리감이 느껴졌다. 하기야 시종 하나 찾겠다고 저택이 지금까지 불을 환하게 밝히며 분주한 상태여도 이상하겠지만—.

'완전히 신경 끈 모양인데?'

괜히 입맛을 다신 린지는 말을 마구간에 넣은 후 돌아가려고 했다.

"린지안 군!"

자신을 부르는 목소리에 린지는 자리에서 멈춰 섰다. 레진이 퀭한 얼굴로 정원에 앉아 있었던 것이다. 린지는 아직까지 이곳에 있는 그녀를 보고 깜짝 놀라 눈을 동그랗게 떴다.

"레진 님? 어째서 여기에……."

레진은 다짜고짜 린지에게 달려들어 그녀를 와락 끌어안았다. 린지는 더욱 당황했지만, 레진에게 린지의 감정은 보이지 않는 것 같았다. 레진은 눈물마저 글썽이는 얼굴로 말했다.

"다행이야! 돌아왔군요. 정말 걱정했어요. 혹시 돌아오지 못할까 봐……."

"거, 걱정해 주셔서 감사합니다. 하지만 저는 괜찮습니다."

"아아, 이 핏자국 좀 봐! 목의 상처는 괜찮은 거예요?"

"이제 괜찮습니다."

레진의 진심 어린 눈빛을 보고 린지는 간신히 대답했다. 이 여자가 이렇게까지 자신과 친분이 깊었던가? 백작 때문에 몇 번 이야기 나누고 마주친 것이 전부인데…….

"왜 이 시간까지 이곳에 계신 겁니까?"

레진은 린지의 손을 덥석 잡으며 그녀를 올려다보았다.

"린지안 군이 너무 걱정돼서 돌아갈 수 없었어요."

린지는 할 말을 잃고 그녀를 바라보다가 어색하게 웃었다.

"가, 감사합니다."

혹시나 했는데 역시나였다. 이 여자는 자신에게 특별한 감정을 품고 있는 것이 분명했다! 레진의 마음을 느끼자마자 어마어마한 부담감이 내려앉았다. 린지는 서둘러 자리를 피하기 위해 레진에게 잡힌 손을 빼내었다.

"저, 저는 괜찮으니 이만 저택에 돌아가 보세요. 마차를 준비해 드리겠습니다."

레진은 다시 린지의 손을 잡아 끌어당겨 그녀의 눈을 마주 보았다.

"린지안 군, 나와 함께 가요."

이건 또 무슨 뜬금없는 제의란 말인가. 린지가 바로 대답하지 못하자 레진이 서둘러 말을 이었다.

"린지안 군을 위해서 하는 말이에요! 더 이상 백작님의 시종으로 일하지 말고 나와 함께 가요."

"저, 레진 님……."

"거처는 제가 마련해 줄게요! 생활비도 지원해 주겠어요. 시종으로 일할 때 받은 만큼의 봉급을 지원해 줄 테니, 이 저택을 떠나요!"

단순히 자신을 좋아해서 하는 극단적인 말이 아니었다. 린지는 레진의 어조에서 심상치 않은 무언가를 느끼고 그녀를 지그시 쳐다보았다.

"레진 님. 대체 왜 그런 말씀을 하시는 겁니까?"

린지의 물음에 레진은 입술을 깨물며 그녀를 바라보았다. 레진의 눈빛은 간절하면서도 몹시 절박해 보였다.

"린지안 군도 들었잖아요? 백작님께서 린지안 군을 이용하셨어요! 트와일럿에 숨어 있는 배신자들을 뽑아내기 위해 린지안 군을 미끼로 사용했다고요!"

레진은 누가 들을세라 주위를 살피다가 다시 말을 이었다.

"린지안 군의 목숨이 위험해질 수 있다는 걸 아시면서도 그랬어요. 이번만 해도 그래요! 정말 린지안 군을 위하셨다면 데일 그 녀석을 쫓아 기사들을 파견했을 거예요."

"레진 님, 하지만……."

"내 말 들어요! 데일의 요구를 들어준 것도 체면치레를 하신 것뿐이에요. 보는 눈을 의식해서 들어주신 것뿐이라고요. 린지안 군을 구할 생각이셨다면…… 지금, 저렇게 아무렇지도 않게 주무시면 안 되는 거잖아요!"

레진은 울화통이 치밀어 올라 가슴을 두드렸다. 오늘 아침에 일어났던 일을 돌이켜 보자니 화가 나서 견딜 수가 없었다. 데일 녀석이 그렇게 시종을 끌고 간 후 백작은 기사들에게 돌아갈 것을 명했다. 레진은 백작에게 기사들을 붙여 추적해야 한다고 강력하게 주장했지만 돌아온 것은 잔잔한 미소뿐이었다. 그러고서는 아무렇지도 않게 업무를 하러 집무실로 돌아가 버리다니!

마치 필기구 하나를 잃어버린 듯한 대수롭지 않은 태도에 레진은 충격을 받았다. 그녀는 백작이 시종을 각별하게 아끼고 있다고 생각해 왔었다. 그동안 백작은 자신이 접근하려 했던 것도 은근슬쩍 막아 왔으니까!

'그랬던 주제에 이런 상황에는 나 몰라라 하고!'

레진은 더 이상 이 시종을 그런 냉혈한의 곁에 둘 수가 없었다. 휘안은 상냥한 미소 뒤에 얼음장보다 차가운 마음을 가진 남자였다. 그런 자 옆에 있다가는 제명을 다 살지 못하고 죽으리라.

하지만 돌아오는 대답은 깜짝 놀랄 만큼 차분했다.

"걱정해 주셔서 감사합니다. 하지만 전 괜찮습니다."

레진은 멍한 눈으로 린지를 올려다보았다.

"그리고 너무 백작님을 탓하지 말아 주십시오. 백작님께서는 하실 수 있는 일을 다 하신 겁니다. 데일의 요구를 들어주어서 제 목숨을 구해 주셨지 않습니까?"

"린지안, 그건……!"

"아뇨, 전 그걸로 충분합니다. 체면치레였대도 상관없어요. 그때에 백작님이 데일의 요구를 들어주지 않았더라면 전 죽었을 겁니다. 하지만 아직 살아 있죠."

린지는 담담하게 말했지만 사실 이것이 그녀의 본심이었다. 체면이든 뭐든, 어쨌든 간에 백작은 자신의 목숨을 구해 주기 위해 스파이를 놓아주었다. 린지는 그것이 몹시도 고마웠다.

"그리고 레진 님. 전 백작님의 시종입니다. 그분의 동생도, 친구도 아닌 시종일 뿐이에요. 그분께서는 제게 다정하게 대해 주시지만 그것은 변하지 않는 사실입니다."

이어지는 린지의 목소리에 레진의 눈이 일그러졌다. 생사를 넘고 막 돌아온 시종이라고 하기엔 너무나도 침착한 모습인지라 괴리감마저 느껴졌다.

"때문에 그분께서 호의를 베풀지 않더라도 아쉬워해서는 안 되지요. 레진 님, 그러니 백작님을 원망하지 말아 주세요. 부탁드립니다."

린지는 혹시라도 이 일 때문에 레진이라는 인재가 트와일릿과 백작을 등지는 일이 없길 바라며 말했다. 적어도 그 이유가 자신이 되어서는 안 됐다. 린지는 백작에게 눈곱만큼이라도 피해를 입히고 싶지 않았다.

"……린지안."

"마차를 준비해 드리겠습니다, 레진 님. 밤이 늦었으니 어서 돌아가셔야죠."

레진은 한동안 말없이 린지를 바라보다가 결국 고개를 끄덕였다. 그녀의 눈동자에서 복잡한 감정과 체념을 동시에 엿본 린지는 미소를 지어 보였다.

"그럼 따라오시지요. 마차가 있는 곳으로 안내해 드리겠습니다."

린지는 레진을 데리고 걸어갔다. 시종의 뒤를 따라 원피스를 입은 여인이 힘없는 걸음걸이로 쫓아가는 모습이 조금씩 멀어졌다. 마구간이 있는 정원 반대편으로 두 사람이 사라질 때, 문득 강한 바람이 불어와 나뭇잎을 거칠게 휩쓸고 지나갔다. 휘날리는 나뭇잎이 공중으로 높이 떠올라― 은빛 머리칼에 툭 와 닿았다.

"……."

휘안은 테라스 난간에 팔을 걸치고 몸을 기대어 서 있었다. 불 꺼진 방안의 어둠에 녹아든 그의 모습은 마치 밤의 그림자 같았다. 어둠 속에 파묻힌 휘안의 두 눈은 점점 멀어지는 두 사람의 모습을 좇아갔다. 암흑과 동화되어 더더욱 짙어진 눈빛에는 읽을 수 없는 감정이 일렁였다.

'예상대로네. 린지안 군은 내게 조금도 서운해하는 게 없어.'

불현듯 그의 굳은 입가에 서늘한 웃음이 맺혔다. 그들의 대화를 처음부터 끝까지 모조리 다 들은 휘안은, 이상하게도 웃음이 나왔다. 객관적으로 본다면 시종의 답변은 몹시도 감동적이었다. 자신을 구하는 데 적극적이지 않은 주인에게 서운해하지 않고 오히려 그를 감싸는 모습이라니― 다른 귀족들이라면 마치 충견과도 같다 하여 흐뭇해했을 것이다. 하지만 휘안은 흐뭇하지 않았다. 아니, 흐뭇하기는커녕 도리어…….

"됐어."

휘안은 슬금슬금 치미는 감정을 딱 잘라 말하며 떨쳐 냈다. 그는 난간에 기댄 몸을 일으켜 세웠다. 쌀쌀한 가을 날씨 때문인지, 아니면 자욱이 쌓인 낙엽들 때문인지 평소답지 않게 감정적이 되어 버렸다. 그는 스스로를 타이르며 테라스의 문을 열었다.

다시 방 안으로 들어가기 전, 휘안은 마지막으로 고개를 돌려 시종이 레진과 함께 사라진 곳을 바라보았다. 린지안 아르즈벨, 그의 시종은-그가 알고 있는 그 어떤 사람보다도 냉정했다. 냉정하단 소리를 수없이 들으며 살아온 자신이 타인의 냉정함에 몸서리치게 될 날이 올 거라고는 꿈에서도 상상하지 못했다.

유시젠은 그날을 정확히 기억했다.

12년 전, 아주 추운 겨울날이었다. 쏟아지는 눈송이들은 온 세상을 집어삼킬 기세였고 혹한은 숨결마저 얼려 버릴 듯했다. 유시젠은 그렇게까지 추운 겨울을 지금까지도 경험하지 못했다.

그는 알라트 영지에서 열리는 노예 경매를 부서뜨리고 오는 길이었다. 유시젠은 혈혈단신으로 경매장에 쳐들어가 관련자들을 모두 없애 죽였다. 사람을 불법으로 사고파는 쓰레기 같은 자들에게 법의 심판을 받을 자격조차 주지 않겠다. 때문에 혼자 나서 처단하고 홀연히 사라졌다. 어린 마음의 패기였다.

'끝이 없군. 한 곳을 무너뜨리면 다른 곳에서 자라나.'

홀로 말을 몰고 눈발을 뚫고 가던 유시젠은 지독한 피로감을 느꼈다. 육체적인 것이 아닌, 정신적인 피로감이었다. 그가 이 세상에서 가장 혐오하는 것들 중 하나는 비밀리에 행해지는 노예 제도였다. 평민, 귀족 할 것 없이 돈이 있는 자들은 사람을 사들여 자유를 박탈하고 제 마음대로 움직여 댔다. 그것은 사람을 고용하여 돈을 주고 부리는 것과는 차원이 달랐다.

그가 노예 제도를 뿌리째 뽑아야겠다고 결심한 것은 열세 살 때부터였다. 그는 한 귀족이 노예를 술에 취해 재미 삼아 죽이는 것을 보았다. 그 노예는 자신과 동갑으로 보이는 어린 소년이었다. 그 순간부터 그는 노예 제도를 없애기 위해 온갖 노력을 해 왔다.

'법으로 금지되었지만 불법으로 여전히 행해지고 있어.'

지엄하고도 공명정대한 국법! 하나 노예 제도처럼 게릴라식으로 열리는 거래를 뿌리 뽑기엔, 왕실 관료들은 심하게 엉덩이가 무거웠고 안전한 책상 위에서 토론하기만을 즐겼다. 그것만으로 암세포처럼 자리 잡은 노예 제도를 뽑는 것은 불가능했다. 누군가는 직접 나서서 칼을 뽑아 들어야 한다. 당시 어린 유시젠은, 그것이 자신이 해야 할 일이라고 생각했다. 그때쯤 그의 검술은 이미 경지에 다다라 따로 호위하는 자가 필요 없을 정도였다.

"흑……."

순간, 유시젠은 미간을 좁혔다.

"흐흐흑."

그는 처음에 바람 소리가 왜곡되어 들려오는 거라고 생각했다. 하나 그것은 울음소리였다. 너무나도 가냘파서 금방이라도 사라질 것만 같은 여자아이의 울음소리.

'뭐지?'

소리가 나는 곳으로 가 보니 해진 옷을 입은 소녀가 골목길에 쪼그려 앉아 울고 있었다. 더 가까이 다가가자 달빛이 소녀를 드리웠다. 소녀는 울고 있었다. 본인의 연약함에 진저리 치듯, 두 팔을 가느다란 손으로 부여잡고 흐느끼고 있었다.

"……."

유시젠은 잠시 동안 아무런 생각도 할 수 없었다. 어둠 속에서도 형형

하게 붉은 두 눈동자는 아이의 것이 아니었다. 유시젠은 그 눈동자가 마치 악귀로 진득한 어둠 속에서 홀로 빛나는 횃불 같다고 생각했다.

"이봐."

새하얀 눈송이들 사이에서 타오르는 눈동자에 홀린 것일까. 유시젠은 저도 모르게 소녀를 불렀다. 그러자 소녀가 깜짝 놀라며 고개를 퍼뜩 들어 올렸다.

"……?"

그제야 그는 소녀가 울고 있지 않음을 깨달았다. 다만 너무나 힘들어서 흐느끼고 있었을 뿐이었다. 도움과 구원을 바라지 않는 눈동자에는 눈물이 없었다. 그래서일까, 유시젠은 소녀의 눈동자가 바라는 것과 전혀 다른 것을 묻고 말았다.

"괜찮은가?"

그렇게 묻고서 유시젠은 스스로가 어이가 없었다. 괜찮은가, 라니. 누군가에게 얻어맞은 것이 분명한 얼굴, 피에 젖은 옷, 꽁꽁 얼어 있는 손발을 가진 소녀에게 괜찮은가, 라니! 하나 들려오는 대답은 의외였다.

"괘, 괜찮습니다."

유시젠은 잘못 들은 줄로만 알았다. 하나 이 꼴을 들켜 부끄럽다는 듯 자리에서 일어나는 소녀를 보고 제대로 들었음을 확신했다. 붉은 눈동자의 소녀는 유시젠을 흘끔 쳐다보더니 서둘러 등을 돌렸다.

'괜찮다고?'

유시젠은 내심 소녀가 도움을 청해 올 거라고 생각했다. 두터운 외투를 걸쳤음에도 불구하고 살을 얼리는 추위는 유시젠에게도 위협적일 정도였다. 한데 얇은 누더기만 입은 상처투성이의 소녀는 괜찮다고 답했다.

누군가가 안위를 물어볼 때는 내심 상대방을 도와주려 하는 호의가 깔려 있다. 한데 소녀는 유시젠의 호의를, 그 마음을 망설임 없이 거절한 것이다. 때문에 유시젠은 잠시 당황하여 할 말을 찾지 못하였다. 그 사이 소녀가 다시 어둠 속으로 사라지려는 찰나…….

"나와 함께 가자."

마치 금방이라도 사라져 버릴 것만 같았기에 유시젠은 서둘러 덧붙였다. 유시젠은 이번에도 후회했다. 갑자기 나타난 낯선 남자가 함께 가자고 하면 누가 따라오겠는가. 그것도 도움이라고는 필요 없다는 눈동자를 가진 소녀에게!

하지만 소녀의 얇은 종아리는 그 자리에 멈춰 서서 움직이지 않았다. 유시젠은 자그마한 소녀의 등을 바라보다가 다시 한 번 말했다.

"나와 함께 가자."

자신이 왜 이런 말을 하고 있는 걸까. 하지만 소녀의 그 눈, 거의 살기에 가까운 그 눈빛의 정체가 궁금했다. 살면서 본 일이 없는 눈동자였다. 마치 진귀한 보석 같았다.

"……당신과 함께 가면, 어떻게 되는 거죠?"

소녀는 등을 돌리지 않은 채 자그마한 목소리로 말했다.

"저는 노예입니다. 제 주인은 용병이시고요. 멋대로 당신을 따라갔다가는 우리 둘 다 위험할 거예요. 용병단 전체가 쫓을걸요."

"……."

역시 그런 거였나. 유시젠은 인상을 찡그렸다. 소녀가 노예란 것을 알게 되자 자신의 생각에 확신을 불어넣었다. 이렇게 된 이상 저 소녀를 절대로 내버려 두고 갈 수 없다. 타파하고자 하는 노예 제도의 희생자를 버려두지 않을 것이다. 더욱이 저렇게 어린아이라면.

하지만 유시젠은 어째서인지 소녀의 생각을 듣고 싶었다. 저런 꼴을 하고서도 도움을 바라지 않았기 때문일까, 그는 소녀에게 아무 걱정할 필요 없다고 말하지 않았다. 자신과 함께 있으면 세상 그 어느 곳보다 안전할 거라고도 말하지 않았다.

"노예 제도가 불법이라는 것은 알고 있나?"

"……불법?"

소녀가 속삭이듯이 내뱉은 말에 유시젠은 고개를 끄덕였다.

"그래, 법으로 금지되어 있다. 즉 네가 도망간다고 해서 네 주인임을 주장하는 자가 아무런 법적 조치도 취할 수 없다는 말이지."

"그렇군요. 하지만 몇 번이나 도망가려고 할 때마다 끝까지 저를 잡아 왔어요. 그러고는 도망가면 죽이겠다고 했죠. 사실 지금도 저는 도망치는 중이에요. 그러는 도중에 이런 꼴이 되긴 했지만……."

소녀가 천천히 등을 돌려 유시젠을 바라보았다.

"불법이라면, 저를 노예를 부리던 용병들은 죄인인가요?"

"그렇다."

"그렇다면 제가 죽였어도 상관이 없는 건가요?"

유시젠은 아무런 대답도 할 수 없었다. 그는 문득 소녀의 몸에 묻은 피를 바라보았다. 그러고 보니 소녀의 몸에는 아무런 상처가 없었다. 소녀의 피가 아니었던 것이다.

"……."

열 살……은 되었을까. 저렇게 작은 소녀가, 주인 행세를 하던 용병을 죽였다고? 그게 가능한 일일까? 유시젠이 할 말을 잃자 소녀의 입가에 미소가 걸렸다. 너무나도 슬픈 미소였다.

"아니면 저도 죄인이 되는 건가요? 말씀해 주세요."

"……."

"제가 죽였어요."

처연한 고백에 유시젠은 아무런 말도 꺼낼 수 없었다.

"죽여 버리고 말았어요. 저를 괴롭혔거든요. 하지만, 그래도…… 그래도. 저는 용서받지 못할 거예요."

소녀의 목소리는 몹시 작았지만 이상할 만큼 또렷해서 칼바람이 부는 와중에도 낙인처럼 유시젠의 귀를 찔렀다. 그때였다. 저 멀리서 횃불을 든 사내들이 다가오는 기척이 느껴졌다.

"어이, 그쪽에 있어? 그 꼬마 계집애 말이야!"

"여긴 없어! 저쪽으로 가 봐!"

"젠장, 감히 두목을 죽이다니! 반드시 잡아서 죽여 버려!"

사내들의 목소리에 유시젠은 다시 소녀를 바라보았다. 깊게 생각하지 않아도 그들이 찾는 소녀가 누구인지, 그들의 두목을 죽인 소녀가 누구인지 알 수 있었다. 붉은 눈동자의 소녀는 그들의 목소리를 듣고도 겁먹은 기색이 아니었다. 도리어 기다린 게 왔다는 듯 담담한 눈동자였다.

"가세요, 천사님. 저 사람들 눈에 띄면 위험해져요."

소녀의 침착한 목소리에 유시젠은 순간 멍해졌다. 천사님이라니……? 설마 자신을 칭한 것일까?

남자들의 발걸음 소리가 가까워지자 소녀가 처음으로 초조한 듯 격한 어조로 외쳤다.

"어서 가시라니까요! 천사님은 저런 사람들 상대하면 안 돼요!"

"……풋."

유시젠은 저도 모르게 웃음을 내뱉었다. 그 웃음은 점점 크게 이어져 그의 어깨를 들썩이게 만들었다. 소녀는 갑자기 웃음보가 터진 유시젠을 의아한 눈으로 올려다보았다.

'이제야 어린애 같군.'

어른 같은 눈동자와 말투를 하고 있어서 몰랐는데, 이제야 알겠다. 저 아이의 눈에 지금 자신은 천사로 보였던 것이다.

'천사가 그냥 지나칠 수 없지. 구원을 내려 줘 볼까.'

무릇 아이의 환상은 지켜 줘야 하는 법이다. 그는 그렇게 생각하며 말에서 내려 소녀에게 다가갔다. 그리고 단숨에 소녀를 들어 올려 말 위로 올라탔다. 깜짝 놀란 소녀가 버둥거렸으나 유시젠은 그녀를 단단히 잡고 앞에다 앉혔다.

"왜, 왜 이러세요!"

"만나서 반갑다. 내 이름은 유시젠이다. 네 이름은 뭐지?"

그러자 소녀가 몸부림치는 것도 잊고 고개를 들어 올려 유시젠을 바라보았다. 유시젠은 소녀의 붉은 눈동자가 가까이서 보니 생각보다 더 아름답다는 것을 깨달았다. 역시나 보석이 확실했다.

"주군, 키벨입니다."

유시젠은 눈을 떴다. 살짝 열어 놓은 창문에서 쌀쌀한 가을바람이 흘러들어 왔다. 흩날리는 붉은 커튼을 바라보며, 유시젠은 굳게 닫혀 있던 입술을 열었다.

"나와라, 키벨."

그의 말이 떨어지자마자 창문이 스르륵 닫히며 커튼이 훅 가라앉았다. 그러자 그 뒤에서 진한 황금색 머리카락의 청년이 조심스럽게 걸어 나왔다. 그의 충직한 그림자인 키벨리드 칼라일이었다.

키벨은 유시젠을 보자 허리를 꾸벅인 후 품 안의 서류를 내밀었다. 유시젠은 바로 서류를 받아 들어 넘겼다.

'흥. 이 미친 국왕 같으니라고. 여전히 땅 파고 있군.'

유시젠은 심드렁한 표정으로 서류를 넘겼다. 그 안에는 레란 왕국의 국왕-칼바스에 대한 근황과 정보들이 놀라울 만큼 디테일하게 적혀 있었다. 그가 어디서 무엇을 했고, 누구를 만나 어떤 얘기를 나눴는지까지.

이것은 국왕 옆에 스파이로 붙여 놓은 그림자- 또 다른 비밀 병기가 키벨을 통해 보내온 정보였다. 유시젠은 국왕에 대한 정보를 읽어 내리다가 짜증이 치솟았는지 인상을 팍 찡그렸다.

'여전히 미스릴 탐사에 미쳐 있군.'

칼바스, 레란의 국왕인 그는 세금의 절반 이상을 미스릴 광산 찾는 것에 쓰고 있었다. 그것이 한두 해도 아니고 거의 10년째였다. 왕은 모든 것을 다 가진 강대국 레란에 미스릴 광산이 없다는 것을 견디지 못하는 것 같았다. 그렇지 않고서야 미친 사람처럼 미스릴 광산 찾는 것에 수많은 돈을 무려 10년 가까이 쏟아부을 리가―.

'미스릴은 엘칸 대륙에서 오로지 엘테스 왕국에만 존재한다. 그런데 그 사실을 받아들이지 못하다니, 정말이지 어리석은 왕이로군.'

신의 광물이라 불리는 만큼 드물고도 귀한 것이 미스릴이다. 그것이 계속 찾는다고 짠하고 나타날 리 없지 않은가? 이 대륙에 미스릴 광산이 있는 곳은 엘테스 왕국뿐, 레란 왕국에는 미스릴 광산이 없다― 그 진실을 받아들이지 못하는 모습이 마치 떼쓰는 어린애처럼 어리석어 보였다.

유시젠은 한숨을 푹 내쉬며 서류를 넘겼다.

"한심하긴―."

레란의 국왕, 이 작자를 생각하면 유시젠은 화가 치밀어 올랐다. 그는 서류를 다 읽은 후 거칠게 덮었다.

'……'

그때쯤 이미 키벨은 사라져 있었다. 정말 그림자처럼 소리도 없이 나타나고 사라진 것이다. 그의 그림자들은 항상 그러했다. 빛나는 원석들을 모아 갈고닦아, 자신의 사람으로 만든 비밀 병기들. 그 누구보다 날렵하고, 빠르고, 강하고 믿음직한 자들.

유시젠은 문득 어젯밤 꾸었던 꿈을 회상했다. 어린 시절의 린지가 그곳에 있었다. 빨간 눈을 귀신처럼 불태웠던 소녀를 떠올리자 일그러졌던 유시젠의 얼굴에 미소가 맴돌았다.

'정말 독한 녀석이야.'

아직까지도 그때 생각을 하면 실소가 나왔다. 누구에게라도 도와 달라고 손을 내뻗을 만한 상황에 어린 소녀는 너무나도 강인했다.

'그래서 그 녀석이 마음에 드는 거지만.'

유시젠은 창가를 바라보았다. 살짝 열린 창문 틈으로 또다시 차가운 바람이 흘러들어 와 그의 밝은 백금색 머리칼을 흔들었다. 유시젠은 피식 웃으며 흩날리는 커튼을 바라보았다.

"오랜만이구나, 린지."

탁! 창문이 닫히자 또다시 커튼이 잔잔하게 가라앉았다. 그 너머로 붉은 눈동자의 여인이 천천히 걸어 나왔다. 꿈에서 본 소녀와 같은 눈빛이었다.

"오라버니!"

침착할 생각이었다. 덧붙여 조금 도도하게 보이고도 싶었다. 이곳에 오기 전, 아주 냉정하고 차분하기 그지없는 모습을 보여 주겠노라고 다짐했지만— 유시젠을 보는 순간 그 모든 계획들은 물거품이 되어 사라졌다. 린지는 유시젠에게 한걸음에 달려가 그의 발치에 털썩 무릎을 꿇었다. 그리고 빛나는 눈동자로 유시젠을 올려다보았다.

"오라버니, 잘 지내셨어요?"

"그래그래. 호들갑 떨지 말고."

린지는 울컥하는 마음을 다잡으며 유시젠을 올려다보았다. 반가움에 몸서리치는 린지와는 달리 유시젠은 컵 안에 담긴 홍차처럼 잔잔하기 그지없었다.

'아아, 정말 오랜만에 뵙는다. 여전하셔!'

거의 반년 만에 만나는 유시젠은 그녀의 기억과 똑같이 오만한 눈빛, 그럼에도 불구하고 온몸에서 물씬 풍기는 우아함으로 가득했다. 환한 금빛 머리칼이 살짝 자란 것 빼고는 모조리 똑같았다.

린지의 들뜬 붉은 눈망울을 들여다보던 유시젠이 삐뚜름하게 웃었다.

"내가 그렇게 보고 싶었냐?"

"……!"

린지는 얼굴을 확 붉히다가 고개를 저었다.

"아뇨! 그냥 시종복을 벗어서 좋은 거죠! 휘안 그 녀석 시중드는 거 안 해서 신난 거라고요! 누가 오라버니 봐서 좋은 줄 알아요?"

"얼씨구."

유시젠은 피식 웃다가 그녀의 뺨을 잡고 쭉 잡아당겼다.

"오랜만에 봐서 얄미운 말만 해 대는구나. 혼나 볼 테냐?"

그러자 린지는 발끈해서 그의 손을 뿌리치며 외쳤다.

"얄미운 건 오라버니라고요! 간만에 봐서 반가운데 그렇게 말하면……."

"말하면?"

유시젠이 더 말해 보라는 듯 눈썹을 슬쩍 들어 올리자 린지는 기어들어 가는 목소리로 중얼거렸다.

"……인정하기 싫어지잖아요. 칫."

그녀의 순순한 자백에 유시젠이 웃음을 흘렸다. 그는 키득거리다가 맞은편 의자를 가리키며 그녀에게 자리를 권했다.

"편하게 앉아라, 린지."

"아, 네에. 감사합니다."

린지는 의자에 편하게 앉은 후 고개를 들어 올리다가, 자신을 빤히 쳐다보고 있는 유시젠과 눈이 마주쳤다. 그는 손으로 턱을 괸 채 삐딱하게 앉아 있었는데 그녀를 바라보는 시선이 몹시 집요했다. 린지는 저도 모르게 그의 황금색 눈을 피해 고개를 슬그머니 돌리며 말했다.

"왜, 왜 그렇게 보십니까?"

"네가 언제부터 나한테 그렇게 질문을 해 댔냐?"

유시젠의 차가운 대답에 린지는 어깨를 움츠렸다. 하여튼 뭔 말을 하기가 어렵다니까. 린지는 불만스럽게 입술을 삐죽 내밀다가 시선을 흘끔 들어 올렸다. 가만히 린지를 살펴보던 유시젠의 입술이 열렸다.

"역시나 잘 어울리는군. 예쁜 소년 같아."

린지는 새치름하게 그를 흘겨보다가 투덜거렸다.

"네에, 네에. 뭐 이제 그 정도 말로는 아무렇지도 않다고요. 적어도 복숭아 같다느니, 키우던 고양이 같다느니, 뭐 이런 얘기는 아니니까요."

그동안 휘안에게 당한 것 때문인지, 이제는 예쁜 소년 같다는 얘기에도 기분이 상하지 않았다. 휘안이 얼마나 그녀를 괴롭혔던가? 하얀 피부에 분홍빛이 돈다고 복숭아 군이라고 놀리질 않나, 애완동물 취급하며 뽀뽀하려고 하질 않나……. 린지가 피식 웃음을 흘리자 유시젠의 눈썹이 굳었다.

"그건 무슨 소리지?"

"아아, 백작 얘기입니다. 휘안 백작이 저를 그렇게 부르거든요. 복숭아라느니 어쩌니…… 그래서 이제 어지간한 말로는 화가 나지도 않아요."

린지는 어깨를 으쓱이며 대수롭지 않게 말했다. 하지만 유시젠에게는 아니었는지 미간을 좁히며 느린 어조로 물었다.

"복숭아? 그가 너를 복숭아라고 칭했다고? 어째서?"

"피부 색깔이랑 외모가 복숭아 같다고……."

그러자 유시젠이 대놓고 인상을 팍 썼다. 그의 얼굴이 험하게 구겨지자 린지는 입을 쏙 다물고 그의 눈치를 살폈다. 잠시 후, 유시젠이 미간을 손가락으로 문지르며 나지막이 질문했다.

"르카플로네 백작, 남색가냐?"

"……."

잠시 멍하니 있던 린지는 그가 묻는 의도를 알아차리고는 얼굴을 새빨갛게 붉혔다. 그녀는 붉어진 얼굴을 힘껏 저으며 손사래 쳤다.

"무슨, 절대! 절대 아닙니다! 오히려 심각하다 싶을 정도로 여자를 밝힌다고요!"

"한데 복숭아라니."

유시젠은 이상할 정도로 심각한 표정으로 말했다.

"복숭아는 먹는 거잖아? 너를 먹음직스럽게 보고 있다는 뜻 아니겠냐? 그 말인즉 너에게 성적인 매력을 느끼고 있다는……."

"아니에요오!"

차마 유시젠의 망상을 다 들을 수 없던 린지는 고개를 도리도리 흔들며 부정했다.

"그런 게 아닙니다, 오라버니! 성적인 매력이라뇨. 그냥 백작은 절 놀리는 것뿐이라고요."

"흐음."

"정말이에요!"

린지는 믿어 달라는 듯 말했지만 유시젠은 여전히 석연찮은 눈빛이었다. 잠시 골똘히 생각에 빠진 그가 또다시 물음을 던졌다.

"확실하나? 그냥 너를 놀리는 것뿐인가?"

"네, 당연하죠!"

"다른 특이한 점은 없었나? 스킨십을 시도한다든가, 아니면 자극적인 말을 한다든가……."

스킨십, 자극적인 말……. 너무 많아서 깊이 생각해 보지 않아도 여러 가지 떠올랐다. 침대 안으로 끌어들이고, 소스가 묻은 뺨을 핥고, 시끄럽게 군다고 뽀뽀를 하려고 하고, 색기가 있다고 말하고, 조금만 대시하면 넘어갈 것 같다고 하고…….

린지의 시선이 흔들리자 유시젠의 눈빛이 날카롭게 빛났다. 그는 다 말하라는 표정으로 린지를 바라보았다.

'으, 이걸 감출 수도 없고…….'

분명 유시젠이 오해할 것이 뻔하다. 마음 같아서는 이 얘기는 쏙 빼놓고 싶었지만, 유시젠에게 거짓을 고할 수는 없는 법. 결국 린지는 포기의 한숨을 푹 내쉬며 그동안 있었던 일을 차분하게 설명했다. 백작의 성격, 트와일릿에 대한 것, 그리고 에드위드와의 일까지.

"……."

린지는 침을 꼴깍 삼키며 유시젠을 바라보았다. 침착하게 그녀의 말을 듣는 유시젠의 표정은 흔들림이 없었다.

"그래서."

잠시 후, 유시젠이 입을 열자 린지는 귀를 쫑긋 기울였다.

"백작이 남색가가 아니라고 확신하나?"

"……네?"

의외의 말에 린지는 얼빠진 소리를 냈다. 유시젠은 굉장히 진지한 표정으로 얘기하고 있었다.

"네 얘기를 듣자 하니 의심이 되는데? 너에게 하는 행동은 아무리 장난이어도 그렇지, 같은 남자에게 하기엔……."

"오라버니! 아니라니까요!"

린지가 테이블을 탁 치자 유시젠이 미심쩍은 눈빛으로 중얼거렸다.

"뭔가 수상한데……."

"그래요, 수상하죠! 근데 그런 쪽으로 관심을 기울이시기보단 더 중요한 문제가 있지 않은가요!"

그러자 유시젠이 고개를 끄덕이며 말했다.

"알겠다. 농담은 이쯤 하지. 어쨌든 네가 해 준 얘기를 기반으로 더 조사하도록 하겠다."

재빠른 태세 전환에 린지는 김빠진 얼굴로 의자에 털썩 기댔다. 그녀가 얼빠지든 말든, 유시젠은 여전히 한결같이 진지한 얼굴이었다.

'휘안 데 르카플로네. 역시 수상하군.'

트와일릿의 대표라는 것 역시 놀라운 사실이었지만, 유시젠은 그에게 더 큰 비밀이 있을 거라는 직감을 느꼈다.

대체 르카플로네 백작 가문은 12년 전, 왜 사라진 것일까? 그의 재력은 어디서 나오는 걸까? 단 5년 동안 트와일릿이라는 대기업을 키울 수 있도록 받쳐 준 무시무시한 자금- 수십 개의 섬들을 사들이고, 르카플로네 영지를 수도 못지않게 비옥하게 성장시키면서도 흥청망청 남아돌 만큼의 그 재력의 출처는 어디란 말인가?

"골치 아프군."

이래 가지고는 끊임없는 도돌이표다. 유시젠은 한숨을 내쉬며 지끈거리는 머리를 주물렀다. 그의 머릿속에서 일어난 이 의문들은 다람쥐 쳇바퀴처럼 같은 자리를 빙글빙글 돌기만 할 뿐, 결코 해답을 안겨 주지 못했다. 사실 그가 답을 찾아내기란 불가능했다. 하지만, 린지라면-.

"린지."

유시젠은 고개를 들어 린지를 바라보았다. 그가 오래전 거두어들인 소녀는 어느덧 여인이 되어, 여전히 타오르는 듯한 붉은 눈동자로 자신을 바라보고 있었다.

충직한 눈빛이었다. 유시젠은 문득 하려던 말을 잊고 린지를 바라보았다. 새하얀 얼굴 위에서 더더욱 강렬하게 돋보이는 눈동자는 가끔 보고 있노라면 머리가 새하얗게 물들고는 했다. 바로 지금 이 순간처럼.

"네? 오라버니? 말씀하세요."

유시젠이 아무런 말도 안 하고 쳐다보기만 하자 린지가 고개를 갸웃 기울였다. 저렇게 무시무시한 눈으로 쳐다보다니, 뭔가 실수한 게 아닐까 생각되어 어깨마저 움츠려졌다.

잠시 후 유시젠이 담담한 표정으로 말을 이었다.

"백작은 너를 아끼고 있다."

뜬금없는 화제의 전환에 린지는 유시젠을 빤히 쳐다보았다.

"그 정도는 모르겠지만, 너를 다른 시종들보다는 각별히 생각하는 것 같군."

"아, 그, 글쎄요. 그런 것 같기도 하고……."

린지는 뺨을 긁적이며 백작을 떠올렸다. 눈부신 은발을 가진 미남자, 그는 분명 린지를 아끼는 것처럼 보이긴 했다. 린지는 백작이 다른 시종들의 머리를 쓰다듬는 장면은 지금까지 단 한 번도 본 적이 없었다. 아니, 시종을 포함해서– 그가 다른 사람의 머리를 쓰다듬는 일은 없었다.

린지를 제외하고서.

'……그런가.'

애완동물처럼 여겨서겠지만– 그건 그거대로 소중하게 생각하고 있어서겠지.

"백작이 너를 좋게 보고 있을 거다. 올곧고, 남에게 기대지 않고, 욕심 없는 그 심성을 꿰뚫어 보았을 거야."

갑작스런 칭찬 세례에 린지의 뺨이 붉어지는 찰나, 유시젠이 그녀를 손을 덥석 잡았다.

"그의 신뢰를 사라."

"……네?"

"휘안 백작의 신뢰를 얻고, 그의 심복이 되어라."

린지는 할 말을 잃었다. 자신의 손을 잡은 유시젠의 손바닥에 단단한 힘이 들어갔다.

"그리고 그의 비밀을 밝혀내라. 그가 사라진 12년 동안의 세월- 그 안에 정답이 있을 거다."

"하지만……."

린지는 휘안이 어떤 사람인지 알고 있었다. 항상 웃으면서 다정하게 대해 주는 사람이지만, 그 뒤로 감춰진 차가운 냉기는 몸서리가 쳐질 정도였으니까. 린지가 무어라 말하려 하자 유시젠이 막았다.

"너라면 할 수 있을 거다."

"……."

"나는 널 믿는다, 린지. 네가 지금 당장 검을 들고 달려들어도 난 피하지 않을 것이다."

그의 진중한 눈동자에 린지는 할 말을 잃었다. 순도 100퍼센트의 진심이 느껴지는 말이었기에 그녀의 얼굴이 확 붉어졌다. 린지에게 있어서는 최고의 칭찬이나 마찬가지였기 때문이다. 하나 이어지는 유시젠의 말에 린지는 웃을 수 없었다.

"백작이 널 그렇게 생각하게 만들어라."

"오라버니……."

"나를 생각하듯 백작을 생각하고, 나를 대하듯 백작을 대하라. 그러면 백작은 자연스럽게 널 믿게 될 것이다."

유시젠의 황금색 단호한 눈빛에 린지는 빨려 들어가듯 멍하니 바라보았다. 도저히 어길 수 없는 언령과도 같은 말이었다.

"난, 널 믿는다. 린지 아즈벨."

chapter 7. 수상한 시종

"백작의 신뢰를 얻어라."

"난 널 믿는다, 린지 아즈벨……."

린지는 멍하니 눈을 껌벅였다. 가장 먼저 눈에 보이는 것은 이제는 익숙해진 천장이었다. 창문 틈 사이로 환하게 스며드는 밝은 햇살이 눈부셨다.

'무슨 꿈을 꾼 것 같은데…….'

그녀는 찜찜한 기분으로 다시 눈을 감고 한번 뒤척였다. 뭔지는 기억나지 않지만 굉장히 부담스러운 꿈을 꾼 것 같았다. 그래서인지 제대로 잔 것 같지도 않은 느낌이…….

"아."

린지의 눈이 번쩍 떠졌다. 동시에 그녀는 자리에서 튕기듯이 일어나 시계를 잡아챘다. 5시 50분을 가리키고 있는 시곗바늘을 보는 순간, 그녀는 비명을 내질러 댔다.

"지각이다아아아아아!"

린지 아즈벨, 처음으로 늦잠을 자고 말았다.

린지 아즈벨, 아니 시종 '린지안 아르즈벨'의 하루 일과는 새벽 다섯 시에 시작된다. 그때 일어나 준비를 끝마치고 여섯 시에 백작을 깨워야 했다. 그 이후부터는 백작 밥 먹이기, 백작 목욕 기다리기, 청소하기, 시중들기 기타 등등의 일을 하게 된다. 백작의 스케줄에 따라 유동적으로 바뀌는 게 그녀의 일상이긴 했지만 단 하나, 고정적인 게 있었다면.

'기상 시간을 어기다니!'

새벽 여섯 시에 백작을 깨우는 것, 그것만큼은 반드시 지켜야 했던 것이다!

지각한 사람들이 으레 그러하듯 린지는 세수와 양치를 한 번에 한 뒤 옷 입는 것과 머리 빗는 것 또한 동시에 끝내고, 신발을 신으면서 문밖으로 뛰쳐나갔다. 그리고 젖 먹던 힘까지 힘껏 달려서 백작의 문 앞에 도착하니!

"배, 백작님!"

그녀가 달려와 미끄러지듯 문을 두드리는 순간, 정확히 시곗바늘이 여섯 시가 됐음을 가리켰다. 기적 같은 속도로 10분 안에 도착한 그녀는 숨을 헐떡이며 문을 두드렸다.

쾅쾅!

"일어나실 시간입니다, 백작님!"

아무리 체력 좋은 린지라고 할지라도 정신이 없다 보니 숨이 가빠 왔다. 하나 그러면 어떠하리, 지각을 면했는데! 그녀는 안도의 한숨을 내쉬며 다시 한 번 백작의 방문을 두드렸다.

쾅쾅!

"백작님?!"

역시나 백작은 잠들어 있는 것 같았다. 이제는 익숙한 일이었기에 그녀는 별다른 의심 없이 문을 벌컥 열고 들어갔다.

"……?"

그곳에 백작은 없었다. 그녀는 텅 빈 그의 침대를 바라보다가 고개를 갸웃 기울이며 턱을 긁적였다.

'이상하네. 어젯밤에 분명히 잠자리에 드시는 것을 확인하고 들어갔는데.'

그런데 이 백작이 어디를 갔단 말인가? 쉬는 날도 아니니 이 시간에 벌떡 일어나 먼저 업무를 보고 있을 리는 없고…….

'뻔하지 뭐.'

새벽에 여자를 만나러 간 것이 분명하다. 린지는 한숨을 푹 내쉬며 어깨를 늘어뜨렸다. 그러면 더 잘 수 있었다는 건데, 뭣하러 이렇게 뛰어왔단 말인가.

'만나러 갈 거면 만나러 간다고 얘기라도 해 주든가, 이 망할 백작아!'

백작 덕분에 멋진 헛고생을 하게 된 린지는 못다 잔 잠을 다시 취했다. 그리고 다른 시종들이 일어날 시간에 다시 일어나 집사를 찾아갔다.

"저, 집사님……."

문을 열며 집사의 집무실로 들어간 린지는 걸음을 멈췄다. 의외의 인물이 방 안에 있었던 것이다.

"리, 린지안."

금발의 여인, 레이라가 눈에 띄게 당황하는 기색으로 소파에서 벌떡 일어났다. 집사는 그런 레이라의 맞은편 소파에 등을 기대고 앉아 있었다.

"무례하게 노크도 없이 들어오다니."

몸을 일으킨 집사가 언짢은 기색으로 린지를 쳐다보았다. 그제야 자신이 노크 없이 들어왔다는 것을 자각한 린지는 재빨리 사과했다.

"아, 정말 죄송합니다. 다시는 그런 실수 없도록 하겠습니다."

날카로운 눈으로 그녀를 노려보던 집사는 얼마 가지 않아 껄껄 웃음을 터뜨렸다.

"하하, 녀석. 사과가 재빠른 것은 여전하구먼?!"

"네?"

"들어와라. 레이라, 넌 이만 나가 보거라."

그 말에 레이라가 잽싸게 고개를 숙이며 방 안을 빠져나갔다. 왠지 모르게 허둥지둥하는 기색인지라 린지는 의아함을 느꼈다.

'뭐지? 왜 저렇게 당황하는 거야?'

하나 레이라와는 달리 집사는 대수롭지 않은 표정으로 소파 맞은편을 가리켰다.

"앉아라, 린지안."

"아, 네에."

린지는 엉거주춤 맞은편 소파에 앉았다. 이미 몇 번 와 본 적 있지만 이곳은 집사에게 주어진 집무실치고는 지나치게 고급스러웠다. 웬만한 귀족들의 집무실 못지않았던 것이다.

'뭐 그만큼 백작이 부자라는 거지.'

집사뿐만 아니라 르카플로네 저택에서 일하는 고용인들의 대우는 상위급이었다. 왕실에서 일하는 고용인들과 비교해도 아쉽지 않을 정도였기 때문에, 많은 사람들이 이 저택에서 일하고 싶어 했다.

"그래, 무슨 일로 찾아온 것이냐?"

집사는 여전히 린지를 굉장히 마음에 들어 하고 있는지 바라보는 눈빛이 여간 따스한 게 아니었다.

"저, 백작님이 안 계셔서 보고드리려고 왔습니다."

"아하."

집사는 알겠다는 듯 손을 흔들었다.

"그래, 어제 새벽에 마르티엘 양이랑 여행을 떠났다네. 급하게 떠나느라 이것저것 준비를 못 해 가셔서 걱정이지만……."

"아아, 그렇군요."

역시나 예상했던 대답이었다. 근데 마르티엘 양이라니, 못 듣던 이름인데 대체 어디서 또 새로운 여자를 건져 왔단 말인가? 린지는 한숨을 푹 내쉬는 집사를 안쓰럽게 쳐다보았다.

"하아, 정말이지. 백작님께서는 정력이 넘치셔서 탈이라네."

"아, 아하하하하……."

뻘쭘해진 린지가 헛웃음을 흘렸으나 집사는 농담하는 기색이 아니었다. 그는 정말 진절머리가 난다는 듯 나지막하게 투덜거렸다.

"백작님께서는 모든 것들이 남들보다 우수하시지만 그 부분도 아주 뛰어나셔서 말이지……. 린지안 군도 남자라서 알겠지만, 사실 그러는 것도 쉬운 일이 아니지 않은가. 아무리 젊은 남자라고 해도 그렇지…… 가끔 보면 백작님은 마치 마르지 않는 바다 같다니까. 그렇지 않은가?"

"그, 그, 그럼요!"

무슨 소리를 하는 건지 하나도 알아듣지 못했지만 린지는 같은 남자로서 동감한다는 눈빛을 만들어 보이며 고개를 끄덕였다.

"그래서 내가 시녀들을 안 뽑는 거지. 백작님과 한 번이라도 엮이고 싶어서 치맛자락 휘날리며 방에 숨어드는 것들이 얼마나 많았는지……."

"그, 그, 그러시군요!"

"그렇다네. 물론 나한테 걸린 시녀들은 다 쫓아내긴 했지만 말이야. 그나마 린지안 군이 시종 역할을 잘 수행해 주고 있어서 정말 다행이라네."

백작이 역시 대단하긴 했나 보다. 지금도 엄청나게 만나고 다니고 있긴 했지만, 저택 안에서 시녀들과도 놀아났다고 하니 집사가 했던 맘고생이 여기까지 느껴질 지경이었다.

"여하튼 백작님께서는 당분간 여행에서 돌아오시지 않을 테니 걱정 말고 쉬고 있게."

"아뇨. 다른 일이라도 해야죠."

백작이 없다고 할지언정, 돈 받고 지내는 입장에서 놀고먹고 싶지는 않았다. 무언가라도 할 생각에 눈을 빛내며 말하자 집사는 감동한 기색이었다.

"하하하, 다른 녀석들이라면 냉큼 휴식을 즐겼을 텐데 자네는 역시 책임감이 남다르구먼."

"아? 아니, 뭐……."

그녀가 멋쩍게 머리를 긁적였지만 이미 집사는 린지에 대한 호감도를 키운 후였다. 노령의 집사가 보기에 요새 젊은것들은 뺀질뺀질하고 남한테 기댈 줄만 알았지, 이렇게 책임감 있게 쉬라고 하는 것도 마다하고 할 일을 찾아가지 않았던 것이다.

"좋아. 그렇다면 내 친히 린지안 군에게 일을 주도록 하지."

"네, 무엇이든지요."

그녀의 대답에 집사는 더더욱 마음에 든 듯 호탕하게 웃음을 터뜨렸다.

"오늘 신입 시종이 한 명 들어올 거야. 그 아이를 당분간 책임지고 교육시키게나."

"신입 시종이요?"

그 말에 린지는 의아한 듯 고개를 갸웃거렸다. 그녀가 알기로 백작 가문은 얼마 전-그러니까 린지가 시종으로 들어왔을 때 공개적으로 대대적인 고용인 채용을 마쳤다. 그런데 그사이에 또 인력이 부족해졌단 말인가?

린지의 의아함을 읽었는지 집사가 웃으며 부연 설명을 해 주었다.

"워낙 괜찮은 인재인지라 특별히 채용하게 되었다네. 자네가 책임지고 잘 가르치도록."

"아, 네. 알겠습니다."

특별 채용을 할 정도로 괜찮은 인재라니. 린지는 호기심이 피어오르는 것을 느끼며 고개를 끄덕였다.

백작의 갑작스런 여행으로 인해 린지는 한가한 오전 시간을 즐기고 있었다. 그녀는 창밖으로 부산스럽게 움직이며 일하고 있는 백작가의 고용인들을 바라보며 차 한 잔을 마셨다. 참으로 오랜만에 맛보는 여유였다.

'당분간은 한가하겠군.'

백작가의 시종, 시녀들은 처음 들어올 때 수습 기간을 가지며 선배 시종을 쫓아다니며 일을 배워야 했는데, 린지의 경우엔 카쥬탄이 교육자였다. 안 좋은 기억이 떠오른 그녀는 인상을 찡그리며 고개를 저었다.

'나는 좋은 선배가 돼 줘야지. 카쥬탄처럼 못되게 굴지 않을 거야.'

새로운 시종에게는 자신이 겪었던 수모를 물려주지 않을 것이다. 그렇게 생각하며 창밖을 바라보고 있던 린지였다. 순간, 그녀의 인상이 굳었다. 린지는 찻잔을 탁자 위에 내려놓으며 창문을 열었다.

'뭐지?'

누군가가 자신을 보고 있다. 린지는 창 아래를 내려다보며 두리번거렸다. 창밖에서 시선이 느껴지는데 그 방향이 확실하게 잡히지 않았다. 그렇게 그녀가 한동안 바깥을 살피다가 다시 시선을 들어 올렸을 때.

"……!"

예상대로 누군가가 자신을 바라보고 있었다. 때문에 눈이 마주친 것은 놀랄 만한 일이 아니었지만, 전혀 다른 이유로 린지는 비명을 지를 뻔했다.

"너 뭐야!"

한 사내가 나무에 편하게 앉아서 그녀를 바라보고 있었던 것이다! 남이 보면 위태롭기 짝이 없는 행동이었지만 정작 그 청년은 자기 집 침대라도 되는 양 편해 보이는 표정이었다.

나뭇가지 위에 앉아 있는 청년이 싱긋 웃으며 말했다.

"안녕하세요, 린지안 선배."

"뭐?"

"오늘 새로 시종으로 들어오게 된 레너드입니다. 잘 부탁드려요."

"뭐어어?"

"죄송한데 잠시만 물러나 주시겠어요? 방 안으로 들어가고 싶어서요."

그 말에 린지는 저도 모르게 뒷걸음질 치며 자리를 만들어 주었다. 그러자 시종, 레너드가 고맙다는 듯 한번 윙크를 해 보이며 단숨에 도약하여 창문 안으로 들어왔다. 날렵한 움직임이 마치 한 마리 퓨마를 연상시켰다.

"읏차. 감사합니다, 선배."

"뭐, 뭐야 너!"

그때까지도 린지는 너무 놀라서 눈을 동그랗게 뜬 상태였다. 신입 시종이 온다는 건 알고 있었는데 설마 창문으로 들어올 줄은 누가 알았겠는가!

시종 레너드는 옷깃에 묻은 나뭇잎을 털어 내며 린지를 바라보았다. 순간 린지는 생전 처음 보는 눈동자 색에 또다시 깜짝 놀라고 말았다.

'뭐야. 저런 색은 처음 봐!'

마치 은을 그대로 녹여 만든 것 같은 진한 은회색이었다. 실로 보석 같은 눈동자인지라 린지는 순간 당황했다. 심지어 머리칼은 이 세상에 존재하는지도 몰랐었던 옅은 하늘색이라니! 하늘색 머리카락에 회색 눈동자는 태어나서 처음 보는 색이었다.

린지의 마음을 알아차렸는지 레너드가 씩 웃으며 넉살 좋게 말했다.

"너무 그렇게 놀라지 마세요. 린지안 선배도 루비 보석 같아요. 정말 예뻐요."

"뭐?"

계속 뭐? 뭐? 이 소리만 반복하고 있었지만 이번에도 뭐? 라고 물을 수밖에 없었다. 마치 자신의 생각을 그대로 읽은 듯한 대답이었다. 린지가 당황하자 레너드가 쾌활하게 미소 지으며 다가왔다. 순식간에 그녀의 앞까지 다가온 레너드는 얼굴을 바싹 가져다 대더니 린지의 눈을 뚫어지게 쳐다보았다.

"우와. 가까이서 보니까 진짜 예쁘네. 지금까지 본 붉은 눈동자 중에 제일 예뻐."

"……!"

레너드가 린지의 얼굴을 바싹 잡고 눈을 이리저리 살펴보았다. 심지어 숨결마저 닿을 만큼 가까운 거리였다. 패닉 상태에 빠져 있던 린지는 곧 정신을 차리고는 레너드의 어깨를 강하게 밀쳐 냈다.

"뭐 하는 짓이야!"

신입으로 들어온 시종이 선배의 얼굴을 잡고 이리저리 돌리다니! 잔뜩 화가 난 린지의 얼굴을 본 레너드가 갑자기 두 손을 모아 보이며 사과했다.

"기분 나쁘셨다면 죄송합니다, 린지안 선배. 사과드릴게요."

매끄럽게 이어지는 사과와 부드러운 미소가 몹시도 거슬렸다. 그녀는 왠지 더 화가 치밀어 오르는 것을 느끼며 쏘아붙였다.

"누가 창문으로 들어오라고 했지? 문은 괜히 있는 게 아니야! 그리고 언제부터 날 쳐다보고 있었던 거야?"

그러자 레너드가 활짝 웃음을 지었다.

"죄송합니다. 다시는 그러지 않을 테니 화를 푸세요, 린지안 선배."

왠지 더 부아가 치밀었기에 마음 같아서는 한 대 쳐 버리고 싶었지만 린지는 인내심을 발휘했다. 여하튼, 일단 사과를 받아 냈으니 여기서 끝낼 생각이었다.

"두 번 다시 이런 일 없도록 해. 알겠어?"

"네. 그런데 린지안 선배, 정말 예쁘네요. 딱 내 이상형이야."

레너드의 이어지는 말에 린지는 뒤통수를 한 대 맞은 느낌이었다. 그녀가 아무 말도 못 하고 그를 바라보자 레너드가 다시 한 번 활짝 웃었다.

"근데 왜 남장을 하고 계신 건가요? 다른 사람들이 속아요? 이렇게 대놓고 여자인데?"

"……!"

린지는 입 안을 꽉 깨물었다. 그녀는 손안에 찻잔을 쥐고 있지 않은 것을 감사했다. 만약 아직까지 들고 있었더라면, 지금 이 순간 분명히 떨어뜨리고 말았을 테니까.

청천벽력과도 같은 말에 린지는 거의 경악한 상태였으나 표정만큼은 신기할 정도로 그대로였다. 그녀는 한술 더 떠서 미친놈 바라보듯 레너드를 쳐다보며 말했다.

"너 미친 거 아니냐? 내가 어딜 봐서 여자야?"

그러자 레너드가 오묘한 은회색 눈동자로 린지를 쳐다보았다. 마치 분석하는 듯한 시선에 등에서 식은땀이 흐르는 것만 같았으나 포커페이스를 유지했다. 속으로는 손끝이 떨릴 것 같은 마음이었다. 하지만 그녀는 온 힘을 다해 태연하게 보이는 것에 집중했다.

'대체 뭐야, 저 새끼! 어떻게 안 거야?'

태평해 보이는 겉모습과는 달리 린지의 마음속은 이미 자연재해에 가까운 수준으로 혼란스러운 상태였다. 사실 본인의 입으로 말하기 좀 뭐하지만- 린지는 겉으로 보기엔 '몸집이 가녀린 예쁜 미소년'이었다.

일단, 그녀는 부드럽고 말랑말랑한 평범한 여인의 몸이 아니었다. 누가 봐도 딱 보기 좋게 마른 체구였지만 만져 보면 굉장히 탄탄한 근육으로 이루어져 있었던 것이다. 체질상 그 이상의 근육은 절대 붙지 않아서 가녀리게 보였지만, 사실 그녀의 몸은 날렵한 표범처럼 탄탄하고 늘씬했다. 게다가 키도 여자라고 하기엔 굉장히 컸다. 정확히 측정해 본 지 꽤나 오래되어 확실하지 않지만 마지막으로 쟀을 때는 175센티미터였다. 일반 남성의 평균 키와 엇비슷했던 것이다.

큰 키에 탄탄한 몸, 게다가 묘하게 중성적인 마스크와 유시젠이 준 물약 덕분에 살짝 허스키해진 목소리- 이런 것들 때문에 작정하고 남장 행세를 하는 린지는 사람들의 의심을 받지 않았다. 그냥 가녀린 선과 작은 체구를 가진 미소년 정도로 보였던 것이다.

그런데 저 신입 시종 레너드가 그녀를 만져 보지도 않고 한번 쓱 본 것만으로 어떻게 알아차린단 말인가? 그건 불가능했다.

그녀의 눈을 뚫어져라 응시하고 있던 레너드가 갑자기 활짝 웃었다.

"죄송해요. 제가 장난이 심했죠?"

순간 린지는 안도의 한숨이 나오려는 것을 간신히 참으며 대답했다.

"그딴 장난 재미없어. 한 번만 더 치면 가만두지 않겠다. 알겠냐?"

"네, 알겠습니다."

다행히 잘 넘어갔지만 린지의 심장은 불안하게 쿵쿵거렸다. 매끄러운 대답이긴 했지만 어쩐지 안심되지 않았다.

"미리 들어서 알고 있겠지만, 내 이름은 린지안 아르즈벨이다. 백작님의 개인 시종직을 맡고 있지만 잠시 여행을 떠나셔서 네 교육을 하게 됐지."

"제 이름은 레너드 아롭입니다. 잘 부탁드려요, 선배."

보석 같은 눈동자를 가진 청년이 해맑게 웃음 지었다. 그것이 레너드와의 첫 만남이었다.

“재가 새로 들어온 신입 시종이야?”

“둘이 붙어 있으니까 비주얼 장난 아니다. 둘 다 너무 잘생겼어!”

린지는 뒤에서 수군거리는 시녀들의 목소리를 들으며 속으로 비아냥댔다.

‘잘생기긴 개뿔, 기분 나쁘다고!’

린지는 레너드에게 저택 구조를 알려 주고 지켜야 할 간단한 규율들을 설명 중이었다. 그런데 신입 시종이 들어왔다는 소문이 벌써 퍼진 건지, 그들의 뒤에는 구경하러 온 시녀 시종들의 시선이 가득했다.

“진짜 잘생겼다. 저기에 백작님까지 같이 서 계시면 얼마나 좋을까.”

“꺄아아아! 생각만 해도 두근거려!”

시녀들의 반응은 그야말로 폭발적이었다. 이미 린지에 이어 레너드의 팬클럽까지 결성한 건지, 그를 찬양하는 칭찬들 일색이었다. 하지만 린지는 레너드의 첫인상이 워낙 최악이어서인지 그 말에 동의할 수 없었다. 그녀는 시녀들의 목소리를 무시하며 레너드를 끌고 정원으로 나섰다.

“이곳이 정원이야. 굉장히 크니까 길 잃지 않도록 조심하고, 실수라도 꽃을 꺾는 일은 없어야 해. 하나같이 비싼 품종들이니까.”

“예, 알겠습니다. 향기가 몹시 좋네요.”

레너드는 꽃향기를 음미하듯 숨을 들이마시며 활짝 웃었다. 그가 웃는 것을 바라보며 린지는 백작과의 공통점을 하나 찾아내었다. 둘 다 항상 웃고 있다.

“정원이 굉장히 마음에 드네요. 전 꽃이 정말로 좋거든요. 뭐랄까, 향기 나는 것들이 신기하달까.”

레너드는 붉게 피어오른 장미에 얼굴을 가져다 대더니 기분이 좋은 듯 헤실헤실 웃었다. 마치 꽃이 없는 세계에서 온 사람 같아서 린지는 기분이 조금 이상해졌다. 레너드는 상쾌하게 웃으며 말을 걸었다.

"선배, 그거 알아요? 사람한테도 각자 다 다른 체향이 있다는 거."

"뭐, 그렇긴 하지."

린지는 고개를 끄덕였다. 사람에게는 다 각자의 향이 있으나 그것은 너무나도 미세하여 아무리 후각이 좋은 사람일지라도 향만으로 사람을 구분할 수는 없었다. 그것은 아마 짐승의 영역일 것이리라.

린지는 문득 레너드의 시선을 느끼고는 고개를 돌렸다. 레너드는 웃는 얼굴 그대로 린지를 빤히 내려다보고 있었다.

"선배한테는 장미랑 비슷한 향이 나요. 훨씬 옅긴 한데, 더 달콤해요."

"뭐?"

"선배의 붉은 눈동자, 머리카락이랑 정말 잘 어울려요."

린지는 완전히 할 말을 잃었다. 말도 안 되는 소리에 화를 내야 하는지 농담처럼 넘겨야 하는지 알 수가 없었다. 린지의 말문이 막히자 레너드가 한술 더 떠서 그녀에게 가까이 얼굴을 가져다 댔다.

'뭐, 뭐야, 이 자식?'

린지가 깜짝 놀라 뒤로 물러나려 하자 레너드가 그녀의 허리를 낚아채 단단히 고정시켰다. 그러고는 웃음기 가득한 목소리로 속삭였다.

"우와, 진짜 향기 좋다."

이번에 린지는 자신이 어떻게 반응해야 할지 아주 잘 알고 있었다. 그녀는 강한 힘으로 레너드를 밀치며 그를 노려보았다. 시종 간 체벌 금지라는 규칙만 아니라면, 아마 주먹을 날렸을 것이다.

"뭐 하는 짓이야?!"

린지가 날카롭게 노려보자 레너드는 두 손을 들어서 살랑살랑 흔들었다.

"악의는 없었어요. 그냥 나도 모르게 한 행동이랄까. 향이 너무 좋아서."

"그게 무슨 헛소리야!"

"선배, 색기 있단 소리 자주 듣죠?"

린지는 화내는 것도 잊고 멍하니 레너드를 바라보았다. 연이어 이어지는 충격적인 언사에 정신을 차릴 수가 없었다.

"피부도 굉장히 하얗고, 눈매도 그렇고, 색기 있게 생겼어. 근데 사람들을 자극시키는 가장 큰 이유는 은연중에 풍기는 향 때문이에요. 솔직히 사람한테서 이렇게까지 야한 향기가 나기도 힘든데. 굉장히 달콤한 거 알아요?"

린지는 자신의 귀를 의심했다. 지금 저 녀석이 정말로 '야한 향기'라고 한 게 맞을까? 자신의 귀가 미쳐 버려서 왜곡해서 들은 게 아닐까? 그렇지 않고서야, 제정신이 아니고서야 선배한테 야한 향기가 난다 어쩐다는 말을 지껄일 리가 없지 않은가!

린지는 레너드의 뻔뻔한 눈을 바라보다가 문득 자신의 귀가 정상이라는 것을 알아차렸다.

"너 어디 아프냐?"

또라이인가? 어디를 가도 어느 그룹에나 반드시 한 명쯤은 존재한다던 또라이 질량 법칙에 의거하여, 카쥬탄이 사라지고 에드워드가 사라지자, 이번엔 레너드라는 또라이가 나타난 것일까? 린지는 치를 떨며 그를 노려보았다. 진심으로 정신 이상자를 걱정하는 눈빛이었기에 레너드가 웃음을 터뜨렸다.

"아하하. 선배도 참. 하는 짓도 엄청 귀엽네."

"뭐……?"

"색기 있는데 귀엽기까지 하다니, 큰일이네요. 딱 내가 꿈꾸던 사람인데. 이게 바로 사람들이 말한다는 첫눈에 반한다, 이런 느낌인가?"

여기까지다. 린지는 여기까지가 자신의 한계임을 실감했다. 그녀는 주위를 획획 둘러보았다. 다행히 그들 주변에는 아무도 없었다. 린지는 아무도 정원에 없다는 것을 확신한 후 고개를 돌려 레너드를 바라보았다.

"입 닥쳐, 이 미친 새끼야. 뚫린 입이라고 잘도 지껄이는구나."

그제야 그녀는 줄곧 하고 싶었던 말을 시원하게 내뱉으며 살기 어린 눈빛으로 레너드를 노려보았다. 그러자 레너드가 깜짝 놀랐다는 걸 일부러 보여 주기라도 하듯 눈을 동그랗게 뜨며 손을 저었다.

"미안해요, 선배. 기분 나쁘게 할 의도는 없었어요. 내가 솔직한 편이라서."

린지는 그의 말을 도중에 자르며 신랄하게 쏘아붙였다.

"입 닥치고 그만 지껄여, 듣기 싫으니까. 한 번만 더 헛소리해 봐. 수습 시종의 자격이 없는 걸로 간주해서 집사님께 말씀드릴 테니까!"

"물론이죠. 아아, 할 말 못 할 말 구분 못 하는 게 제 단점이에요. 미안해요, 선배."

하지만 끝까지 싱글싱글 웃는 표정인지라 린지는 떨리는 주먹을 간신히 참아야만 했다. 규율이고 뭐고 한 대 쳐 주고 싶은 욕구가 너무나도 강렬하게 치솟았다. 레너드는 태연하게 싱글거리며 린지를 바라보았다. 그리고 한마디 더 덧붙였다.

"마지막으로 한마디만 더 할게요. 당신을 만나게 돼서 정말 기뻐요. 진심으로."

특별 채용된 신입 시종, 레너드의 존재는 린지를 완전히 뒤집어 놓기에 충분했다. 일단 레너드는 굉장히 뻔뻔했다. 남이 들으면 깜짝 놀랄 만한 말들을 천진한 얼굴로 내뱉고는 맑게 웃는지라 린지는 참으로 백작과 닮았다고 생각했다. 백작 역시 웃는 얼굴로 독설을 내뱉는 자였으니까.

그의 행동에는 거침이 없었다. 린지의 향기를 킁킁거리며 맡는 둥 선배 시종에게 해서는 안 될 짓을 제멋대로 하는 것이었다. 신입 시종 레너드의 교육을 맡을 의무가 있는 린지에게는 골칫덩어리 같은 존재였다.

이틀째 되던 날, 린지는 레너드에게 저택과 정원의 구조, 간단한 규율들과 업무 방식들에 대한 교육을 끝냈다. 어마어마하게 넓은 이 저택과 하루 이틀로는 습득할 수 없는 업무들을 한 번 듣는 것만으로 단번에 외우고 이해한 레너드였기에, 린지는 내심 집사의 평가를 인정할 수밖에 없었다. 확실히 머리 하나는 우수한 녀석이었다.

"선배, 선배. 일어나셨어요?"

아침 아홉 시가 되자마자 방문을 두드려 대는 소리가 울렸다. 린지 역시 준비를 끝마친 상태였으나 인상을 확 찡그렸다. 레너드는 아홉 시가 되는 순간부터 린지를 찾아왔다.

'쓸데없이 성실하군.'

린지는 못마땅한 표정을 숨기며 방문을 열었다. 하늘색 머리칼에 맑은 인상을 가진 청년이 환하게 미소 짓고 있었다.

"오늘은 뭘 배우나요?"

"……."

린지는 잠시 말없이 레너드를 바라보았다. 사실 일주일 치 교육을 이틀 만에 배워 버린지라, 린지 역시 오늘은 뭘 가르쳐야 할지 고심하고 있었다. 다행히 그녀는 적절한 것을 찾아내고는 빙긋 웃었다.

"따라와."

린지는 레너드를 데리고 세탁실로 향했다. 커다란 방 안에는 수십 개의 세탁기가 윙윙거리며 가동되고 있었다. 그녀는 심술궂은 마음을 감추며 세탁기 하나를 정지시켰다. 그리고 그 안에서 옷 하나를 꺼내어 레너드에게 내밀었다.

"이게 뭔가요?"

레너드는 호기심 가득한 눈망울로 세탁실을 구경하고 있었다. 곧 앞에 펼쳐질 찬란한 고생길을 모르는 순진한 얼굴인지라 린지는 일말의 죄책감을 느꼈다.

'아냐, 이 녀석은 이렇게라도 기를 꺾어 놔야 해. 너무 건방지다고!'

린지는 헛기침을 한 뒤 말했다.

"너도 알겠지만 세탁기는 발명된 지 얼마 안 된 기계라 오작동을 일으킬 때가 많아. 그때는 우리 같은 시종들이 손수 손빨래를 해야 하지. 너는 재무 담당 부서에 배치될 거라 빨래할 일은 없겠지만, 그래도 이 정도는 시종의 기본이 아니겠어?"

그렇다. 린지는 레너드에게 손빨래를 시킬 작정이었다. 그녀는 사악하게 보이지 않도록 노력하며 세탁실의 구석을 가리켰다. 그곳에는 손빨래를 위한 자리가 마련되어 있었는데, 빨랫비누와 빨래판, 빨랫방망이 등의 도구가 레너드를 기다리고 있었다.

"빨래는 모든 시종의 기본이지. 기본기를 닦는다고 생각하라고."

자, 이래도 웃을 테냐, 이 재수 없는 자식아!

때마침 레너드와 린지를 훔쳐보기 위한 시선들이 하나둘씩 모여들었다. 레너드는 시녀들의 시선 속에 저 구석에 주저앉아 빨랫방망이를 휘두르게 될 것이다!

"우와, 재밌겠다. 나 한 번쯤은 빨래해 보고 싶었어요!"

그러나 돌아오는 반응은 의외였다. 레너드는 진심으로 기쁘다는 듯, 환하게 웃으며 은회색 눈동자를 반짝반짝 빛냈다. 그는 콧노래까지 부르며 빨래터로 다가가 소매를 걷어붙였다. 탄탄한 팔뚝이 드러나자 시녀들이 꺅꺅거리는 소리가 들려왔다.

"어머, 저것 봐! 저렇게 앉으니까 다리 긴 게 확 티 난다! 어쩜 저래?"
"저 팔뚝 봐, 너무 멋있어!"
린지의 표정이 썩어 갔다. 그는 정말로 이 상황을 즐기고 있는 것 같았다. 엎친 데 덮친 격으로, 레너드가 손빨래를 하는 모습이 생각보다 근사해서 린지는 자신의 계획이 완전히 틀려먹었음을 깨달았다.
'에이 씨, 한 방 먹이고 싶었는데.'
여기서 물러날 수 없었다. 린지는 작동을 멈춘 세탁기 안에 있는 옷더미를 끌어 모아 레너드의 옆에 탁 내려놓았다.
"이거 다 할 수 있겠어?"
어때? 화나지? 화나잖아? 화를 내라고! 린지는 레너드에게 최면을 걸듯 속으로 중얼거렸다. 하지만 그 옷가지들은 오히려 레너드의 의욕을 자극했는지 파이팅 넘치는 눈빛으로 고개를 끄덕였다.
"물론이죠! 절 믿고 이렇게 맡겨 주시다니, 열심히 하겠습니다, 린지안 선배!"
"……."
심각할 정도의 초긍정이었다.

잠시 후, 린지는 너무나 깨끗해져서 도저히 흠 잡을 수 없는 옷가지들을 가지고 밖으로 나왔다. 빨래를 널기 위해서였다. 레너드는 해맑게 웃으며 빨랫줄 위로 옷가지들을 걸었다.
"린지안 선배, 빨래는 정말 보람찬 거네요! 새하얘진 옷을 보니까 제가 가치 있는 일을 한 것 같아요!"
"아, 아하하. 그러냐……?"
본의 아니게 레너드의 기분을 좋게 만들어 준 린지의 표정은 묘했다. 사실 괴롭혀 줄 생각으로 벌인 일이었는데 이렇게까지 긍정적인 자세로 성실하게 하다니…….

'뭐야 이 녀석, 성실하네.'

린지는 레너드에 대한 평가를 정정할 수밖에 없었다. 그와의 첫 만남이 워낙에 충격적인지라 미운털을 단단히 박아 놨는데, 그 이후로 하는 일들은 의외로 마음에 들었다. 농땡이 칠 생각도 안 하고 빠르게 배우는 레너드는 누가 봐도 우수한 시종이었다.

'그래. 좀 눈치가 없는 성격 같은데, 그래도 성실하니까.'

첫날, 나무에 매달려 린지의 방 안으로 뛰어들고 여자 같다는 둥 예쁘다는 둥 향기가 좋다는 둥, 심지어 색기가 어쩌고저쩌고 하는 헛소리들은 지금 생각해도 화가 났지만 철없는 청년의 객기였으리라.

"린지안 선배. 빨래는 다 배운 것 같아요."

"그래. 점심시간이니까 일단 밥을 먹자."

그러자 레너드가 신이 난 듯 고개를 끄덕이다가 눈을 빛냈다.

"린지안 선배! 혹시 정원에서 도시락을 먹어도 되나요?"

"어?"

"사실 제가 일찍 일어나서 선배와 함께 먹을 도시락을 쌌거든요!"

그 말에 린지는 어안이 벙벙해져서 아무 말도 못 하고 레너드를 바라보았다. 레너드는 기대에 가득 찬 눈빛을 반짝였다.

"린지안 선배만 괜찮으시다면 정원에서 함께 먹고 싶은데 괜찮을까요?"

여기서 안 된다고 말할 만큼 린지는 모질지 못했다.

린지가 고개를 끄덕이자마자 레너드는 빠르게 달려가 도시락을 가져왔다. 도시락이라고 해 봤자 밥에 반찬 몇 가지 정도만 생각했던 린지는 레너드가 들고 온 것을 보고 놀랄 수밖에 없었다.

“이걸 새벽에 쌌다고?”

6합 도시락이었다. 반찬통 하나하나마다 가득 담긴 음식들은 먹기 아까울 정도로 좋은 향이 풍겼기에, 오늘 아침에 갑작스레 준비된 음식이라고는 믿기지 않았다.

“네. 맛있게 드세요, 린지안 선배!”

린지는 반신반의한 눈빛으로 레너드를 바라보다가 음식을 입 안에 쏙 집어넣었다. 그러고는 깜짝 놀라 눈을 동그랗게 떴다. 심지어 엄청나게 맛있었던 것이다.

‘뭐야, 이 녀석. 대단하네.’

이걸 같이 먹겠답시고 아침부터 만들었을 생각을 하자 린지의 마음이 누그러졌다.

“어때요?”

레너드가 묻자 린지는 솔직하게 대답했다.

“맛있어.”

“와. 정말 다행이네요.”

레너드는 진심으로 기쁜 듯 웃음을 터뜨렸다. 그는 하늘색 머리칼을 한번 쓸어 넘기더니 주위를 둘러보았다. 온갖 꽃향기들에 물든 공기를 들이마신 레너드의 얼굴이 밝게 피어올랐다.

“정말 좋은 향기가 나요. 이 정원, 정말 마음에 들어요.”

“그치? 나도 좋아해.”

레너드는 정말 기분이 좋아 보였다. 린지는 그가 만든 음식들을 오물오물 먹으며 가만히 그를 바라보았다. 오후 햇살을 즐기며 나른하게 앉아 있는 청년은 시녀들이 얼굴을 붉히며 훔쳐볼 만큼 근사했다.

‘뭐, 인기는 많겠네. 그래도 입 열면 완전 깨잖아.’

새삼스레 그렇게 생각하고 있을 때, 레너드의 은회색 눈동자가 린지와 마주쳤다.

"린지안 선배도 인기 많죠?"

마치 린지의 생각을 읽은 듯한 대사인지라 그녀는 바로 대답하지 못했다. 잠시 후 린지는 물을 꿀꺽 삼킨 후 태연하게 답했다.

"레너드보단 없을 것 같은데? 저길 보라고."

린지는 저 멀리 나무 기둥 너머에서 레너드를 구경하는 시녀들을 눈짓했다. 레너드는 꺅꺅거리는 시녀들을 흘끗 바라보다가 어깨를 으쓱였다.

"그래도 린지안 선배만 하겠어요? 선배 애인 있어요?"

대뜸 훅 파고드는 질문에 린지는 미간을 좁혔다. 유쾌한 물음은 아니었지만 여기서 과민 반응할 필요는 없다, 린지는 그렇게 판단하며 답했다.

"아니. 없어."

"에이, 거짓말. 딱 봐도 남자들이 줄을 설 것 같은데."

린지는 천천히 포크를 내려놓았다. 그리고 고개를 들어 올려 레너드를 강하게 쏘아보았다. 그녀의 붉은 눈동자에는 한순간 살기마저 맴돌았다.

"너 뭐야?"

역시 저 녀석은 이상하다. 아니, 이상한 것을 넘어서 수상하다.

린지는 경계 어린 눈으로 레너드를 노려보았다. 첫날 레너드가 농담이라고 넘어간 것은 역시나 대충 얼버무린 것이었다. 그는 자신이 여자인 것을 알고 있거나, 혹은 의심하고 있는 게 분명했다!

"아? 왜요? 제가 말실수했나요?"

뻔히 알면서 레너드는 모른 척 시치미 뚝 떼며 고개를 갸웃거렸다. 태연한 그 행동에 린지는 서서히 열이 끓는 것을 느끼며 주먹을 쥐었다.

"몰라서 물어? 난 남자야. 근데 남자들이 줄을 선다는 게 말이 돼?"

린지의 말에 끝나자마자 레너드가 웃음을 터뜨렸다. 듣는 이의 귀를 정화시키는 듯한 맑은 웃음소리였지만 린지에게는 더없이 불쾌하게 들려왔다. 웃음을 멈춘 레너드가 불현듯 몸을 기울여 린지에게 다가왔다. 그는 손을 뻗어 그녀의 머리칼을 부드럽게 만지더니 향기를 느끼듯 훅 들이마셨다.

"거짓말하지 말아요. 여자 향기가 나는걸."

팍!

린지는 레너드의 손을 뿌리치며 그를 밀쳐 냈다. 그리고 자리에서 벌떡 일어나 그를 죽일 듯이 쏘아보았다. 레너드는 여전히 아무렇지도 않은 듯 싱글벙글 웃고 있었다.

"아아, 린지안 선배. 폭력은 반대라고요."

"너, 내가 경고했지?"

불안함과 함께 분노가 머리끝까지 치솟아 올랐다.

"내가 한 번만 더 그딴 소리 하면 어떻게 한다고 했지?"

"수습 시종의 자격이 없다고 판단, 집사님께 고한다고 했지요. 하지만 말이에요, 선배."

레너드는 흥얼거리는 목소리로 대답한 후 자리에서 일어났다. 린지보다 훨씬 큰 그가 즐거운 눈빛으로 그녀를 내려다보았다. 마치 그녀의 행동 하나하나를 관찰하는 듯한 실험자의 눈빛이었다. 레너드가 린지에게 가까이 다가가 귓가에 속삭였다.

"그렇게 된다면 나도 집사님께 드릴 말씀이 생길 것 같은데, 어떻게 생각해요?"

"……!"

린지는 주먹을 확 쥐며 레너드를 노려보았다. 그의 은회색 눈동자가 그녀의 바로 옆에서 흥미롭게 반짝이고 있었다. 노골적으로 협박하는 이 순간조차 너무나도 순수한 눈빛인지라 괴리감이 느껴졌다.

"그러지 말고 잘 지내 봐요, 린지안 선배."

레너드는 싱긋 웃으며 해맑게 말했다.

그날 밤이었다. 린지는 모두가 잠든 시간에도 잠들지 않았다. 평소라면 샤워하고 침대에 누웠겠지만, 오늘은 달랐다. 린지는 검은색 타이트한 슈트를 입은 후 후드를 걸쳐서 단단히 줄로 동여맸다.

'그 자식 정체를 알아내야겠어.'

린지는 방문을 단단히 잠근 뒤 창문 밖으로 날렵하게 몸을 던졌다. 저택 벽에 붙은 그녀는 조심스레 한 발자국씩 움직여 옆 건물로 이동하기 시작했다.

그녀가 향하는 곳은 집사의 집무실이었다. 저택 고용인들의 인적 관리는 집사의 업무였고, 때문에 그에 대한 정보들도 그의 집무실에 있을 것이다.

'레너드 녀석, 뭔가 있어. 수상하다고.'

그가 보통 사람이 아니라는 직감이 내리꽂혔다. 레너드의 기억력은 굉장히 비상했다. 그는 이미 저택 구조를 다 외운 것 같았고, 린지가 가르친 업무들은 한 번 들은 것만으로 다 이해했다. 그래 놓고는 싱글싱글 웃으며 하루 종일 속 긁어 대는 말만 해 대서 린지의 스트레스는 한계치에 도달해 있었다.

'게다가 내가 여자라고 확신하고 있어. 그냥 내버려 둘 수 없다고!'

탁!

조심스레 집사의 집무실 안으로 들어온 린지는 주위를 두리번거렸다. 집사의 성격을 증명하듯 그의 데스크는 몹시 깔끔했으며 서류는 한 치의 벗어남도 없이 정갈하게 정리되어 있었다. 린지는 서류들을 한 움큼씩 잡아 훑어보았다.

'아냐, 이건 아냐. 어디 있지?'

인적 관리 파일을 찾았지만 그곳에 레너드의 서류는 보이질 않았다. 새로 들어온 인물인 만큼 가장 위에 있는 게 맞을 텐데? 린지는 순서가 넘어가도록 보이지 않는 레너드의 서류에 인상을 찡그렸다.

'설마 이력서를 안 낸 건 아니겠지?'

아무리 특별 채용이어도 그렇지, 이력서 없이 백작 가문에 들어왔을 리가 없지 않은가? 백작 가문의 고용인으로 일하는 건 굉장한 행운이자 기회였다. 왕실에서 일하는 고용인들의 봉급과 별 차이가 없었고, 복지도 탄탄해서 평민들에게는 거의 신의 직장이었던 것이다. 때문에 경쟁률도 몹시 치열한 것이 바로 백작 가문의 시종, 시녀였다. 그런데 이력서도 없이 붙다니?

'혹시 집사나 백작과 따로 연줄이 있는 녀석인가?'

아무리 서류를 찾아도 나오지 않자 린지는 이 가설을 세울 수밖에 없었다. 레너드는 연줄로 들어온 것이 분명하다. 집사나 백작과 친분이 있어서 서류도 없이 특별히 뽑혀서 일하게 된 것이겠지. 그리고 선배 시종인 자신을 무서워하지 않는 것을 보아하니, 어딘가 믿는 구석이 있는 것 같기도 했고…….

'젠장, 그럼 더 귀찮아지는데!'

린지는 입술을 깨물며 서류를 제자리에 도로 가져다 놓았다. 만약 레너드가 집사나 백작과 따로 친분이 있는 사이라면 자신에 대해 언급할 수도 있지 않은가? 만약 그가 린지를 '여자 같다'라고 하게 된다면, 그 얘기가 그들의 귀에 들어간다면…….

'임무에 지장이 생겨.'

린지는 자리에 오도카니 서서 생각에 잠겼다. 레너드를 대체 어떻게 해야 할 것인가. 백작이 여행에서 돌아오기 전에 결정을 내려야 한다. 레너드가 자신을 여자라고 확신하고 있다면ㅡ.

'……내쫓아야겠어. 그 방법밖에 없어.'

린지는 그렇게 결심하며 레너드가 배정받은 방을 기억해 냈다. 그녀는 다시 창문 밖으로 나가 벽을 올라타며 그의 방으로 향했다. 그냥 이상하고 엉뚱한 시종이라고 넘기기엔 린지의 예리한 직감이 경고음을 울려댔다. 린지는 허리에서 덜컥이며 움직이는 검집을 의식하며, 부디 이 검을 뽑을 일까지는 없길 소망했다.

레너드의 방에 도달한 린지는 조심스레 그의 창문을 열었다. 그녀는 마치 고양이처럼 사뿐하게 방 안으로 들어온 후, 다시 창문을 닫고는 조용히 몸을 낮췄다. 희미한 달빛이 스며든 방 안은 어두웠고 잔잔한 침묵이 깔려 있었다. 들리는 것이라고는 침대 위에 곤히 잠들어 있는 레너드의 규칙적인 숨소리뿐이었다.

린지는 천천히 몸을 일으켜 레너드를 바라보았다. 신비로운 하늘색 머리카락을 흐트러트린 채 청년은 곤히 잠들어 있었다. 감겨 있는 단정한 눈, 날렵한 콧날을 바라보며 린지는 문득 시녀들의 말에 동의했다. 확실히 잘생기긴 했다.

'하지만 수상한 녀석이지. 저택에서 쫓아 버릴 수밖에 없어.'

린지는 일단 괴한 행세를 하여 레너드를 혼쭐낼 생각이었다. 실컷 때리고 협박하면 내일쯤 짐을 싸서 도망가겠지. 적성에 맞지 않는 일이었지만 그녀에게는 선택의 여지가 없었다.

린지는 일단 방문을 단단히 걸어 잠갔다. 행여나 레너드의 비명을 듣고 누군가가 도와주러 와도 들어올 수 없도록 조치한 것이다. 방문을 잠근 그녀는 한숨을 푹 쉬며 뒤로 돌았다. 이제 레너드에게 다가가 그를 흠씬 두들겨 팰―.

"……!"

순간 린지는 숨을 크게 들이쉬었다. 레너드가 어느새 침대에 앉아서 미소 짓고 있었던 것이다!

"안녕? 좋은 밤이네?"

옅은 달빛을 받은 채 웃고 있는 은회색 눈동자와 마주치는 순간, 린지의 온몸에 소름이 돋아 올랐다. 눈을 뜨고 침대에서 일어나 앉는 움직임을 눈치채지 못하다니?

'돼, 됐어. 어차피 잘됐어. 깨울 참이었으니까.'

놀라지 말자, 린지 아즈벨. 그녀는 놀란 마음을 타이르며 숨을 내쉬었다. 그러고는 레너드를 날카롭게 노려보며 그에게 다가갔다.

"좋은 밤? 미안하지만 너에겐 악몽 같은 밤이 될 거다."

유시젠이 준 목소리 변조 약물을 다섯 개 통째로 마셔 버렸다. 때문에 평소보다 훨씬 더 허스키해진 목소리는 평소 시종 린지안의 것과는 완전히 달랐고, 린지는 안심하고 얘기할 수 있었다.

린지는 더 이상 대화를 나눌 생각이 없었다. 그녀는 다짜고짜 주먹을 내질러 레너드의 뺨에 내리꽂았다. 아니, 내리꽂으려고 했다.

"웃차."

레너드가 얼굴을 슬쩍 기울여 그녀의 주먹을 피해 냈다. 놀랄 겨를도 없이 순식간에 팔을 낚아챈 레너드가 강한 힘으로 그녀를 끌어당겨 침대 위로 내동댕이쳤다. 그리고 그녀의 몸에 올라타 두 팔을 잡아 눌렀다. 이 모든 것이 순식간에 일어난 일이었다.

"......!"

단숨에 그에게 잡혀 아래에 깔리게 된 린지는 어안이 벙벙해질 정도로 놀란 상태였다. 그런 그녀의 눈을 내려다보며 레너드가 방긋 웃었다.

"이런 야심한 밤에 여자 혼자 남자 방에 오면 어떻게 되는지 몰라?"

린지는 침을 꿀꺽 삼켰다. 그녀는 레너드의 눈을 노려보며 자신의 직감이 적중했다는 것을 느꼈다.

'보통 녀석이 아니야.'

객관적으로 말하자면 린지는 몹시 강했다. 괜히 유시젠의 그림자 역할을 하며 그의 비밀 명령을 수행한 것이 아니었다. 때문에 이렇게 쉽게 제압당해 본 적은 드물었다. 아니, 이런 적은 아예 처음이었다. 린지는 자신의 두 팔목을 잡고 내리누르고 있는 어마어마한 악력에 꼼짝할 수도 없었다.

레너드는 이런 순간에조차 싱글싱글 웃으며 린지를 내려다보더니 문득 얼굴을 가까이 가져다 대고 숨을 들이마셨다.

"아아, 역시 정말 좋은 향기야. 린지안 선배."

"……!"

"모를 줄 알았어? 벽을 타고 올 때부터 향기가 진동했어. 두근두근 기대하면서 기다리고 있었지롱."

레너드가 그녀의 두 팔을 한데에 모아 한 손으로 잡았다. 그러고는 다른 손으로 그녀의 후드와 마스크를 벗겨 냈다.

"밤에 보니까 더 예쁘네. 침대 위에 있어서 더 야하고."

"입 닥쳐."

"미안하지만 지금은 근무 시간이 아니라서, 선배 말을 따라야 할 이유가 없네. 게다가 무단 침입한 건 선배라고."

린지는 분한 마음에 발버둥 쳤다. 단 한 손으로 잡고 있음에도 불구하고 린지의 팔목은 그에게 단단히 포박돼 조금도 움직이지 않았다.

'젠장, 망했어!'

린지는 섣부르게 행동한 자신을 탓했다. 레너드를 내쫓기 위해 그의 방에 침입했는데 반대로 제압당하고 말았다. 솔직히 자신을 이렇게 완벽하게 제압할 수 있는 자가 존재할 거라고는 상상해 본 적이 없었다. 이것은 린지의 오만도, 자기 과신도 아닌 냉철한 사실이었다.

린지는 그를 노려보았다. 레너드는 마치 린지의 갈등을 즐기듯이 흥미로운 눈빛으로 그녀를 내려다보고 있었다. 그 관찰하는 듯한 시선에 린지는 부아가 치밀어 올랐다.

"죽여."

"응?"

"죽이라고. 지금 당장. 네가 날 죽이지 않으면 내가 널 죽일 테니까!"

임무는 실패다. 린지는 이 뼈아픈 사실을 받아들였다. 백작 가문의 시종으로 일하며 정보를 긁어 와야 하는 임무는 이렇게 끝나고 말았다. 지금껏 운 좋게 백작의 개인 시종이 되어 순항하는가 싶었지만―.

'실패야. 완벽한 실패라고!'

레너드, 이 수상한 시종 덕분에 완전히 망하고 말았다. 여자인 것을 들킨 데다가 몰래 침입한 것마저 드러났다. 이것이 백작이나 집사의 귀에 들어가면 해고당하는 것으로도 끝나지 않으리라.

"싫은데."

"뭐?"

"린지안 선배를 죽이지 않을 거야. 그리고 선배에게 죽는 일도 없을 거고."

레너드는 그렇게 말하며 장난기 어린 웃음을 지었다. 그러고는 린지의 손목을 순순히 놓아준 후 맞은편에 자리 잡았다. 린지는 의심쩍은 눈빛으로 몸을 일으켰다.

"무슨 속셈이야?"

"린지안 선배랑 같은 속셈이랄까."

레너드는 웃음 지으며 밝은 청색 머리칼을 쓸어 넘겼다.

"린지안 선배도 이곳에 잠입했지? 백작의 정체를 알아내려고?"

린지는 낭떠러지에 서 있는 기분이 되어 레너드를 바라보았다. 최악이라고 생각했는데 여기에 더 최악일 수가 있다니……. 그런 그녀를 위로 하듯 레너드가 덧붙였다.

"나도 마찬가지야. 조사할 게 있어서 왔어."

린지는 천천히 고개를 들어 올렸다. 어둠 속에서 은회색 눈동자가 그녀를 물끄러미 응시하고 있었다. 그 눈빛은 처음 봤을 때와 다름없이 장난기로 가득했다.

"너 대체 정체가 뭐야?"

레너드 아롭, 대체 이 녀석의 정체는 무엇일까. 어떤 놈이기에 백작가에 잠입하고, 자신을 쉽게 제압할 수 있는 것일까.

린지의 답답한 마음을 느꼈는지 레너드가 불현듯 입꼬리를 올렸다.

"……!"

그는 두 손을 뻗어 린지의 어깨를 잡았다. 너무나 빠른 움직임에 린지는 사전에 차단할 수조차 없었다. 태어나서 이렇게 재빠른 동작은 본 일이 없었다. 그녀의 어깨를 단단히 잡은 레너드가 얼굴을 바싹 가져다 댔다.

"난 지금 린지안 선배를 잡고 있어. 이대로 집사의 앞에 끌고 가면 어떻게 될 것 같아?"

린지는 레너드를 노려보았다. 바로 눈앞에서 희번덕거리는 은회색 눈동자에는 협박할 때조차 진지함이라고는 찾아볼 수 없었다.

"지금 불리한 건 내가 아니라 선배야. 복장부터가 수상하잖아."

"……원하는 게 뭐야?"

린지는 이를 악물며 물었다. 분하지만 어깨를 잡고 있는 레너드의 손을 뿌리칠 자신이 없었다.

"아무것도 묻지 말 것. 그리고……."

린지는 자신의 몸이 다시 기우뚱 기우는 것을 느꼈다. 침대 위에 부드럽게 쓰러진 린지는 자신의 위에 몸을 눕히는 레너드를 노려보았다.

"뭘 그렇게 노려보고 그래?"

"비켜."

"이 정도면 거래할 만하잖아? 비밀을 지켜 주는 대가로."

레너드의 눈빛이 원하는 것은 명백했다. 그는 매혹적인 미소를 지으며 린지의 허리 위에 손을 얹었다. 부드러운 곡선을 타고 올라온 손이 그녀의 단추에 머물렀다.

"비키라고 했어."

린지는 냉정함을 유지하려고 노력했다. 힘으로는 도저히 당할 수 없는 상대가, 지금 그녀의 비밀을 틀어잡고 그 대가로 몸을 원하고 있었다. 단추가 하나둘 풀어지자 린지는 그의 어깨를 밀쳐 내기 위해 손을 내뻗었다. 하지만 언제 잡혔는지도 모르는 순간, 이미 그녀의 손은 레너드의 손아귀 안에 들어가 있었다. 린지는 당황하지 않고 이번엔 무릎을 차올리려고 했다. 하지만 레너드의 단단한 허벅지가 이미 그녀의 하체를 짓누르고 있는 상태였다.

결국 움직임이 완전히 봉해진 린지는 태어나서 처음 느껴 보는 무력함에 입술을 깨물었다. 단 한 번도 누군가에게 이렇게 제압당해 본 역사가 없었다. 때문에 이런 두려움과 억울함은 린지에게 있어서 너무나도 생소했다.

"아, 정말 싫은가 보네."

그녀를 내려다보던 레너드가 이제야 깨달았다는 듯 깜짝 놀라 중얼거렸다. 이번에도 역시나 관찰하는 듯한 눈빛이었다. 마치 실험용 쥐가 된 기분이 든 린지는 울컥 화가 치밀어 올라 외쳤다.

"차라리 죽여, 개자식아!"

그녀의 살기를 덤덤하게 받아 낸 레너드는 믿기지 않는다는 눈으로 중얼거렸다.

"우와, 조금 충격인데. 솔직히 날 싫어하는 여자가 존재할 줄은-."

"미친, 이 자뻑 새끼. 너 같은 건 딱 질색이야!"

놀랍게도 그 말 한마디가 레너드를 충격으로 몰아간 것 같았다. 그 어떤 폭언에도 태연했던 레너드는 상처받은 듯 미간을 살짝 좁혔다.

"너무하네. 린지안 선배, 말이 너무 심해."

"입 닥치고 그냥 죽여. 차라리 그게 낫겠다."

그 말에 레너드가 멍하니 그녀를 내려다보더니 불현듯 웃음을 터뜨렸다. 그는 키득거리며 어깨를 떨어 가면서까지 웃더니, 눈물마저 맺힌 눈으로 말했다.

"아하하, 정말 웃기다. 죽는 게 낫다니."

"무슨 헛소리야! 닥치고 비키든가 죽이든가 하나만 해!"

그 말에 레너드는 고민하는 시늉을 하며 린지를 바라보았다.

"그럼 이렇게 하자."

"뭐?"

레너드의 손이 린지의 얼굴을 틀어잡았다. 다음 순간 여차할 사이도 없이 그의 입술이 린지의 입술을 내리눌렀다. 오싹할 만큼 차가운 입술에 그녀가 발버둥 치려는 찰나, 체온이 떨어졌다.

"부드럽네."

얼굴 바로 앞에서 속삭인 레너드가 혀를 날름 내밀어 린지의 입술을 핥았다. 순간 온몸에 소름이 돋은 린지가 힘껏 몸부림쳤다.

"아아, 알았어. 알았다고. 그만할게."

레너드는 항복을 선언하듯 두 팔을 들어 올리며 린지에게서 떨어졌다. 린지는 잽싸게 그를 밀치며 자리에서 벌떡 일어났다. 입술 위에 닿았던 생소한 감촉이 끔찍했다.

그런 린지를 빤히 바라보던 레너드가 소리 내어 웃음을 터뜨렸다.

"이 정도로 그렇게 떨다니…… 선배, 남자 경험 없구나?"
"……!"
수치심에 얼굴이 확 달아올랐다. 린지는 저도 모르게 베개를 잡고 레너드를 향해 던졌다. 레너드는 가볍게 베개를 잡으며 웃었다.
"미안, 미안. 내가 너무 솔직하지?"
"닥쳐!"
너무나 화가 나서 눈물이 찔끔 맺혀 올 정도였다. 린지는 참지 못하고 허리춤에서 검을 뽑아 올렸다. 더 이상 저 녀석에게 모욕당하느니 여기서 죽는 게 낫다고 생각될 정도였다.
"정말 싸우게?"
레너드는 놀랐다는 듯이 말했지만 어느새 탁자 위에 올려놓았던 자신의 검을 든 상태였다. 린지는 그가 검집에서 검을 꺼내는 것을 노려보았다.
"……!"
린지는 자신의 눈을 의심했다.
마치 찬란한 은빛 광선이 빛을 발하는 것 같다. 린지는 차올랐던 살기조차 잊고 그의 검을 응시했다. 레너드는 그녀의 반응을 예상했다는 듯 씩 웃으며 검을 흔들어 댔다.
"이게 뭔지 알지?"
"……미스릴."
린지는 저도 모르게 중얼거리며 대답했다.
미스릴이었다. 신의 선물이라고도 불리는 그 광물이 날카롭게 벼려져 레너드의 손에 있었다. 린지는 순식간에 싸울 의욕을 잃고 말았다. 아마 저것과 부딪히는 순간, 자신의 검은 두 동강으로 조각나고 말 것이다.
"미스릴이 어떻게……."
미스릴은 다이아몬드와도 비교되지 않을 만큼 귀하고도 드문 광물이다. 지금까지 알려진 미스릴 광산은 전 대륙에서 단 하나, 엘테스 왕국뿐이었다. 하나 그곳에도 미스릴은 극히 소규모만 존재하기에 미스릴을 얻기란 하늘의 별 따기보다 어렵다고 했다. 특히나 미스릴을 녹여 하나의 무기로 만드는 것만 해도 10여 년이 넘는 오랜 시간과 노력이 필요하여, 세상에 존재하는 미스릴 무기가 몇 없다고 들었는데-.

그중 하나가 오늘 신입 시종으로 들어온 레너드의 손안에 있다.

"놀랐나 보네. 하기야 미스릴은 귀하니까."

"너 대체……."

정체가 뭐냐. 린지는 입술 끝까지 치솟아 오른 말을 삼켜 냈다. 어차피 물어봐도 대답해 주지 않을 것이 뻔했다. 하나 그보다 더 큰 경악에 린지는 차마 말을 이을 수 없었다.

"우리 싸우지 말자. 어차피 난 대가를 받았으니 린지안 선배의 정체를 떠벌리고 다닐 생각이 없어. 솔직히 더 하고 싶긴 하지만……."

린지가 사납게 그를 노려보자 레너드는 잽싸게 입을 다물었다. 그러고는 쿡쿡 웃음소리를 흘려 대며 검을 도로 집어넣었다.

"일단 그 정도로 만족하지 뭐."

린지는 레너드를 가만히 쳐다보았다. 미스릴 무기를 가진 데다가 린지보다 강한 이 사내는 이곳에서 싸워도 손해 볼 것이 없다. 린지는 아마 단숨에 패하고 말 것이다. 그럼에도 불구하고 레너드는 싸움을 피하고 있다.

'대체 이 녀석 뭐지?'

레너드는 자신에게 이렇게까지 많은 것을 알려 줄 필요가 없었다. 그 역시 백작에게 알아낼 것이 있다고 말했고, 미스릴 검이 있는 것도 보여주었다. 그것은 레너드가 린지에게 공짜로 제공하는 정보나 마찬가지였다. 린지는 도무지 그의 생각을 간파할 수 없었다. 만약 레너드가 자신을 붙잡고 집사에게 넘겼다면 오히려 더 이해하기 쉬웠을 테지만- 그는 그러지 않았다. 도리어 비밀을 알려 주었다.

린지는 천천히 무기를 검집 안으로 집어넣었다. 레너드는 여유마저 느껴지는 은회색 눈동자로 린지가 싸울 생각이 없다고 표하는 것을 지켜보았다.

"잘 생각했어."

"……약속은 지켜."

린지의 사나운 목소리에 레너드가 고개를 끄덕였다. 린지는 조금 더 그를 노려다보다가 창문을 열고 밖으로 훌쩍 뛰어내렸다.

'젠장, 손해만 봤군.'

자신의 방으로 돌아가는 린지의 마음엔 낭패감이 가득했다. 레너드의 정체를 알아내기는커녕, 자신이 스파이라는 것만 광고하고 오고 말았다. 레너드가 보통 녀석이 아니란 것은 확신하게 됐지만 더 커다란 미궁 속으로 빠지게 된 꼴이지 않은가. 그냥 수상한 녀석으로만 생각했는데 이제는 그것을 정정해야만 했다.

'엄청 수상해.'

지금껏 보아 온 그 누구보다 수상한 사람이었다.

그날 린지는 거의 잠을 이루지 못했다. 이불을 덮고 잠을 청하면서까지도 그녀는 끝까지 치열한 갈등에 시달리고 있었다. 이대로 임무를 접고 도주해야 하는가, 말아야 하는가에 대해서.

레너드에게 정체를 들켜 버리고 말았다. 그가 비밀을 지켜 주겠다고는 했지만, 만약 약속을 어기고 말을 하게 된다면- 아마 린지는 심문을 당하게 될 것이다. 예전 같았다면 심문을 당하게 되든 말든 사람들을 제압하고 도주하면 된다! 라고 생각했겠지만, 지금 그녀의 자신감은 현저히 떨어진 상태였다.

'그렇게 강한 사람은 처음이었어…….'

그녀의 마음을 지배한 것은 두려움이었다. 생전 처음 만나 보는 벽, 어쩌면 넘을 수 없을지도 모른다는 벽에 대한 공포가 린지의 잠을 방해했다. 만약 레너드 같은 자가 세상에 더 있다면? 그런 자들이 자신을 심문하려고 한다면? 도망갈 수 있을 것인가?

'오라버니, 죄송해요. 제가 너무 부족해서…….'

이길 수 없다, 이런 생각은 린지에게 굴욕감을 안겨 주었다. 이것은 린지의 삶에 있어서 첫 번째 패배였다. 세상은 넓고 숨겨진 강자는 많다. 린지는 자신이 그 '숨겨진 강자'에 속하고 있다는 것을 잘 알고 있었다. 한데 그중에서도 더 강한 자가 있다는 것을 인정하기가 무서웠다.

린지는 사실 당장이라도 백작가를 떠나고 싶었다. 그리고 키벨과 유시젠에게 돌아가 레너드 같은 괴물이 존재한다는 것을 알리고, 그들의 곁에서 안도하고 싶었다. 하지만…….

'해 볼 때까지 해 보자. 오라버니를 실망시키고 싶지 않아.'

린지는 유시젠을 떠올리며 약해지려는 마음을 다잡았다. 이대로 그녀가 백작가를 떠난다고 해도 아무것도 해결되지 않는다. 백작의 지난 12년간의 행적은 여전히 베일에 가려져 있는 상태이고, 레너드 또한 누군지도 모르는 상태에서 끝이 날 것이다. 지금 떠나 봤자 도망가는 것, 그 이상 그 이하도 아니었다.

'대체 휘안에게는 어떤 비밀이 있기에 그런 녀석이 꼬이는 거지?'

이쯤 되면 휘안 역시 심각하게 의심되기 시작했다. 외계에서 온 것 같은 레너드도 휘안에게 알아낼 것이 있다며 시종으로 잠입했다. 유시젠의 그림자인 자신보다 강하고, 미스릴 검마저 가진 작자가 휘안에게 궁금한 것이 있다고 한다. 대체 그는 무엇을 알아내려고 이 저택에 온 것일까?

휘안에게는 무슨 비밀이 있는 것일까?
'그러니까 빨리 돌아와, 휘안…….'

다음 날, 린지는 휘안의 방을 열고는 몸을 굳혔다. 노크에도 반응이 없는 것은 하루 이틀 일이 아니었기에 그가 잠들어 있을 것을 예상했다. 하지만 린지의 예상은 빗나갔다.
'아직 안 오셨네.'
린지는 머리를 긁적이며 텅 빈 백작의 방을 바라보았다. 린지가 마지막으로 정리해 놓은 상태 그대로 정돈되어 있는 상태였다. 아무래도 휘안은 아직 마르티엘인지 뭔지 하는 여자와의 여행에서 돌아오지 않은 모양이었다. 즉, 린지는 오늘도 레너드의 교육을 시켜야 한다는 소리.
"아, 젠장맞을. 썩을. 짜증 나 죽겠네."
두통이 머리를 점령했다. 린지는 지끈거리는 통증에 시달리며 터덜터덜 방으로 돌아갔다. 레너드의 그 능글맞은 미소를 또 볼 생각을 하니 짜증이 확 치밀어 올랐다.
방으로 돌아간 린지는 문을 열고 들어서자마자 치솟아 오르는 분노에 입술을 악물었다. 그녀는 자신의 방에 들어와 침대 위에 잠들어 있는 하늘색 머리칼의 청년을 노려보았다. 대체 언제 들어왔단 말인가! 분명히 문을 잠가 두고 나갔는데!
린지는 재빠르게 그에게 다가갔다. 그리고 레너드가 꼭 끌어안고 있는 이불을 빼앗으며 소리쳤다.
"야! 당장 일어나!"
"우움, 조금만 더 잘래."
천사 같은 얼굴로 조금만 더 잘래, 라니! 그게 남의 침대에 누워서 할 말이란 말인가! 린지는 혈압이 그대로 터져 버릴 것만 같은 스트레스를 경험했다.

"일어나! 이 바퀴벌레 같은 자식아! 당장 내 방에서 나가!"

바퀴벌레라는 말에 반응한 걸까, 레너드가 슬쩍 눈을 뜨더니 불만스럽게 린지를 바라보았다.

"하암, 정말 너무해, 린지안 선배. 바퀴벌레라니, 이렇게 잘생긴 바퀴벌레 봤어?"

"입 닥치고 꺼져!"

너무 화가 나서 손끝이 바들바들 떨려 올 지경이었다. 레너드는 완전히 폭발한 린지를 물끄러미 쳐다보더니 씩 미소 지었다.

"꺼지라니? 어차피 조금 이따가 교육 때문에 만나야 하잖아? 너무 보고 싶어서 일찍 왔는데 너무해, 선배."

레너드는 마치 소년처럼 해맑고 천진하게 미소 지었다. 그 순수해 보이는 미소에 린지의 혈압은 더더욱 올라갔다.

"좋은 말로 할 때 꺼져."

"웬만하면 린지안 선배의 말을 들어주고 싶지만."

레너드는 린지의 침대 위를 뒹굴며 헤실헤실 웃었다.

"향기가 너무 좋아서 못 일어나겠어. 꽃밭에 누워 있는 기분이야."

저놈의 향기 타령! 린지는 스트레스로 돌아 버릴 지경이었다. 무엇보다 저 수상한 자식이 자신의 침대 위에 누워 있는 것이 너무나도 거슬렸다. 린지는 누워 있는 그의 팔을 잡아 억지로 일으켰다.

"일어나, 일어나라고, 이 자식아!"

"어어?"

레너드는 그녀에게 마지못해 끌려 일어나는 척하다가 표정을 바꿔 씩 웃었다. 그리고 팔에 힘을 줘 린지를 침대 위로 넘어뜨렸다.

"린지안 선배, 학습 능력이 나쁘네. 내가 더 힘센 거 기억 안 나?"

"……."

또다시 레너드의 팔 아래에 깔리게 된 린지의 표정에 낭패감이 어렸다. 솔직히 말해서 완전히 까먹고 있었다. 너무 화가 난 나머지 몸부터 움직인 린지였다.

"비켜라."

린지가 낮게 으르렁거리자 레너드가 혀를 날름 내밀었다.

"싫은데?"

순간 그의 혀를 본 린지의 몸이 흠칫 굳었다. 어젯밤, 레너드가 자신의 입술을 핥은 것이 떠올랐던 것이다. 린지의 반응에 레너드는 알 것 같다는 표정을 지으며 얼굴을 바싹 가져다 댔다.

"뽀뽀 한번 하게 해 주면 일어날게. 어때?"

린지는 대답하는 대신 얼굴을 확 들어 올려 레너드에게 들이받았다. 순식간에 박치기를 당한 레너드가 신음 소리를 내며 비틀거리자 린지는 그 기회를 놓치지 않고 레너드의 팔을 꺾었다. 단숨에 그의 등 위에 올라타 팔을 꺾은 린지가 위협적으로 말했다.

"건방지게 굴지 마. 내가 그렇게 우습게 보여?"

"아아아, 아파, 아파. 진짜 아파!"

부러지기 직전까지 꺾고 있으니 당연히 아프겠지. 린지는 레너드를 노려보다가 팔을 놓아주고는 자리에서 일어났다. 그러자 레너드가 원망스런 눈으로 린지를 흘겨보았다.

"너무하네, 선배. 장난 좀 친 것 가지고 너무 살벌하게 구는 거 아냐?"

"그딴 장난 한 번만 더 쳐 봐."

"장난이 아니라 진심이면 해도 되는 거야?"

죽고 싶냐! 린지가 눈을 부라리자 레너드가 기죽은 척 꼬리를 내렸다.

"알았어. 린지안 선배, 나갈 테니까 내 부탁 하나만 들어줘."

"뭐? 그게 뭔데?"

레너드의 제안에 린지가 눈썹을 슬쩍 들어 올렸다. 그는 자리에서 발딱 일어나더니 은근한 목소리로 말했다.

"나랑 오늘 하루 외출하자."

"기각. 안 돼. 닥쳐."

말도 안 되는 소리였다. 수습 시종이 교육 기간에 땡땡이를 치고 외출을 한다? 하늘이 뒤집어져도 허락할 수 없는 일이었다.

레너드는 린지의 단호한 거절을 예상했다는 듯 히죽히죽 웃으며 말을 이었다.

"에이, 그러지 말고 하자."

"안 된다고 했다."

"어쩔 수 없지. 그럼 집사님께 린지안 선배가 여자라고 일러야지."

그렇게 중얼거린 레너드가 발딱 일어나 방을 나서려 하자 린지는 잽싸게 그의 허리를 낚아챘다. 레너드는 시큰둥한 표정으로 린지를 내려다보았다.

"뭐야? 왜 그래, 선배? 이것 놔. 나 바쁜 사람이야."

"……죽고 싶냐?"

"아니, 죽기 싫은데? 그러니까 이것 놔. 서로 갈 길 가자니까?"

결국 린지는 한숨을 푹 내쉬며 백기를 들었다.

"알았어, 나가면 되잖아."

"진작 그럴 것이지."

악마 같은 자식. 린지는 입술을 깨물며 레너드를 노려보았다. 그는 언제나처럼 천진난만한 소년처럼 활짝 웃고 있었다.

레너드는 린지를 끌고 수도 중심에 위치한 쇼핑 거리 루단테 로드로 데려갔다. 귀족들이 아니고서야 사기 힘든 고가의 브랜드 숍들이 길게 늘어져 있는 루단테 로드는 흔히 '귀족 거리'라고도 불렸다. 그만큼 평민의 재산으로 사기 힘든 것들만 즐비했던 것이다.

귀족들의 쇼핑 거리인 만큼 도로는 울퉁불퉁한 곳 하나 없이 매끄럽게 포장되어 있었고, 고풍스러운 분위기의 건물들이 서 있었다. 예전에 임무 관련되어 두세 번 와 본 경험밖에 없는 린지는 레너드를 올려다보았다.

"너 미쳤냐? 여긴 왜 와?"

"살 게 있어서 그래. 이런 차림은 곤란하잖아?"

린지와 레너드는 하얀 와이셔츠에 검은 정장 바지, 검은 조끼를 입은 전형적인 시종 복장이었다. 하지만 백작 가문이 부유하다는 것을 증명하듯, 시종들의 복장조차 최고급이었기에 조끼만 벗으면 값비싼 정장처럼 보이기도 했다. 레너드는 조끼를 벗어 팔에 걸친 후 하얀 와이셔츠 단추 두세 개를 풀었다.

"……한량 같아."

그의 모습을 감상한 린지는 솔직하게 말했다. 하늘색 머리를 헝클어뜨리고 히죽 웃고 있는 레너드는 돈 많은 귀족 집 막내아들 정도로 보였다. 그 말에 레너드가 피식 웃으며 고개를 저었다.

"린지안 선배는 어떤 옷 좋아해?"

"내가 그걸 왜 너한테 말해야 하지?"

린지는 공격적으로 대답했다. 지금 그녀의 심정은 언짢은 것을 넘어서 짜증이 부글부글 끓고 있었다. 근무 시간에 이탈하다니! 레너드 녀석의 협박에 놀아나는 것이 너무나도 화가 났다.

레너드는 어쩔 수 없다는 듯 어깨를 으쓱였다.

"그럼 내 취향대로 고르지 뭐."

"뭐? 그게 무슨……."

"일단 따라와, 선배."

린지는 불길한 예감을 느꼈다.

잠시 후, 그녀의 예감은 적중했다.

"싫어."

"에이, 그러지 말고."

"싫다고 했어!"

린지는 날카롭게 외치며 레너드를 죽일 듯 노려보았다. 지금 그들은 여성복 브랜드 숍에서 실랑이를 벌이고 있었다. 린지의 앞에는 레너드가 손수 고른 원피스가 놓여 있었는데, 몸에 꽉 달라붙은 실루엣에 팔뚝까지 내려오는 소매에는 적당한 양의 프릴이 달려 있는 디자인이었다. 무릎길이의 새하얀 원피스는 하얀 피부의 린지와 너무나도 잘 어울려 보였지만 그녀는 살기에 가까운 눈빛으로 레너드를 쏘아보았다.

"내가 왜 이걸 입어야 하는데?"

역시 레너드를 따라오는 게 아니었다. 린지는 뼈저리게 후회하며 떨리는 주먹을 참아 냈다. 땡땡이를 치고 데리고 나오더니 시키는 것이 여장이라니? 린지는 단호한 표정으로 말했다.

"절대 안 입어. 절대!"

그녀의 강렬한 거부감을 느낀 레너드는 난감한 표정이었다. 그는 흐음 소리를 내며 턱을 쓰다듬더니 은밀한 은회색 눈동자로 말했다.

"이걸 입으면 백작에 대해 더 잘 알게 될 거야."

"……뭐?"

"말했잖아? 백작에 대해 조사할 게 있어서 이곳에 있다는 걸. 지금 내가 쓸데없는 짓 하는 것 같아?"

린지는 레너드의 눈을 들여다보았다. 그는 여전히 장난치 넘치는 기색이었지만 결코 거짓을 말하는 눈은 아니었다. 잠시 말없이 서 있던 린지는 한숨을 푹 내쉬며 원피스를 잡아챘다.

"거짓말이면 죽는다."

레너드는 기어코 린지에게 쫙 달라붙는 하얀 원피스를 입히고 말았다. 사실 그동안 임무를 위해 몇 번 드레스를 입고 귀족 여성인 척 행세한 일은 많았지만, 이런 스타일의 원피스는 생전 처음이었다. 반신반의하며 원피스를 입은 린지는 거울 속 모습에 상당히 놀랐다.

'어? 나 몸매 제법 좋은 편일지도?'

그동안 원피스를 입어도 치마 라인이 부드럽게 퍼지는 것만 입은지라, 이렇게 몸의 굴곡이 드러나는 옷은 처음이었다. 잘록한 허리와 균형 잡힌 골반은 여성이라면 꿈꿀 이상적인 몸매였다.

'하지만 머리가…….'

어깨에도 닿지 않는 짧은 붉은 머리카락 덕에 어색한 느낌을 떨칠 수 없었다. 린지가 머뭇거리며 탈의실을 나서는 것과 동시에 머리 위로 무언가가 털썩 내려앉았다.

"와아, 역시. 생각했던 대로네. 몸매 죽인다."

칭찬이었지만 절대 기분 좋은 말은 아니었다. 린지는 머리 위에 가발을 씌워 준 레너드를 노려보았다. 언제 구해 왔는지 갈색으로 구불거리는 긴 머리 가발을 린지에게 씌운 것이다.

"왜 째려봐? 칭찬한 건데?"

"기분 나쁘니까 닥쳐."

린지는 차갑게 내뱉다가 문득 레너드 역시 옷을 갈아입은 것을 깨달았다. 남색 스트라이프 셔츠에 짙은 검은색 슈트를 차려입은 그는 누가 봐도 귀족 도련님처럼 보였다.

"대체 어딜 가는 건데 이렇게 차려입은 거야?"

궁금해서 참을 수 없었다. 대체 레너드는 린지를 어디로 데려가려는 걸까? 그가 보여 주려고 하는 백작의 정보는 대체 무엇이란 말인가?

레너드는 씩 웃더니 그녀에게 손을 내밀었다. 에스코트를 청하는 모습이 정말로 귀족 같았다.

"밖에 마차가 대기하고 있어."

"뭐? 너 대체 언제……."

옷 입고 나온 사이에 준비한 것치고는 지나치게 신속하지 않은가? 마차 안에 탄 린지는 의심쩍은 눈으로 레너드를 바라보았다. 그는 몹시 즐거운 듯 콧노래를 흥얼거리고 있었다.

"포그라고 알아?"

"뭐?"

"귀신같은 정보 길드 말이야."

물론 알고 있었다. 하지만 물어보는 의도를 알 수 없었기에 린지는 대답하지 않았다.

"실력 있는 정보원들을 파견해 온갖 정보를 긁어모은다지. 포그에 대해 알고 있어?"

"물론, 워낙 유명한 이야기니까."

린지는 태연한 얼굴로 어깨를 으쓱여 보였다. 포그는 살롱의 귀부인들의 대화 소재로도 쓰일 만큼 많이 알려진 조직이었다. 그것이 실존하는지 아닌지, 그조차도 알 수 없었기에 더 화제가 되었던 것이다.

"어떤 곳인지 궁금하지 않아?"

궁금한 것은 이런 말을 하는 레너드의 의도였다. 린지가 아무 말 없자 레너드는 입술을 삐죽 내밀며 투덜거렸다.

"어쨌든 따라와. 후회 안 하게 해 줄게."

"……그런데 대체 왜 이렇게 입은 건데?"

"그야 한 번쯤 선배가 이렇게 입은 걸 보고 싶었으니까."

레너드는 어린아이처럼 헤실 웃었다. 그 정직한 답변에 린지는 그의 머리를 한 대 치고 싶은 것을 애써 참아야만 했다.

"트와일릿에 대해서는 잘 알지?"

레너드는 창밖을 내다보다가 예고도 없이 물어 왔다. 린지는 고개를 끄덕였다.

"모르는 사람도 있어? 굴지의 대기업을. 게다가 휘안 님의 기업이니까."

트와일릿은 이미 잘 알려져 있듯 휘안 데 르카플로네가 운영하는 회사이며, 사회 전반의 모든 상업에 진출한 세계적인 기업이었다. 다른 기업과 비교하여 특별한 점이 있었는데, 창사 5주년 만에 비약적인 성장을 거듭하여 자그마한 상단에서 대기업으로 거듭난 것이었다.

'하지만 그만큼 수상하지.'

유시젠이 키벨을 그림자로 투입하여 정보를 모았을 정도로 수상한 기업, 그것이 트와일릿이었다. 5년 만에 대륙을 호령하는 대기업으로 성장했다는 것 자체가 말도 안 되는 이야기였다. 애초부터 기업의 뒤를 봐주는 거대한 자본이 있지 않고서야 불가능했던 것이다. 그런데 대표가 드러나면서 그 자본의 출처도 밝혀졌다. 기업의 경영자와 그 자본의 출처는 둘 다 같은 사람- 바로 휘안 데 르카플로네 백작이었다.

'뭐, 그래도 지금까지 알아낸 것만 봐서는 좋은 기업이야. 사회봉사나 기부도 많이 하고 뒷돈, 비리도 없고.'

그런데 레너드가 왜 갑자기 트와일릿을 언급한 걸까? 린지는 곧 레너드의 의도를 이해할 수 있었다. 마차가 멈춘 곳 맞은편에는 트와일릿의 본사가 있었으니까!

두터운 유리로 뒤덮인 건물이 높게 치솟아 올라 린지를 굽어보았다. 그녀는 고개를 번쩍 들어 드높게 세워진 트와일릿 본사를 올려다보았다. 이미 몇 번이나 온 적 있는 곳이지만, 볼 때마다 건물의 크기에 놀라고 마는 린지였다.

"대체 여길 왜 온 거야?"

"여기에 아주 굉장한 정보가 있거든."

레너드는 어울리지 않게 심각한 표정으로 말하더니 품 안에서 얇은 은테 안경을 꺼내 썼다. 거기서 멈추지 않고 머리를 쓱쓱 빗어 헝클어진 머리를 정리하는 것이 아닌가? 그러고 나서 보니 신기하게도 지적인 귀족처럼 변해서 린지는 눈을 동그랗게 떴다. 안경 끼고 머리 한번 빗었다고 이미지가 이렇게 바뀌다니?

레너드는 린지에게도 안경을 내밀었다. 그녀는 그의 의도를 알아차리고 순순히 안경을 얼굴 위로 걸쳤다. 아마 자신 역시 레너드처럼 완전히 다른 사람처럼 변해 있으리라.

"여기에 뭐가 있다는 건데?"

"백작의 엄청난 비밀."

레너드는 속삭이듯이 말한 후 어디선가 챙겨 온 서류 가방을 들었다.

"가자."

"……지금 트와일릿 본사에 들어가자는 거야?"

"응. 나는 트와일릿 회계 팀에서 일하는 세아딜 데 아르가몬, 아르가몬 남작가의 차남이고 선배는 내 비서인 세나엘 이즈나야. 어때? 이름 마음에 들어?"

린지는 성큼성큼 걸어가는 레너드의 뒤를 쫓아가며 황급히 말했다.

"세나엘 이즈나? 세아딜 데 아르가몬? 뭐야? 대체 뭐야, 그 가명들은?"

"뭐긴 뭐야. 린지안 아르즈벨처럼 가짜로 만든 이름이지."

레너드가 찡긋 윙크하며 대수롭지 않게 한 말에 린지는 할 말을 잃었다. 물론 시종으로 잠입한 남장 여자의 이름이 본명이라고 생각하지 않는 건 당연하지만…….

'뭐야, 다 안다는 저 말투!'

게다가 세나엘이라니! 남의 동의도 없이 멋대로 이름을 만들어 내다니, 린지는 불만스러웠지만 내색하지 않고 그의 뒤를 따랐다.

트와일릿은 보안이 강력하기로 유명했다. 휘안을 따라 몇 번이나 출입해 본 린지였기에, 얼마나 철저한지 잘 알고 있었다. 하나 레너드는 대체 언제 어떻게 위조했는지 모를 신분증을 내밀어 검색대를 통과했다. 그의 뒷모습을 바라보며 린지는 레너드의 정체가 점점 궁금해졌다. 이렇게까지 철두철미한 신분 조작을 할 수 있는 자들은 드물었던 것이다.

린지는 레너드를 따라 자동 승강기를 탔다. 대체 몇 층으로 가려는 건지 뒤에서 지켜보고 있던 린지는 레너드가 엉뚱한 버튼을 누르는 것을 보았다. 가장 아래에 있는 작은 버튼이었는데, 아무것도 쓰여 있지 않고 매우 작아서 층으로 안내하는 버튼 같지 않았던 것이다.

"이봐, 대체 뭘 누르고 있는 거야?"

아니나 다를까, 문 닫힌 승강기는 움직일 생각 않고 우두커니 지시를 기다리고 있었다. 하나 레너드는 린지의 말을 무시하여 여러 차례 작은 버튼을 눌렀다. 일곱 번쯤 눌렀을까, 린지가 그만하라고 다시 한 번 만류하려는 찰나 승강기 안의 불이 꺼졌다.

"왓! 뭐, 뭐야 갑자기! 야, 대체 뭘 건드린 거야!"

하나 레너드는 그 와중에도 버튼을 계속해서 누르고 있었다. 그 모습을 지켜보던 린지는 새로운 사실을 깨달았다. 그가 버튼을 누르는 시간의 간격, 힘이 처음부터 지금까지 일정했던 것이다!

'설마……?'

다음 순간, 승강기가 덜컹 소리를 내더니 아래로 움직이기 시작했다. 잠시 후 승강기가 움직임을 멈추고 문이 열렸다. 하지만 린지는 바로 밖으로 나갈 수 없었다. 문 앞에는 검은색 정장을 차려입은 장정들이 지키고 서 있었던 것이다.

"넌 뭐냐?"

레너드와 린지, 그리고 경호원들의 사이에서 침묵이 흘렀다. 대체 이 상황에서 레너드는 어떻게 대답할 것인가? 린지는 침을 꿀꺽 삼키며 레너드를 바라보았다. 그는 화사하게 웃으며 손을 살랑살랑 흔들었다.

"안녕. 난 침입자야."

"뭐? 그게 무슨……."

레너드가 흔들던 손 그대로 뻗어 눈앞에 있는 사내의 목덜미를 후려쳤다. 그가 쓰러지기도 전, 레너드가 손의 방향을 바꿔 왼쪽에 서 있던 사내의 멱살을 잡아당겨 맞은편에 서 있던 사내에게 집어 던졌다. 쾅 소리와 함께 부딪힌 사내 둘이 정신을 잃고 쓰러졌다.

"침입자다!"

"경보를 울려!"

린지도 가만히 있지 않았다. 그녀는 재빨리 레너드를 박차고 뛰어올라 벽에 붙은 경보기를 누르려는 사내의 어깨 위에 올라탔다. 그리고 양 다리로 그의 목을 조른 후 바닥으로 쓰러뜨려 기절시켰다. 타이트한 치마가 몹시 불편한지라 짜증이 확 치솟아 올랐다.

"야! 이럴 줄 알았으면 더 편한 옷을 사 줬어야지!"

"에이, 그래도 그게 잘 어울리는걸."

린지는 검을 휘두르는 사내의 공격을 슬쩍 피한 후 손목을 강하게 쳐내려 무장 해제시켰다. 그 이후로 몇 명의 경호들을 쓰러뜨린 린지는 숨결 하나 흐트러지지 않은 상태로 레너드를 돌아보았다. 그는 일찌감치 덤벼드는 사내들을 정리하고 린지를 구경하고 있었다.

레너드가 싱긋 웃으며 박수를 쳤다.

"휘유. 역시 상상한 대로 완전 섹시해. 강한 여자는 멋있다니까."

"닥쳐, 이 저질아."

린지는 올라간 치마를 내리며 레너드를 살벌하게 노려보았다. 이런 순간에도 저런 농담을 하다니, 얄미워서 죽여 버리고 싶을 정도였다.

"린지안 선배는 달라붙는 옷이 잘 어울리는 것 같아. 몸매 선이 장난이 아니야. 특히 허리에서 골반으로 이어지는 라인이, 어후……."

린지는 참지 못하고 레너드에게 손을 휘둘렀다. 하나 그는 웃음소리를 흘리며 재빨리 피해 그녀를 더욱 약 올려 댔다.

"왜 그래? 칭찬하는 건데. 이래 봬도 나 눈 굉장히 높아서 평가에 야박한 편이야. 이렇게 여자를 칭찬한 적 한 번도 없다고."

"그건 칭찬이 아니라 성희롱이다, 이 바퀴벌레보다 징그러운 구더기 새끼야!"

린지는 일부러 그가 제일 싫어할 만한 단어를 내뱉어 주었다. 예상대로 레너드는 충격을 받은 듯 미간을 좁혔고, 그 틈을 타 린지는 그의 뺨을 후려쳤다. 짝 소리와 함께 레너드의 뺨이 옆으로 돌아갔다. 그녀의 분노에 비하면 너무나도 연약한 펀치였지만 한 대 때릴 수 있다는 것만으로도 속이 시원했다.

"으아아, 정말 너무해. 린지안 선배 너무하다고. 나보고 구더기라니……."

린지는 징징거리며 매달리는 레너드의 손을 싸늘하게 쳐 내었다.

"장난은 그만 치고 하던 일이나 계속해. 여긴 대체 왜 온 거야?"

"칫. 따라와 봐."

레너드는 투덜거리면서 쓰러진 경비원들을 폴짝 넘어 걸어갔다. 그들이 지키고 서 있던 곳 너머로, 새하얀 복도가 끝없이 늘어져 있었다. 복도의 양쪽 벽으로는 흰 문짝들이 일정한 간격으로 달려 있었다. 수십, 아니 어쩌면 수백 개의 문을 바라보며 린지는 기괴한 느낌을 받았다. 트와일릿에 이런 곳이 존재할 거라고는 상상하지 못했다. 같은 건물임에도 불구하고 마치 다른 장소처럼 동떨어진 느낌이었던 곳이다.

"대체 여기가 어디야?"

린지의 물음에 레너드는 다른 이야기로 답했다.

"내가 포그에 대해 물어봤었지, 린지안 선배?"

"……."

그는 앞을 보며 걸으면서 말을 이었다.

"정보 길드 포그 말이야. 온갖 정보를 모아 세상의 흐름을 읽고, 또 그 흐름을 주도하는 곳."

"……갑자기 그 얘기는 왜 하는 거야?"

레너드가 씩 웃으며 그녀를 내려다보았다. 마치 재미있는 만화를 보는 어린아이 같은 미소에 소름이 끼쳤다.

레너드의 발걸음이 옆으로 획 꺾여 왼쪽 골목으로 향했다. 린지는 그가 어느 특정한 장소로 향하고 있음을, 그리고 그곳이 점점 가까워지고 있음을 깨달았다.

"트와일릿이 어떻게 이렇게까지 크게 성장할 수 있을 거라고 생각해? 휘안의 어마어마한 돈 때문에?"

이리저리 튀는 대화의 주제에 린지는 쫓아가기 힘들었다. 그녀는 아무 말 없이 이어지는 레너드의 말을 들었다.

"물론 돈도 한 몫 했지. 하지만 세계 경제를 지배하는 기업이 된 가장 중요한 요소는 바로 이곳이야."

레너드의 발걸음이 한 문 앞에서 멈춰 섰다. 다른 문과 차이점이라고는 단 하나도 없는, 마찬가지로 새하얀 문이었다. 어떻게 구별이 가능한

지조차 신기할 정도였으나 레너드는 확신하는 얼굴이었다.

"역시 잠겨 있네."

문이 꿈쩍도 안 했으나 레너드는 대수롭지 않게 웃었다. 그는 주머니를 뒤적거리더니 작은 열쇠를 꺼내 문고리 안으로 쑤셔 넣었다.

"뭐야 너. 그건 어디서 났냐?"

"비밀이랍니다, 선배."

잠시 후, 소리 없이 문이 열렸다. 육중한 문이 열리고 방 안이 펼쳐지는 순간, 린지는 숨을 삼켰다.

"이건……."

끝이 보이지 않을 정도로 넓고 긴 방이었다. 그리고 그 방을 가득 채운 수십 단의 선반 위로는 새하얀 종이들이 빼곡히 채워져 있었다. 마치 종이로 만든 산을 보는 것만 같았다. 웅장하게 쌓인 서류 뭉치가 풍기는 위압감에 린지는 넋을 잃었다. 정말이지 어마어마한, 많다는 말로도 표현되지 않는 서류들이었다!

"온갖 정보가 이곳에 있어. 엘테스 국의 미스릴 수출 현황부터 시작해서 마치카 국 루시아 공주가 납치됐던 상황, 경쟁 기업의 직원 목록들, 하찮은 것부터 중요한 것까지 모두."

린지는 천천히 레너드를 올려다보았다.

"이것이 바로 사람들이 포그라고 생각했던 것의 실체야. 포그는 트와일릿의 비밀 부서, 바로 정보부이지."

"뭐?"

"트와일릿의 다른 부서 직원들은 이곳의 존재를 몰라. 휘안이 직접 한 사람 한 사람 뽑아낸 최정예들, 그들이 정보원으로 일해. 상상할 수 없는 천문학적 액수를 보수로 받는다던데, 그래서 목숨처럼 기밀을 지킨다더군."

믿기 힘든 이야기였다. 엘칸 대륙을 한눈에 감시한다는 정보 길드 포그가 트와일릿의 비밀 부서라는 사실은 누가 들어도 수긍할 수 없는 진실이었다.

"하지만 보안을 보아하니 흥미로운 정보는 없겠군. 아마 진짜 기밀 정보는 휘안이 직접 관리하겠지."

린지는 그제야 레너드가 무엇을 말하는지 깨달았다. 포그는 트와일릿의 비밀 부서이므로, 그 수장 역시 휘안이었던 것이다!

'마, 말도 안 돼. 포그의 수장이 휘안이라고?'

휘안이 비밀스러운 남자라는 것은 잘 알고 있었다. 때문에 그것을 캐내기 위하여 자신이 시종으로 잠입하지 않았던가? 트와일릿의 대표라는 것을 알았을 때, 휘안이 가진 비밀 중 빙산의 일각인 것만 같은 느낌도 있었다. 하나 그가 포그의 수장이라니……. 린지는 주먹을 꽉 말아 쥐었다. 정보원들은 보통 사람이 아니다. 린지 역시 유시젠의 비밀 병기이자 그림자로 일하고 있기에 '정보원'으로 칭할 수 있는 존재였다. 즉 정보를 얻기 위해선 언제, 어느 상황에서든 스스로를 보호할 수 있을 만큼 출중한 실력을 갖추고 있어야만 하는 것이다. 그런 최정예 인원들을 휘안이 거느리고 있다는 사실이 충격적이었다.

"네 말대로 이곳이 포그의 본거지라고 쳐. 이곳에 온 이유가 뭐지?"

순간 린지는 새하얀 서류의 산 너머로 또 다른 문이 존재하는 것을 발견했다. 레너드는 그곳을 가리키며 말했다.

"으음, 사실 저 문 안으로 들어가야 해."

레너드는 린지에게 맞아 부은 뺨을 문지르며 하얀 문을 가리켰다.

"그런데 보아하니 저긴 못 들어가겠네."

"뭐? 그게 무슨……?"

"연금술로 무장해 놓은 것 같아. 그것도 굉장히 살벌한 연금술로 해

놨네. 허락되지 않은 인물이 문을 여는 순간 온몸이 산산조각으로 부서지고 말 거라서, 안에서 열어 주는 수밖에 없겠는데……."

린지는 정신병자 보듯이 레너드를 올려다보았다. 이 녀석이 이상한 것은 알고 있지만 지금 한 말은 도저히 그냥 지나칠 수가 없을 정도였다.

"연금술이라고? 너 지금 여기가 고대인 줄 아냐?"

물론 알케미스트들이 연금술을 연구하고 있지만, 사실 그것은 연금술이라고 할 수 없었다. 그들이 '연금술'이라고 주장하는 것이라고는 마약보다 더 위험한 불법적인 약물들이 대부분인 것이다. 알케미스트들은 노력하고 있지만 고대 연금술을 되살리지 못하고 있었다.

하지만 그 신비한 학문의 잔재들로 몇 가지 신기한 도구들이 만들어지고 있긴 했다. 남장을 위해 매번 먹고 있는 일시적인 목소리 변조 약물이라든가, 이런 것들이 모조리 연금술에서 파생된 도구들이었던 것이다. 하지만 그래 봤자 이 정도가 전부. 그 이상의 힘을 가진 연금술 지식과 도구들은 이미 오랜 시간 전에 사라졌다. 이미 고대에 사라진 학문을 부활시킬 수 있는 방법은 없다.

레너드는 태연하게 웃으며 흐트러진 옷매무새를 정리했다.

"고대 연금술의 힘, 그 힘을 보호 장비로 설치해 놓은 자가 저 안에 있어, 린지안 선배. 그게 무슨 말인지 알지?"

"뭐? 그게 무슨 소리야?"

"직접 그 힘을 소유하고 있는 사람일 수도 있고, 그 힘을 가진 사람을 고용한 사람일 수도 있고, 뭐, 정확한 건 선배가 한번 알아봐 봐."

린지는 아무 말도 하지 않고 레너드를 쏘아보았다. 만약 레너드의 말이 진실이라면…….

'고대 연금술의 힘을 소유한 자가 있다고?'

전설 속에서 고대 연금술사들은 돌을 금으로 바꿀 뿐만이 아니라, 마른하늘에 벼락을 내리고 비옥한 땅을 가르게 할 정도로 강력하다 했다.

'그런 건 전설에서나 나오는 이야기라고.'

린지의 복잡한 표정에 레너드의 눈빛이 오묘해졌다. 그동안 몇 번이나 보아 왔던 관찰자의 눈빛, 자극을 주고 반응을 분석하는 실험자의 눈빛인지라 린지는 화가 치밀어 올랐다. 또다시 그에게 실험당하는 느낌이었다.

"자, 린지안 선배. 선배는 여기서 어떻게 할 거야? 궁금하지 않아? 린지안 선배는 여기서 어떤 선택을 할 거지? 도망갈 건가? 아니면 알아내기 위해 노력할 것인가?"

그녀의 선택을 촉구하는 레너드의 목소리에는 알 수 없는 광기마저 느껴졌다. 린지는 그의 번들거리는 은회색 눈동자를 보면서 확신했다. 이 녀석은 린지를 가지고 놀고 있는 것이 분명했다.

린지는 레너드를 가만히 올려다보았다. 그에 대한 분노, 짜증, 그리고 저 문 너머에 있을 것에 대한 호기심- 모든 것이 한데 어우러져 용솟음치더니 단숨에 사그라졌다.

린지는 그 어느 때보다도 냉정한 눈동자로 말했다.

"갈래."

순간, 레너드의 웃음이 사그라졌다. 마치 잔뜩 부풀어 올랐던 풍선에서 바람이 빠진 것만 같은 변화였다. 린지는 감정 없는 눈으로 그를 쳐다보며 또박또박 말했다.

"저택으로 돌아가겠어. 네가 뭘 하든 상관 안 해."

레너드에게 완벽하게 놀아나고 있다. 린지가 보여 주는 결정, 선택, 반응, 그 모든 것들을 흥미롭게 관찰하고 있었다. 린지는 마치 실험용 쥐가 된 기분이었다. 실험자가 던져 주는 치즈 조각을 먹을지 말지 고민하는 쥐새끼가 된 기분. 그것보다 더 큰 굴욕은 없었다.

레너드는 멍하니 린지를 바라보았다. 지금까지 봤던 표정 중에 가장 얼빠진 눈빛인지라 린지는 통쾌함을 느꼈다.

"난 가겠어."

린지가 뒤로 도는 순간, 레너드가 그녀의 팔을 잡아챘다. 그는 난감한 듯 입가에 곤란한 미소를 담고 있었다.

"이건 또 예상치 못한 반응인데? 역시 흥미롭다니까."

"이거 놔."

린지는 잔잔하지만 확실한 거부를 담은 목소리로 말했다. 그 안에 담긴 위협을 느낀 레너드는 과장된 몸짓으로 손을 들어 올렸다.

"아아, 미안 미안. 하지만 벌써 가면 안 된다고. 아직 더 남았단 말이야. 가장 재미있는 장면이 남았는데, 이렇게 가면 후회할걸?"

"이미 널 따라온 걸 후회하고 있으니까 이것 놔!"

하나 레너드는 린지를 놓아주기는커녕 강한 힘으로 그의 곁으로 확 끌어당겼다. 도저히 거부할 수 없는 힘에 린지는 어쩔 도리 없이 끌려갔다. 린지가 이를 악물며 발버둥치려는 찰나, 레너드가 숨을 훅 들이마셨다.

"레너드가아아!"

우렁차게 내뱉는 레너드의 목소리에 린지의 움직임이 굳었다. 그녀는 얼빠진 얼굴로 레너드를 올려다보았다. 그는 한껏 고조된 표정으로 크게 외치고 있었다.

"여기이이 왔지로오오오옹!"

"야, 이, 이, 이 미친!"

놀라서 말이 나오질 않았다. 보통 놈이 아닌 줄은 알고 있었지만 이 정도의 또라이일 줄이야! 레너드가 여기 왔지롱, 이라니! 침입했다고 동네방네 광고할 생각이지 않은가! 린지는 새하얗게 된 얼굴로 몸부림쳤다. 마침내 레너드가 린지의 손을 놓아주는 순간 그녀는 재빠르게 그를 지나쳤다. 그의 등 뒤로 이동하는 순간.

벌컥!

문이 열리는 소리가 하얀 복도 위를 울렸다. 린지는 그 소리에 저도 모르게 자리에서 멈춰 섰다. 서류로 쌓인 방의 끝, 고대 연금술로 보호받고 있다는 육중한 문이 열린 것이다.

린지는 레너드의 등 뒤에 숨어 천천히 앞을 향해 고개를 돌렸다. 누군가가 새하얀 빛이 쏟아지는 방 안에서 천천히 걸어 나오고 있었다. 너무 먼 거리라 잘 보이지 않았지만, 스스로 빛을 뿜어내는 듯한 찬연한 은발이 몹시도 눈부셨다.

'……설마.'

린지는 레너드의 옷깃으로 얼굴을 가린 채 눈만 내밀었다. 혹시나 자신의 시력에 이상이 있는 게 아닐까 생각하여 몇 번이나 눈을 비볐지만 앞에 보이는 사람은 변함이 없었다. 린지는 믿기지 않는 목소리로 웅얼거렸다.

"휘안……."

휘안이 걸어오고 있었다. 몇 번을 다시 봐도 휘안이었다. 레너드보다도 큰 키에 넓은 어깨, 조각처럼 준수한 이목구비를 가진 보라색 눈동자의 청년은 린지가 시중을 드는 자였다.

휘안의 표정은 기이했다. 입가에 맑은 웃음을 띠고 있었는데, 어쩐지 오랫동안 기다려 온 선물을 드디어 갖게 되는 어린아이처럼 흥분돼 보이기도 했다. 휘안은 자리에 멈춰 서 레너드를 응시했다. 웃고 있는 두 사내의 눈동자가 마주쳤다.

"레너드."

마침내 휘안이 입술을 열었다. 적당한 저음에 부드러운 음성, 여심을 뒤흔드는 그 목소리마저도 휘안의 것과 완벽히 일치했다.

"널 기다렸어, 레너드."

휘안은 싱긋 웃으며 양팔을 벌렸다. 오래된 친구를 맞이한 듯한 표정에 린지는 침을 꼴깍 삼켰다. 설마 두 사람이 친구라도 된단 말인가?

레너드는 먼 거리에 서 있는 휘안을 향해 천연덕스럽게 대답했다.

"그래? 난 널 만나는 게 너무 무서웠어, 휘안. 네가 다시 날 만나면 반드시 죽여 버리겠다고 협박했잖아."

그러자 휘안이 피식 웃음을 흘리며 고개를 저었다.

"물론이야. 그때 널 죽이지 못한 게 정말 분했거든. 네 동료들의 목을 베고 시체를 태우고 남은 것들을 까마귀의 먹이로 던져 주었지만, 그럼에도 불구하고 아쉬움의 눈물을 흘려야 했지. 내가 가장 죽이고 싶었던 건 너인데, 네가 도망갔으니 말이야."

친구끼리 이렇게 살벌한 인사를 나눌 리 없다. 린지는 그들이 친구라기보다는 원수에 가까운 사이라는 것을 깨달았다.

'휘, 휘안이 한 대사 맞아? 왜 저렇게 살벌해?'

젠틀맨의 정석과도 같은 휘안이, 목을 베고 시체를 태우고 남은 것들을 까마귀의 먹이로 던져 주었다는 대사를 하다니! 그가 정말로 그런 짓을 한 것일까? 항상 상냥하게 웃는 휘안이었기에 도무지 상상이 가질 않았다.

"그런데 네가 이렇게 날 찾아와 주다니. 너무 기뻐, 레너드."

휘안의 보라색 눈동자에 감동의 물결이 일었다. 동시에, 걷잡을 수 없을 정도로 거대한 살기가 왈칵 치솟아 오르는 것이 느껴졌다. 순간 린지의 온몸에 소름이 확 돋아 올랐다.

"아, 휘안. 역시 넌 너무 무서워."

레너드 역시 마찬가지인지 그는 팔을 벅벅 긁으며 중얼거렸다. 휘안이 한 발자국 가까이 다가오려 하자 레너드가 손을 번쩍 들어 올렸다.

"휘안. 나, 생각을 바꿨어. 역시 도망갈래."

"뭐?"

"난 네가 아직도 무서운 것 같아. 대신이라고 하기 뭐하지만, 선물을 하나 주고 갈게."

그 말에 불길함이 덜컹 떨어져 내렸다. 린지가 재빨리 레너드의 등에서 떨어졌지만, 이미 그는 린지의 손을 덥석 잡은 후였다.

"네가 아주 좋아할 선물이야, 휘안. 네 여자 취향은 내가 잘 알거든. 머리부터 발끝까지 네 스타일의 여자야."

"레너드. 가지 마."

휘안이 애절하게 말하며 빠른 걸음으로 걸어왔다. 그의 등 뒤로 금발의 여인, 예르시카가 따라 나오는 것이 보였다. 레너드는 해맑게 웃어 보이며 손을 살랑살랑 흔들었다.

"미안, 휘안! 나중에 내가 좀 더 배짱이 커지면 널 만날게. 빠잇!"

말도 안 되는 작별 인사를 건넨 레너드가 품 안에서 무언가를 꺼내 휘안을 향해 던졌다.

콰광!

소음과 함께 빛이 번쩍였다. 린지는 자신을 붙들고 있던 레너드의 힘이 없어진 것을 느끼고 빠르게 주위를 둘러보았다. 방 안의 중간 부분이 완전히 파괴되어 매캐한 연기와 팔랑거리는 서류들이 시야를 가득 메웠다. 그리고 레너드는…….

'대체 어디 간 거야?!'

레너드는 어떻게 사라진 건지 그 어디에도 보이지 않았다. 당황한 린지가 주위를 살피고 있을 때— 연기를 뚫고 은빛 머리칼이 번뜩였다. 휘안이, 다가오고 있었다.

린지는 더 생각할 것도 없이 빠르게 등을 돌려 자동 승강기를 향해 달려갔다. 정말 다행스럽게도, 눈은 마주치지 않았다. 아마 그는 자신의 얼굴을 보지 못했을 것이다.

'걸리면 죽는다!'

장난이 아니라 정말로 죽을 것 같다. 지금의 휘안에게는 잡히는 순간 온몸이 갈기갈기 찢겨 죽을 것 같은 악마적인 기세가 느껴졌다. 이것은 그에게서 단 한 번도 느껴 보지 못한 공포였다.

그녀는 빠르게 달려 복도를 지나쳤다. 마침내 자동 승강기가 보이자 린지는 몸을 던지다시피 뛰어들어 닫는 버튼을 눌렀다.

'빨리, 빨리 닫혀!'

점점 다가오는 휘안을 보며 린지는 몇 번이나 버튼을 눌렀다. 마침내 스르륵 소리와 함께 문이 닫히는 순간 린지는 안도의 한숨을 내쉬었다. 하지만.

쾅!

부서질 듯 진동하는 문에 린지는 깜짝 놀라 숨을 들이마셨다. 그녀는 지상으로 향하는 버튼을 눌렀지만, 예르시카의 것으로 보이는 검이 승강기 문틈으로 파고들었다. 이대로라면 문이 강제로 열려서 잡히고 말 것이다!

린지는 더 생각할 것도 없이 본능적으로 행동했다. 그녀는 승강기의 벽을 타고 올라가 천장을 발로 걷어찼다. 천장이 비스듬히 열리자 린지는 날렵하게 뛰어올라 승강기 위편으로 올라갔다.

'젠장, 레너드 이 개자식! 가만두지 않을 거야!'

그녀는 승강기를 이어 주는 밧줄을 타고 빠르게 올라갔다. 쿵쿵거리며 승강기의 문을 거의 열어 가는 소리가 들려오자 린지의 움직임이 빨라졌다. 마침내 그녀는 문으로 보이는 것을 마구잡이로 열어 뛰어내렸다.

"침입자다!"

하나 그곳에는 이미 경호원들이 쫙 깔린 상태였다. 린지를 보자마자 검은 정장의 경호원들이 검을 뽑아 올렸고, 그녀는 재빨리 몸을 구르며 달려드는 검날을 피해 냈다.

"잡아!"

"반드시 생포해라!"

흘긋 보는 것만으로도 수십이 넘어 보이는 경호원들이 그녀를 향해 달려들고 있었다. 린지는 그들의 손과 검을 하나하나 피해 가며 미꾸라지처럼 도망쳤다. 그 움직임은 기이할 정도로 빨라서, 경호원들은 그녀의 머리칼 한 자락도 스칠 수조차 없었다.

린지는 몸을 확 숙여 아래로 미끄러지듯 경호원 대여섯 명을 지나친 후, 다시 몸을 굴려 날아드는 검날을 피해 냈다. 그와 거의 같은 순간에 수십 명의 경호원이 사방에서 달려들자 린지는 높게 도약하여 그들을 뛰어넘었다. 하나의 그림처럼 깔끔하게 착지한 그녀는 다시금 공격을 피해 가며 도망쳤다.

절체절명의 순간들이었다. 만약 움직임에 단 하나의 실수가 있다면 잡히고 말 것이다. 그리고 휘안에게 넘겨져서 결국엔 정체가 탄로 나고 말겠지. 하나 경호원들을 피해 도주하는 자신의 움직임을 느끼며, 린지의 마음은 그 어느 때보다도 평온했다. 지금 이 순간, 가장 잘하는 일을 하고 있다는 자신감마저 피어올랐다. 그 어느 때보다도 스스로를 느낄 수 있었다.

탁!

창문을 뛰어넘어 지상에 착지한 린지는 주위를 살핀 후 빠르게 달렸다. 하이힐은 옛날 옛적에 집어 던졌기 때문에 바닥에 부딪히는 맨발이 따끔하게 아파 왔다. 하나 린지는 비틀거리는 대신 더 빠른 속도로 내달렸다. 그녀의 붉은 눈동자는 레너드에 대한 살기로 이글이글 타오르고 있었다.

'레너드, 다시 만나게 되면 가만두지 않을 거다!'

"린지안 선배, 생각보다 빨리 왔네?"

다른 이의 눈에 띄지 않도록 몰래 방 안으로 들어온 린지의 몸이 굳었다. 레너드가 침대에 누워서 한가롭게 과자를 먹고 있었던 것이다. 린지는 믿기지 않아 자리에 오도카니 서서 눈을 깜빡였다. 아무리 봐도 자신의 침대 위에 과자 가루를 흘리며 누워 있는 사내는 레너드였다. 어느새 시종 복장으로 깔끔하게 갈아입은 그는 좀 전에 있었던 소동과는 전혀 관계없는 사람인 양 누워 있었다.

린지는 너무 놀란 나머지 즉각적인 반응을 내보일 수 없었다. 다시 만나게 되면 가만두지 않겠노라고 다짐하긴 했지만 이렇게 빨리 재회할 줄은 예상치 못했었다. 분명 저 멀리 도망갔을 거라고 생각했는데……!

그녀의 손이 빠르게 품 안으로 향했다. 눈으로도 좇을 수 없는 속도였으나, 레너드에겐 달랐다. 그는 린지가 던진 단검을 손가락 사이로 여유롭게 받아 내며 픽 웃었다.

"와아, 역시 화났네."

"내가 죽더라도 네놈을 죽여야겠다."

린지는 벽에 장식용처럼 매달려 있던 검을 향해 손을 뻗었다. 하나 린지가 검을 뽑기도 전 레너드가 먼저 말했다.

"정확히 십 분 후에 레이라 양이 올 거야."

"……뭐?"

"레이라 양이랑 셋이서 같이 저녁 먹기로 약속했거든. 그전에 빨리 샤워하고 옷부터 갈아입어야 하지 않겠어? 설마 레이라 양에게 피가 낭자한 살벌한 방을 보여 주려는 거야? 아아, 무서워라."

"……."

린지는 레너드를 가만히 노려보다가 검을 다시 집어넣었다. 레너드가 그럴 줄 알았다는 듯 해맑게 웃자 린지도 따라서 웃어 주었다. 그녀는 레너드에게 저벅저벅 다가가 침대맡에 걸터앉았다. 그는 태연한 표정으로 과자를 와그작와그작 씹어 먹고 있었다.

"레너드."

"응, 린지안 선배."

"키스해 줘."

툭!

레너드의 손에서 과자 하나가 침대 위로 떨어졌다. 그는 먹는 중이었다는 것 자체를 잊었는지 입을 헤벌리고 린지를 바라보았다. 웃음이 사라진 표정을 보아하니, 예상치 못했던 대사였던 것이 분명했다.

린지는 천천히 고개를 숙여 레너드의 얼굴을 감쌌다. 레너드는 놀라워하면서도 두 손은 본능에 충실하게 그녀의 목덜미를 잡고 끌어당겼다. 린지의 입술이 닿는 순간 레너드의 손이 움찔 떨렸다. 레너드는 린지의 몸을 확 끌어당겨 아래에 눕히고 그녀의 위로 올라탔다. 두 사람이 입술이 완벽하게 겹쳐지는 순간.

"윽."

레너드의 입에서 신음이 터졌다. 그가 인상을 찡그리며 린지에게서 떨어져 나갔다. 린지는 만족스런 표정으로 핏방울을 슥 닦았다.

"너무해."

레너드는 울상을 지으며 입술에서 줄줄 흐르는 피를 닦아 냈다. 린지가 있는 힘껏 깨물어서 입술에 상처가 난 것이다. 린지는 속이 뻥 뚫리는 듯한 만족스러움에 웃음을 터뜨리고 싶었다. 안타깝긴 하지만 이것이 린지가 레너드에게 줄 수 있는 최고의 상처였다. 육체적 싸움으로는 이길 수 없다는 것을 이미 여러 번 깨달았으니까.

레너드는 아프면서도 이 상황이 흥미로운 눈빛이었다.

"이거 참 의외의 행동이네. 남자와의 접촉에 거부감이 강하면서도 날 상처 입히기 위해 이런 짓을 하다니. 순결을 지키고 싶다는 마음보다 분노가 더 강한 건가?"

"그만 좀 관찰해!"

매사에 자신의 행동을 분석하는 듯한 태도에 린지는 진저리가 났다. 그녀는 레너드를 확 밀어내며 침대에서 일어났다.

"너 대체 정체가 뭐야! 휘안과는 무슨 사이지? 대체 아깐 어떻게 도망간 거야!"

린지의 쏟아지는 질문에 레너드는 불만스러운 표정으로 피를 닦아 내더니 고개를 저었다.

"린지안 선배. 심문은 더 강한 쪽에서 하는 게 맞아."

분하지만 린지는 아무 항변도 할 수 없었다. 고작 할 수 있는 분풀이가 입 맞추다가 입술을 깨무는 것 정도일 뿐이었으니까.

"대신 이런 입맞춤 같은 건 좋은 시도였어. 뭔가 수상하다는 걸 알면서도 거부할 수가 없었거든. 린지안 선배가 몸으로 유혹하면서 심문하면 참을 자신이 없을 것 같은데. 어때? 해 볼래?"

린지는 삐뚜름하게 웃으며 가운뎃손가락을 번쩍 올려 대신 대답했다. 그러자 레너드가 눈에 띄게 실망한 기색으로 어깨를 축 늘어뜨렸다.

"아아, 정말 너무해. 이렇게까지 내 스타일인 여자는 처음이란 말이야. 다 말해 줄 테니까 몸으로 유혹해 주라. 심문해 줘. 응?"

"미친놈아! 좀 닥쳐!"

저 눈빛이 진심이라는 게 더 소름이 끼쳐 왔다. 레너드는 애절한 눈으로 린지를 바라보며 제안해 왔다.

"그럼 이건 어때? 아주 찐한 키스 한 번에 한 글자씩 말해 줄게. 내 손을 자유롭게 일 분 동안 내버려 두면 다섯 글자씩. 어때? 응? 응?"

"차라리 접시 물에 코 박고 죽고 말겠다."

"정말 너무하네! 사람이 이렇게 의욕적으로 심문당하겠는데 왜 자꾸 거부하는 거야!"

"닥치라니까!"

린지는 거칠게 소리치며 욕실로 들어갔다. 레이라가 곧 온다고 했으니 더 이상 시간 낭비할 수 없었던 것이다. 그녀는 레너드에게 들어오면 이번엔 입술을 도려내 버리겠다고 경고하며 문을 틀어 잠그고 빠르게 샤워했다. 다 씻고 옷을 입고 나갔을 때 때마침 노크 소리가 들려왔다.

똑똑.

"린지안? 안에 있어?"

"아아, 금방 나갈게! 기다려!"

린지가 문을 열어 주려는 찰나 뒤에서 레너드가 그녀를 끌어당겼다. 그는 린지의 입을 손으로 탁 막고는 말했다.

"레이라 선배, 미안한데 다음에 같이 먹어도 될까요? 지금 린지안 선배랑 중요한 얘기 중이라서!"

이게 무슨 뜬금없는 소리야! 린지는 눈을 크게 뜨며 버둥거렸으나 레너드의 강한 손이 그녀의 입을 단단히 틀어막았다. 레이라는 당황했는지 잠시 아무 말 못 하다가 머뭇거리며 대답했다.

"으응, 그래. 알았어. 다음에 보자."

레이라의 발걸음 소리가 멀어지자 레너드는 그제야 손을 뗐다. 린지는 그의 품에서 벗어나는 것과 동시에 레너드의 정강이를 걷어찼다. 제대로 가격당했는지 레너드가 비명을 지르며 자리에서 펄쩍 뛰어올랐다.

"으아, 너무해! 갑자기 때리는 게 어디 있어, 선배!"

"너야말로 무슨 짓이야! 레이라가 이상하게 생각하면 어떡하려고!"

"상관없는데? 내 알 바 아니야. 어차피 난 곧 도망갈 몸이라서."

레너드의 천연덕스러운 말에 린지는 반박하지 못하고 그를 노려보았다. 이것은 린지도 예상하고 있는 일이었다. 레너드는 휘안이 오기 전 이 저택을 도망칠 것이다. 문득 그가 트와일릿 본사에서 했던 말이 떠올랐다.

"난 네가 무섭거든, 휘안."

그 대사가 휘안을 놀리려고 한 것이 아닌 진심이라는 것이 느껴졌기에 린지는 더 이상 아무 말도 할 수 없었다. 레너드처럼 무지막지하게 강한 남자가 두려워하는 사람이 있다는 것이 놀라웠다.

'만약 레너드의 말이 사실이라면, 휘안은 고대 연금술의 능력, 혹은 능력자를 손에 넣고 있는 게 분명해. 그리고 레너드 녀석 역시 마찬가지야. 트와일릿에서 갑자기 사라진 그 힘, 그것 역시 고대 연금술의 힘일 거야.'

여하튼 레너드가 떠나기 전에 최대한 그에게서 많은 정보를 캐내야만 한다.

'대체 어떻게 알아내야 하지?'

레너드의 제안처럼 몸으로 유혹하는 방법밖에 없는 걸까? 린지는 한숨을 내쉬며 고개를 저었다. 저런 수상쩍은 사이코에게 순결을 잃느니 차라리 죽는 게 나았다. 린지가 그렇게 고심하고 있을 때였다.

"우리 진실 게임 할까?"

그 말에 린지가 고개를 획 들어 올렸다. 레너드는 주머니를 뒤적거리더니 자그마한 물병 하나를 꺼냈다. 보라색과 붉은색이 오묘하게 뒤섞인 물이 새끼손가락만 한 병 안에서 찰랑이고 있었다.

"서로 궁금한 거 하나씩 물어보면서 대답해 주기. 어때?"

"……좋아."

어떻게 캐내야 할지 고심하고 있을 때 적절한 제안을 받자 린지는 덥석 물었다. 그러자 레너드가 부드럽게 미소 지으며 의자 위로 털썩 앉았다. 린지 역시 그의 맞은편에 앉았다.

레너드는 테이블 위에 놓인 잔 두 개를 끌어당겼다. 그리고 물병에 있는 오묘한 색의 물방울을 정확히 반씩 나눠 따라 냈다. 그 모습을 보고 있던 린지가 의심쩍은 목소리로 물었다.

“저게 뭐야?”

“거짓을 말하게 되면 죽게 될 물약. 즉 연금술로 만든 약물.”

린지는 순간 대답하지 못했다. 찰랑거리는 물이 담긴 잔을 내밀며 레너드가 매혹적으로 미소 지었다.

“이래야 재밌잖아? 서로 거짓을 말하는 걸 사전에 방지하는 거지.”

린지는 그가 내미는 잔을 바라보다가 레너드를 노려보았다. 그녀는 그제야 왜 레너드가 진실 게임을 제안했는지 알아차렸다. 레너드는 또 관찰하려 하는 것이다. 어떤 반응을 보일지, 어떻게 대응할지– 또다시 그가 주는 자극들에 반응해야 하는 실험용 쥐가 돼야만 했다.

‘도대체 왜 저래, 저 녀석?’

뭐가 저렇게 궁금해서 같은 사람을 상대로 이런저런 실험을 하는 것일까? 불쾌감이 솟아올랐지만 린지에게는 선택의 여지가 없었다. 레너드가 쥐고 있는 패는, 무시하기엔 지나치게 매력적이다.

린지는 단숨에 잔을 받아 들어 들이마셨다. 만족스런 눈빛으로 바라보던 레너드 역시 잔에 담긴 묘한 빛깔의 물을 꿀꺽 마셨다.

“좋아, 이제 시작된 거야. 나부터 물어볼게.”

“마음대로 해.”

린지는 잔을 내려놓으며 결연한 눈빛으로 의지를 다졌다. 그의 말이 사실이라면, 거짓을 말할 시에는 죽게 될 것이다. 린지는 레너드가 괜한 허세를 부리는 것 같지 않다고 생각했다. 이것은 린지가 레너드에게 정보를 얻을 수 있는 유일한 기회였다. 때문에 린지는 죽음을 각오하고……

"나 어떻게 생각해?"

순간 린지는 의자에서 넘어질 뻔했다.

"뭐?"

"나 어떻게 생각하냐고."

레너드의 진지한 눈동자에 린지는 황당한 웃음을 내뱉었다. 서로 목숨을 걸고 하는 진실 게임에서 기껏 물어본다는 것이 나 어떻게 생각해란 말인가!

"재수 없어. 기회가 되면 언젠가 한번 죽을 때까지 두들겨 패 주고 싶을 정도로."

한 치의 거짓 없는 진실이었기에 린지는 떳떳하게 대답했다. 그 말을 들은 레너드는 실망한 기색이 완연한 얼굴로 한숨을 푹 내쉬었다.

"아아, 아직 살아 있는 걸 보니 진심인가 봐. 나 상처받았어. 난 린지 안 선배가 마음에 드는데. 처음으로 맘에 드는 여자란 말이야."

"꿈 깨시지. 이제 내가 물어볼 차례인가?"

레너드는 기운 없는 표정으로 고개를 끄덕였다. 린지는 그를 뚫어지게 쳐다보면서 머리를 굴리다가, 질문 하나를 정리해서 내뱉었다.

"너, 알케미스트냐?"

그가 알케미스트라고밖에 생각할 수 없었다. 금지된 학문, 고대의 연금술을 연구하는 자들, 바로 알케미스트! 비록 그들은 옛 연금술의 힘을 얻진 못했지만, 눈앞의 이 사내만큼은 그 힘을 가지고 있다. 레너드는 고대 연금술에 성공한 현시대 최초의 알케미스트일 것이 분명했다.

"연금술사냐고 물어보는 거라면, 맞아. 나 연금술사야."

레너드가 순순히 인정하자 린지는 손을 콱 틀어쥐었다. 역시나 레너드는 알케미스트, 불법 연구를 일삼는 범죄자였다.

"그럼 다시 내 차례. 진짜 이름이 뭐야?"

"린지 아즈벨. 네 이름은 뭐지?"

자신의 이름을 알려 준 것이 마음에 걸리긴 했지만 어쩔 수가 없었다. 그 대가로 레너드의 본명을 알아내어 철저하게 뒷조사를 하면 되니까.

레너드는 입 안으로 린지라는 이름을 여러 번 굴려 보다가 마음에 들었는지 활짝 웃었다.

"세나엘 이즈나만큼 예쁜 이름이네."

"네가 지은 가명보다야 낫지. 헛소리 말고 네 이름이 뭔지 말해."

"나? 레너드 아롭인데. 말했잖아?"

린지는 얼굴을 일그러뜨렸다. 레너드 아롭이 진짜 본명이라고? 어떤 미친놈이 잠입해서 본명을 사용한단 말인가?

"뭐야. 이상해! 진짜로 거짓을 말하면 죽는 것 맞아? 너 사기 치는 거지!"

"아니. 진실을 말하고 있어. 정 궁금하면 거짓말을 해 봐. 바로 죽게 될걸."

린지는 레너드의 은회색 두 눈동자를 뚫어져라 노려보았다. 아무리 봐도 그가 거짓을 말하는 것 같지 않았지만, 레너드 아롭이 본명이라는 것 역시 믿기 힘들었다. 린지는 그의 거짓말에 놀아나고 있는 것이 아닐까 불안해졌다.

"다시 내 차례지? 고향이 어디야?"

이번에도 역시 쓸데없는 질문이다. 린지는 레너드의 물음을 도저히 이해할 수 없었다. 자신에게 궁금한 것이 저따위 것밖에 없단 말인가? 누가 잠입을 하도록 시킨 건지, 어디 소속인지, 이런 것들은 왜 물어보지 않는 건지 궁금했다.

린지는 솔직하게 대답했다.

“몰라.”

“응?”

“여덟 살 때 이전 기억은 없어. 흔히 말하는 기억 상실인가 뭔가, 그런 거라서.”

사실이었다. 린지는 고향은 물론 부모의 얼굴조차 기억할 수 없었다. 자신에게 무슨 일이 일어났는지, 왜 기억을 잃은 것인지, 그녀는 아무것도 몰랐다. 하지만 운 좋게 유시젠에게 거두어져 충실한 삶을 살고 있으니 어릴 적 일에 대한 미련은 눈곱만큼도 없었다.

이번엔 린지가 물어볼 차례였다. 그녀는 싱글싱글 웃고 있는 레너드를 바라보며 빠르게 머리를 굴렸다.

‘너무 핵심적인 질문을 하면 피해 갈 수도 있어.’

거짓을 말하면 죽는다고 했을 뿐, 정확히 대답하지 않는 것은 해당되지 않았다. 때문에 네 정체가 뭐냐, 이런 것을 물으면 대충 뭉뚱그려 대답할 가능성이 컸다. 린지는 치열하게 고민하다가 질문했다.

“네가 휘안에게 알아내고자 하는 것이 뭐지?”

“녀석의 재산이 나오는 장소를 알아내려고. 근데 아무래도 실패 같아. 이 저택에 중요한 정보는 하나도 없어. 에잇.”

린지는 그가 질문하기 전, 재빨리 또 다른 물음을 던졌다.

“휘안은 왜 너에게 원한을 갖고 있는 거야?”

레너드는 처음으로 뜸 들이는 기색이었다. 그는 자신의 턱을 몇 번 쓰다듬더니 눈을 굴리며 대답했다.

“옛날 일이야. 옛날에, 아마 휘안은 내게 괴롭힘을 당했다고 느꼈을 거야. 뭐, 사실 녀석이 좋으라고 한 일은 아니었으니 괴롭힌 게 맞겠지. 그래서 휘안이 내게 원한을 품은 것 같아.”

역시나 예상대로 레너드는 정확하게 답해 주지 않았다. 레너드가 휘안에게 한 이런저런 일들은 무엇인지, 휘안의 원한은 무엇인지—.

'그래도 12년간의 행적에 관한 단서 하나는 찾았어. 르카플로네 백작 가문은 알케미스트에게 당했을 가능성이 크다.'

갑자기 사라진 르카플로네 백작 가문. 그리고 휘안을 괴롭혔다는 레너드의 말을 종합해 보면, 휘안의 일상은 그의 의사와는 상관없이 부서진 것이 분명했다.

"다시 내 차례야. 린지안 선배는 사랑하는 남자 있어?"

여전히 헛소리였다. 린지는 눈을 가느다랗게 뜨며 레너드를 노려보았다. 대체 왜 그런 쓸데없는 것만 묻는 것인지 의아했지만 린지에게 있어서 불리한 질문은 아니었다. 핵심적인 것을 묻는 것보다야 훨씬 나았으니까.

"아니, 없어."

"에이. 시시해."

"어떻게 고대 연금술사의 지식을 부활시킨 거야?"

린지는 미리 생각해 놓은 질문을 내던졌다. 고대의 흔적, 연금술은 이야기 속에서나 나오는 신적인 힘이다. 레너드의 몸을 감쪽같이 다른 곳으로 이동시켜 주는 도구, 그것 역시 상식적인 힘이 아니었다. 레너드는 정말로 고대 연금술의 지식의 일부를 사용한 것이다.

레너드는 히죽 웃었다. 소년처럼 해맑은 미소였다.

"죽은 적이 없는데 어떻게 부활시켜?"

"……뭐?"

"진실 게임은 여기까지 하자. 아주 무서운 분이 오고 있는 소리가 들려. 나는 진심으로 휘안이 무섭거든."

린지는 멍한 얼굴로 자리에서 일어나는 레너드를 바라보았다. 그는 린지에게 가까이 다가와 그녀의 얼굴을 탁 잡더니 고개를 숙였다. 그가 뭘 하려는지 눈치챈 린지가 재빨리 그의 어깨를 밀쳐 냈다. 그러자 레너드가 실망한 기색이 완연한 얼굴로 중얼거렸다.

"아아, 너무해. 굿바이 키스도 안 해 주는 거야?"

"우, 웃기지 마! 그리고 너, 방금 무슨 말을 한 거야! 그게 무슨 소리야!"

빠르게 창가로 다가간 레너드가 창턱에 발을 얹었다. 그리고 환하게 웃으며 린지를 돌아보았다.

"진실 게임은 끝났다고 했어, 린지."

"레너드!"

"조만간 다시 만나자."

휙!

그 말을 끝으로 레너드가 창문 아래로 몸을 던졌다. 린지는 허겁지겁 창가로 다가가 아래를 내려다보았지만…….

"……뭐야."

레너드는 어디에도 없었다.

그는, 갑자기 나타났던 것처럼 갑자기 사라져 버렸다.

고대 연금술사의 지식. 그 파괴적인 힘.

"죽은 적이 없는데 어떻게 부활시켜?"

그가 폭탄처럼 남기고 간 선언에 린지의 머리가 혼란스러워졌다. 하지만 그녀는 그 말에 대해 고민할 시간이 없었다. 레너드의 예언대로 휘안이 저택으로 돌아온 것이다.

"백작님, 돌아오셨습니까. 무사히 귀환하셔서 다행입니다."

린지는 마차에서 내리는 백작의 짐을 대신 받아 주었다. 휘안은 오늘 트와일릿에서 만났던 그대로 똑같은 옷을 입고 있었는데, 그런 일이 있었음에도 불구하고 평소처럼 웃고 있는 얼굴이었다.

"린지안 군, 잘 지냈어? 여전히 귀엽네."

린지는 그가 자신의 얼굴을 보지 못했음을 신에게 감사했다. 아니, 어쩌면 가발을 씌워 주고 여성미의 극치를 달리는 원피스를 입혀 준 레너드에게 감사해야 할 일일지도 몰랐다. 먼 거리에 있던 하얀 원피스의 여인이 시종 린지안 아르즈벨일 거라고는 상상조차 하지 못할 테니까.

"아아, 엄청 고생했어. 이런저런 일들이 많았거든. 린지안 군은 별일 없었어?"

휘안은 평소와 다름없는 걸음걸이로 그의 집무실로 향하고 있었다. 오늘 낮에 철천지원수를 마주친 사람 같지 않은 모습에 린지는 새삼 휘안의 감정 컨트롤이 대단하다는 것을 실감했다.

"예, 딱히 큰일은 없었습니다."

방으로 돌아온 휘안은 바로 샤워부터 했다. 생각과는 다른 행보에 린지는 고개를 갸웃거렸다. 분명 레너드나 트와일릿의 일 때문에 분주하게 대응하느라 바쁠 줄 알았는데 너무나도 여유로웠던 것이다.

샤워를 즐기고 나온 백작이 흥얼거리며 집무실 데스크에 앉았다. 그는 린지가 따라 주는 차 한 잔을 마신 후, 차분하게 말했다.

"집사를 불러 주겠어?"

"네, 알겠습니다."

린지는 내심 긴장하며 집사의 집무실로 향했다. 아마 혹독한 심문이 있을 것이다. 집사가 레너드를 특별 채용하여 신입 시종으로 들이지 않았던가? 어쩌면 집사가 백작을 배신한 것일지도…….

"집사님? 안에 계십니까?"

집무실을 노크했지만 안에서는 별다른 반응이 보이지 않았다.

"들어가겠습니다."

린지는 몇 번 더 노크를 한 후 문을 벌컥 열었다. 다음 순간, 그녀는 쓰러져 있는 집사의 몸을 보고 깜짝 놀라 달려갔다.

"지, 집사님! 정신 차리세요!"

다행히 숨은 쉬고 있었지만 숨결이 미약했고 몸이 차가웠다. 린지는 재빨리 지나가는 시종들을 불러 집사를 의사에게 데려갔다. 덩달아 놀란 의사는 진료 후, 착잡한 음성으로 말했다.

"백작님께 가 봐야겠습니다."

"그럴 줄 알고 여기 왔어."

린지와 의사, 그리고 분주하게 움직이던 시종들이 뒤를 돌아보았다. 어느덧 등장한 백작이 팔짱을 낀 상태로 벽에 기대어 있었던 것이다. 휘안은 싱긋 웃는 표정으로 다가와 말했다.

"약물에 당한 건가?"

의사는 심각한 표정으로 고개를 끄덕이며 린지와 시종들에게 눈짓했다. 나가 보라는 무언의 표시였기에 그들은 고개를 조아린 후 문밖으로 나섰다.

"린지안 군은 거기 남아."

백작의 목소리가 린지의 발걸음을 잡아챘다. 그녀는 심장이 쿵 내려앉은 것을 느끼며 슬그머니 뒤를 돌아보았다. 설마 자신에게 수상한 점을 발견한 것일까?

"내가 의사랑 얘기하는 동안 이걸 집사의 입에 넣어 줘."

하나 다행히도 그런 건 아니었는지, 휘안은 자그마한 약병을 꺼내 린지에게 내밀었다. 레너드가 진실 게임에서 사용했던 것처럼 오묘한 빛깔이 한데에 섞인 약물이었다.

집사의 입 안으로 약물을 흘려보내는 동안 휘안과 의사는 작은 목소리로 속삭이며 대화를 해 나갔다. 린지에게 들리지 않을 정도로 작은 목소리였기에 그녀는 엿듣는 것을 포기하고 집사에게 약물을 넣는 것에만 집중했다. 잠시 후, 집사가 헛기침을 토해 내며 자리에서 벌떡 일어났다.

“휘, 휘안 님? 대체 이게 어떻게 된……?!”

하나 집사는 머리가 아픈 듯 인상을 팍 찡그려 말을 잇지 못했다. 휘안은 그제야 린지에게 나가 보라는 듯 눈짓했다.

‘정신을 조종당했어. 확실해.’

휘안이 집사에게 투여한 것은 레너드의 것처럼 연금술로 만든 것이 분명했다. 그것이 집사를 다시 깨어나게 한 것이다. 그렇다는 것인즉 휘안 역시 알케미스트이거나, 알케미스트들과 관계를 맺고 있다는 소리이다. 린지는 한숨을 푹 내쉬며 머리를 감싸 쥐었다.

‘아아, 진짜 골치 아프게 됐네. 오라버니, 대체 이 일을 어떻게 해야 하나요…….’

린지는 자리에 털썩 주저앉고 싶은 것을 참아야 했다. 수상쩍은 레너드의 등장, 그리고 고대 연금술사의 힘의 실현, 그 힘을 가지고 있는 레너드와 휘안– 정말이지 어마어마한 비밀을 캐내고 말았던 것이다.

본래부터 르카플로네 백작가에 묘한 비밀이 있을 거라고는 예상하고 있었다. 12년 전 갑자기 사라진 백작 가문의 일원들, 그리고 어느 날 나타나서는 그 누구보다도 막대한 재산을 가지고 있었으니 말이다. 하나 린지가 예상한 것은 고작 그래 봤자 불법적인 루트로 벌어들이는 자금 정도였다. 하지만 백작이 가지고 있는 비밀은 상식적인 영역을 벗어나는 것이었다. 미지의 세계라고도 불리는 고대 연금술의 영역과 연결되어 있다니!

‘오라버니, 이 일을 어쩌면 좋아요……. 아무래도 백작 녀석, 생각했던

것보다 훨씬 더 위험한 것 같아요.'

유시젠의 침착한 얼굴을 떠올려도 린지의 마음은 진정이 되질 않았다. 솔직히 말해서 당장 도망가 휘안에게 신경 꺼야 한다고 말하고 싶었다. 하지만.

'그래선 안 되지.'

린지는 감았던 눈을 떴다. 불안하게 흔들렸던 눈동자는 어느덧 차갑고 굳건하게 냉각되어 있었다. 그녀는 약해진 마음을 바로잡으며 주먹을 천천히 말아 쥐었다.

'오라버니가 이런 것을 못 본 척할 리 없으니까.'

때문에 린지 또한 외면하지 않을 것이다. 그녀는 더 크고 두려운 비밀이 숨겨져 있을 백작 가문에 계속 남아 있기로 결정했다. 그리고 그게 무엇이든 피하지 않고 파헤칠 것이다.

'일단 편지로라도 지금까지 있었던 일을 알려야겠어. 그리고 무엇보다......'

레너드 아롭, 그자의 정체를 알아내는 것이 급선무라고 이야기를 해야겠다. 린지는 레너드의 해맑은 얼굴을 떠올리며 주먹을 틀어쥐었다. 어째서일까, 그의 미소는 순수하기 그지없었으나— 떠올릴 때마다 등골이 오싹했다.

chapter 8. 명중하다

레너드 사건 이후로 린지는 잠을 쉽게 이루지 못했다. 린지뿐만이 아니라 다른 누구라도 같은 반응을 보였을 것이다. 그만큼 그녀가 엿본 진실은 너무나도 무거웠으니까. 하지만 린지는 태연함을 가장하며 평소처럼 휘안의 시중을 들었다. 여기서 놀라운 것은, 휘안 역시 평소와 다를 것이 하나도 없었다는 것이다.

그는 집사가 약물을 먹고 정신 조작을 당해 레너드가 저택 안에서 활보하게끔 만들었다는 사실을 알아냈다. 한데도 그는 그것을 대수롭게 여기고 있는 기색이 아니었다. 레너드가 대체 무엇을 하고 다녔는지, 뭘 어쨌는지 혈안이 되어 파고드는 대신 가볍게 무시했던 것이다.

'마치 레너드에게는 단 일 초도 휘둘리지 않겠다는 것 같아.'

짧은 시간이었지만, 린지는 레너드가 마치 악마처럼 사람을 가지고 노는 자라는 것을 느꼈다. 하늘 위에서 관찰하듯 어떤 상황에서 어떻게 반응하는지, 지켜보는 것을 매우 즐겼던 것이다. 휘안은 이런 레너드의 성정을 잘 파악하고 있는 듯 그가 남기고 간 것 그 어느 것에도 관심을 가지지 않았다.

'현명하다면 현명한 거겠지.'

모든 업무를 마친 린지는 또다시 잠을 이루지 못했다. 고대 연금술의 힘을 쓰는 알케미스트, 레너드. 그리고 아마도 그런 알케미스트와 연관이 있는 휘안 데 르카플로네. 이렇게 생각하면 도저히 잠을 이룰 수 없었다.

샤워를 마친 린지는 머리를 탈탈 말리며 거울 속 자신의 모습을 바라보았다.

'……그건 그렇고, 이젠 정말 익숙해졌어.'

어깨에도 닿지 않는 짧은 붉은 머리칼, 붕대로 칭칭 감겨 있는 가슴. 누가 봐도 소년 같은 모습이 이제는 불쾌하게 느껴지지 않았다. 언제 자신의 머리카락이 허리 근처에서 찰랑거렸는지 기억이 나지 않을 정도였으니까.

'그래도 임무는 잘돼 가고 있어. 잠입한 지 반년이 넘도록 정체를 들키지 않고 백작의 신임을 받고 있으니까.'

문득 얼마 전, 유시젠과의 만남이 머릿속을 스치고 지나갔다. 그가 내린 특명을 떠올리자 린지의 붉은 눈망울이 암울하게 가라앉았다.

"신뢰라……."

린지는 조그마한 목소리로 중얼거렸다. 유시젠이 명령하였다. 백작의 신뢰를 얻어 그의 모든 것을 알아 오라고. 목숨도 믿고 맡길 수 있는, 그런 심복이 되라고.

'말이야 쉽지. 어쩌면 좋을까.'

린지가 지금까지 받은 미션 중에서도 최고위 난이도였다. 차라리 미스릴 광산을 찾아내라는 명령이 더 나을 것 같을 정도였다.

'아니, 미스릴 광산은 너무 심했나.'

레란의 국왕 칼바스는 10년이 넘는 세월 동안 미스릴 광산을 찾아 레란을 이 잡듯이 샅샅이 뒤지고 있다고 한다. 한데 그럼에도 불구하고 단 한 톨도 발견되지 않는 것이 바로 미스릴이다. 즉, 레란에는 미스릴 광산이 없다는 소리! 그런데…….

'하지만 이것도 말이 안 된다고. 백작이 믿고 목숨 맡길 수 있는 신뢰는 어떻게 얻는 건데!'

이 미션이 훨씬 더 어렵다. 어디서부터 어떻게 행해야 하는지 아예 감조차 오질 않았으니까.

'그 녀석 철옹성이란 말이야.'

솔직히 말해서 백작이 마음을 터놓는 사람이 세상에 존재하기는 하는지 궁금할 정도였다. 집사는 물론 심복으로 보이는 예르시카에게도 철저히 선을 긋는 것이 보였고, 애인들은 아예 마음 안으로 들이지도 않았으니…….

'가족도 없고 친구도 없잖아.'

백작의 명예, 권력, 그리고 재산에 이끌려 달라붙는 귀족 청년들은 수없이 많았지만 친구와는 다른 종류였다. 백작은 신분을 불문하고 누구에게나 친절하지만, 누구에게도 마음을 주지 않았다. 그런데 그런 철벽같은 남자의 마음을 얻으라니, 대체 어떻게! 이건 린지가 아니라 검술의 신이 와도 불가능하다!

'오라버니, 어쩌면 그 미션은 실패할 수도 있을 것 같아요. 엄청 수상한 놈이라고요.'

린지는 한숨을 푹 내쉬며 고개를 설레설레 저었다. 이렇게 된 이상 자신이 할 수 있는 모든 것들을 동원해서 백작의 마음을 얻으려고 노력하겠지만 과연…… 그런 날이 올까? 상상조차 되지 않았다.

"에라, 모르겠다."

린지는 고개를 휙휙 젓다가 문득 테이블 위로 시선을 돌렸다. 작은 유리병 안에 담긴 크림색 향초가 다소곳이 놓여 있었다. 좋은 향이 난다는 소이 캔들이라나 뭐라나, 레이라가 린지에게 선물해 준 물건이었다.

'저거나 한번 써 볼까.'

린지는 성냥을 사용해 초에 불을 붙였다. 타닥타닥, 나무 심지가 타들어 가는 소리가 고요한 방 안에 평화롭게 울렸다. 잠시 후 린지는 방 안에 은은하게 맴도는 라벤더 향을 느끼고는 미소를 지었다.

"와, 정말 좋네. 숙면에 좋을 거라고 하더니……."

역시 레이라는 세심하다니까……. 린지는 라벤더 향을 한껏 들이마시며 침대 위로 벌러덩 드러누웠다. 비록 앞으로 해야 할 일 때문에 눈앞이 깜깜하긴 했지만 이렇게 섬세하게 자신을 챙겨 주는 사람이 있다는 것이 든든했다.

다음 날, 휘안을 깨우기 위해 그의 방으로 향한 린지는 노크를 하기 전부터 안에서 움직이는 기척을 감지했다. 드물게도 백작이 먼저 일어나 있었다.

"들어와, 린지안 군."

린지는 눈을 동그랗게 뜨고 방 안으로 들어갔다. 언제 귀가했는지는 둘째 치고 이 시간에 일어나서 나갈 준비를 끝마치고 있다니……. 예전에 등산 갔었던 날을 제외하고서는 단 한 번도 먼저 일어나 있던 적이 없던 휘안인데?

"어디 가십니까?"

린지가 놀란 이유는 비단 휘안이 일찍 일어나서 때문만은 아니었다. 그는 이미 옷을 완벽하게 차려입고 외출 준비를 마친 상태였던 것이다.

'와. 멋있다.'

휘안은 감탄이 나올 정도로 멋있었다. 깔끔한 흰색 셔츠가 그의 넓은 어깨 위로 도드라졌다. 휘안이 싱긋 웃으며 재킷을 걸치는 그 순간의 모습이 기묘할 정도로 매력적이었다.

"린지안 군? 갈 준비 안 하고 뭐 해?"

"네? 어딜……."

"오늘 왕성에 입성한다고 말 안 했나? 곧 추수제를 기념하는 사냥 대회가 열리잖아."

그러고 보니 린지에게 얼마 전에 사냥 대회에 데려가겠다는 이야기를 하긴 했었다.

"그게 오늘이라고는 말씀 안 하셨습니다만."

"그럼 지금 말할게. 얼른 준비해서 와."

"아, 알겠습니다."

어쩐지 급하게 결정한 기색이었지만 린지는 별말을 덧붙이지 않고 방으로 달려갔다. 그러고는 여행용 가방에 대충 옷가지를 집어넣으며 의아해했다.

'백작이 말해 주는 것을 까먹는 사람이었던가?'

어젯밤이나 오늘 아침에 갑자기 결정한 것이 분명했다. 본래 늦게 일어나는 사람이 아침 일찍 일어난 것을 보아하니 어제 잠들기 전에 결정했겠지.

'뭐, 백작의 변덕이겠지.'

린지는 짐을 꾸린 후 마차를 부르기 위해 정원 뒤편의 마구간으로 향했다. 그곳엔 백작 소유의 수많은 말과 마차들이 질서정연하게 정리되어 있었다.

"알센 씨."

린지는 마구간 옆에 별실처럼 위치해 있는 마부의 숙소를 두드렸다. 잠시 후, 마부 알센이 잠이 덜 깬 표정으로 일어나 문을 열었다.

"백작님의 개인 시종님 아니십니까?"

"아, 이른 아침부터 죄송합니다만 지금 당장 준비하셔야겠습니다."

린지는 난감하게 웃으며 말했다.

"백작님께서 지금 왕성으로 향하실 겁니다. 마차를 준비해 주십시오."

"이런……. 그건 좀 곤란합니다."

"에?"

"백작님께서 보유하고 계신 마차들이 대부분 고장이 났습니다. 그래서 지금 수리 중인데……."

"에에엑?"

백작의 마차들은 하나같이 다 최고급이라 쉽게 고장 나지 않는 기종들이었다. 그런데 하나도 아니고, 대부분이 고장이 난 상태라고? 도저히 영문을 알 수 없는 일이었다.

"그럼 지금 마차를 쓸 수 없는 겁니까?"

수도가 워낙 넓기 때문에 백작의 저택에서부터 왕성까지는 마차를 타고 서너 시간 달려야 하는 거리였다. 린지가 인상을 찡그리자 알센이 조심스레 눈치를 보며 입을 열었다.

"아뇨, 하나 있긴 합니다만…… 1인용 마차인지라 굉장히 좁습니다. 한 사람이 타면 넉넉하게 앉아 갈 수 있지만 두 분이 앉아서 가시기엔……."

린지는 한숨을 푹 내쉬며 고개를 끄덕였다.

"일단 알겠습니다. 제가 백작님께 보고드리도록 하지요."

아무래도 지금 당장 출발은 무리였다. 백작에게 보고해서 마차 수리가 끝나는 날 가든가, 그게 아니면 마차 가게가 열 때까지 기다렸다가 새로 구입해서 가는 것이 나을 듯싶었다. 어차피 돈이 넘쳐나는 백작이니까 마차 하나쯤은 껌 값이겠지.

삼십 분 후.

"……좁아요."

린지는 거의 쪼그리다시피 한 자세로 백작의 옆에 껴 앉아 있었다.

"불편하긴 하지만 어쩔 수 없잖아. 좀만 참으라고."

린지가 이렇게 끼어 있으므로 백작 역시 마찬가지였다. 그의 왼쪽 팔은 마차 벽에, 오른쪽 팔는 린지의 팔로 짓눌려 있었던 것이다.

마부의 말대로 1인용 마차는 한 사람이 타면 넉넉하게 앉아 갈 수 있지만 두 사람이 되면 거의 밀착되다시피 해서 가야 하는 사이즈였다.

'하도 붙은 적이 많아서 이젠 당황스럽지도 않지만.'

산장에서 잠들었을 때라든가, 백작을 깨우다가 침대 안으로 끌려갔을 때라든가, 그 외에도 백작과 접촉했던 경험은 의외로 많았다. 때문에 린지는 예전처럼 당황하거나 어쩔 줄 몰라 하는 대신 불평을 늘어놓을 수 있을 정도로 담대해졌다.

"이러고 세 시간 넘게 가야 하는데 괜찮으시겠습니까?"

"그럭저럭 괜찮아. 린지안 군은?"

옆에서 보라색 눈동자가 뚫어지게 쳐다보는 것이 느껴졌지만 린지는 일부러 앞만 보고 있었다. 경험상 이런 상태에서 고개를 돌리면 그의 얼굴이 코 바로 앞에 위치해 있을 것이 분명했기 때문이다.

"백작님께서 괜찮으시다면 전 상관없습니다."

대답과는 달리 린지의 얼굴엔 뚱한 감정이 그대로 드러나 있었다. 그러자 백작이 웃으면서 그녀에게 어깨동무를 했다.

"……!"

린지가 놀라서 뻣뻣하게 몸을 굳히자 백작이 변명하듯이 말했다.

"팔을 이렇게 올리니까 자리가 더 넓어지잖아. 훨씬 편하지?"

"그렇긴 한데……."

산장에 있을 때랑 똑같은 자세였다. 그녀가 머뭇거리면서 고개를 푹 수그리자 휘안이 웃음을 터뜨렸다.

"하하하!"

그러고는 린지의 어깨에 올려놓은 손으로 붉은 머리칼을 사정없이 헤집었다.

"하하, 정말 리오 닮았어."

그가 헝클어트린 붉은 머리칼에 시야가 가려진 린지가 재빨리 물었다.

"리오가 뭔데요?"

"내가 키우던 고양이 이름."

그러고 보니 예전에 고양이를 키웠다고 스쳐 지나가듯이 얘기했었던 적이 있다. 그녀가 그 정보를 머릿속으로 집어넣는 순간이었다.

덜컹!

큰 돌부리에 걸렸는지 마차가 크게 덜컹거렸고, 동시에 린지의 얼굴이 휘안의 쇄골에 부딪혔다. 마치 그의 품에 안기는 듯한 자세에 린지는 서둘러 고개를 들어 올렸다.

"죄, 죄송합니다."

린지는 휘안의 눈치를 보며 슬그머니 몸을 떼어 냈다.

"……."

그는 말없이 그녀를 쳐다보다가 어깨동무했던 팔을 내렸다. 그러자 마차가 더 비좁아진 느낌이 들었지만 그가 말없이 창밖을 바라봤기에 아무런 항변을 할 수 없었다.

'뭐지. 화났나?'

갑작스레 말이 없어진 휘안의 옆모습을 보며 린지는 주눅이 들었다.

설마 가슴에 얼굴을 박아서 화가 난 것일까. 평소의 백작이라면 그런 걸로 화내지 않을 텐데…….

“저, 백작님…….”

하나 어쨌든 사과를 드려야겠다. 그런 마음에 린지가 입을 뗐을 때, 그의 목소리가 말을 끊어 왔다.

“린지안 군.”

“네?”

창밖을 바라보던 휘안이 고개를 돌려 다시 린지에게 시선을 주었다. 그때의 백작은 장난기 가득한 미소를 다시금 머금고 있었다.

“린지안 군은 얼굴이 야해.”

그 뜬금없는 소리에 린지는 순간 아무 말도 할 수 없었다. 그녀가 멍한 표정으로 바라보자 휘안이 능글맞게 웃으며 그녀의 뺨을 콕콕 찔렀다.

“그것도 아주 많이. 이미 고인이 된 칼튀루스 후작 말에 백번 공감해.”

뺨을 쑤셔 오는 손가락에 린지는 정신을 찾으며 발끈했다.

“그, 그게 무슨 소리십니까! 제가 뭐가 야하다고요! 그리고 칼튀루스 후작님 얘기는 왜 나오는 건데요!”

“여하튼 항상 조심하도록 해.”

“제가 뭘 조심해야 하는데요!”

당최 무슨 말을 하는 건지! 왠지 모르게 억울해진 린지가 씩씩거렸지만 백작은 빙긋 웃을 뿐 더 이상 말을 꺼내지 않았다. 대체 어디부터 농담이고 진담인지 감을 잡을 수가 없었다.

“저, 근데 예르시카 님은 동행하지 않는 건가요?”

린지는 재빨리 대화의 화제를 돌렸다. 보통은 개인 기사와 같이 가는 것이 일반적인데 휘안은 그녀를 대동하지 않았던 것이다.

“응. 지금 예르시카는 수도에 없어.”

"네?"

예르시카가 수도에 없다고? 처음 듣는 소식에 린지는 눈을 동그랗게 떴다.

"내 친구를 만나러 갔거든. 조만간 저택에 놀러 올 거야."

친구라니…… 백작의 입에서 그 단어가 나올 줄은 꿈에도 몰랐다. 린지는 거짓말하지 말라는 시선으로 그를 쳐다보다가 곧 고개를 저었다.

'친구인 척 백작에게 아부하는 귀족들이겠지 뭐.'

어쨌든 예르시카가 직접 마중을 갈 정도면 백작이 중요하게 생각하고 있는 인물이 분명하다. 그런 생각이 들자 린지의 호기심이 뭉클뭉클 피어올랐다.

그 후, 세 시간을 달려 왕성에 도착하자 린지는 이제야 살 것 같은 기분이었다. 좁은 마차에서 벗어났을 뿐만 아니라 휘안의 괴롭힘 속에서도 해방되었던 것이다.

"아이고, 이제야 좀 편하네!"

린지는 휘안의 방 바로 옆에 달린 자그마한 방에 배정되었다. 시종 전용 방으로 휘안이 줄을 당기면 린지의 방에 있는 종이 울려 호출하는 구조였다.

'물론 휘안의 방보다 훨씬 좁지만!'

린지는 씻지도 않고 침대 위로 다이빙했다. 휘안과 좁은 의자에 끼어서 온갖 정신적 괴롭힘을 당하며 왔다. 몸과 마음이 다 지친 상태였으나 이렇게 침대에 누우니 살 것 같았다. 린지는 침대 위에 쓰러져 있다가 천천히 눈을 감았다. 씻지 않은 것이 마음에 걸리지만 어차피 한 시간 정도만 자다가 일어나서 다시 씻으면 되니까…….

'좀만, 좀만 자자…….'

한 시간만…… 아니 오십 분, 삼십 분이라도……. 그렇게 스스로를 납득시키며 잠에 빠져들려는 찰나.

딸랑!

경쾌한 종소리가 방 안에 울려 퍼졌다. 반사적으로 눈을 번쩍 뜬 린지는 자리에서 일어났다.

'좀 쉬자, 좀!'

딸랑딸랑!

하나 종소리가 재촉하듯 들려오자 그녀는 결국 고개를 설레설레 저었다.

"방금 헤어져 놓고 왜 또 부르는 거냐고, 왜에……."

하나 어쩌겠는가. 부르면 가야지. 린지는 한숨을 푹 내쉬며 자리에서 일어났다.

"찾으셨습니까, 백작님?"

왜 벌써 부르고 난리냐, 이 새끼야. 린지는 속으로 동시에 중얼거리며 백작의 문을 열고 들어갔다. 그리고 깜짝 놀라 자리에서 멈춰 섰다.

"왔어?"

"배, 백작님?"

린지는 침을 꿀꺽 삼키며 놀란 가슴을 진정시켰다. 방 안에 백작 말고 다른 사람이 한 명 더 있었던 것이다.

"뭐예요. 정말로 시종을 부른 거예요?"

긴 금발을 늘어뜨린 아름다운 여자였다. 귀족으로 보이는 여인은 린지를 불청객 보듯 쳐다보며 말했다.

"정말 시종을 부른 거냐고요?!"

그녀는 불만 가득한 목소리로 외치며 휘안을 노려보았다. 휘안은 소파에 느긋하게 앉아서 미소 짓는 얼굴이었다.

"그래. 시종과 볼일이 좀 있거든."

"……하."

"그러니까 다음 기회에 뵙길 청하지, 레오니아 영애."

레오니아라 불린 영애는 한동안 휘안을 노려보더니 자리에서 벌떡 일어나 문을 향해 걸어갔다. 린지가 슬쩍 자리를 비켜 주자 레오니아는 강렬한 눈빛으로 린지를 쏘아보았다. 린지가 어쩔 줄 몰라 하며 고개를 숙이자 레오니아의 눈빛이 더더욱 독해졌다.

'사내새끼가 뭐 이래?'

레오니아는 휘안이 아끼는 시종에 대해 익히 들어 알고 있었다. 휘안이 너무나도 아껴서 다른 영애들을 등한시하게 만든다는, 그 마성의 시종은 이미 사교계에서 유명했던 것이다.

'그딴 말 안 믿어. 휘안이 귀찮은 여자들 걷어찰 때에 이 시종 핑계를 들어서 모욕감을 주는 거겠지.'

실제로 시종 때문에 곤욕을 치렀다고 말하는 영애들은 하나같이 다 찰거머리처럼 구는 특징이 있었다. 하도 안 떨어져 나가니까 휘안이 시종을 이용하는 것이 분명했다.

'젠장, 내가 그중 한 명이 될 줄이야!'

치욕감이 온몸을 뒤덮어서 손이 떨릴 지경이었다. 하나 모욕감보다 더 강한 충격이 레오니아의 뒤통수를 때렸다. 헛소문이라고 치부하고 비웃었었는데, 이렇게 실제로 눈앞에서 보자니…….

'어린 소년인데 색기가 넘치잖아!'

피부는 진주처럼 새하얗고 매끄러운데 입술은 핏빛이다. 눈동자도 마성이 느껴질 법한 희귀한 붉은 눈동자. 게다가 살짝 치켜 올라간 눈매는 쉽게 눈을 뗄 수가 없을 정도로 묘하지 않은가? 이런 독특한 분위기를 풍기는 사람은 처음이었다. 레오니아는 패배감에 주먹을 불끈 말아 쥐었다.

"휘안의 취향이 이런 소년일 줄은 몰랐네요."

그녀의 가시 돋친 말에 휘안은 웃음기 담긴 목소리로 답했다.

"무슨 말을 하는지 모르겠군."

"시치미 떼지 말아요! 헛소문이라고 생각했는데 진짜였어."

그녀는 눈물 고인 눈동자로 휘안을 노려보다가 문을 열고 빠져나갔다. 쾅! 소리와 함께 문이 닫히자 린지의 귀가 얼얼해졌다.

"대, 대체 이게 무슨……."

들어오자마자 귀족 영애의 살기와 눈물을 동시에 본 린지는 황당한 입장이었다. 설마 또 자신을 이용해서 여자를 떼어 낸 것일까? 아니나 다를까, 휘안이 미소 지으면서 손을 흔들었다.

"오늘도 고마워, 린지안 군."

"또 저를 이용하셨군요!"

그러자 휘안이 한숨을 폭 내쉬며 고개를 설레설레 저었다.

"어쩔 수 없어. 지금 너무 피곤한데 저 영애가 대낮부터 너무 과한 것을 요구했단 말이야. 아무리 나라고 해도 지금은 쉬고 싶다고."

대체 뭘 요구했기에…… 왠지 알아서는 안 될 것 같았기에 린지는 더 이상 따지지 못하고 입을 다물었다.

'그래도 이건 아니야.'

줄곧 생각해 왔다. 이렇게 고의적으로 누군가의 자존심을 짓밟는 것, 아무리 그들이 귀찮다 할지언정 옳은 일이 아니다. 물론 린지는 도덕군자가 아니었기에 타인의 행동이나 결정에 대해 일일이 참견하고 싶지 않았다. 하지만 타인이 아닌, 자신이 아끼거나 소중하게 여기는 사람이 그런다면 충고를 하겠지. 만일 그가 유시젠이었다면 린지는 가만히 넘어가지 않을 것이다.

모종의 결심을 한 린지는 입술을 열었다.

"더 이상 그러지 않으시는 것이 좋을 것 같습니다."

"……응?"

휘안이 고개를 들어 린지를 마주 보았다. 본인의 귀를 의심하는 눈빛이었다.

"언젠가 영애분들의 분노가 독이 되어 돌아올 수도 있지 않습니까? 자고로 여자의 한은 오뉴월에 서리가 내리게 할 정도라고요."

그리고 잠시 숨을 고른 후 다시 말을 이었다.

"그러니까 아무리 백작님을 귀찮게 하더라도 저를 이용해서 모욕감을 주시는 것은 삼가시는 게 좋지 않을까요? 백작님과 영애분들, 모두를 위해서도 그게 좋을 것…… 같아서요."

용기를 내서 말했지만 조금 부족했던 것일까, 마지막 말을 마무리할 때에는 말끝을 흐리고 말았다. 손톱을 만지작거리면서 말한 린지는 한동안 침묵이 이어지자 조심스레 휘안에게 시선을 올렸다.

'히익!'

휘안의 눈치를 살피기 위해 고개를 들어 올리는 순간, 자신을 뚫어져라 쳐다보고 있는 보라색 눈동자와 마주치고 말았다. 한데 그 눈빛이 얼마나 강렬했는지 린지는 마주치자마자 불에 덴 사람처럼 허겁지겁 고개를 도로 숙였다.

'뭐, 뭐지. 화난 건가?'

분명 입가에는 미소를 머금고 있었는데 눈빛이 너무…… 뭐랄까, 너무 뜨거웠다. 마치 지금 이 순간의 린지를 평생, 평생 눈 안에 각인시키려는 사람처럼.

'화났나 봐. 아이고, 괜히 말했나?'

린지는 다시 용기를 내서 천천히 고개를 들어 올렸다. 하지만 차마 그의 시선을 마주하지는 못하고 휘안의 무릎을 쳐다보며 말했다.

"죄송합니다, 백작님. 제가 무례했습니다."

"아니야."

답해 오는 휘안의 목소리는 뜻밖일 정도로 다정했다.

"아니야."

다시 말하는 그 목소리에 린지는 천천히 그의 시선을 마주했다. 그가 조심스럽게, 하지만 아주 부드럽게 미소를 짓고 있었다.

'뭐지……?'

왠지 지금 이 순간이 처음 보는 휘안의 진짜 미소 같다는 생각이 들었다. 그녀가 멍하게 바라보자 휘안이 손을 설레설레 저으며 다시 평소와 같은 웃음을 지었다.

"나도 그렇게 생각해."

"……에?"

"사실 나도 그렇게 생각한다고. 근데 누군가 내게 그런 말을 해 준 적이 없어서……. 아니, 너무 오랜만이어서."

문득 백작의 두 눈이 회상에 잠긴 듯했지만 얼마 가지 않아 다시 웃음을 머금었다.

"린지안 군이 나를 걱정해 주다니 감동이야."

그렇게 말하는 그의 눈에는 평소 같은 장난기가 깃들어 있어서 왠지 모르게 안심이 됐다. 그런데 걱정이라니……. 린지는 순간 부끄러움이 확 올라오는 것을 느끼고는 손을 휘저었다.

"아, 아뇨! 그냥, 그냥 말씀드린 거예요!"

생각해 보니 걱정돼서 한 말이긴 했다. 린지의 얼굴이 새빨개지자 백작이 배를 잡고 웃음을 터뜨렸다.

"하하하! 린지안 군 얼굴이 곧 터지겠는데! 굉장히 빨개."

"놀리지 마세요!"

린지는 두 손으로 얼굴을 가리며 소리쳤다. 얼마나 붉어졌는지 뜨끈뜨끈한 열기가 피부로도 느껴질 정도였다. 하지만…….

'기분이 나쁘지 않아.'

이상하게도 백작의 웃음이 귓가를 울리는데도 불쾌하지 않았다. 나쁘기는커녕. 도리어…….

'……뭐, 이런 것도 괜찮네.'

손바닥 아래로 가려진 린지의 입가에 웃음이 어렸다.

그 후 휘안과 린지는 일주일 정도 왕성에서 머물렀다. 린지에게는 지루한 시간이었지만 휘안은 왕성에서도 시도 때도 없이 찾아드는 손님들 때문에 몹시 분주한 나날들이었다. 그리고 마침내 사냥 대회 전날. 추수제를 기념하기 위한 파티가 열렸다.

레란 왕국 내의 권력가들이 모조리 모인 자리인지라 파티의 규모는 그만큼 성대하고 아름다웠다. 잠입 수사 겸 몇 번 파티에 변장하고 참석해 본 적이 있는 린지였지만 이 정도로 화려한 파티는 난생처음이었다.

'장난 아니네.'

파티의 규모도 규모였지만 참석한 귀빈들 또한 하나같이 화려했다. 귀부인들은 오늘을 위해 몇 달 동안이나 드레스와 보석을 골라 왔을 것이다. 파티장 안의 한 명 한 명이 주인공처럼 치장되어 있다.

그중에서도 가장 눈에 띄는 자는 단연 휘안 데 르카플로네 백작이었다. 일단 이 파티장에 있는 사람들 중에서 가장 키가 커서 우뚝 솟아 있는지라 쉽게 눈에 보였다. 그리고 그 주위를 둘러싼 수많은 귀족 무리는 마치 사탕에 모여든 개미떼를 연상시켰다.

'인기 만점이구먼, 백작.'

은발을 가지런하게 쓸어 올려 조각 같은 이마가 드러난 백작은 평소보다 더 근사했다. 진한 보라색 공단이 덧대진 검은 슈트를 입은 그는 모든 귀족 영애들의 시선을 한 몸에 받고 있었다. 심지어 아이를 데려온 귀부인들 또한 얼굴을 붉히며 부채 너머로 슬그머니 훔쳐보는 중이었다.

'그래. 인정. 잘생기긴 진짜 잘생겼어. 예술품 같아.'

한편, 린지는 시종복을 차려입고 벽에 붙어 서서 대기하고 있었다. 연회장에는 왕실 시종들이 많았기에 개인 시종인 린지를 데려오지 않아도 좋았을 텐데, 휘안은 굳이 그녀를 끌고 왔다. 때문에 그녀는 휘안이 부르면 언제든 갈 수 있도록 벽에 서서 대기하는 중이었다.

"백작님. 예전에 제 살롱에 와 주셨지요? 정말 감사했습니다."

"아뇨, 저야말로 영광이었습니다. 부인의 살롱은 격 높은 예술가들만 모이기로 유명하지 않습니까? 견문을 넓힐 좋은 기회였지요."

"어머, 리아담 님의 살롱에 방문하셨다는 소문이 정말이었군요? 언제 또 가실 예정인가요, 백작님?"

"제 살롱에도 와 주신다면 영광일 거예요, 백작님."

그에게 한마디라도 더 하고 싶어서 안절부절못하는 귀족 영애들이 잽싸게 끼어들었다. 하나 백작과 대화하고 싶어 하는 것은 비단 여자들뿐만이 아니었다.

"저랑 몇몇 친구들이 만든 모임이 있습니다. 정기적으로 모여서 정세 토론이나 사냥을 즐기는 모임이지요. 백작님께서 함께해 주시면 좋겠군요."

"사냥 모임이라면 저희도 있습니다. 르카플로네 백작님, 시간 나실 때 한번 와 주시지요."

남자 귀족들 역시 백작과 말 한마디 섞어 보기 위해 굉장한 노력을 기울이고 있었다. 그 수많은 관심의 홍수 속에서 어지러울 만도 하건만 백작은 신기할 만큼 자연스런 미소를 지으며 그들을 상대했다.

'인기 많은 것도 고생이다, 고생.'

린지는 그 모습을 지켜보며 혀를 끌끌 찼다. 물론 그의 근사한 외모 때문에 여자들이 붙으려고 하는 것은 하루 이틀 일이 아니지만 남자들까지 저럴 줄은 몰랐다.

'역시 돈이 최고인가 봐.'

백작이 돈이 많다는 것, 아마 엘칸 대륙에 존재하는 귀족들 중에서 제일 많을 거라는 소문은 이미 공공연한 사실이었다. 백작은 엘칸 대륙 내에서 손꼽히는 자산가로 유명세를 떨치고 있었다.

"들었어? 남쪽 휴양지에 이어서 이번엔 북쪽의 산맥을 사들이셨다는데? 알라스 산맥 알지?"

린지는 백작 쟁탈전의 기에 눌려서 저들끼리 삼삼오오 모여 속삭이는 귀족 영애들의 대화에 귀를 쫑긋 기울였다.

"알라스 산맥? 어머, 거기 관광지로 유명한 곳이잖아. 그 산맥은 대부호, 뒤르반 공작의 소유잖아? 공작의 영지에 있는 산맥 아니야?!"

"그래. 근데 얼마 전에 그 공작에게 본래 값의 두 배를 쳐주고 사들였다더라고. 이제 알라스 산맥이 백작의 소유인 거야!"

"어머, 세상에!"

세상에. 린지는 영애와 같은 감탄사를 내뱉으며 백작에게 시선을 돌렸다. 대체 언제 또 그 산맥을 사들였단 말인가!

'돈이 남아도나 봐.'

저러니 주위에 날파리들이 꼬이지. 신비로울 정도로 아름다운 외모에다가 돈까지 많으니, 여자들이 자존심 버려 가며 달려드는 것도 이해가 갔다. 그때였다.

"왕세자 전하 드십니다!"

술렁거리던 장내가 일순간 물을 끼얹은 듯 조용해졌다. 침묵이 내려앉는 동시에 파티장의 문이 벌컥 열렸다. 그 문 사이로 한 사내가 붉은 융단 위로 모습을 드러냈다.

"……."

모든 귀족들이 그가 지나가는 행적에 따라 고개를 조아리며 인사를 올렸다. 단 하나뿐인 왕세자, 강대국 레란을 물려받을 차기 국왕의 등장은 모두를 숨죽이게 만들었다. 흘러나오던 음악 소리가 멎고 장내는 흔한 속닥거림 없이 완벽한 고요가 흘렀다. 들리는 것은 붉은 융단을 밟는 왕세자의 발걸음 소리뿐이었다.

"고개를 들라."

잠시 후, 왕세자의 고결한 목소리가 침묵 위로 떨어졌다. 린지를 포함한 사람들이 고개를 들자 왕석에 홀로 앉아 있는 그의 모습이 보였다. 국왕을 제외한 유일한 왕족, 그 혼자만이 왕석에 앉아 있었다. 미스릴에 혈안이 된 것으로 알려진 국왕 칼바스는 칩거하여 대중 앞에 모습을 감춘 지 오래였다.

'아아, 오늘도 멋있으셔. 오라버니, 안녕하세요.'

멀리 있어서 자세히 보이진 않았지만, 샹들리에 아래에서 더욱 찬란하게 빛나는 머리칼만큼은 선명했다. 하나로 말끔하게 쓸어 올린 백금빛 머리칼은 레란 왕족의 상징이나 마찬가지였다.

유시젠 라이온 빈 레란- 국왕의 단 하나뿐인 아들이자 레란의 왕세자는 천천히 좌중을 둘러보았다. 지배자의 강인함과 성군의 우아함을 동시에 갖춘 그에게서는 다른 이에게선 느껴지지 않는 기품이 풍겼다.

"추수제를 맞이한 파티에 참석해 준 귀공들에게 감사하오. 부디 좋은 시간을 보내길."

무뚝뚝하기로 유명한 성격답게 그의 인사는 짧고 간략했다. 그의 말이 끝나자 오케스트라의 연주와 귀족들의 대화가 다시 시작되었다.

"왕세자 전하는 역시 멋지시네. 빛이 나는 것 같아."

"대체 어떤 분이랑 결혼하실까? 부러워 죽겠어."

"저 나이가 되도록 아직 약혼녀 한 명 없으시잖아. 내가 노려 봐야겠어."

웃기지 마세요. 린지는 앞에서 숙덕거리는 여인에게 속으로 지껄이며 콧방귀를 뀌었다.

'오라버니가 얼마나 고결하신데. 여색을 밝히기는커녕 무관심하시지. 왕국의 안위만을 생각하시는 분이야. 미스릴에만 집착하는 국왕 폐하 대신 정사를 돌보시느라 바쁘다고.'

이미 유명하다시피 칼바스 국왕은 미스릴에 미친 어리석은 왕이었다. 때문에 유시젠과 반목하여 틀어질 대로 틀어진 사이가 되었고, 결국 국왕은 그에게 중요한 정보를 공유해 주지 않는 수준까지 다다랐다. 이것이 유시젠이 그의 그림자들- 린지와 같은 비밀 병기들을 이용하여 정보를 따로 빼 오는 이유였다. 동시에 유시젠이 그만큼 국정을 생각하고 있다는 증거이기도 했다.

'휘안, 저 바람둥이 난봉꾼이랑은 정반대랄까.'

린지는 왕석에 앉아 다가오는 귀족들을 심드렁하게 상대하는 유시젠과 휘안 백작을 번갈아 쳐다보았다. 두 사람의 공통점이라고는 이 파티장에서 가장 빛이 나는 외모를 가졌다는 것뿐이었다.

'인격의 급이 달라요, 인격의 급이.'

휘안에겐 미안하지만 린지에게 있어서 유시젠이란 성자, 성령과도 같은 이미지였다. 물론 조금 난폭하고 오만하고 제멋대로에 무서운 성자, 성령이었지만. 린지가 흐뭇하게 유시젠을 바라보며 시선을 떼지 못하고 있을 때였다.

"이봐."

그때 옆에서 누군가가 말을 걸어왔다. 시종복을 입은 사내가 호기심 가득한 표정으로 그녀를 바라보고 있었다.

"네가 린지안이지? 르카플로네 백작님의 개인 시종."

순간 린지는 인상을 확 구기며 서늘하게 되받아쳤다.

"왜 반말이야?"

초면에 웬 반말이란 말인가? 그녀의 날카로운 반응에 시종은 당황한 듯 얼빠진 표정을 짓다가 머리를 긁적이며 사과했다.

"미, 미안합니다. 같은 처지인지라 친근하게 느껴져서 그만……."

"됐습니다. 무슨 일이시지요?"

그녀의 반응에 시종은 머뭇거리다가 헤실 웃음을 흘렸다.

"성격이 차가우시다는 소문을 들었는데 정말이네요. 아하하……."

뭔 소리야 이건……. 린지가 미간을 좁히자 시종은 더더욱 당황한 듯 했다. 근데 차갑다는 소문이라니, 자신에 대한 소문이 시종들에게까지 퍼졌단 말인가?

'내가 차갑긴 뭐가 차갑다는 거야? 이상한 헛소문일세.'

잠시 망설이던 시종이 용기를 낸 듯 손을 내밀며 악수를 청했다.

"제 이름은 루시온입니다. 람피스 공작님의 개인 시종으로 일하고 있지요."

"아아……."

린지는 그의 손을 맞잡아 흔들며 기억을 더듬었다. 람피스 공작 가문. 막대한 재산과 권력으로 손꼽히는 가문으로, 공작이 휘안 못지않은 바람둥이로 유명했다.

'그런데 문제는 남자 여자 가리지 않는 바람둥이라는 거지.'

예쁘면 남녀 불문하기로 유명한 공작이었지만 평판은 나쁘지 않은 편이었다. 요새는 워낙 남색을 즐기는 귀족들이 많기도 했지만, 칼튀루스 후작과 같은 쓰레기처럼 억지로 누군가를 범하거나 경매로 사들이는 불법적인 짓은 일체 하지 않았던 것이다.

"그런데 제게 무슨 볼일이죠?"

람피스 공작 가문의 개인 시종과 친분은 물론 일면식조차 없다. 그런데 왜 자신에게 접근해서 말을 걸었단 말인가? 린지가 의심스런 눈초리로 보자 루시온은 난처해하며 말했다.

"다, 다름이 아니라 람피스 공작님께서 부르셔서요."

"……?"

뜬금없는 말에 린지는 눈썹을 들어 올렸다. 람피스 공작이 자신을 불렀다고? 왜?

"저를 부르셨다고요?"

"네. 린지안 씨를 뵙고자 하시는데……."

루시온은 린지의 붉은 눈동자를 슬쩍 피하며 말꼬리를 죽였다. 르카플로네 백작의 시종은 같은 고용인인데도 묘하게 기를 죽이는 무언가가 있었던 것이다. 린지는 잠시 그를 쳐다보다가 어깨를 으쓱였다.

"네, 알겠습니다. 어디에 계신가요?"

다행히 긍정적인 반응이 돌아오자 루시온은 남몰래 안도의 한숨을 쉬었다.

"따라오시죠."

백작을 시야에서 버려두고 가야 한다는 것이 마음에 걸리긴 했지만 린지는 순순히 루시온을 따라갔다. 어차피 거절할 명분도 없었다. 마음대로 거절했다가 백작에게 누가 될 수도 있는 일이었으니까.

"여기 안에 계십니다."

루시온은 제일 구석에 위치한 테라스 앞까지 린지를 데리고 왔다. 문을 열고 들어가기 전, 린지는 고개를 빼꼼 돌려 백작의 동태를 살폈다. 그는 여전히 많은 사람들에게 둘러싸여 화기애애하게 대화를 나누는 중이었고, 유시젠은…….

'억.'

유시젠은 왕석에 홀로 앉아 정확히 린지를 바라보고 있었다. 그의 황금색 눈동자와 눈이 마주친 린지는 순간 깜짝 놀라 숨을 들이켰다. 주위에 몰려왔던 귀족들은 언제 물리친 건지, 그는 홀로 앉아 그녀를 응시하고 있는 중이었다.

"……."

몇 초가 흘렀을까. 차마 먼저 시선을 피하지 못한 린지 대신 고개를 돌린 것은 유시젠이었다. 그가 얼굴을 돌리자 린지는 숨을 들이쉬며 벌렁거리는 가슴을 진정시켰다.

'까, 깜짝이야.'

아무래도 그는 린지가 온 것을 눈치채고 호기심을 가지고 지켜본 것 같았다. 그렇게 생각한 린지는 테라스 문을 열고 들어갔다.

"드디어 왔군."

테라스 의자에 걸터앉은 사내가 웃으며 말했다. 린지는 허리를 숙여 예의 바르게 인사를 올렸다.

"처음 뵙겠습니다. 르카플로네 백작 가문의 시종, 린지안……."

"린지안 아르즈벨 군. 맞지?"

"……."

"인사는 됐으니 고개를 들어 봐."

말을 끝내기도 전에 이름이 호명됐다. 하기야 이미 자신에 대한 정보가 있으니까 이렇게 따로 부른 거겠지.

"헤에, 역시 소문대로야."

람피스 공작은 손에 와인 잔을 든 상태로 웃고 있었다. 나이 대는 휘안과 비슷한 20대 중후반으로 보였으며, 긴 갈색 머리칼을 하나로 틀어 묶은 미남자였다. 그는 린지를 머리부터 발끝까지 샅샅이 훑어보더니 자신의 옆자리를 툭툭 두드렸다.

"앉아."

린지는 바로 고개를 저으며 거부했다.

"아뇨, 괜찮습......"

"앉으라고 했어."

람피스 공작이 웃는 동시에 매서운 눈으로 말하자 린지는 더 이상 말하지 않았다. 린지가 옆에 앉자 공작이 히죽 웃으며 그녀를 훑어보았다.

"소문은 익히 들었어. 네가 르카플로네 백작을 홀렸다며?"

"......"

갑자기 들려온 헛소리에 린지는 저도 모르게 람피스 공작을 쳐다보았다. 그는 싱글싱글 웃으며 린지를 보고 있었는데 그 웃음이 굉장히 불쾌하게 느껴졌다. 상대방의 기분 따위는 조금도 배려하지 않는 미소였다.

'그래, 보통 귀족들은 이러했지.'

순간 그의 말을 무례하다고 생각했다는 것이 도리어 더 이상했다. 귀족이 평민에게 물을 때 예의가 필요했던가? 그동안의 백작이 너무나 다정하고 예의 있게 린지를, 고용인들을 대했을 뿐. 람피스 백작이 이상한 것이 아니었다. 굳이 나누어야 한다면 백작이 더 이상한 쪽에 가까웠다.

"잘못된 소문입니다."

"그래?"

람피스 공작이 씩 웃으며 와인을 한 모금 마셨다.

"그렇다고 하기엔 증언자들이 많은데. 내 여동생도 그렇게 말했고 말이야. 레오니아라고, 혹시 알아?"

알다마다. 바로 얼마 전에 린지와 마주쳐서 눈물을 보였던 여자가 아니던가. 레오니아가 람피스 공작가의 영애였던 모양이다.

'백작 녀석, 공작 영애면 잘 좀 대했어야 할 것 아냐! 그렇게 무례하

게 대하다니.'

린지가 속으로 한숨을 푹 내쉬며 다시 한 번 말했다.

"영애께서 오해하신 겁니다. 백작님께서는 남자에게 관심이 없으신 분입니다."

"그래, 나도 헛소문이라고 생각했는데 레오니아가 진짜라고 말하더라고. 그래서 확인해 보고 싶어서 널 이곳으로 부른 거야."

하기야 오빠 입장에서 여동생을 울린 개자식의 성 정체성이 궁금할 만했다. 린지는 그제야 람피스 공작의 의도를 이해하고는 고개를 끄덕였다.

"그런데 헛소문이 아닐 것 같다는 생각에 드는데?"

그렇게 말한 람피스 공작이 린지의 턱을 들어 올렸다. 그러고는 당황한 기색이 역력한 그녀의 붉은 눈동자를 빤히 바라보았다.

"몇 살이야?"

"네, 네에?"

"몇 살이냐고, 너."

위기감이 스멀스멀 등줄기를 타고 올랐다. 린지는 그의 눈을 피해 옆으로 시선을 굴리며 말했다.

"여, 열여덟 살입니다."

"어리군. 그래서 피부가 이렇게 좋은 건가? 신기할 정도로 뽀얗군. 뺨은 분홍빛이고……."

람피스 공작은 손을 들어 올려 린지의 뺨을 조몰락거리듯이 만졌다.

"백작과 아무 사이 아니라고 했나?"

"그, 그렇습니다."

그러니까 제발 이 손 좀 치워 주시면 좋겠는데. 린지는 뺨을 마구 만지는 그의 손이 서서히 부담스러워지고 있었다. 그때 공작이 얼굴을 가까이 가져다 대며 은밀하게 속삭였다.

"너 마음에 든다. 오늘 밤 내 방에 와라."

"……."

설마 했었는데 역시나였다. 위기감이 현실이 되어 닥치자 린지는 순간 테라스 아래로 뛰어내려 도망가고 싶은 충동을 느꼈다.

"그건 곤란합니다."

그녀는 능력껏 이 상황을 마무리시키기 위해 노력했다.

"백작님의 허락 없이는 곤란합니다. 사실 지금도 백작님이 언제 부르실지 모르기 때문에 어서 나가 봐야 하는……."

"백작에게 받는 돈이 얼마지?"

그렇게 말한 람피스가 잔에 얼마 남지 않은 와인을 입 안으로 흘려보내며 입술을 닦았다. 그러고는 욕망으로 빛나는 눈으로 린지를 쳐다보았다.

"그 열 배를 주마. 그러니 내 시종으로 일하는 건 어떠냐?"

"죄송합니다만……."

"거절하지 않는 게 좋을 거야. 난 아주 치졸한 놈이라서 어떻게든 복수할 거라서."

람피스는 거절하면 죽는다고 대놓고 협박하고 있었다. 그 노골적인 위협에 린지가 궁지에 몰려 있을 때였다. 그때, 문이 열리고 테라스 안으로 누군가가 들어왔다.

'뭐야. 루시온이 지키고 있었을 텐데?'

훼방을 당해 언짢아진 람피스가 신경질적으로 시선을 돌렸다. 그리고 막 들어온 자와 눈이 마주치는 순간, 그의 표정이 얼어붙었다.

"와…… 왕세자 전하!"

람피스는 손에 들고 있던 와인 잔을 허둥지둥 내려놓고 잽싸게 자리에서 일어나 허리를 숙였다.

"미안하군. 사람이 있는 줄 몰랐어."

루시온이 앞을 지키고 있었는데 모를 리가 없었다. 하나 람피스는 왕세자, 레란의 계승자를 상대로 테라스의 소유권을 논할 정도로 멍청한 작자가 아니었다. 그는 아예 다른 사람처럼 돌변해서 공손하게 답했다.

"아닙니다. 이렇게라도 전하를 가까이 뵐 수 있어 영광입니다!"

린지에게 대한 것과는 전혀 다른 말투에 목소리, 딱 봐도 기품과 예의범절로 흘러넘치는 공작 가문의 것이었다. 왕세자는 그런 람피스를 감흥 없이 흘끗 쳐다보더니 입을 열었다.

"카딜루스 경이 자네를 찾더군. 경의 영지 순찰에 대해 할 얘기가 있는 모양이야."

"아, 알겠습니다! 알려 주셔서 감사합니다, 전하!"

즉 이 테라스는 내가 쓸 테니 너는 꺼져 보라는 소리였다. 하나 람피스는 말대꾸 하나 없이 존경심 가득한 눈빛으로 테라스를 빠져나갔다.

'나, 나도 나가야 되나?'

린지가 어쩔 줄 몰라 하며 허둥거리자 유시젠이 테라스 문을 탁 닫았다. 그리고 묶여 있던 커튼의 끈을 풀어 친 후, 천천히 뒤를 돌아보았다.

"……."

그의 황금색 눈동자와 마주친 린지가 무어라 할 말을 찾지 못하고 있을 때, 유시젠이 먼저 말했다.

"네가 르카플로네 백작 가문의 시종인가?"

그의 말에 린지는 깨달았다. 유시젠은 린지와 대화를 나누기 위해 이곳에 온 것이었다. 그녀는 침을 꼴깍 삼키며 고개를 끄덕였다.

"예, 그렇습니다. 만나 뵙게 되어 영광입니다, 전하."

어디서 누가 들을지 모르기 때문에 서로 모른 척 이야기를 하는 것은 당연지사였다. 린지는 유시젠이 이렇게라도 접촉해 올 줄은 꿈에도 생각하지 못했기에 상당히 놀란 상태였다.

'뭐지? 급하게 하실 말씀이라도 있으신 건가?'

린지는 신중하게 유시젠의 눈을 읽으려고 애썼다. 하지만 유시젠은 별다른 말없이 그녀를 응시하기만 할 뿐, 딱히 할 말이 있는 기색은 아니었다. 얇은 커튼과 닫힌 문 너머로 연주되는 음악이 희미하게 들려왔다. 문 하나로 차단된 공간에서 린지는 가만히 유시젠을 쳐다보았다.

산들거리는 밤바람에 그의 백금색 머리카락이 살랑였다. 마치 별을 담은 듯한 고요한 금안. 그 안에 아로새겨진 자신의 모습에 린지는 감탄했다. 이렇듯 눈빛만으로도 복종을 불러일으키는 사람이 자신의 주군이라는 것이 너무나도 영광스러웠다.

쏴아아.

바람 소리와 작은 연주 소리가 그들의 사이를 가득 메웠다. 아무 대화도 오고 가지 않았지만, 더없는 충만함에 린지의 마음이 부풀어 올랐다.

"……."

유시젠이 말없이 손을 뻗어 왔다. 마치 슬로모션처럼 그의 손이 가까이 다가오는 것이 느리게만 느껴졌다. 아름다운 손가락이 그녀의 귓가를 스쳐 지나 머리카락 위에 살짝 닿았다.

"나뭇잎이."

그렇게 중얼거린 유시젠의 손에는 나뭇잎이 들려 있었다. 린지의 머리칼에 붙은 것을 떼어 준 모양이었다. 그러나 린지는 심장이 너무나 두근거려 대답을 내뱉을 수 있는 상태가 아니었다.

"바람이 좋군."

나지막하게 말한 유시젠은 나뭇잎에게서 시선을 떼고 린지를 바라보았다. 그의 눈동자가 너무나도 아름다워서, 린지는 몸 둘 바를 모를 지경이 되었다.

"좋은 시간이 되길."

마치 환영 같았다. 그렇게 마지막 말을 내뱉은 유시젠이 다시 커튼을 획 쳐올렸다. 그러고는 테라스 문을 열더니 망설임 없이 빠져나갔다.

탁. 테라스 문이 닫히자 커튼이 살랑거리며 내려왔다. 동시에 다리에 힘이 풀린 린지가 의자 위로 털썩 주저앉았다.

'뭐, 뭐지?!'

그녀는 가슴 위로 손을 가져다 대었다. 시종복, 그 아래 칭칭 감겨 있는 붕대 너머로 심장 뛰는 소리가 들려왔다.

'왜 오신 거지?'

분명 유시젠은 이곳에 린지가 들어간 것을 알고 있었다. 사람이 있는 줄 몰랐다는 것은 뻔한 거짓말일 뿐…….

'설마 내가 람피스 공작에게 난처한 일을 당할까 봐.'

그 가설을 생각해 내는 순간 린지는 고개를 설레설레 저었다. 아니, 아니었다. 왕세자에게 있어서 린지는 그가 구해 주어야 할, 도움을 주어야 할 대상이 아니었다. 그녀는 연약한 레이디도, 품위 있는 공주도 아니었으니까.

'나는 그의 비밀 병기야.'

도리어 그가 위험에 처했을 때 두 팔을 걷어붙이고 구하기 위해 달려들어야 할 사람, 그것이 린지의 역할이고 존재 이유였다. 한데 지금 유시젠이 한 일은 명백했다. 람피스 공작의 손에서 린지를 구해 주었던 것이다.

"뭐야, 뭐야. 뭐냐고."

린지는 새빨개진 얼굴을 감싸며 넋을 놓고 중얼거렸다. 손에 감긴 얼굴이 후끈거려서 거울을 보지 않아도 새빨갛게 변했다는 것을 느낄 수 있었다.

'정신 차리자, 린지.'

여기서 이렇게 두근거리면서 시간을 보내고 있을 수는 없었다. 린지는 얼굴을 부채질하며 열을 식히기 위해 노력했다. 그리고 잠시 후 그녀는 조심스럽게 테라스 문을 열고 나갔다.

'백작은 어디 있지?'

린지는 휘안을 찾기 위해 주위를 두리번거렸다. 그가 저 멀리 한 귀족 무리에게 둘러싸여 이야기를 나누고 있는 것이 보였다. 린지는 그가 잘 보이는 벽에 서기 위해 재빨리 발걸음을 옮겼다.

"엥?"

그때였다. 옆에서 누군가가 그녀를 향해 쓰러져 오고 있는 것이 느껴졌다. 만약 린지가 보통 사람과 같은 동체 신경을 가졌더라면 그대로 몸에 부딪쳐서 쓰러졌겠지만…….

탁!

린지는 쓰러져 오는 사람의 어깨와 허리를 붙들고 그 사람이 떨어뜨릴 뻔한 와인 잔까지 한 손으로 깔끔하게 낚아챘다.

"괜찮으십니까?"

한 여인이 놀란 토끼 눈을 하고 쳐다보고 있었다. 린지는 여인의 몸을 일으켜 주며 그녀가 들고 있던 와인 잔을 내밀었다.

"여기 받으시……."

순간, 여인이 손을 뻗었다. 린지는 그녀가 잔을 받으려고 손을 내미는 줄로만 알았다. 하지만 그 손은 와인 잔을 지나쳐 허공 위로 번쩍 올라가더니 린지를 향해 내리 떨어졌다. 너무 어이가 없는 상황이어서일까, 린지는 아무 계산도 하지 못하고 본능적으로 대응하고 말았다.

휙!

린지가 몸을 뒤틀어 피하자 여인이 중심을 잃고 바닥으로 엎어졌다.

"꺄악!"

쾅!

손을 내리치던 속도 그대로 넘어지자 꽤나 아플 법한 소리가 울려 퍼졌다. 그 소란을 들은 귀족들이 웅성거리며 그들에게 시선을 주었다.

"괘, 괜찮으십니까?"

대체 이게 무슨 상황인지, 왜 뺨을 맞을 뻔한 건지도 알지 못한 채 린지는 그녀를 부축하기 위해 손을 내뻗었다. 그러자 넘어진 여인이 눈물을 글썽이며 그를 획 노려보았다.

"네놈이 감히 나를 밀쳐?!"

"……네?"

린지의 도움 없이 자리에서 벌떡 일어난 그녀가 사납게 소리쳤다.

"네놈이 방금 나를 밀쳤잖아!"

그러고는 린지의 손에 들린 잔을 뺏어 들더니 얼굴 위로 와인을 획 끼얹었다.

촥!

"어머나."

"저게 무슨 소란이야?"

와인 세례를 맞은 린지의 머리칼을 타고 붉은 물방울이 뚝뚝 떨어져 내렸다. 그녀는 주위에서 느껴지는 시선보다 이 여인의 반응이 당황스러워 아무 말도 할 수 없었다.

"감히 시종 주제에 귀족을 밀쳐? 그건 어디서 배워 먹은 버르장머리야!"

여인이 소리치자 주위에서 구경하던 귀족들이 숙덕거렸다.

"저 시종이 리엘린 영애를 밀었나 봐요."

"아까 그 소리가 리엘린 영애가 넘어진 소리예요?"

"어머나. 저렇게 경우 없는 시종이 있다니, 대체 어느 가문의 시종이에요?"

그 소리를 들으며 여인, 리엘린은 속으로 회심의 미소를 지었다.

'이 시종, 가만두지 않겠어!'

리엘린 데 제르딘. 올해 스물한 살이 된 꽃다운 나이의 그녀는 제르딘 백작 가문의 둘째 영애였다. 아름다운 외모와 뛰어난 피아노 연주 실력으로 뭇 귀족 남성들의 가슴을 뒤흔들며 인기 만점이었던 그녀는 항상 자신만만했다. 휘안 백작을 만나기 전까지는.

'이깟 시종 때문에 그동안 약속을 몇 번이나 파투 내고 나를 걷어찼다는 말이지?'

만나자고 아무리 졸라도 시종과 선약이 있다며 응해 주지 않았던 대답만 수십 번이었다. 결국에는 더 이상 만나고 싶지 않다는 이야기를 들었을 때, 리엘린은 직감했다. 모든 것이 저 시종 때문이라고.

이미 저 시종은 귀족 영애들 사이에서 유명했다. 당한 귀족 영애가 자신 혼자뿐만이 아니었으니까! 때문에 리엘린을 비롯한 수많은 귀족 영애들은 언젠가 그 시종, 린지안을 혼쭐내 주리라 벼르고 있었다. 그리고 리엘린은 당찬 여인답게 오늘 그 계획을 실행했다.

"오해가 있으신 것 같습니다."

린지는 자신을 사납게 노려보는 여인의 화를 가라앉히기 위해 입을 열었다.

"영애께서 쓰러질 뻔한 것을 잡은 것뿐입니다."

하나 그녀의 말은 리엘린의 화를 돋우는 데 일조할 뿐이었다. 아니, 사실 린지가 무어라고 해도 이미 소용없었으리라. 저 시종을 박살 내겠다, 애초부터 그렇게 작정하고 린지 쪽으로 쓰러져 왔으니까.

"네놈이 감히……!"

리엘린은 손을 번쩍 들어 올렸다. 딱 봐도 뺨을 내리칠 기세였지만 린지는 이번만큼은 피하지 않았다. 눈을 질끈 감자 짝, 소리와 함께 뺨에 따가운 통증이 내리꽂혔다. 린지의 뺨을 내리친 리엘린이 서슬 퍼런 눈으로 그녀를 노려보았다.

"시종 주제에 어디서 말대답이야! 그럼 내가 거짓말이라도 한다는 거야?!"

시종의 뺨 위에 붉게 오른 손자국을 보자 리엘린의 마음에 쾌감이 휘몰아쳤다.

'혼쭐을 내 주겠어, 이 재수 없는 시종!'

다행히 왕세자 전하는 방금 전 파티장을 떠나 이곳에 없다. 아무리 그녀라고 할지언정 왕족이 있는 앞에서 난동을 부릴 만큼 심장이 크지 않았던 것이다. 리엘린은 다시 한 번 손을 들어 올려 린지의 뺨을 내리쳤다.

짜아아악!

제대로 내리꽂힌 건지 아까보다 더 큰 소리와 함께 린지의 뺨이 휙 돌아갔다. 입술이 터져 피가 맺힌 것을 보자 리엘린은 잔인한 쾌감을 느꼈다.

"어머나, 세상에."

"리엘린 영애께서 화가 많이 나셨네요."

"그럴 만도 하죠."

다행히 이 상황을 관망하는 귀족 영애들 모두가 다 자신의 편이었다. 말리거나 흉을 보는 사람은 단 하나도 없이 모두가 리엘린을 응원하는 눈빛이었다. 왜냐하면 그들 대부분이 소문의 시종, 린지안을 싫어하고 있었으니까!

"어디서 시종 놈이 거짓을 고하느냐!"

한편, 린지는 너무 얼굴을 너무 세게 맞아서 귀가 잘 들리지 않을 정도였다.

'내가 왜 이런 꼴을 당해야 하는 거지.'

아픈 건 둘째 치고 억울했다. 넘어지는 것을 잡아 주었을 뿐인데 왜 대뜸 손부터 휘두르는 건지! 그녀가 울컥하는 마음을 억누르기 위해 입술을 깨물 때였다.

"하, 뭐야. 지금 화가 난 거니?"

그 기세를 읽었는지 리엘린이 헛웃음을 내뱉었다. 그러고는 인상을 확 찡그리며 손을 번쩍 들어 올렸다.

"이게 어디서……!"

탁!

시종의 뺨으로 내리꽂으려던 손이 도중에 막혔다. 누군가가 그녀의 팔을 잡은 것이다.

'뭐얏?!'

사나운 기세로 뒤를 돌아본 리엘린의 표정이 굳었다. 르카플로네 백작, 휘안이 그녀의 팔을 잡은 채 서 있었다.

"휘, 휘안."

순간 리엘린의 얼굴이 발그레하게 물들었다. 머리를 말끔하게 뒤로 넘긴 채 자신을 내려다보는 그 모습이 너무나 매혹적이었다. 평소보다 더 근사한 모습에 잠시 넋을 놓은 리엘린은 곧 정신을 되찾고는 앙칼지게 외쳤다.

"지금 이게 무슨 짓이죠?"

그러자 그녀를 바라보던 휘안이 빙긋 미소 지었다.

"제가 묻고 싶은 말입니다만, 영애. 제 시종이 무슨 실례라도?"

휘안이 손에 힘을 풀자 리엘린은 불쾌한 듯 거칠게 팔을 뿌리쳤다.

"저 시종 녀석이 저를 밀치고서는 시치미를 떼잖아요! 저를 거짓말쟁이로 몰았다고요!"

"……."

휘안이 아무 말 안 하자 옆에서 구경하고 있던 영애 중 한 명, 레오니아가 삐뚜름하게 웃으며 거들었다.

“어머. 나도 봤어요. 당신 시종이 리엘린 영애를 거칠게 밀치고 사과도 안 하더군요.”

“나도 본 것 같아요.”

“나만 봤던 게 아니었군요. 가여운 리엘린 영애.”

그렇게 한마디씩 덧붙이는 이야기 속에서 린지는 기가 막힐 지경이었다. 결국 참지 못한 그녀는 주먹을 불끈 쥐며 항변했다.

“저는 밀치지 않았습니다! 오히려 넘어져 오는 것을…….”

“이게 또 어디서 말대답이야!”

리엘린이 다시 한 번 손을 번쩍 들어 올리자 린지는 입술을 깨물었다. 또 맞는 것인가, 그녀가 각오를 다질 때였다.

“그만두시지요.”

휘안이 다시 한 번 리엘린의 손을 잡아챘다. 그의 반응에 분에 찬 리엘린이 휘안을 획 노려보며 소리쳤다.

“휘안 백작님! 지금 제 말을 못 믿…….”

다음 순간, 린지는 백작이 다른 한쪽 손을 획 드는 것을 보았다. 그것이 뺨에 내리쳐지기 직전까지도, 린지는 그가 자신을 때릴 거라고는 상상하지 못했다.

철썩!

리엘린이 때렸을 때보다 훨씬 더 아픈 통증이 린지의 오른쪽 뺨으로 내리꽂혔다. 미동 없이 서 있었던 린지의 몸이 비틀거리며 바닥으로 풀썩 쓰러졌다.

“…….”

그의 행동을 예상하지 못한 것은 린지뿐만이 아니었다. 리엘린과 그녀의 쇼를 도와준 귀족 영애들 모두가 믿기지 않는다는 눈으로 이 상황을 지켜보았다.

"제 시종의 무례를 용서해 주시길."

모두의 경악 속에서 휘안만이 태연하게 웃으며 이야기했다. 그의 말에 리엘린은 당황한 기색을 애써 숨겼다.

"그, 그러죠."

이게 무슨 상황이란 말인가. 리엘린은 휘안이 저 시종, 린지안의 뺨을 때릴 거라고는 예상하지 못했다. 분명 저 시종을 아끼고 있을 거라고 생각했는데…….

'아낀다면 사실 확인도 안 해 보고 대뜸 때릴 리 없잖아? 저 시종을 각별히 생각하는 게 아닌 건가?'

이것은 리엘린뿐만이 아니라 이 장면을 지켜본 모든 자들이 공통적으로 한 생각이었다. 그리고.

'……뭐야, 이건.'

린지 역시 마찬가지였다. 그녀는 비틀거리며 자리에서 일어났다. 입안이 터진 듯 비릿한 피가 혀를 휘감아 왔다. 린지가 두 다리로 일어서자 휘안이 말했다.

"린지안 군은 이만 방으로 돌아가 보도록 해."

"……."

린지는 말없이 고개를 들어 올렸다. 그녀의 시선이 휘안에게 닿았을 때에, 그는 이미 등을 돌려 사람들 사이로 빨려 들어가고 있었다.

어떻게 파티장을 빠져나와서 방 안까지 걸어왔는지 모르겠다. 린지가 문득 정신을 차려 보니 이미 샤워를 끝내고 나와서 침대맡에 걸터앉은 채였다.

그녀는 멍하니 거울 속에 비치는 모습을 쳐다보았다. 따귀 세례를 맞아서 그런지 왼쪽과 오른쪽 뺨이 새빨갛게 부어올라 있었다. 그 부기를 인식하자 멀게만 느껴졌던 고통이 뒤늦게 밀려왔다.

'아으, 아파.'

휘안에게 얻어맞은 뺨이 유난히도 아팠다. 찢어진 입술을 보는 순간 서러움에 마음이 아려 왔다.

"나쁜 놈들……."

리엘린이었던가. 넘어지는 것을 잡아 줬더니 뺨을 때린 그 여자의 얼굴을 떠올리자 화가 솟구쳤다. 일부러 작정하고 린지를 괴롭히기 위해 한 짓이 분명했다. 주위를 둘러싸고 맞장구쳐 준 여인들 모두가 린지를 원망하는 눈빛이었다.

'다 휘안, 그 녀석 때문이잖아.'

그녀들이 왜 그랬는지 대강 짐작이 갔다. 요 근래에 휘안은 귀족들 사이에서 핫이슈고, 그가 아끼는 시종 또한 마찬가지였다. 람피스 공작 역시 따로 불러서 확인할 정도였으니까.

'그리고 그 녀석이 날 이용해 가면서 귀족 영애들을 떨궈 냈으니까!'

대체 왜 자신을 써먹은 건지 영문을 알 수 없지만 휘안은 말로 해서 떨어지지 않는- 즉 찰거머리처럼 달라붙는 여자들을 떼어 내는 데 린지를 이용했다. 더 어이없는 건 린지에게 질투를 느끼는 여자들이었다. 남자를 써먹는 휘안도 어이가 없지만 남자에게 질투를 느껴서 분노하는 여자들 역시 황당했다.

'나를 그렇게 써먹고 뺨을 때려?'

부글거리는 무언가가 가슴 끝에서부터 부풀어 올라 손끝까지 저미게 만들었다. 그녀는 입술을 깨물다가 통증을 느끼고는 인상을 찡그렸다.

"아파."

거울 속 모습이 초라하기 그지없었다. 하나 그것보다 더 초라한 것은…….

"휘안, 이 나쁜 새끼……."

평소에는 그렇게 잘해 줬으면서. 그렇게 아껴 주었으면서, 소중하게 대해 주었으면서……. 그에 대한 배신감에 마음이 저려 왔다. 스스로가 바보 같아서 견딜 수 없었다. 그녀는 휘안이 자신을 아끼고 있다고, 특별 취급하고 있다고 생각해 왔다. 물론 유시젠이 내린 특명처럼 목숨을 믿고 맡길 수 있는 심복까지는 아니지만, 그래도 다른 이들보다 조금 더 가까이 여기고 있다고 믿었다. 그런데 그 모든 것이 착각이었다…….

'그래, 귀족 영애들도 이런 기분이었겠지. 다 사랑받고 있는 줄 알았는데 배신당했으니 얼마나 화가 났겠어.'

그들은 휘안을 진심으로 사랑했으니 지금 린지가 느끼는 감정의 몇 배는 더 심했으리라. 린지는 지금껏 휘안이라는 사기꾼에게 감쪽같이 속은 심정이었다. 사람 마음을 가지고 노는, 천하의 나쁜 사기꾼.

'다행히 왕세자 전하가 이 꼴을 못 보신 게 다행이야. 이 모습을 봤다면 면목이 없었을 거야.'

불행 중 다행인 것은 왕세자가 테라스를 떠난 후 파티장을 바로 나간 것이었다. 그 소란 속에서도 왕세자가 없는 것을 확인했던 린지였다. 그의 신임을 얻으라고, 그런 명령을 받은 상태에서 이렇게 버림받는 모습을 보이지 않은 것이 다행이었다.

'그래, 감정적으로 생각하지 말자. 내가 왜 서운해해야 하는데.'

린지는 숨을 들이마시며 머리를 쓸어 넘겼다. 그리고 목 끝까지 치밀어 오른 뜨거운 감정을 내리누르며 스스로에게 읊조렸다.

'배신감 따위 느끼지 마. 난 녀석의 진짜 시종이 아니잖아. 나는 린지 아즈벨, 왕세자 전하의 사람이야. 휘안에게 배신감을 느낄 필요가 없다고.'

그렇게 생각하자 격하게 끓어올랐던 분노와 서운함이 조금씩 냉각되어 갔다. 그녀는 천천히 차가워지는 자신의 머리를 느끼며 차분하게 생각을 정리했다.

'그 상황에서 귀족이 귀족 편을 드는 것은 당연해. 난 시종이잖아. 그러니 그런 걸 서운해할 필요는 없는 거야.'

그러니까 그에게 속았다고 생각할 필요는 없다. 자신을 특별히 소중하게 생각하고 있다는 것, 그것이 착각이었다는 것에 대해 배신감을 느낄 필요도, 수치심을 느낄 필요도 없다. 왕세자의 명령을 받들어 앞으로 그가 자신을 그렇게 생각하도록 만들면 되는 거니까.

"그래, 앞으로 날 그렇게 생각하도록 만들면 돼. 그래야만 그 녀석이 가진 비밀을 캐내어 전하께 보고할 수 있으니까."

그렇게 말하는 거울 속 시종은 더 이상 초라하게 보이지 않았다. 린지는 자신의 붉은 눈동자를 마주 보며 중얼거렸다.

"나는 린지 아즈벨이야."

그 말을 끝으로 린지는 어느 때보다 더 냉정해진 자신을 발견했다.

'궁상은 이제 됐어. 약이나 발라야겠다.'

린지는 비상용으로 챙겨 온 구급상자를 열었다. 뺨에 남은 리엘린의 손톱자국과 입술의 상처에 약을 바를 생각이었다. 그녀가 상자를 열고 약을 꺼낼 때 노크 소리가 들려왔다.

"린지안 군. 안에 있어?"

휘안의 목소리였다. 그가 찾아올 거라고는 예상치 못했기에 린지는 깜짝 놀라서 시계를 확인했다. 아직 밤 여덟 시, 한창 파티가 진행되고 있을 시간인데…….

"아, 들어오십시오."

린지는 이렇게 말하며 문을 벌컥 열었다. 파티장에서 나오자마자 바로 찾아온 것인지 그는 아까와 똑같은 모습이었다. 그녀가 비켜서자 휘안이 방 안으로 들어왔다.

"어쩐 일로 찾아오셨습니까? 절 부르시지 그랬어요?"

종을 울리면 바로 찾아갔을 텐데. 그렇게 생각한 린지는 테이블의 의자를 빼며 휘안에게 자리를 권했다. 그가 말없이 의자에 앉자 린지는 쾌활한 목소리로 말했다.

"마실 거라도 드릴까요?"

"아니야. 괜찮아."

"정말 괜찮으세요? 주스라도……."

"괜찮으니까 여기 와서 앉아."

린지는 머리를 긁적이며 그의 맞은편 자리에 앉았다. 그리고 무슨 용건으로 왔냐고 묻는 호기심 가득한 눈동자로 휘안을 바라보았다.

"……."

휘안은 그녀의 표정을 보고 할 말을 잃었다. 지금 자신을 바라보는 붉은 눈동자가 평소와 너무나도 똑같았던 것이다.

그에게서 아무런 말이 없자 참지 못한 린지가 먼저 질문했다.

"백작님? 어쩐 일이신지요? 제가 해야 할 일이 있으면 어서 말씀해 주세요."

휘안은 의아한 린지의 눈동자를 물끄러미 바라보았다. 그리고 잠시 후, 웃음을 흘렸다.

"……내가 착각했구나."

"네?"

린지의 물음에 답하지 않고 휘안은 마음속으로 다시 한 번 읊조렸다. 내가 착각했어. 네가 상처받았을 줄로만 알았는데.

"백작님? 괜찮으십니까?"

시종은 그대로였다. 오싹할 만큼, 똑같은 눈빛이었다. 예전, 칼튀루스 후작에게 잡혀가는 것을 구해 주지 않았노라고 말했을 때 반응했던 그 태연한 눈동자와 같았다.

"저…… 백작님?"

린지가 조심스레 물어 오자 백작이 싱긋 웃음을 지었다. 눈앞의 시종의 마음은 그때, 몇 개월 전과 변함없는 거리를 유지하고 있음이 여실히 느껴졌다.

"사과하려고 왔어. 내가 네 뺨을 때렸잖아."

그의 말에 린지는 고개를 설레설레 저으며 손을 흔들었다.

"아뇨, 그러실 필요 없습니다."

"……."

휘안은 아무 말도 하지 않았다. 자신의 행동에 대한 변명도, 린지의 반응에 대한 물음도 아무것도 꺼내지 않았다. 잠시 가만히 린지를 응시하던 휘안은 시선을 돌려 구급상자를 바라보았다. 그는 손을 뻗어 상자 안에서 약을 꺼내었다. 그의 의중을 알아차린 린지는 당황해하며 고개를 저었다.

"괜찮습니다. 제가 할 수……."

"내가 해 줄게. 나 때문에 생긴 상처잖아."

아니, 그렇긴 하지만 리엘린 영애의 탓도 있는데…… 린지는 그렇게 말하는 대신 약을 빼앗기 위해 손을 내뻗었다.

탁. 휘안이 린지의 손을 쳐 냈다. 그 따끔한 손의 감촉에 어안이 벙벙해지려는 찰나, 휘안이 단호하게 말했다.

"명령이야."

그 말 한마디에 린지는 줄이 끊긴 인형처럼 의자에 스르륵 앉았다. 휘안은 얌전해진 그녀를 만족스럽게 쳐다본 후 자리에서 일어나 린지의 앞으로 다가왔다. 간단하게 손을 소독한 휘안이 손가락에 약을 짜낸 후 말했다.

"입술 벌려 봐."

린지는 부담감을 느끼며 입술을 살그머니 벌렸다. 휘안이 한 손으로 그녀의 턱을 잡고 고정시킨 후, 다른 손으로 상처 난 아랫입술에 약을 바르기 시작했다.

"아."

입술 위로 쓰라린 감촉이 느껴지자 린지는 저도 모르게 고개를 비틀었다. 휘안이 그녀의 턱을 단단히 잡고 있지 않았더라면 뒤로 쑥 빠졌으리라.

"아파?"

그녀의 입술을 바라보며 약을 발라 주던 휘안이 질문했다. 그걸 말이라고 묻냐, 라고 소리쳐 주고 싶었지만 린지는 아무 말도 꺼낼 수 없었다. 도톰한 아랫입술 위로 느껴지는 그의 손가락이, 그의 체온이 노골적으로 느껴졌기 때문이다.

'부, 불편해.'

오르내리는 숨소리만이 방 안을 채웠다. 바로 눈앞에서 얼굴을 잡고 약을 발라 주는 휘안 때문에 린지는 계속 시선을 땅으로 내리꽂고 있었다.

"린지안 군."

휘안의 목소리에 린지는 네, 라고 대답하려고 했으나 휘안의 손가락이 입술 위로 약을 바르고 있었기 때문에 정확히 발음할 수가 없었다. 때문에 그녀는 불가항력적으로 시선을 들어 올려 그를 쳐다봄으로써 눈으로 대답했다.

"……."

가까이에서 자신을 물끄러미 응시하는 보라색 눈동자가 보였다. 그 눈을 빤히 마주 보는 순간 린지는 묘한 위화감이 기어오르는 것만 같아서, 다시 시선을 내리꽂았다. 짧은 침묵이 흐른 후 휘안은 그녀에게서 손을 떼고 한 걸음 뒤로 물러섰다. 그제야 숨통이 트인 린지는 저도 모르게 한도의 한숨을 몰래 내쉬었다.

그녀를 내려다보며 휘안이 웃으면서 고개를 저었다.

"레이라 양이 대단한 것 같네."

"……네? 그게 무슨?"

영문을 알 수 없는 말에 린지가 눈을 크게 뜨자 휘안이 고개를 저었다.

"미안해, 사족을 덧붙였구나. 못 들은 걸로 해도 좋아."

"그게 무슨……."

이미 들었는데 어떻게 못 들은 척을 하라고? 백작답지 않은 말에 린지의 표정에 황당함이 떠올랐다.

"술 한잔할까?"

"……네?"

휘안이 씩 웃으며 자리에서 일어났다.

"내 방으로 가자, 린지안 군."

휘안의 변덕은 익히 잘 알고 있었지만 그것이 이런 순간에까지 이어질 거라고는 생각하지 못했다. 설마 빰을 여러 대 맞은 시종을 술 먹자고 꼬셔서 방으로 데리고 갈 줄은 몰랐던 것이다.

'참, 알 수가 없단 말이야.'

하나 린지에게 거부권이 있을 리 없었다. 얌전히 그의 방으로 쫄래쫄래 쫓아간 그녀는 휘안을 따라 테라스로 나갔다. 테라스의 테이블 위로는 맥주병과 잔들이 여러 개 놓여 있었다.

"앉아. 춥지는 않지?"

"아, 네. 괜찮습니다."

가을의 밤은 춥지도, 덥지도 않은 적당히 선선한 날씨였다. 하지만 오래

있으면 제법 쌀쌀할 것 같았기에 휘안은 숄을 가져와 린지에게 건넸다.

“아, 감사합니다. 그런데 백작님은…….”

그는 웃음 지으며 린지의 맞은편에 앉았다.

“나는 추운 걸 좋아해서.”

“…….”

참으로 알 수 없는 사나이였다. 그의 괴상한 취향을 받아들이려고 노력하고 있을 때 휘안이 맥주병을 들어 올렸다.

“아, 제가 먼저 따라 드리겠…….”

“괜찮으니까 받아.”

휘안의 말에 린지는 쭈뼛쭈뼛하다가 어쩔 도리 없이 두 손으로 잔을 들어 올려 공손하게 술을 받았다. 잔이 차자마자 그는 잽싸게 맥주병을 잡아채고는 휘안의 잔 안으로 따랐다.

“짠.”

휘안이 잔을 부딪친 후 그리고 한숨에 맥주를 들이켰다. 그 모습을 머뭇거리며 보고 있던 린지는 결국 숨을 들이마시면서 맥주를 입 안으로 넘겼다.

꼴깍꼴깍.

술을 잘 못하는 린지였지만 휘안이 원 샷 했는데 잔을 남길 수가 없었다. 때문에 그를 따라 맥주를 다 비운 그녀는 인상을 살포시 찡그리며 잔을 내렸다.

“어때? 시원하지?”

“그, 그러네요.”

간신히 대답하는 린지를 흐뭇하게 쳐다보던 휘안이 손뼉을 부딪치며 생각났다는 듯 말했다.

“얼마 전에 린지안 군 생일이 지나갔다고 했지?”

린지는 고개를 끄덕였다. 그러고 보니 예전에 지나가는 말로 생일이 지나서 열아홉 살이 됐다고 말한 적이 있던 것이다. 린지의 생일은 3월이었지만, '린지안 아르즈벨'의 생일은 9월이었다.

"아, 네. 그렇습니다만."

"생일 선물을 해 주고 싶으니까 뭘 갖고 싶은지 생각해 봐."

휘안의 말에 린지의 붉은 눈동자가 동그래졌다. 그녀는 반사적으로 고개를 저으며 거절했다.

"아뇨, 괜찮습니다. 지금 시종으로 일하는 것만으로도 충분히 감사하게 생각하고 있어요."

"헤에. 그래?"

"네, 그렇습니다."

린지의 말에 휘안이 씩 웃자 그녀도 따라 웃었다. 미소 지으며 그녀를 바라보던 휘안이 맥주를 한 잔 더 들이켰다. 린지가 그를 따라 마시려고 하자 휘안이 그녀의 잔을 잡아 아래로 내렸다.

"백작님?"

"벌써 얼굴 빨개졌어."

그런가. 린지는 왠지 모를 부끄러움을 느끼며 두 손으로 얼굴을 매만졌다. 그러고 보니 뺨이 뜨끈뜨끈한 열기로 달아올라 있는 것이 느껴졌다.

'아이고, 이놈의 얼굴은 한 잔만 마셔도 뜨거워지네.'

한 잔도 아주 천천히 마셔야 되는데, 휘안을 따라 원 샷 하다 보니(그것도 빈속에!) 술을 못하는 린지는 벌써 취기가 오르고 있었다. 그런 그녀를 가만히 보고 있던 휘안이 키득거리며 웃음을 흘렸다.

"귀여워."

"네?"

"린지안 군은 정말 귀여워."

당황한 듯 놀란 토끼 눈이 된 린지를 보며 휘안은 다시 한 번 웃었다.

'그래, 나는 이 녀석이 귀여워.'

자신의 시종— 린지안 아르즈벨은 귀여웠다. 겉모습은 시크한데 보여 주는 반응은 하나같이 다 솔직하고 신선하다. 차가운 외면과는 달리 가끔 드러나는 마음 씀씀이들은 굉장히 따스했다. 한데, 정작 본인은 타인의 배려나 상냥함을 바라는 일 따위 없었다. 자기 일에 대한 책임감은 넘쳐나면서도 다른 사람에게는 그 어떠한 책임도 요구하지 않는다.

그 상반된 모습들을 가만히 지켜보자면 사랑스럽다는 마음까지 들 정도였다. 아주 오래전 세상을 떠난 자신의 고양이, 리오가 연상될 정도로.

'인정. 난 린지안 군이 마음에 들어.'

붉어진 얼굴을 감추려고 볼을 감싸는 소년을 바라보며 휘안은 비로소 인정했다. 인간적으로 마음에 드는 사람을 만나 보는 게 얼마 만인지, 그리고 그것을 스스로 인정하는 게 얼마 만인지 까마득할 정도였다. 앞으로 평생 자신의 개인 시종으로 일해 주었으면 하는 기대까지 있었다.

다정하고 상냥한 얼굴로 타인을 안심시키면서도 언제나 차가웠던 휘안 데 르카플로네, 그의 마음에 들어온 사람은 정말 오랜만이었다. 하지만…….

'저 녀석에게 나는 안중에도 없어.'

소년의 입술 위에 차갑게 얹힌 딱지가 매우 거슬렸다. 아마 딱지뿐만 아니라 더 큰 상처를 입혀도 시종은 태연할 것이다. 불구덩이에서 꺼내주지 않고 지나치더라도 원망하지 않겠지. 애초부터 아무것도 기대하는 것이 없으니까.

'알고 있어.'

휘안은 속으로 읊조렸다. 그래, 알고 있었다. 시종 린지안 아르즈벨에게 있어서 휘안은 '일'의 일부분이었다. 얼마 전 그에게서 나온 충고 때문에 린지안의 마음에 자신이 들어갔다고 생각했다. 그것이 어떤 형태든지 간에, 조금 더 거리가 가까워졌다고…….

완벽한 착각이었다. 휘안은 웃음을 지었다. 아주 오랜만에 마음에 드는 녀석을 만났다. 자신의 사람으로 만들어서 평생을 옆에 두고 지켜보고 싶다는 생각이 들 정도로. 하지만 손바닥도 마주쳐야 소리가 나는 법.

'그리고 시종의 마음에 들기 위한 노력을 할 정도의 가치는 없지.'

시종이 좋은 것은 사실이다. 인간적으로 마음에 들었고, 함께 일하고 싶다. 그러나 상대방의 마음이 자신과 같지 않음이 확인되었으니, 그걸로 되었다고 생각한다. 냉정한 말이지만 자신의 사람으로 만들려고 노력을 기울이기엔…… 그 정도의 가치가 없으니까.

"마지막으로 한잔 할까?"

휘안은 그렇게 말하며 잔을 들어 올렸다. 그리자 린지가 허둥지둥 잔을 올려 휘안의 잔에 가져다 댔다. 짠, 유리가 부딪히는 소리가 맑게 울림을 퍼뜨렸다. 하나 곧 허공 속으로 흔적도 없이 흩어졌다.

화창한 하늘이 푸른빛으로 맑게 빛났다. 싱그러운 풀냄새가 선선한 바람을 타고 흘렀고 햇살은 부드러이 세상을 내리쬈다. 요 근래 중 가장 좋은 날씨임이 분명한 가을날이었다. 다행히도 사냥 대회가 열리는 당일, 날씨는 근사하다는 말이 딱 어울릴 정도로 좋았다.

'그리고 백작은 오늘도 인기 만점이군.'

왕실 소유의 숲 앞에서 린지는 속으로 혀를 찼다. 수많은 귀족들이 백작의 곁을 둘러싸고 이런저런 이야기를 걸고 있었다. 하얀색 바지에 갈색 부츠, 상아색 실크 셔츠와 그보다 더 조금 진한 색의 가죽조끼를 입은 백작은 승마복도 근사하게 잘 소화해 냈다.

'대체 안 어울리는 옷이 뭐냐, 인마.'

승마복을 차려입은 귀족들 사이에서도 휘안은 단연 빛이 나고 있었다. 덕분에 몰려든 귀족들로 인해 린지는 저 멀리 떨어져서 그를 지켜보고 있어야만 했다.

"백작님은 승마복도 잘 어울리시네요. 어느 디자이너가 만든 건지 여쭈어도 될까요?"

"분명 사냥 솜씨도 좋으시겠지요. 저희 사냥 모임에 나와 주시지요, 백작님."

"아뇨, 저희 모임에……."

다들 파티 때와 다름없이 휘안과 한마디라도 더 섞어 보기 위해 난리도 아니었다. 그렇게 지루한 광경이 이어지는 찰나 갑작스레 침묵이 확 끼얹어졌다.

"어머, 왕세자 전하시다."

"너무 멋져."

옆에서 소곤거리는 귀족 영애들의 목소리에 린지는 고개를 획 돌렸다. 저 멀리서 유시젠이 말을 타고 천천히 다가오는 모습이 보였던 것이다.

태양을 받아 유난히 반짝이는 백금빛 머리칼의 청년이 등장하자 사람들이 술렁였다. 마치 고전 소설 속에서나 나올 법한 왕족이 그대로 현실로 재현된 것만 같은 모습에 린지의 심장이 덜컹 내려앉았다.

'오라버니. 오늘도 역시 멋있으세요.'

그가 다가오자 귀족들은 하던 이야기를 멈추고 공손하게 허리를 숙였다. 유시젠이 그들을 훑어보다가 손을 휘젓자 귀족들이 고개를 들어 올렸다. 그 후, 추수제와 사냥 대회를 기념하는 신관의 기도가 이어졌다. 졸음이 확 쏟아질 법한 의례적인 차례였지만 유시젠의 얼굴을 구경하느라 린지는 지루함을 느낄 새가 없었다.

'오라버니는 승마복도 잘 어울리셔. 안 어울리는 옷이 없다니까.'

하긴 나의 주군인데, 당연하지. 린지는 팔불출에 가까운 심정으로 씨익 웃음을 지었다. 저번과는 달리 유시젠은 린지에게 시선조차 주지 않고 있었지만 상관없었다. 그가 린지의 존재를 알고 있다는 것을 느낄 수 있었으니까.

신관의 기나긴 기도가 끝나고 유시젠이 백마 위에 훅 올라타며 말했다.

"모두 무탈히 사냥을 마치길 바라오."

그 말을 끝으로 사냥 대회가 시작되었다.

휘안의 말은 거대한 흑마였다. 대체 어떻게 길들였나 싶을 정도로 사나운 녀석이었는데, 휘안에게는 꼬리 달린 강아지처럼 굴어서 그 이중성이 대단할 정도였다. 다른 사람이 다가갔다가는 뒷발로 걷어찰 것처럼 흉흉하게 살기를 뿜어 댔던 것이다.

'그런데 저 사람이 휘안이랑 친했던가?'

린지는 갈색 말을 타고 휘안의 뒤를 쫄래쫄래 쫓아가고 있었다. 휘안은 지금 한 귀족과 같이 나란히 말을 몰고 있었는데 린지와 일면식이 있는 귀족이었다.

"저기 사슴이 있군!"

람피스 공작이 나무 뒤에서 풀을 먹고 있는 사슴을 발견하고는 숨을 죽였다. 휘안도 그의 의도에 맞춰서 말을 멈춰 세웠다. 람피스 공작은 활을 들어 올려 시위를 힘껏 당긴 후, 다시 놓았다.

휙!

그의 화살은 그대로 사슴의 목덜미를 뚫고 지나갔다. 사슴은 비틀거리는가 싶더니 그대로 절명하여 자리에 훅 쓰러졌다.

"하하하하! 이번에도 명중이로군!"

람피스 공작이 웃음을 터뜨리자 뒤에서 같이 말을 몰던 시종 루시온이 재빨리 내려가 사슴의 시체를 거두어들였다. 루시온이 끄는 수레에는 이미 두 마리의 사슴과 한 마리의 멧돼지가 있었다.

"축하드립니다. 활 솜씨가 좋으시군요, 람피스 공작님."

휘안은 그렇게 말하며 람피스 공작을 칭찬했다. 점점 무거워지는 람피스 공작의 수레와는 달리 린지가 이끌고 있는 휘안의 수레는 텅 비어 있는 상태였다.

"활은 제 주특기지요. 한데 백작은 의외로 활에 서툴군요?"

실제로 그러했다. 람피스 공작이 양보한답시고 돌아다니는 사슴을 휘안에게 주어도 그의 활은 번번이 다른 곳을 향해 동물을 도망가게 만든 것이다.

'의외로 못하는 것이 있네. 쌤통이다.'

하기야 사람이 모든 면에서 뛰어날 수는 없으니까. 단 한 발도 맞추지 못한 휘안의 힘없는 화살을 보며 린지는 처음으로 그에게 인간다운 점을 발견했다. 드디어 휘안이 못하는 것을 찾아낸 것이다.

"네. 아쉽게도 저는 무예에 소질이 없더군요."

휘안은 아쉬운 듯 말하며 어깨를 으쓱였다. 스스로의 단점을 자백하자 람피스 공작은 기분이 좋아졌는지 통쾌하게 웃음을 터뜨렸다.

"하하하! 뭐 그게 어때서 그럽니까. 문무를 동시에 갖춘 자는 드물지요. 그러니 너무 상심하지 마십시오, 백작님."

"이런. 위로해 주시니 감사할 따름입니다."

이렇듯 람피스 공작과 휘안은 의외로 죽이 잘 맞는지 화기애애하게 대화를 이어 가고 있었다. 옆에서 사슴 시체를 수레 위에 올려놓은 루시온이 지친 숨을 내쉬며 말에 올라탔다.

"사냥감 치울 일 없어서 좋으시겠어요, 린지안 씨."

"……?"

그가 말을 걸어오자 린지는 의아한 눈빛을 던졌다. 비꼬는 것이 아닌 진심으로 부러워하는 말투였다. 루시온은 진저리 난다는 표정으로 작게 속삭였다.

"저는 동물을 좋아하거든요. 본가에 강아지도 세 마리나 키우고 있어서…… 먹지도 않을 건데 이렇게 재미로 사냥하는 거, 보기가 좀 힘들어요. 그 시체를 직접 치워야 한다니."

"아아."

그제야 루시온의 말뜻을 알아들은 린지는 동정 어린 시선을 보냈다. 동물을 키운 경험이 없는 린지는 공감하지 못했지만 그의 마음을 이해하지 못하는 것은 아니었다. 하긴 동물 애호가 입장에서 재미로 죽인 동물을 모으는 것이 끔찍할 만도 했다.

"그런데 의외로 백작님께서는 활을 못 쏘시네요."

이번에도 엉뚱한 곳으로 활을 쏘는 휘안을 보며 루시온이 말했다. 보는 린지가 민망할 정도로 휘안의 활 솜씨는 형편없었다. 저렇게 운동 신경이 없었을 줄이야.

"……뭐, 대신 백작님은 박식하시니까요."

하나 휘안은 '시종 린지안'의 주인이니 뒤에서 험담하고 싶지 않았다. 그녀가 두둔하자 루시온이 이해한다는 듯 안쓰러운 미소를 지어 보였다.

'우씨, 백작은 괜히 이런 데 참가해서 무시나 당하고 있네.'

그를 찬양하는 귀족 영애들이 없는 것이 천만 다행이었다. 화살촉을 제대로 끼우지도 못하고 당기는 것도 서투른 저 모습을 보면, 아무리 잘생긴 휘안이라도 매력이 떨어질 것이 분명했기 때문이다.

'하긴 저 외모, 저 머리, 저 재산에 무예까지 뛰어나면 그건 사기지. 세상은 공평하니까 하나쯤은 못하는 게 있어야지.'

아무리 그래도 너무 못하는데……? 휘안이 시위를 당기다가 삐끗해서 화살촉을 떨어뜨리자 린지는 한숨을 푹 내쉬었다. 매일 예르시카와 대련하는 것으로 알고 있는데 아무래도 그 시간이 유용하게 쓰이진 않는 것 같았다. 솔직히 검은 제대로 들 수 있을지 걱정이었다.

"이런. 수레가 꽉 찼군요."

반대로 람피스 공작의 수레는 동물들의 사체로 가득했다. 휘안의 빈 수레를 물끄러미 쳐다보던 람피스 공작의 시선이 문득 린지에게 닿았다. 그와 눈이 마주친 린지는 서둘러 고개를 숙여 시선을 피했다.

"호오."

람피스 공작은 눈을 번뜩이며 웃었다.

"그나저나 잠시 후 돌아가서 순위를 매길 텐데…… 이렇게 아무것도 잡아가지 못하면 백작님 체면이 말이 아니겠군요."

"그렇군요. 걱정입니다."

걱정하는 사람의 표정이 아니었지만 어쨌든 휘안은 그렇게 말하며 웃음을 지었다. 그러나 딱 봐도 그다지 대수롭게 생각하고 있지 않는 기색이었다. 그때 람피스가 은밀하게 미소 지으며 말했다.

"그렇다면 이건 어떠합니까? 저는 이미 많은 동물들을 잡았으니 반절을 백작님께 드리도록 하지요."

그 말에 휘안이 람피스를 물끄러미 쳐다보더니 싱긋 웃었다.

"호의에 감사드립니다. 그 대가로 바라시는 것이 있으신 겁니까?"

순간 린지의 등골 위로 불길함이 기어올랐다. 그녀가 위기감을 느끼며 고개를 들어 올리는 순간, 자신을 뚫어져라 바라보고 있는 람피스의 눈동자와 마주쳤다.

"저 시종 말입니다."

"……."

휘안은 천천히 람피스의 눈이 향하는 곳으로 고개를 돌렸다. 그곳에는 린지가 어쩔 줄 몰라 하는 표정으로 말 위에 앉아 있었다.

"저 시종을 제게 하루 동안 빌려주십시오."

쿠쿵!

린지는 망치로 뒤통수를 맞은 듯한 감각에 입을 떡 벌렸다. 표정 관리를 해야 한다는 생각조차 할 수가 없었다.

'가, 갑자기 뭐야!'

갑자기 이게 무슨 소리일까. 빌려 달라니, 그것도 하루 동안! 여자 남자 가리지 않고 밝힌다는 람피스 공작의 제안이다. 허드렛일이나 시키려고 린지를 빌려 가려고 하는 것이 아닐 터였다.

'안 돼, 절대 안 돼!'

설마 휘안이 이 말도 안 되는 제안을 승낙하진 않겠지. 린지는 간절한 눈으로 휘안을 바라보았다. 하나 그때에 이미 휘안은 린지가 아닌 람피스 공작을 바라보며 웃고 있었다.

"그것으로 되겠습니까?"

"하하, 물론입니다. 딱 하루만 제게 빌려주십시오."

"좋습니다. 그렇게 하지요."

"백작과는 말이 통하는군요!"

웃음소리가 오가며 화목한 대화가 숲 안을 울렸다. 그들의 목소리는 린지의 귀를 그대로 통과하여 공기 중으로 흩어졌다. 린지는 텅 빈 눈으로 휘안의 뒷모습을 바라보았다.

'……지금 내가 무슨 소리를 들은 거지.'

너무나 갑작스럽게 벌어진 일이라 고삐를 잡고 있는 손끝이 떨려 왔다. 그녀의 안색이 새하얗게 질린 것을 본 루시온이 옆에서 안쓰럽게 말해 왔다.

"기운 내요, 린지안 씨. 귀족들이 원래 다 그렇지 뭐."

"……."

"하루만 참아요. 람피스 공작님도 그렇게 나쁜 사람은 아니거든요. 뭐, 말을 잘 듣는다는 전제하지만……."

루시온의 시답잖은 위로도 머릿속으로 들어오질 않았다. 상투적인 표현이었지만…… 휘안의 대답이 믿기지가 않았다. 이렇게 쉽게 자신을 다른 귀족에게 넘겨 버리다니. 아무리 하루일지언정 람피스는 남색을 밝히기로 유명한 귀족인데!

'……사기꾼.'

어젯밤에 느꼈던 배신감, 다시는 느끼지 않으리라 여겼던 그 감정이 다시 한 번 린지의 마음을 갈가리 찢어발겼다. 심지어 목구멍이 따끔해지며 무언가가 울컥 치솟아 오를 정도였다. 린지는 입술을 깨물며 그 감정을 내리찍듯이 억눌렀다.

'나쁜 새끼.'

그래, 이런 녀석이었지. 어제 파티장에서 뺨을 내리칠 때 깨달아 놓고 그 뒤에 따라온 친절한 태도로 인해 또 속고 말았다. 직접 약을 발라 주고, 사과하고, 함께 술까지 기울인 저 다정한 가면에 또 넘어가고 말았던 것이다.

'진정해, 린지. 진정해.'

린지는 차분하게 숨을 내쉬려고 노력하며 말고삐를 바로잡았다. 한순간 소용돌이치며 폭발한 감정의 잔재가 순식간에 가라앉았다. 그녀는 분노를 가슴 깊숙한 곳까지 내리누르며 휘안의 뒷모습을 노려보았다.

'그래. 네놈의 다정함에 또 넘어간 내가 병신이지. 다시는 이럴 일 없을 거다, 휘안.'

숨을 씩씩거리다가 다시 침착해진 과정을 지켜본 루시온이 걱정 가득한 눈빛으로 물었다.

"저, 저기…… 괜찮아요?"

린지는 그제야 그의 목소리를 들었다. 그녀는 예의 바른 웃음을 만들어 보이며 고개를 끄덕였다.

"괜찮습니다. 어차피 전 시종인걸요. 명령하는 대로 따라야죠."

특별한 줄 알았지만 역시나 아니었네요. 차마 뒷말을 내뱉지 못한 린지는 씁쓸하게 웃음을 지었다.

몇 시간 후, 붉은 노을이 내려앉자 대회의 끝을 알리는 북소리가 숲을 울렸다. 한데에 모인 귀족들은 상당한 수의 동물들을 사냥했는데, 대회의 1등은 역시나 유시젠 왕세자였다. 대회에서는 왕족이 1등을 하게 만드는 것이 룰이었던 것이다. 하나 워낙 씁쓸한 마음으로 가득했던 린지는 유시젠의 얼굴을 보고서도 기분이 좋아지지 않았다.

대회가 끝난 후 귀족들끼리의 피로연이 열렸다. 이번에 휘안은 린지를 파티에 데려가지 않고 특별히 자유 시간을 내려 주었다. 하지만 그녀는 조금도 기쁘지 않았다.

'……젠장. 그래서 이제 어떡하지?'

모처럼의 자유 시간이었지만 침대에 누워서 쉴 상황이 아니었다. 곧 람피스 공작에게 떠넘겨져서 하루 동안 그의 곁에 있어야 한다. 그로 인해 따라올 수만 가지 일들이 상상되어 초조함이 휘몰아쳤다.

'큰일이야.'

마음이 답답한 건 둘째 치고 해결책이 떠오르지 않는다. 린지는 이곳저곳을 서성거리며 걷다가 문득 귀족들의 말을 모아 둔 마구간에 도착해서는 발걸음을 세웠다. 다시 돌아가려던 린지는 마음을 고쳐먹고는 마구간 안으로 들어갔다. 그러고는 가장 덩치가 크고 사납게 생긴 흑마에게 다가갔다. 푸르릉. 린지를 본 흑마가 거친 숨결을 뿜어내며 위협적으로 눈을 빛냈다. 린지는 겁먹는 대신 한숨을 푹 내쉬며 고개를 저었다.

“성깔 진짜 더럽네, 이 말 새끼. 주인을 꼭 닮아 가지고는.”

푸르릉!

“네 주인 놈, 정말 성격 파탄자야. 겉모습만 착해 빠진 신사지, 속은 완전 악마야, 악마. 내가 본 사람 중에 제일 못됐어.”

푸르르릉!

“그렇게 못되게 굴 거면 애초부터 왜 잘 대해 주는 건데? 그러니까 여자들이 그렇게 원망하지. 악마 같은 자식, 그런 놈을 주인으로 둔 너도 참 불쌍하다.”

린지는 말을 향해 휘안의 뒷담화를 펼쳤다. 그런데 이 말이 알아듣기라도 한 건지 더더욱 거친 숨을 몰아쉬며 꿈틀거리는 것이 아닌가? 막아 놓은 나무 울타리를 부수고 나올 기세에 린지의 화가 더 강하게 치밀었다. 마치 저 말이 휘안의 편을 들고 나서는 것 같아 얄밉기 그지없었다.

“내 말이 틀려? 마치 자기 간이라도 빼 줄 것처럼 굴어서 방심시켜 놓고 남의 간을 뽑아 가는 새끼라고! 아주 못된 새끼야. 대놓고 나빴던 칼튀루스보다 훨씬 더 나빴……!”

히이이이잉!

그때 말이 거칠게 울부짖으며 허공으로 뛰어올랐다. 거대한 그림자가 덮쳐 오자 린지는 반사적으로 몸을 옆으로 던졌다.

“뭐, 뭐야! 저 미친 말 같으니라고!”

휘안의 말은 울타리를 넘고 린지가 있었던 자리를 짓누르고 서 있었다. 만약 조금이라도 늦었더라면 저 육중한 몸에 짓밟혔을 것이다!

푸르릉. 말의 분노는 풀리지 않았는지 거친 숨을 내쉬며 린지를 노려보았다. 린지는 침을 꿀꺽 삼키며 천천히 뒷걸음질 쳤다.

“이, 이봐. 설마 화난 거야?”

푸르릉.

"화내지 마. 변태 귀족에게 떠넘겨진 내 입장이라는 것도…… 우아아악!"

히이잉!

말이 포효하며 린지에게 달려들었다. 린지는 재빨리 펄쩍 뛰어올라 달려드는 말의 등 위로 올라탔다. 공격하려던 대상이 몸 위로 올라타자 말은 더 화가 났는지, 미친 듯이 질주하며 몸을 뒤흔들었다.

"으갸갸갹! 이, 이봐! 진정해에에에!"

말은 마구간을 막아 놓았던 울타리를 가볍게 부수고 내달렸다. 소리치다가 혀를 깨문 린지는 알싸한 고통에 눈물을 찔끔 흘렸다.

'이, 이게 무슨 꼴이람!'

말이 영리하다는 것은 알고 있었지만 주인 욕하는 걸 알아들을 정도였다니! 흑마는 린지를 골탕 먹이기로 작정이라도 한 듯, 엄청나게 빠른 속도로 거칠게 달렸다. 아무런 고삐도 없이 매달린 린지는 말의 목덜미만을 불끈 잡고 버틸 수밖에 없었다.

"그만, 그만 달려!"

푸르르릉!

"내가 잘못했다고오오오오!"

그렇게 얼마나 달렸을까. 광란의 질주는 계속되었고 비위 좋은 린지가 헛구역질을 할 정도의 지경까지 오게 되었다.

'이, 이 독한 새끼…….'

말도 똑같이 생각하고 있는 것이 분명했다. 보통 사람이라면 진즉에 나가떨어질 속도였건만, 끈질기게 붙어 있는 린지에게 질린 걸까. 그제야 말은 속도를 늦추며 자리에서 멈춰 섰다. 말이 멈추자 린지는 재빨리 아래로 내려오며 구역질을 했다.

"우웩!"

다행히 토사물이 나올 정도는 아니었지만 속이 울렁거리고 머리가 아파 왔다. 잠시 동안 헛구역질을 한 린지는 살기 어린 눈으로 말을 노려보았다.

획!

말은 모른 척 고개를 돌리며 린지를 외면했다. 왠지 그 얄미운 모습에 휘안이 연상되자 린지의 분노는 가중되었다.

"이, 이 못된 말 녀석!"

하나 말은 들은 척도 하지 않고 주위를 두리번거리더니 풀을 뜯어 먹기 시작했다. 그 모습을 허탈하게 지켜본 린지는 한숨을 내쉬며 고개를 흔들었다.

"그래, 내가 여기서 말이랑 싸워 봤자 뭐하냐."

그건 그렇고…… 여긴 어디일까. 주위를 둘러볼 경황도 없이 끌려온지라 린지는 이곳이 어디인지 알지 못했다.

"……숲이잖아?"

어딘가 낯이 익다 했는데 사냥 대회가 열렸던 숲이었다. 왕성과 제법 거리가 떨어진 곳인데 이곳까지 달려오다니, 그야말로 미친 속도로 질주한 것이다.

'안 떨어지고 붙어 온 게 용하다, 용해.'

이미 해가 떨어진 숲은 매우 어두웠다. 밤눈이 밝은 린지임에도 불구하고 주의를 기울이지 않으면 자칫 넘어질 수 있을 만큼 캄캄했다.

"에휴…… 이게 뭔 고생이람."

주인에 이어서 말까지 사고를 치는군. 린지는 한가하게 풀을 뜯어 먹는 말을 노려보았다.

"이봐, 말. 그만 먹고 다시 왕성으로 돌아가자."

걸어서 갔다가는 몇 시간이 꼴딱 지나갈 것이다. 게다가 휘안이 아끼는 애마를 여기다가 버려두고 갈 수는 없지 않은가? 린지가 말의 등에 올라타려고 하자 말은 눈을 번뜩이며 몸을 흔들었다.

"아윽!"

바닥에 떨어진 린지는 짜증 가득한 눈빛으로 말을 노려보았다. 다시 말에 타려고 하자 이번에도 거칠게 몸을 뒤틀어 그녀를 떨어뜨렸다.

"야! 너 진짜 이러기냐!"

하나 말은 말없이 풀만 먹을 뿐이었다. 그 모습을 노려보던 린지는 결국 자포자기의 심정이 되어 자리에 주저앉았다.

"그래, 마음껏 먹어라. 대신 실컷 먹은 다음에는 돌아가야 해. 네 주인이 기다린다고!"

히이이잉!

말이 대답하듯 울음소리를 흘렸다.

'좋다는 거야, 싫다는 거야? 당최 알 길이 없네.'

이 말은 주인 욕을 하는 것을 이해할 정도로 똑똑하고 충심이 깊으니 휘안을 두고 다른 곳으로 가진 않을 것이다. 기다리다 보면 다시 왕성으로 돌아가겠지. 린지는 그렇게 믿으며 다시 한숨을 내쉬었다.

'……시원하네.'

불어오는 바람이 그녀의 머리칼을 흔들고 지나갔다. 숲의 산뜻한 향기가 공기 중에서 묻어나는 것이 느껴졌다. 문득 나른해진 린지는 풀밭 위로 몸을 풀썩 뉘었다. 울창한 나뭇잎들 너머로 새까만 밤하늘이 보였다. 드문드문 보이는 별빛을 바라보며 린지는 가만히 숨을 내쉬었다.

'피곤해.'

아무 생각 없이 하늘을 보고 있자니 문득 쌓였던 노곤함이 머리를 짓눌러 왔다. 그녀는 관자놀이를 주무르다가 눈을 감았다. 그동안 받았던

스트레스가 한 번에 폭발하기라도 한 건지, 갑자기 건잡을 수 없는 두통이 머리를 조여 왔다.

"집에 가고 싶어……."

그녀는 저도 모르게 읊조렸다. 그러나 그녀에게는 집이 없었다. 그 어디를 가도 마음 놓고 푹 쉴 수 있는 장소, 그런 공간은 막연한 환상 속에만 존재할 뿐 현실에는 없었다.

"……에잇. 내가 피곤하긴 한가 보다."

린지는 가볍게 감상적인 기분을 떨쳐 내며 자리에서 벌떡 일어났다. 그새 옷에 뱄는지 풀 냄새가 몸에서 확 풍겨났다. 그 맑은 향 덕분일까, 지끈거리던 두통이 서서히 가라앉는 것이 느껴졌다.

'그래, 어떻게든 되겠지. 그동안 위기의 순간들을 잘 넘겨 왔듯이 이번에도 넘길 수 있을 거야.'

그녀는 곧 람피스 공작에게 떠넘겨질 신세를 생각하며 결의를 다졌다. 좋든 싫든지 간에 람피스 공작의 시종 노릇을 하루 동안 해야 하고, 그동안 많은 일들이 벌어질 것이다. 성별에 관계없이 예쁘기만 하면 밝히기로 유명한 사람이니 성적으로 접근해 올 가능성도 컸다.

'어떻게든 거부하고 버텨야지. 어쨌든 날 백작 가문에서 빌려 온 처지니까 죽이거나 해하지는 못할 거야. 그건 백작을 무시하는 거나 마찬가지니까.'

그러니까 잘 버티자. 린지가 주먹을 불끈 쥐며 눈을 빛낼 때였다.

'……이게 무슨 소리지?'

저 멀리서 말발굽 소리가 숲 안을 울려 왔다. 누군가가 말을 몰고 숲을 향해 달려오고 있었다. 그것도 아주 빠른 속도로.

린지는 저도 모르게 자리에서 일어나 휘안의 흑마에게 다가갔다. 배가 불러서 기분이 좋아진 것일까, 흑마는 얌전히 린지의 손길을 받아들이며 고른 숨을 내쉬었다. 그녀는 흑마 갈기를 손으로 감으며 점점 다가오는 말발굽 소리에 집중했다.

"뭐야."

어두워서 잘 보이지 않았지만 말 위에 탄 사람의 형체가 익숙했다. 게다가 어둠 속에서도 반짝거리는 은빛 머리카락은 흔한 색이 아니었다.

"린지안 군, 역시 여기에 있었네."

휘안이었다. 린지의 앞까지 달려온 휘안이 씩 웃으며 말 아래로 뛰어내렸다. 가뿐하게 착지한 그가 린지의 앞까지 성큼 다가왔다. 어째서인지 그의 보라색 눈동자가 걱정과 놀라움으로 섞여 있었다. 그는 뜻밖이라는 듯 흑마와 린지를 번갈아 보더니 말했다.

"린지안 군, 무사한 거야?"

"네? 그게 무슨……."

하나 휘안 못지않게 린지 역시 놀란 상태였다. 대체 여길 어떻게 찾아왔단 말인가? 그녀의 어리둥절한 눈빛을 읽은 휘안이 답했다.

"아아, 목격자들이 많더라고. 질주하는 흑마에 매달려 가는 빨간 머리 소년이 있었다고. 그리고 이 근처 와서는 말발굽 자국을 보고 찾아왔지."

"그, 그렇군요……."

그러고 보니 이 흑마는 휘안이 아끼는 애마였다. 그렇게 생각하자 린지는 그가 이곳까지 한달음에 달려온 것을 이해했다. 자신은 팔아먹어도 아쉽지 않은 시종이지만 혈통 좋은 명마는 잃어버리기 아까웠겠지.

"신기하네. 이 녀석, 내가 아닌 사람들은 거의 반죽음 상태로 만들어 놓거든."

그는 얌전하게 린지의 손길을 받아들인 흑마를 믿기지 않는 눈으로 쳐다보았다.

"하, 하하…… 지금 이 녀석 내숭 떨고 있네요. 아까는 정말 죽을 뻔했어요."

"무슨 일이 있었던 거야?"

네놈 욕을 해 대다가 이 녀석이 화나서 날 매달고 질주했다! 라고 말할 수는 없었으므로 린지는 헤실 웃으며 순화시켰다.

"제가 다가가니 그게 싫었는지 마구 날뛰더라고요. 잡으려다가 결국 매달려서 여기까지 오고 말았네요."

"여하튼 무사해서 다행이야. 걱정 많이 했어."

휘안은 진심 어린 눈빛으로 그녀를 바라보며 린지의 머리를 쓰다듬었다. 린지는 그런 휘안의 얼굴을 물끄러미 올려다보았다. 그는 정말로 걱정한 것 같았다. 그렇지 않고서야 피로연 중에 갑자기 뛰쳐나와 이곳까지 왔겠는가.

'그래. 하지만 정말 걱정된 건 내가 아니라 말이겠지.'

더 이상 속지 않을 거다. 다정하고 상냥한 얼굴과 손길에 더 이상 넘어가지 않을 거야. 린지는 스스로에게 주문을 걸듯 중얼거리며 웃음을 지었다.

"저도 말도 무사하니까 걱정 마세요. 염려를 끼쳐 드려 죄송합니다."

"……."

"돌아가는 길에는 제가 저 말을 타도 되겠지요? 아무래도 이 녀석은 백작님이 아니면 제대로 타기가 힘들 것 같아서요."

린지가 휘안에게서 시선을 돌려 그가 타고 온 말에게 다가갔다. 아니, 다가가려고 했다.

"……?"

팔뚝에서 느껴지는 강인한 힘에 린지는 자리에 멈춰 섰다. 그리고 의아한 표정으로 고개를 돌렸다.

"백작님?"

휘안이 자리에 서서 린지안의 팔을 잡아채고 있었다. 린지는 고개를 갸웃 기울였다.

"백작님, 갑자기 왜 그러십니까?"

설마 흑마를 제대로 제어 못 하고 여기까지 데려와서 화가 난 것일까? 슬그머니 걱정이 된 린지는 그의 눈치를 보며 말했다.

"저, 죄송합니다. 멈춰 보려고 했는데 저 녀석이 워낙 강해서 말을……."

"린지안 군은 정말 태연하네."

휘안이 그녀의 말을 끊었다. 영문을 알 수 없는 말에 린지가 눈을 크게 뜨고 그를 바라보았다. 이해할 수 없는 대사와는 달리 그는 평소처럼 싱긋 웃는 표정이었다.

"그게 무슨……."

"사냥 대회 때 들었을 텐데. 성으로 돌아가면 린지안 군은 하루 동안 람피스 공작님의 시중을 들어야 해. 나와 거래했거든."

조곤조곤 말하는 백작의 목소리가 린지의 귓가에 울렸다.

"물론 난 람피스 공작이 어떤 사람인지 알아. 린지안 군도 소문을 들어서 알고 있겠지. 합법적인 칼튀루스 후작이라고 보면 돼."

"……."

맞는 말이었다. 칼튀루스 후작이 불법적으로 남색과 여색을 즐기는 자였다면, 람피스 공작은 합법적인 영역을 벗어나지 않았다. 하지만 본질이 같다는 것에서는 부정할 수 없었다. 그런데 왜 이런 얘기를 한단 말인가. 린지는 그의 속내를 알 수 없었다.

"린지안 군이 내게 부탁한다면 그 거래를 무르겠어."

순간 린지는 멍하니 눈을 깜박였다. 그런 그녀를 바라보며 휘안이 웃었다.

"가고 싶지 않다고, 보내지 말아 달라고 내게 한마디만 하면 돼. 그리고 왜 그런 거래를 했냐고 화를 내도 좋아. 그렇게 한다면 린지안 군을 보내지 않을게."

이게 무슨 소리란 말인가. 예상치 못한 말에 린지는 당황의 영역을 뛰어넘어 그야말로 백지 상태가 되어 버렸다. 얼빠진 그녀의 붉은 눈동자로 웃고 있는 휘안의 모습이 투영되었다. 평소와 다름없는 그 얼굴을 인식하는 순간, 린지의 미간이 꿈틀거렸다.

'……화나려고 해.'

배 속에서부터 분노가 꿈틀꿈틀 싹을 틔웠다. 마치 장난감을 가지고 노는 것처럼 아무렇지도 않게 말하는 휘안의 말이 거슬려서 참을 수 없었다.

'알아, 날 대수롭지 않게 생각하는 거. 하지만 이건 너무 심하잖아.'

그렇게 상냥하게 대해 놓고는 그런 변태에게 자신을 떠넘겼다는 거, 알고 있다. 알고 있으면서도 배신감 따위 느끼지 말아야지, 라고 스스로 컨트롤했다.

"아뇨. 백작님 뜻대로 하시죠."

때문에 린지는 그 어느 때보다도 더 침착한 목소리로 대답했다. 화가 났다는 것, 서운하다는 것을 보여 주고 싶지 않았다. 하지만 호승심만큼은 감추지 못했는지 린지는 반항적으로 휘안을 올려다보았다.

"그렇잖아도 람피스 공작님이 파티장에서 절 테라스로 따로 부르셨습니다. 그리고 그날 밤 방으로 오라느니, 이런 소리를 하셨지요. 그때 제가 뭐라고 했는지 아십니까?"

"……."

"저는 백작님의 시종이기 때문에 허락 없이는 불가능하다고 답했습니다."

그렇게 말한 린지는 씩 웃으며 백작의 손목을 잡았다. 그리고 천천히, 무례하지 않을 정도의 속도로 떼어 내었다. 다행히 그는 순순히 손에 힘을 풀어 주었다.

"그런데 백작님께서 람피스 공작님의 제안을 받아들이셨으니, 어쩔 수 없지요. 저는 백작님의 시종이니까요."

더할 나위 없이 덤덤하게 이어지는 자신의 목소리가 만족스러웠다. 할 말을 마친 린지는 다시 한 번 웃어 보였다.

"명령 따르겠습니다."

침묵이 내려앉았다. 린지의 말을 끝으로 그 누구의 목소리도 들리지 않았다. 간간이 강하게 내뿜는 말의 숨소리와 바람에 흔들리는 나뭇잎 소리만이 사위를 메웠다.

"하하."

정적을 깬 것은 휘안이었다. 그의 메마른 웃음소리가 바람과 함께 울려 퍼졌다. 린지는 천천히 고개를 들어 그의 얼굴을 바라보았다. 휘안은 웃는 얼굴이었다. 평소처럼 부드럽게 입꼬리를 올리고 있었지만…….

'아?'

눈이, 웃고 있질 않았다.

"그래?"

나지막하게 말한 휘안이 린지의 앞으로 한 발자국 다가왔다. 그의 목소리와 눈빛에서 위화감을 느낀 린지는 저도 모르게 뒤로 물러섰다. 그러자 휘안이 빠르게 성큼 다가와 그녀의 팔을 낚아챘다.

"명령이라면 뭐든지 따르겠다고? 그 말에 책임질 수 있나?"

린지는 아무 말도 내뱉을 수가 없었다. 팔뚝을 움켜잡은 휘안의 악력이 무시무시할 정도로 강했던 것이다.

"윽."

그녀의 입에서 신음이 튀어나오는 순간, 마치 그제야 깨닫기라도 한 듯 휘안이 손에서 힘을 풀었다.

"……으."

하나 순간적으로 가해졌던 그 힘이 얼마나 강했는지 알싸한 여운이 이어졌다. 참을성이 강한 린지가 저도 모르게 신음을 내뱉을 만큼 아팠다. 방금 그녀의 팔을 잡은 것이 사람의 손이 맞는지 믿기지 않을 정도였다.

'지, 진짜 아파.'

아파하는 린지의 얼굴에 휘안은 마치 마법에서 풀린 것 같은 표정이었다. 그는 린지를 바라보다가 나지막하게 중얼거렸다.

"미안해, 린지안 군. 내가 잠시…… 나답지 않았네."

린지는 아무런 대답도 할 수 없었지만 그의 말에는 백번 동감했다. 단 몇 초, 짧게 보았던 그 모습은 그녀가 알던 휘안이 아니었다.

"미안해."

그의 커다란 손이 린지의 왼쪽 뺨에 와 닿았다. 그 힘에 이끌려 얼굴이 올라간 린지는 불가항력으로 그의 눈을 마주 보았다.

"겁을 주려던 의도는 아니었어."

"……."

아마 지금 자신이 무서워하고 있는 것이 대놓고 티가 났나 보다. 린지는 왠지 모를 부끄러움을 느끼며 고개를 저었다.

"아뇨, 괜찮습니다. 그저 조금 놀란 것뿐입니다."

그때였다.

히이이이잉!

얌전히 풀을 뜯어 먹고 있던 흑마가 돌연 울음을 내질렀다. 그리고 크게 말발굽을 구르더니…….

"……뭐야, 어디 가."

빛의 속도 못지않은 빠르기로 숲 안쪽을 향해 달려갔다. 린지가 넋 나간 표정으로 말의 뒤꽁무니를 쳐다보고 있을 때였다. 거의 동시에, 뒤편에서 예리한 무언가가 쏜살같이 다가오는 것이 느껴졌다. 린지가 피하기 위해 백작의 몸을 덮치려고 할 때, 백작이 먼저 린지의 몸을 잡고 굴렀다. 그들이 구른 자리 위로 여러 개의 화살이 와 박혔다.

히이이잉!

화살이 날아오자 남아 있던 한 마리 말도 놀라더니 숲 안쪽으로 도망갔다. 그 말을 달래서 잡아야 했으나 린지에게는 그럴 시간이 없었다. 계속해서 화살이 날아왔던 것이다!

'이게 뭐야!'

왕성이라서 안도한 것일까, 아니면 휘안과의 대화가 너무나도 강렬해서 알아차리지 못한 것일까. 아마 둘 다 그녀가 방심한 이유일 것이다.

'습격자다!'

린지는 휘안과 함께 고목 뒤로 숨으며 기척을 파악했다. 우측 나무 위 세 명, 좌측 나무 기둥 뒤 세 명, 총 여섯 명의 습격자가 있었다.

'젠장, 검이 없는데!'

비상용으로 들고 다니는 단도만이 허리춤에 매달려 있다. 하지만 휘안이 보는 앞에서 이것을 꺼낼 수는 없었다.

'아니다, 휘안이 검을 가지고 있잖아!'

휘안에게는 장식일 뿐이겠지만 어쨌든 날카로운 쇠붙이라는 것엔 변함이 없다. 린지가 그의 팔을 잡으며 서둘러 말했다.

"백작님, 검을 제게 주십시오!"

"린지안 군, 도망가."

"어서요, 제가 막겠습니다!"

"말이 도망간 방향으로 달려. 뒤돌아보지 말고, 알았지?"

휘안과 린지는 다급한 상황에서 서로 할 말만 했고, 또 말을 듣지 않는 상대방에게 답답한 표정을 지었다.

"그게 무슨 소립니까, 도망가라니요!"

"검을 달라니, 그게 무슨 헛소리야?"

"아니, 지금 고집부리실 때가 아니라니까요!"

"그건 내가 하고 싶은 말이야."

"……!"

이 답답한 백작 같으니라고! 하나 이러는 순간에도 화살은 계속 날아오고 있었고, 습격자들이 조금씩 가까운 거리로 이동하는 것이 느껴졌다. 이렇게 휘안과 말싸움할 때가 아니었던 것이다.

린지가 강제로 휘안의 검을 뽑기 위해 팔을 내뻗을 때, 휘안이 그녀의 팔뚝을 잡아챘다. 그리고 그녀의 눈동자를 마주 보며 단호히 말했다.

"명령이야. 당장 도망가!"

"웃기지 마요, 그 망할 명령!"

그렇게 말하는 순간이었다. 한 습격자가 휘안의 뒤쪽 나무 위로 휙 건너뛰었다. 그리고 나뭇가지 위에 착지하자마자 활시위를 강하게 잡아당겼다. 어떻게 그 기척을 읽은 건지, 휘안이 뒤를 휙 돌아보았다. 그리고 곧 화살이 자신에게 쏘아질 거라는 것, 피하기에는 이미 늦었다는 것을 알아차린 그가 허리춤에서 검을 뽑아 올렸다.

'이 멍청이, 그 실력으로 화살을 막을 수 있을 것 같냐!'

이런 역할은 정말 싫은데……. 습격자가 활시위를 놓자 화살이 빠르게 쏘아져 왔다. 린지는 몸을 빙글 돌려 휘안을 와락 껴안았다.

"……!"

예상했다고 해서 고통이 없는 것은 아니었다. 린지의 팔뚝을 관통한 화살 끝이 파르르 떨렸다. 아주 짧은 순간이 흐르고, 순식간에 붉은 점이 그녀의 옷 위로 빠르게 퍼져 나갔다.

"으."

린지는 저도 모르게 인상을 찡그렸다. 이런 역할은, 누군가를 구해 주기 위해 희생해야 하는 역할은 정말 질색이었다. 하지만 주저할 수 없었다. 팔에서 퍼지는 아찔한 고통 속에서 이 상황을 믿을 수 없다는 듯 쳐다보는 보라색 눈동자가 보였다. 놀란 그 눈을 보자니 린지는 아픈 와중에도 분노가 왈칵 치밀었다.

"도망가라고, 이 머저리 같은 백작아!"

백작은 한 대 맞은 것처럼 얼빠진 표정이었다. 그는 처음 보는 멍한 표정으로 믿기지 않는다는 듯 중얼거렸다.

"어째서……."

"입 닥치고 도망가! 화살 맞기 싫으면!"

그렇게 말하는 순간, 린지는 뒤에서 또다시 습격자가 화살을 쏘려 하는 것을 느꼈다. 한데 이 망할 백작 놈은 도무지 도망갈 생각이 없는지 놀란 눈으로 그녀를 쳐다보기만 하는 것이 아닌가! 결국 또 방패막이를 해야 하는 신세가 된 린지가 이를 악물며 몸을 던지려는 순간.

퍽!

휘안이 그녀의 몸을 강하게 밀쳤다. 나무에 부딪친 린지가 신음을 흘리는 순간 날카로운 금속음이 울려 퍼졌다.

"……아?"

휘안이 날아오는 화살촉을 쳐 낸 것이다!

'뭐, 뭐야.'

화살은 이제 앞뒤에서 사방으로 쏟아져 내리고 있었다. 한데 휘안은 마치 어디서 쏘아질지 미리 보고 온 사람처럼 신기에 가까운 움직임으로 화살을 흘려보냄과 동시에 쳐 내었다.

"아."

순간, 휘안이 몸을 옆으로 획 던졌다. 빠른 움직임으로 수풀 속으로 뛰어든 그가 검을 휘두르자 비명과 함께 핏방울이 튀어 올랐다.

"크윽!"

검은 복면을 뒤집어쓴 습격자가 피를 토하며 수풀 아래로 쓰러졌다. 휘안은 그 와중에도 날아오는 화살들을 피해 내더니, 쓰러진 습격자의 허리춤에서 여러 개의 단검을 한 번에 뽑아냈다. 그리고 어딘가로 획획 연달아 던졌다. 얼마나 빠르게 던졌는지 아무 곳으로나 집어 던진 게 아닌가 싶을 정도였으나.

"크아악!"

"악!"

단검은 정확하게 습격자들의 목덜미에 가서 박혔다. 순식간에 세 명의 암살자가 나무 아래로 떨어져 내렸다. 휘안은 그들이 가지고 있던 활을 집어 들고는 활시위를 잡아당겼다. 그가 줄을 놓자 활촉은 정확히 나무 위에 숨어 있던 습격자의 목에 틀어박혔다.

쾅!

마지막으로 남은 한 명의 습격자는 태세가 불리하다는 것을 느끼고는 재빠르게 도주했다. 하나 휘안은 보내 줄 생각이 없었다. 그는 침착하게 멀어져 가는 검은 등을 향해 활을 잡아당겼다.

"크악!"

다음 순간, 휘안의 화살은 습격자의 등을 꿰뚫고 지나갔다. 비명 소리와 함께 습격자의 몸이 땅으로 풀썩 쓰러졌다.

"……."

정확히 일 분. 여섯 명의 습격차를 처리하는 데 걸린 시간이었다.

"린지안 군, 괜찮아?"

주변에 더 이상의 인기척이 없는 것을 확인한 휘안이 린지에게 다가왔다. 린지는 그야말로 충격에 충격을 받아 새하얘진 얼굴이었다. 휘안은 그녀의 반응보다는 다른 곳에 신경이 쏠려 있었다. 화살이 관통된 얇은 팔뚝에서 피가 줄줄 흘러나오고 있었던 것이다.

"일단 화살을 뽑을게. 아파도 참아."

"그, 그……."

린지는 쇼크 상태인 와중에도 휘안을 말리려고 고개를 저었다. 어설프게 화살을 빼냈다가는 상처가 덧날 수도 있으니, 차라리 좀만 참았다가 의사나 전문가에게…….

"……아윽!"

휘안은 린지의 대답을 기다리지 않았다. 그가 화살을 쑥 뽑아내자 눈앞이 아찔한 고통이 왈칵 찾아왔다. 하나 다행히도 휘안은 깔끔하게 화살을 뽑아냈는지 상처가 더 벌어진 것 같진 않았다. 그는 품 안에서 손수건을 꺼내 능숙한 손놀림으로 린지의 팔을 묶었다.

"일단 이렇게라도 지혈하자."

머리를 어질어질하게 만드는 통증 속에서도 린지는 여전히 충격이 가시지 않은 상태였다.

'대, 대체 뭐야 이 백작!'

오 분도 되지 않는 사이에 여섯 명의 습격자를 처리했다. 오늘 낮에는 어리바리하게 활도 제대로 못 쐈으면서, 전설 속 엘프가 강림한 것이 아닌가 싶을 정도로 명궁이었던 것이다!

'거, 검도 엄청 빨랐어. 뭐야 이거!'

심장이 쿵쿵 빠르게 뛰어 왔다. 방금 전 백작이 보여 주었던 모습들이 마침내 현실감 있게 다가오기 시작했다.

"이, 이게 무슨…… 뭐, 뭐죠?"

너무 당황해서인지, 아니면 너무 아파서인지 린지의 혀가 꼬여 왔다. 백작은 그녀의 말을 들어 주는 대신 주위를 두리번거리더니 휘파람을 크게 불었다.

휘익!

그의 휘파람 소리가 숲 안을 울렸다. 잠시 후, 도망갔던 흑마가 빠른 속도로 달려왔다.

"이 녀석은 겁이 많거든. 쇠붙이 소리만 들으면 도망가."

평소에는 몬스터도 때려잡을 것처럼 행동한 말이 사실은 겁쟁이라니, 지금까지는 모두 다 허세였단 말인가! 린지가 뭐라 말할 사이도 없이 휘안이 그녀의 몸을 말 위로 획 올렸다. 그리고 그녀의 뒤로 올라탄 후 조심스럽게 린지의 몸을 감쌌다.

"나한테 기대. 빠르게 달릴 테니 조심히 하고."

"하, 하지만……."

"출발할게."

백작은 고삐를 내리치자 흑마가 울부짖으며 다시 달리기 시작했다. 그 엄청난 빠르기 속에서 린지의 시야가 어질어질 흔들려 왔다.

'대체 이게 뭐야, 대체 이게 뭐냐고…….'

흑마에게 납치(?)당해서 숲으로 오게 되고, 백작과 실랑이를 벌이고, 습격당하고, 백작 감싸려다가 대신 화살 맞고, 백작이 습격자들을 처리하고…….

어지러운 가운데 이 상황을 애써 정리하려던 린지는 결국 눈을 감으며 속으로 외쳤다.

'화살 괜히 맞은 거잖아!'

그 생각을 끝으로 린지의 정신은 어둠 속으로 빨려 들어갔다.

'이제야 기절했군.'

휘안은 달리는 말 위에서 자신의 상체에 폭 기댄 시종의 몸을 느꼈다.

완전히 정신을 잃은 듯 온몸의 힘이 쭉 빠져 있었다. 휘안은 그녀의 몸을 한쪽 팔로 단단히 잡으며 한쪽 손으로는 고삐를 잡았다.

'맷집이 대단한데. 아까 나무로 밀칠 때 급소를 쳤는데.'

팔뚝에 화살이 박힌 것은 둘째 치고라도 휘안은 아까 린지의 급소를 내리쳤다. 기절시킨 다음 습격자들을 처리할 생각이었던 것이다. 하지만 그의 예상과는 달리 시종은 기절하기는커녕 눈을 껌뻑이며 모든 것을 보고 말았다. 휘안이 검을 휘두르는 것, 활을 쏘는 것, 그 모든 것을.

'보면 안 되는 거였는데 이렇게 늦게 기절할 줄이야.'

혹시 급소를 빗나가서 때렸나? 그럴 리 없을 텐데……. 휘안이 의아함을 느끼고 있을 때 그의 상의가 축축하게 젖는 것이 느껴졌다. 시종의 피였다.

"이런, 빨리 가야겠군."

급소를 후려쳤음에도 불구하고 왜 몇 분이나 지나서 기절했는지는 나중에 생각하도록 하자. 휘안은 빠르게 말을 몰았다.

잠시 후, 왕성에 도착한 그는 흑마를 마구간에 돌려놓았다. 그리고 린지의 몸을 안은 채 사람들의 인기척을 피해 눈에 띄지 않게 방으로 돌아갔다. 방 침대 위로 린지를 올린 휘안은 급하게 구급상자를 들고 왔다. 그리고 피에 가득 젖은 시종의 셔츠 소매를 획 찢었다.

"아아, 제대로 명중했네……."

휘안은 욕실에서 대야에 뜨거운 물을 받아 왔다. 그리고 깨끗하게 소독한 수건으로 팔에 얽힌 피를 닦아 냈다.

"기절해서 다행이야, 린지안 군. 제발 깨어나지 말아 줘."

그는 린지의 팔을 묶어 지혈한 후, 구급상자 안에서 수술용 실과 바늘을 꺼냈다. 깨끗하게 소독을 끝낸 후 그는 신중하게 상처 부위를 꿰매기 시작했다. 잠시의 시간이 흐르고 깔끔하게 상처를 봉합한 그는 약을 꺼내 상처 위로 발라 주었다. 그러고는 피에 젖은 손을 닦고, 거즈와 붕대를 꺼내 그녀의 팔을 칭칭 감았다.

"……얇아."

붕대를 감은 후에야 휘안은 린지의 새하얀 팔을 인식했다. 자신을 향해 날아온 화살을 대신 맞아 준 이 시종의 팔은, 어이가 없을 정도로 얇았다. 남자의 것이라고는 믿기지 않을 만큼.

'이렇게 가냘픈 녀석이 나를 구하겠다고…….'

휘안은 황당한 표정으로 기절한 린지의 얼굴을 쳐다보았다. 곤히 눈을 감고 있는 얼굴을 보고 있자니 이제야 뒤늦은 당혹감이 밀려왔다.

'이렇게 조그마한 녀석이.'

대체 무슨 생각으로 자신을 가로막은 걸까? 물론 휘안이 무술에 형편없는 연기를 제대로 해냈으므로 화살을 막아 낼 수 있을 거라고는 생각하지 못했을 것이다. 그건 알고 있다. 하나 그렇다고 해서 대신 화살을 맞아 준 것은 이해가 되지 않았다. 운이 좋아서 팔에 와 박힌 거지 심장을 향했을 수도 있는 상황이었던 것이다. 그런 위험에서 목숨을 걸고 자신을 구하다니, 휘안은 이해할 수 없었다.

"대답해 봐, 린지안 군. 왜 그랬어?"

떠올릴수록 황당함이 배가되어 밀려왔다. 그는 자신이 얼마나 시종에게 못되게 굴었는지 자각하고 있었다. 파티장에서는 뺨을 때리기도 했고, 람피스 공작에게 넘기는 것에 동의하기까지 했다. 람피스 공작에게 하루 동안 빌려주겠다고 했을 때에 그는 텅 빈 시종의 눈동자를 똑똑히 목격했다. 때문에 더욱 이해가 가지 않았던 것이다. 원망해도 좋을 법한 상황들이 있는 직후에, 저주를 퍼붓기는커녕 목숨을 걸고 지키려 하다니…….

'…….'

휘안은 침대맡에 쪼그려 앉아 시종의 얼굴을 물끄러미 응시했다. 눈부시게 하얀 피부 위로 붉은색 머리카락이 헝클어져 있었다. 감긴 속눈썹은 남자의 것이라고는 믿을 수 없을 만큼 길게 드리워져 있어서 신기할 정도였다.

아직 시종의 도톰한 아랫입술에는 딱지가 남아 있었다. 휘안은 저도 모르게 손을 내밀어 시종의 아랫입술을 쓸어 넘겼다. 까칠한 딱지를 지나치자 부드러운 입술의 감촉이 엄지손가락 위로 느껴졌다. 그는 그 감촉에 이끌린 듯 가만히 손가락을 누르고 있다가 입술을 비집고 흘러나오는 시종의 숨결을 느끼고는 천천히 손을 뗐다.

"도망가라고, 이 머저리 같은 백작아!"

화살을 대신 맞아 준 시종이 내뱉은 대사가 문득 떠올랐다. 휘안은 웃을 때가 아니란 것을 알면서도 참지 못하고 실소를 흘렸다.

"풋."

또 뭐였더라, 입 닥치고 도망가라고 했던가. 그 순간에 내뱉어진 시종의 진심에 휘안은 결국 웃음을 터뜨렸다.

"아하하."

휘안은 싱글싱글 웃으며 시종을 바라보았다. 곤히 잠든 그 모습을 바라보며, 휘안이 작은 목소리로 중얼거렸다.

"정말 알 수가 없네. 넌 무슨 생각을 하고 있어?"

무슨 생각을 하고 있기에 화살을 향해 몸을 던진 거니. 죽을 수 있다는 것을 알면서도, 왜 목숨을 던진 거냔 말이야. 난 너에게 못되게 굴었는데. 입 안에서 맴도는 말을 삼켜 낸 휘안의 눈에 온기가 맺혔다. 그는 턱을 괴고 가만히 시종의 얼굴을 쳐다보았다.

'역시 난 이 녀석이 굉장히 마음에 들어.'

휘안의 눈동자에서 시종을 향한 애정이 샘솟듯이 솟구쳐 나왔다. 지난날 밤에도 스스로 인정했지만, 휘안은 시종이 마음에 들었다. 그런데 지금 이 순간에는 그냥 좋은 정도가 아니었다.

'남자가 이렇게까지 사랑스러워도 되는 거야?'

휘안은 고개를 설레설레 저으며 해일처럼 밀려드는 감정을 받아들였다. 이 녀석이 정말 마음에 들어서, 이제는 외면하는 것이 불가능했다.

'네가 날 구한 것이 책임감 때문이어도 상관없어.'

비록 '일'이기 때문에 화살을 대신 맞은 거였어도 상관없다. 이렇게 목숨 바쳐 구해 놓고서는 또 저 먼 곳으로 멀어져 버릴 걸 알지만, 그것도 이젠 상관없다. 휘안은 미소를 지으며 시종의 뺨을 쓰다듬었다.

시종은 휘안이 습격자들을 처리하는 것을 목격했다. 때문에 휘안은 결정해야 했다. 그가 무예에 능하다는 사실을 아는 자는 둘 중 하나였던 것이다. 뼛속까지 그의 사람이거나 아니면…….

'내가 이미 죽인 사람이거나.'

휘안은 싱긋 웃으며 그녀의 머리칼을 쓰다듬었다. 그리고 단숨에 결정했다.

'너는 이제 내 사람이야, 린지안.'

그러니 내가 너를 생각하듯 너도 나를 생각하도록, 내가 노력할게. 그렇게 결정을 내리자 마음이 시원해졌다. 휘안은 부드러운 보라색 눈동자로 린지의 얼굴을 바라보았다.

"구해 줘서 고마워."

깊게 잠에 빠져든 시종은 말이 없었다.

"으으으, 아파……."

처음 입술을 비집고 흘러나온 것은 고통에 전 신음 소리였다. 린지는 욱신거리는 통증 속에서 천천히 눈을 떴다.

"린지안 군, 입 벌려 봐."

흐린 시야 속에서 익숙한 목소리가 들려왔다. 휘안의 목소리였다. 깜짝 놀란 린지가 눈을 번쩍 뜨자 수저를 들고 있는 휘안의 모습이 들어왔다. 그는 짐짓 걱정스러운 표정이었다.

"린지안 군, 어서 입 벌려 봐."

"뭐, 뭡니까?"

그는 린지안에게 약을 먹이려는 듯 액체가 떠 있는 스푼을 들고 있었다. 일어나자마자 괴상한 장면을 보게 된 린지는 저도 모르게 입을 꾹 다물었다.

"일단 이거부터 먹어. 약이야."

"……."

왠지 모를 거부감에 린지가 입을 열지 않자 휘안이 고개를 저었다.

"어쩔 수 없지. 린지안 군이 안 먹으니 내가 입으로 옮겨 줄 수밖에."

파격적인 말과 함께 그가 입 안으로 수저를 집어넣으려고 하자 린지가 잽싸게 그의 팔을 잡았다.

"버, 벌렸어요! 벌렸다고요!"

"진작 그럴 것이지."

휘안이 미소를 지으며 그녀의 입술 사이로 스푼을 집어넣었다. 쓴 액체가 입 안으로 흘러들어 오자 린지의 인상이 절로 구겨졌다.

"으으…… 써."

어지간한 쓴 약도 잘 먹는 린지였지만 불평불만이 툭 튀어나올 만큼 지독한 맛이었다. 그런 린지의 모습이 귀여웠는지 휘안이 히죽 웃었다.

"귀한 약이야."

"그게 무슨…… 아니, 이게 어떻게 된 거죠?"

쓰디쓴 맛 때문일까, 정신이 번쩍 돌아왔다. 린지는 아픈 팔을 부여잡고 상체를 일으켰다.

"그러지 말고 더 누워 있어."

휘안이 걱정스러운 눈빛으로 만류했지만 린지는 그의 말을 듣지 않았다. 그녀는 주위를 둘러보며 이곳이 왕궁 안이라는 것을 깨달았다.

'내가 정신을 잃었었나?'

그녀의 마지막 기억은 말 위에서였다. 타오르는 것처럼 아팠던 팔, 그리고 빙글거리며 어지러웠던 시야가 마지막이었다.

'그 정도 출혈로 기절할 내가 아닌데?'

급소라도 가격당하지 않은 이상 그 정도 상처는 린지에게 있어서 별다른 위협이 되질 못했다. 그런데 왜 정신을 잃었던 걸까?

"넘어질 때 나무에 잘못 부딪쳤나 봐. 급소 부위가 멍들었던데."

"아……."

휘안의 말에 목덜미를 짚어 보니 아릿한 통증이 느껴졌다. 그러고 보니 휘안이 나무 위로 자신을 밀칠 때 목덜미를 부딪쳤던 것 같긴 했다.

'하필이면 재수가 없으려니. 넘어져도 급소 부위로 넘어지고 말이야.'

다음부터는 낙법에 더 주의해야겠다, 린지는 이렇게 결심하며 말했다.

"어떻게 된 일이죠?"

린지는 또렷한 시선으로 휘안을 바라보았다. 그는 린지의 말을 못 들은 척 싱글싱글 웃는 표정으로 그릇을 내밀었다.

"이거 마셔."

"……이건 뭡니까?"

"약이야."

린지는 인상을 찡그렸다. 방금 전에도 약을 먹었는데 왜 또 약을 먹으라는 걸까. 그녀가 거부 반응을 보이자 휘안이 그릇을 쓱 내밀었다.

"귀한 약이야. 그러니까 어서 마셔."

쓰디쓴 향기가 풍겨 격렬한 거부감이 느껴졌다. 하나 그녀는 계속해서 권하는 휘안을 이기지 못하고 결국 꿀꺽 삼켰다.

"캑, 쓰, 쓰잖아요!"

눈을 콱 감고 마시긴 했지만 혀에 쥐가 날 정도로 쓰다. 그녀가 정신을 못 차리고 기침을 해 대자 휘안이 무언가를 쑥 내밀었다. 막대 사탕이었다.

'누굴 어린애로 보고!'

하나 생각과는 달리 린지는 사탕을 잽싸게 받아 들어 입에 물었다. 달달한 맛이 혀와 입 안을 휘감자 그제야 살 것 같았다.

"아하핫!"

막대 사탕으로 인해 볼록 볼이 튀어나온 린지를 보며 휘안이 웃음을 터뜨렸다. 그는 키득거리며 린지의 머리를 쓱쓱 쓰다듬었다.

"아아, 귀여워라."

"……어린애 취급하지 마세요."

"그럴 리가. 그 약 많이 쓴 거 나도 알고 있어. 대신 그만큼 효능이 뛰어나니까 좋게 받아들여."

대체 무슨 약이기에…… 린지가 심술궂은 눈으로 휘안을 힐끔 올려다보았다. 그는 린지가 약을 다 먹은 것이 만족스러웠는지 유쾌한 표정이었다.

'대체 뭐가 뭔지.'

린지는 붕대에 칭칭 감겨 있는 팔을 바라보았다. 숲에서 습격자들의 공격에서 휘안을 감싸다가 화살을 맞았다. 보아하니 깔끔하게 봉합되어 있는 것 같은데…….

"일단 응급 처치를 해 놓은 거야."

그녀의 의아함을 읽은 듯 휘안이 말했다.

"상처 부위를 꿰맨 것뿐이야. 그러니 오늘 백작가로 돌아가서 제대로 치료받는 것이 좋겠어."

"직접 하신 겁니까?"

"응."

그는 대수롭지 않게 말했지만 감겨 있는 붕대는 수준급이었다. 그리고 상처 봉합이라니, 어지간한 사람이라면 비위 상해서 제대로 할 수도 없는 일인데……. 이상한 것은 그뿐만이 아니었다. 사실 그가 깔끔하게 상처를 치료해 준 것은 빙산의 일각이지 않은가. 어젯밤 사냥터에서 보여 준 그 모습들을 생각하면 꿈이 아닌가 싶을 정도였다. 솔직히 아직까지 믿기지 않아 린지의 눈이 가느다래졌다.

"어제는 대체 무슨 일이었죠?"

린지는 그를 올려다보며 물었다.

"누가 저희를 습격한 겁니까? 그리고 백작님께서는 어떻게……."

어떻게 그들을 처치하신 겁니까. 그렇게 잘 처리할 줄 알았다면 대신 막아서는 일 따위를 해서 상처를 자초하지 않았을 텐데. 그렇게 생각하자 심술이 치밀어 올랐다. 하고 싶은 이야기들이 너무나도 많아 무엇부터 얘기해야 할지 감이 잡히지 않았다.

"화살 잘 쏘시던데요?"

린지는 그 모든 것들을 한마디로 표현했다. 사냥감을 잡을 때는 활시위도 못 당기더니, 이제 와 생각하니 모두 다 터무니없는 내숭이었다. 모든 무기를 수준급 이상으로 잘 다루는 린지였지만 잠깐 보았던 그의 궁술은 린지보다 몇 수 위였던 것이다.

'검술도 굉장했어. 아니, 굉장하다는 것 이상이지.'

그가 날아오는 화살들을 가뿐하게 쳐 내던 것이 아직도 눈앞에 생생했다. 그런데 지금껏 그런 모습들을 감쪽같이 속이고 있었다니. 린지는 입술을 오므리며 휘안을 흘겨보았다.

"그래서 말인데, 린지안 군."

휘안은 침대맡에 앉으며 린지와 시선을 마주쳤다.

"린지안 군이 다른 곳에서 그런 얘기 하지 않을 거라고 믿어."

"비밀이라는 소리지요?"

"그렇다고 할 수 있지. 그리고 우리가 어제 숲에서 습격자들에게 공격을 당한 것 역시 마찬가지야."

"네? 하지만……."

우리가 비밀을 지켜 봤자 숲에는 습격자들의 시신이 있을 텐데? 그녀의 눈빛을 읽었는지 휘안이 손가락을 까닥까닥 흔들며 웃었다.

"내 생각이 맞다면 지금쯤 그 시신들은 감쪽같이 사라져 있을걸. 화살들은 물론 핏자국 하나 남아 있지 않을 거야."

"……."

그렇게 말하는 휘안의 어조는 확신에 가득 차 있었다. 아마 그는 자신을 습격한 배후를 어렴풋이 짐작하고 있는 것 같았다. 린지는 한동안 말없이 백작을 바라보다가 입을 열었다.

"그들은 백작님을 노린 겁니까?"

"응. 괜히 끼어들게 해서 미안해, 린지안 군. 그리고 고마워."

그의 말에 린지는 고개를 갸웃 기울였다. 미안하다는 건 뭔 뜻인지 알겠는데 왜 고맙다는 걸까? 의아함을 느끼려는 찰나 자신이 그를 대신 막아섰던 것을 기억해 냈다.

"아……. 저는 휘안 님께서 전혀 무기를 못 다루실 줄 알고."

"응, 이해해."

"그래서 왜 대체 도망가지 않는 건지 이상하게 생각했었어요."

그렇게 말하는 순간, 문득 머릿속에서 빛이 스쳐 지나갔다. 그러고 보니 그 순간 너무나 급박한 나머지 휘안에게 반말로 욕설에 가까운 말을 지껄였던 것이다.

"……."

기억이 떠오르는 순간, 동시에 린지의 얼굴이 새하얘졌다. 아무리 급하다고 해도 그렇지 백작에게 반말을 지껄여 대며 머…… 머저리라고, 닥치라고 해 버리다니! 린지는 안절부절못하며 슬그머니 백작의 눈치를 봤다.

"응? 왜 그래?"

하나 다행인지 백작은 그 상황을 정확히 기억하지 못하는 것 같았다. 하긴 워낙 긴박했으니 그때 했던 말들을 다 기억하는 것은 무리일 수도…….

"린지안 군이 나에게 머저리라고 했던 것 때문에 그래?"

기억하고 있었다. 린지는 휘안의 말에 숨을 들이마시며 그를 쳐다보았다. 어째서인지, 휘안은 매우 기분이 좋아 보이는 얼굴로 싱글싱글 미소 짓고 있었다.

"그, 그것이……."

"아, 그게 아니라면 닥치라고 한 거? 아니면 망할 명령이라고 한 건가?"

과할 정도로 자세하게 기억하고 있지 않은가! 린지는 입이 백 개라도 할 말이 없었다. 그녀가 어깨를 쭈그리며 고개를 푹 숙이자 그 모습을 보고 있던 백작이 웃음을 터뜨렸다.

"아하하하!"

그러고는 린지의 머리를 마구 헤집듯이 쓰다듬으며 말했다.

"괜찮으니까 고개 들어."

그의 따뜻한 어조에 린지는 천천히 고개를 들었다. 선하게 웃고 있는 휘안의 얼굴을 보아하니 정말로 화가 난 것 같아 보이진 않았다.

'아니야. 이 녀석은 이런 얼굴로 뒤통수친다고.'

지금도 자신을 향한 눈빛은 전에 본 일이 없을 정도로 따스하고 애정이 넘쳐흐르고 있다. 하지만 린지는 더 이상 휘안의 이런 태도에 넘어가지 않기로 결심을 한 후였다.

"일어났으면 갈 준비를 하는 게 좋겠어. 서둘러 백작가로 돌아가도록 하자."

그의 말에 린지가 고개를 끄덕이며 침대에서 일어나는 순간이었다. 그녀는 문득 오늘부터 람피스 공작의 개인 시종으로 하루 동안 일해야 한다는 것을 기억해 냈다.

"람피스 공작께는 언제 가는 게 좋을까요?"

린지가 태연하게 묻자 휘안의 등이 흠칫 굳었다. 그는 천천히 뒤를 돌아 린지에게 시선을 주었다.

"그럴 일 없어."

"네? 그게 무슨……."

갑작스런 말에 린지가 의아해하자 휘안이 싱긋 미소 지었다.

"앞으로 린지안 군이 내 곁에서 떨어질 일은 없을 거야."

린지는 아무런 대꾸도 하지 못했다. 그렇게 말하는 그 대사가 묘하게 많은 의미를 내포하는 것 같았던 것이다. 어리둥절해하는 린지를 보며 휘안이 다가와 그녀에게 손을 내밀었다. 그 손을 멍하니 지켜보던 린지는 그가 악수를 청한다는 것을 한발 늦게 깨닫고는 서둘러 손을 마주 잡았다. 그러자 백작이 웃으면서 손을 흔들었다.

"그러니까 앞으로 잘 부탁해, 린지안 군."

"아…… 네, 저도 잘 부탁합니다."

처음 만난 사이도 아닌데 웬 인사란 말인가. 하나 린지는 저도 모르게 맞장구치며 웃었다. 마치 이제야 관계를 처음 맺게 된 사람처럼, 백작이 환하게 웃음을 지으며 악수했다.

chapter 9. 사랑의 향

너의 붉은 머리카락은 태양처럼 빛나.

너의 흰 피부는 백옥 같아.

너의 두 눈동자는 내 심장보다 아름다워.

린지안, 너는 너무 아름다워.

아름다운 네가 나는 너무 좋아.

사랑해, 사랑해.

죽을 때까지 사랑해.

"……우욱."

맙소사. 린지는 입을 틀어막으며 치밀어 오르는 구역질을 참아 냈다. 속이 급속도로 울렁거리며 어지러워지기 시작했다. 그녀는 헛구역질을 몇 번 한 후 다시 편지로 시선을 옮겼다.

죽음도 나에 대한 너의 사랑을 막을 수 없어…….

“으아아아아악!”

더 이상은 못 읽겠다! 린지는 비명을 지르며 편지를 사정없이 구겼다. 구기는 것으로 모자랐는지 갈기갈기 찢어 휴지통 안으로 내던졌다.

“이게 뭐야아아아!”

짝사랑 소녀의 편지라고 하기엔 너무…… 너무 음험하지 않은가! 린지는 온몸에 돋아 오른 소름을 벅벅 긁었다.

“대체 이게 몇 통째야!”

하나 더 고통스러운 것은 이 러브 레터가 끊이지를 않는다는 사실이다. 매일 밤, 혹은 매일 아침 그녀의 방문 틈에 껴 있는 주홍색의 편지! 누가 쓰는 건지 잡아서 혼쭐을 내 주어야 하나, 싶을 정도로 끈질기고 또 오싹했다.

‘미쳐 버리겠네, 정말!’

추수제 겸 사냥 대회가 끝나고 돌아온 린지에게 휴가가 주어졌다. 팔을 다쳤으니 일을 하고 싶어도 할 수가 없었던 것이다. 휘안의 응급 처치는 뛰어났지만 워낙 제대로 관통당한지라 손상이 심했던 것이다. 뼈에 이상이 없는 것이 다행이었다. 백작가의 솜씨 좋은 의사와 정체불명의 쓰고 좋은 약(?) 덕분인지 린지는 빠르게 회복해 갔다.

‘하지만 스트레스는 나날이 늘어만 간다고요.’

매일매일 찾아와 그녀를 괴롭히는 주홍색 러브 레터 때문에 린지는 신경 쇠약에 걸릴 정도였다. 어쩜 이렇게 음흉한 대사만 골라 쓰는 건지, 이상한 책을 베끼는 것이 아닐까 생각될 정도였으니까.

“그 편지들 아직도 오고 있어?”

린지는 결국 이 고민을 털어놓았다. 이 저택 내에서 이야기를 나눌 수 있는 유일한 사람, 레이라에게.

"응. 정말 스트레스야."

린지는 꾸깃꾸깃 구겨진 종이를 레이라에게 내밀었다. 종이를 펴서 읽어 내려가는 레이라의 눈빛이 점점 공포로 물들어 갔다. 편지의 말미에 다다를 때 즈음, 그녀 역시 차마 다 읽지 못하고 눈을 뗐다. 레이라는 무서우면서도 묘하게 감탄한 기색이었다.

"이 아이, 정말로 널 좋아하나 보다."

"그게 문제가 아니야, 레이라."

널 좋아한다, 너를 위해서라면 내 목숨을 버려도 좋다 등등의 문장이 쓰인 편지는 감동적이지 않았다. 오히려 오싹했다. 또한 발신인에 대한 정보는 그 무엇도 없었다. 그저 온갖 사랑을 속삭이는 말뿐.

"기분 나빠. 본인을 드러내지도 못하면서 이런 편지나 보내는 거 정상이 아니라고."

"고백을 거절당하는 건 무서운데 마음은 표현하고 싶어서 그런가 봐."

레이라의 말에 린지는 노골적으로 인상을 찡그렸다.

"으, 더 싫어. 어차피 거절당할 걸 아는데도 이런 짓을 한단 말이야? 걸리기만 해 봐라. 혼쭐을 내줄 테다."

"응…… 그런가. 불쌍해라."

대체 누가 불쌍하다는 건지……. 린지는 물으려다가 도로 입술을 꾹 다물었다. 왠지 그녀가 불쌍하다고 칭하는 대상이 자신이 아닌 것 같았기 때문이다.

"그건 그렇고 팔은 괜찮아?"

린지의 의심쩍은 눈에 레이라는 급하게 화제를 돌렸다. 린지는 속아주는 척 웃으며 소매를 걷어 보였다.

"응. 거의 다 아물어서 다시 일을 시작해도 되겠어."

린지의 팔을 보며 레이라는 새삼 감탄한 것 같았다. 그녀는 짐짓 부러움이 느껴지는 목소리로 말했다.

"린지안, 너 팔도 되게 하얗다. 부러워."

"남자가 하얘서 좋을 게 뭐가 있겠어."

린지는 대수롭지 않게 받아치며 피식 웃었다. 하나 레이라는 몇 번을 봐도 그녀의 하얀 피부가 신기한지 팔뚝을 잡고 뚫어지게 쳐다보았다.

'그런데 레이라, 살이 많이 빠졌네.'

린지는 물끄러미 레이라를 바라보았다. 처음 봤을 때 통통했던 금발의 여인은 혹독한 다이어트라도 한 게 아닐까 싶을 정도로 바싹 말라 있었다. 그 덕분에 이목구비가 도드라져 더 아름다워지긴 했지만 어쩐지 안쓰러운 마음이 먼저 들었다. 린지는 잠시 망설이다가 넌지시 물었다.

"레이라, 요새 무슨 고민 있어?"

"응? 갑자기 왜?"

레이라의 천진한 푸른 눈동자에 린지는 멋쩍은 듯 머리를 긁적였다.

"안색이 안 좋아 보여서. 혹시 무슨 일이라도 있는가 해서……."

"아아……."

그러자 레이라가 연약한 미소를 머금더니 고개를 가로저었다.

"그런 건 아냐. 그냥 최근에 동생이 조금 아팠었거든."

"어?"

그 말에 깜짝 놀란 린지가 눈을 번쩍 떴다. 그러고 보니 레이라에게는 린지- 그러니까 '린지안'과 동갑인 동생이 하나 있다고 했다. 그런데 그 동생이 아프다고?

"아아, 걱정하지 마. 이제는 괜찮거든."

"아? 정말이야?"

린지의 근심 어린 눈빛에 레이라가 웃음을 지었다.

"으응, 이제 정말 괜찮아졌어. 다행히 좋은 약을 구해서……."

잠시 망설이던 레이라는 결국 말을 잇지 못하고 미세한 웃음을 지었다. 린지는 그녀가 걱정됐지만 알 수 없는 분위기에 억눌려 더 이상 한 마디도 꺼낼 수 없었다.

'레이라 동생이 아팠었구나. 그래서 그동안 마음고생이 심했었던 거야. 난 그것도 모르고…….'

잠시 후, 레이라와 헤어진 린지는 방으로 돌아가는 길이었다. 가는 내내 그동안 가족 일 때문에 마음고생 했을 레이라 때문에 마음이 불편했다. 이 저택에서 린지를 유일하게 아껴 주는 동료가 바로 레이라였던 것이다. 그런데 그런 레이라가 그렇게 마음고생을 하고 있었다니…….

한숨을 푹 내쉬며 방문에 도달한 린지의 눈에 주홍색 봉투가 들어왔다. 그것을 보자마자 린지는 반사적으로 눈살을 찌푸렸다.

"설마 그사이에 또 가져다 놓은 거야?"

심지어 이번엔 두 개였다. 하나는 주홍색 편지 봉투였고, 문고리에 걸린 것은 주홍색 비닐 봉투였다. 오늘 아침에 줬으면서 또 주다니…… 린지는 오기가 생겨 편지 봉투를 뜯어보았다. 순간 지독한 혈향이 확 풍겨왔다.

"……아."

린지는 편지를 떨어뜨릴 뻔했다. 편지 안에는 붉은색 글씨가 삐뚤삐뚤하게 쓰여 있었는데, 흐르는 자국과 냄새는 피의 그것과 똑같았다.

린지안 넌 내 거야.

널 갖고 싶어. 소유하고 싶어.

네 팔을 부러뜨려서 다른 사람을 만지지 못하게 하고 싶어.

네 다리를 부러뜨려서 내 방 안에 가두고 싶어.

네 눈을 파서 다른 사람을 보지 못하게 하고 싶어.

네 혀를 잘라서 다른 사람에게 말하지 못하게 하고 싶어.

네 목을 잘라서 나만 가지고 싶어.

사랑해, 사랑해.

편지를 든 린지의 손이 부르르 떨려 왔다. 그녀는 편지를 한 주먹 안으로 단숨에 꾸긴 후, 문고리에 달린 봉투를 열어 보았다. 그곳에는.

"……이런 미친."

쥐의 시체가 여러 마리 담겨 있었다. 피 냄새가 날 때부터 각오하고 있었던 장면인지라 놀라지 않았다. 아니, 오히려 사람의 것이 아니어서 안심하기까지 했다. 보통 소녀들이었으면 자지러지거나 기절을 할 장면이었지만 린지의 눈은 평소보다도 더 침착해졌다.

"미쳤군. 이건 정도가 심하잖아."

피식 웃은 린지는 주홍색 편지와 같은 색의 봉투를 번갈아 쳐다보았다. 아주 짧은 시간, 린지가 레이라와 대화를 나누는 동안 누군가가 와서 걸고 간 것이다. 그 집요함에 감탄이 나올 정도였다.

'하지만 이건 아니지.'

오싹한 내용의 러브 레터까지야 그렇다 치자. 하지만 목을 자르겠다는 등의 살인 예고 같은 편지와 죽은 쥐의 사체는 정도를 넘어섰다. 이쯤 되면 러브 레터가 아니라 저주에 가깝지 않은가.

"이런 정신 상태를 가진 고용인이 있다는 게 문제야."

린지는 결론을 내리고는 문고리에 걸린 봉투를 잡아 뺐다. 그리고 고용인을 관리하는 자, 집사의 방으로 향했다. 집사는 얼마 전 완전히 회복하여 업무에 복귀한 상태였다.

'이런 미친 시녀가 있다는 걸 알려야 해.'

그의 방 앞에 도착한 린지는 헛기침을 하며 방문을 두드렸다.

"집사님, 들어가도 되겠습니까?"

"들어오게."

허가가 떨어지자마자 린지는 방문을 벌컥 열고 들어갔다. 집사는 소파에 앉아 있었는데, 그의 맞은편에는 또 다른 사람들이 자리하고 있었다.

"이야, 린지안 군. 무슨 일이야?"

휘안이 유독 반가운 듯 싱긋 웃으며 손을 흔들었고 그의 옆에는 예르시카가 무뚝뚝한 얼굴로 서 있었다. 의외의 인물들을 만난 린지는 잠시 자리에서 멈춰 섰다.

"아, 백작님. 외출하신 줄 알았는데……."

백작이 자리에서 벌떡 일어나 다가오자 린지의 말끝이 흐려졌다.

"응. 곧 손님이 올 거라 돌아왔어."

미소 지으며 말한 휘안은 그녀의 손을 잡고 에스코트라도 하듯 소파로 데리고 왔다. 얼떨결에 따라온 린지는 물론 집사와 예르시카 역시 어리둥절한 표정이었다.

"어서 앉아."

"어…… 음…… 네."

휘안의 과한 친절에 잠시 멍해진 린지는 헛기침을 하며 정신을 차렸다. 휘안은 린지를 옆에 앉힌 후 뭐가 그렇게 즐거운지 싱글벙글 웃으면서 그녀를 응시했다. 그때 잠자코 있던 예르시카가 입을 열었다.

"피 냄새군. 손에 그건 뭐지?"

린지는 편지 봉투와 쥐 시체가 든 봉투를 테이블 위에 올려놓았다. 예르시카와 휘안의 귀에까지 들어가게 하고 싶지 않았지만 상황이 이렇게 된 이상 어쩔 도리 없었다.

"저, 집사님께는 말씀을 드려야 할 것 같아서 찾아왔습니다."

"그게 뭔가, 린지안 군?"

집사는 주홍색 봉투를 매우 꺼림칙한 시선으로 쳐다보았다.

"쥐 시체입니다."

린지는 그렇게 말하며 휘안을 향해 시선을 돌렸다. 예르시카와 집사의 시선은 시체가 든 봉투로 향해 있었지만 휘안은 달랐다. 그는 관심도 없다는 듯 쳐다보지도 않고 봉투를 잡아 편지를 꺼낸 것이다.

"그, 그건……."

린지는 말리려고 했으나 명분이 없음을 깨닫고는 입을 다물었다. 집사에게 보여 줄 생각이었지만 왠지 휘안에게는 보여 주고 싶지 않았었는데…….

"흐응."

휘안은 알 수 없는 표정으로 편지를 읽어 내려갔다. 쥐의 피로 작성된 그 편지는 온갖 저주스런 말들로 가득했으나, 그의 눈동자에는 흔들림 한 점 없었다. 심지어 놀란 것 같아 보이지도 않았다. 신문을 읽을 때와 별반 다를 바 없어 보이는 표정이었다. 편지를 읽어 내린 휘안이 입꼬리를 올리며 집사에게 편지를 내밀었다.

"흥미로운 내용이군."

집사 역시 의아한 표정으로 편지를 받아 들었다. 하나 그는 휘안과는 달리 보통 사람이었기 때문에 점점 경악 어린 눈빛으로 바뀌어 갔다.

"미쳤군!"

집사는 차마 편지를 마지막까지 읽지 못하고 테이블 위로 획 내던졌다. 그러자 예르시카가 궁금한 듯 은근슬쩍 들어서 읽어 내렸다.

"대체 이게 무엇인가, 린지안 군? 설명해 보게!"

"그것이……."

린지는 차분하게 있었던 일을 설명해 나갔다. 요 근래 찾아오던 주홍색의 러브 레터, 가면 갈수록 섬뜩해지던 내용과 오늘은 쥐 시체와 함께 거의 살해 협박을 하는 편지까지…….

"많이 놀라지 않았어?"

그녀의 말을 들은 휘안이 던지듯이 말했다. 왠지 떠보는 듯한 질문이었지만 린지는 솔직하게 대답했다.

"놀랐죠. 그리고 이런 정신 상태를 가진 고용인이 백작가에 있다는 것을 아셔야 할 것 같아서요."

"그러게."

휘안은 예르시카에게서 다시 건네받은 편지를 또 한 번 읽어 내리며 말했다.

"그리고 이 정도로 린지안 군에게 푹 빠진 사람이 누구인지 궁금한걸. 역시 린지안 군은 매력 덩어리인가 봐."

그렇게 말하며 웃는 휘안의 얼굴은 대수롭지 않아 보였다. 그는 집사에게 편지와 쥐 시체가 든 봉투를 내밀었다.

"고용인을 관리하는 건 집사의 권한이니까 알아서 잘 처리하도록 해. 아, 잡아내면 쫓아내기 전에 나 보여 주는 거 잊지 말고. 나처럼 린지안 군에게 마음을 빼앗긴 가여운 동지를 만나 보고 싶거든."

하여튼 마지막까지 농담이었다. 린지는 싱글벙글 웃는 휘안의 얼굴을 보며 한숨을 참았다. 하기야 본인 일이 아니니 저렇게 속 편하게 말할 수 있겠지.

그들과 대화를 끝낸 린지는 인사를 한 후 방을 나섰다. 어쨌든 집사에게 이상한 고용인이 있다는 것을 알렸으니 그녀가 해야 할 일은 끝났던 것이다. 그렇게 다시 방으로 돌아가려는 찰나, 여인의 목소리가 그녀의 뒤를 따라붙었다.

"잠깐, 거기 서 보도록."

예르시카였다. 린지는 그녀의 말에 순순히 따라 복도에서 멈춰 섰다. 그리고 등을 돌려 뒤를 돌아볼 때 즈음, 예르시카는 린지의 바로 앞으로 다가와 있었다.

"무슨 일이신지요?"

지난날 그녀에게 건방지게 굴었던 것을 기억하며 린지는 최대한 예의 바르게 말했다. 그 모습이 의외였는지 예르시카가 눈썹을 슬쩍 들어 올렸다. 짧은 침묵이 흐른 후 예르시카의 입술이 열렸다.

"얘기는 들었다. 내가 자리를 비운 동안 네가 백작님과 함께 사냥 대회에 참가했다고?"

"네, 그렇습니다."

린지는 고개를 끄덕이며 대답했다. 설마 그게 마음에 들지 않는 것일까? 새파란 신입 주제에 백작의 개인 시종이 된 것을 처음부터 못마땅해하던 예르시카였다. 아무래도 린지를 좋게 보고 있지 않았던…….

"고맙다."

"……."

린지는 두 눈을 깜빡이며 예르시카를 바라보았다. 예르시카는 예전과 다름없는 차가운 표정으로 린지를 응시하고 있었다. 그 얼음 같은 눈빛에 잘못 들었다고 생각하려는 찰나…….

"백작님을 보호하려다가 다쳤다고 들었다. 목숨을 걸고 몸을 던졌다고 하더군."

예상하기는커녕 꿈에서도 생각해 보지 못했던 대사가 흘러나오자 린지는 발끝부터 굳어 버리고 말았다. 하나 그녀가 당황하든 말든, 예르시카는 예의 그 싸늘한 말투로 말을 이었다.

"그 얘기를 듣고 그동안 내가 너를 잘못 평가했다는 것을 깨달았다. 미안하다."

"……아, 아뇨."

미안하다, 라는 말을 듣고 나서야 린지는 겨우 정신을 가다듬을 수 있었다. 그녀는 당황한 기색이 역력한 얼굴로 말을 더듬었다.

"제, 제가 해야 할 일을 했을 뿐인데요. 예르시카 님께서 사과하실 필요는 없습니다."

"이제는 믿고 네게 백작님의 시중을 맡길 수 있어. 앞으로도 그렇게만 해 다오, 린지안 아르즈벨."

예르시카의 입에서 처음으로 그녀의 이름이 흘러나왔다. 그것을 아는지 모르는지, 예르시카는 린지의 어깨를 툭툭 두드린 후 다시 등을 돌려 걸어갔다. 그녀가 완전히 사라지고 나서야 린지는 참았던 숨을 내쉬었다.

'까, 깜짝 놀랐잖아!'

설마하니 예르시카에게서 저런 말을 들을 줄이야! 항상 자신을 못마땅하게 쳐다보던 차가운 미녀에게서 앞으로 그렇게만 해 달라는 둥, 믿고 맡길 수 있다는 둥의 대사가 튀어나오다니.

'오래 살고 볼 일이야.'

예르시카가 저런 말을 하다니. 달력에 기념일로 정해 놓기라도 해야겠다. 린지는 조금 기분이 좋아져서 가벼운 발걸음으로 방으로 돌아갔다.

하지만.

"……미치겠네, 진짜."

방문 틈에는 주홍색 편지가 하나 더 꽂혀 있었다. 십 분은 되었을까? 아주 잠시 동안 자리를 비운 사이에 편지를 또 두고 가다니!

"미쳤군, 미쳤어!"

린지는 욕설을 내뱉으며 방문을 열었다. 그리고 그대로 쓰레기통 안으로 편지를 집어 던지려고 했으나 멈칫했다.

"그래, 이번엔 어떤 말을 썼는지 보자."

이제는 오기가 생겨서 갈 데까지 가 보자는 마음이 들었다. 린지는 거칠게 주홍색 봉투를 찢은 후 편지를 꺼내 읽었다.

"……헉."

순간 린지는 급하게 숨을 들이쉬었다. 편지 안에는 그림이 그려져 있었다. 그것도 아주 잘 그려진 그림이.

"이게 뭐야……."

편지 속 그림은 린지와 똑같은 형태였다. 무엇보다도 그녀의 머리카락은 붉은 선이 어지러이 뭉쳐져 선명하게 표현되어 있었다. 그것은 분명, 피였다.

"……!"

순간 편지를 든 손끝에 충동적인 힘이 들어갔다. 하나 잠시였을 뿐, 린지는 숨을 들이마신 후 손끝에 들어간 힘을 내보냈다.

'이런 게 다 증거야. 남겨 놓자.'

기분 같아서야 찢어 버려도 시원찮지만 린지는 아주 잘 알고 있었다. 왕세자의 그림자로서, 스파이로서 살아온 나날 덕분에 이런 것들이 어느 순간 증거로 쓰일 수 있다는 것을 깨달은 것이다. 테이블 위에 주홍 봉투와 핏빛 그림을 고이 올려놓으며 한숨을 내쉬었다.

"젠장, 기분 더럽군. 아무래도 안 좋은 꿈을 꿀 것 같은데……."

쥐 시체에 살해 협박에 가까운 러브 레터. 그리고 피로 그려진 자신의 초상화라니…….

'아아, 피곤해. 개운하게 목욕하고 싶다.'

아무리 간이 큰 린지일지언정 스트레스가 없는 건 아니었다. 미친 듯이 따라붙는 저 주홍색 편지 때문에 이제 주홍색만 봐도 경기가 일어날 정도였다. 두통이 확 덮쳐 오자 린지는 머리를 주물렀다.

'아, 잠깐.'

문득 린지의 머릿속에 빛이 반짝였다. 그러고 보니…….

'그게 있었지.'

린지는 침대 아래에서 상자를 하나 끌어냈다. 갈색의 나무 상자 안에는 다양한 물건들이 즐비해 있었는데, 린지는 그 안을 뒤적이더니 무언가를 찾아내서 꺼내 올렸다.

"여기 있다."

투명한 유리에 담긴 예쁜 소이 캔들이었다. 유리 뚜껑을 열자 불을 붙이지도 않았는데 상쾌한 향이 흘러나왔다. 린지는 조금이나마 머리가 맑아지는 것을 느끼며 웃음을 지었다.

"버리지 않고 가지고 있길 잘했네."

소이 캔들을 비롯하여 나무 상자 안에 있는 모든 물건들은 그동안 받아 왔던 선물들이었다. 받지 않으려고 무던 노력했으나 펑펑 울거나 떼를 쓸 경우에만 어쩔 수 없이 받았었던 것들이었다. 그대로 쓰기엔 찜찜하고 버리기엔 미안해서 간직해 두고 있었던 것이었는데…….

'요즘처럼 스트레스 받는 날에는 이게 최고지. 레이라 덕분에 이런 좋은 물건도 알게 되고, 역시 레이라는 최고야.'

레이라가 주었던 캔들은 이미 다 써 버린 지 오래였다. 만약 그녀가 이 캔들에 대해 소개해 주지 않았더라면 이 선물들은 나무 상자 안에서 영원히 썩어 갔으리라. 린지는 싱긋 웃으며 성냥개비를 꺼내 불을 붙였다. 뭐라고 딱 집어 말할 수 없는, 하지만 너무나도 맑아서 기분을 좋게 만들어 주는 상쾌한 향기가 방 안을 채우기 시작했다.

"이제야 좀 살 것 같다."

잔뜩 날이 서 있던 마음이 향기로 인해 조금씩 누그러져 갔다. 린지는 만족스러운 얼굴로 향을 테이블 위에 올려다 놓았다.

"하암- 졸려."

향기 덕분일까, 졸음이 쏟아져 내렸다. 린지는 멍하니 허공을 바라보다가 침대 위에 털썩 앉았다.

'졸려. 잠깐만 앉아 있다가 씻어야겠다…….'

라고 생각하는 순간 린지의 눈꺼풀이 감겼다. 털썩 소리와 함께 그녀의 몸이 침대 위로 쓰러졌다.

"……."

순식간에 잠으로 빠져든 린지의 몸 위로 묘한 향기가 안개처럼 맴돌았다.

린지가 잠에 끌려 들어가기 오 분 전.

낯선 사내가 백작 가문의 저택을 걷고 있었다. 사내를 마주친 고용인들 모두가 본 적이 없는 얼굴이었다. 기사들 역시 마찬가지였다. 알지 못하는 자가 저택을 걷는 모습에 기사들은 검문을 해야 하나, 짧게 고민했다. 하지만 고민은 오래가지 못하고 끝났다. 그럴 필요가 없어 보였던 것이다.

'귀족이다.'

그를 마주친 사람들 모두의 머릿속에서 똑같은 생각이 스쳐 지나갔다. 귀족이다, 분명히 귀족이야. 귀족이 아니고서야 저 당당한 걸음걸이와 품위 넘치는 풍채, 그리고 고귀함마저 느껴지는 저 외모를 어떻게 설명할 수 있단 말인가.

"어머, 저분 누구야?"

"몰라. 되게 멋있으시다."

지나가는 시녀들이 얼굴을 붉히며 사내의 뒷모습을 쫓았다. 하나 발걸음이 어찌나 빨랐던지, 금방 시야에서 사라져서 아쉽게 바라보아야만 했다.

"우와, 진짜 잘생기셨어."

"어느 가문의 귀족이시지?"

시녀와 시종들이 속닥거리는 소리는 사내의 귀에 고스란히 와 닿았다. 문득 거슬린 듯 그의 짙은 눈썹이 슬쩍 흔들렸지만 발걸음을 멈추진 않았다. 당당하다 못해 오만해 보이기까지 한 검은 눈동자는 정면만을 향해 있었다.

마침내 목적지에 도착한 그는 망설임 없이 손을 내뻗었다. 벌컥, 문을 열자마자 그는 긴 다리를 움직여 방 안으로 들어섰다. 그곳에는 은빛 머리카락의 미남자가 웃으면서 서 있었다.

"……."

잘 벼려진 검처럼 날카로운 사내와는 달리, 은발의 남자에게서는 부드러운 분위기가 맴돌았다. 머리칼 역시 눈부신 은빛과는 전혀 다른 새까만 흑색. 상극의 이미지가 한 장소에서 서로를 마주 보며 부딪쳤다. 침묵은 아주 짧았다. 휘안은 웃음을 머금은 상태 그대로 입술을 열었다.

"하쥰."

휘안은 한 발자국 가까이 사내, 하쥰에게 다가갔다. 그러자 누가 먼저라고 할 것도 없이 휘안과 하쥰은 서로 손을 내뻗어 마주 잡았다.

"오랜만이야."

굳게 닫힌 하쥰의 입술이 처음으로 열렸다.

"여전하군, 휘안."

휘안은 하쥰에게 자리를 권했다. 그리고 테이블 위로 와인을 꺼내 놓았으나, 둘 중 그 누구도 잔을 집지 않았다.

"어떻게 지냈어? 얘기 좀 해 봐."

휘안은 싱글싱글 웃었다. 사내, 하쥰은 웃고 있는 휘안의 모습을 못마땅하게 쳐다보더니 말했다.

"너, 언제까지 그렇게 실실 쪼개고 다닐 생각이냐?"

만약 누군가가 옆에서 들었더라면 귀를 의심할 정도의 대사였다. 휘안 데 르카플로네 백작에게 저런 막말을 지껄일 수 있는 사람이 있었단 말인가? 더 의외인 것은 휘안의 반응이었다. 그는 도리어 하쥰의 폭언을 즐기듯 리듬 섞인 어조로 답했다.

"이런. 하쥰은 여전히 내 표정이 마음에 안 드나 봐."

"어쭙잖은 소리 집어치워, 자식아."

그때 문이 벌컥 열리고 예르시카가 들어왔다. 그녀는 소파에 앉아 있는 하쥰을 보고서 잠시 눈을 동그랗게 떴을 뿐, 별다른 말 없이 문을 닫고 다가왔다. 하쥰은 다가오는 예르시카를 쳐다보며 삐뚜름하게 웃었다.

"어이, 얼음 마녀. 왔냐?"

'얼음 마녀'라는 단어에 예르시카는 미간을 찡그렸다. 분명 이 자리에 휘안이 없었더라면 독설을 내뱉을 만한 표정이었다. 그 마음을 눈치챘는지 하쥰은 그녀를 놀리듯이 비아냥거렸다.

"어딜 갔다 온 거야, 얼음 마녀 예르시카 경? 휘안 녀석의 등딱지에 딱 붙어서 떨어지지 않는 것이 네 역할 아니었던가?"

한껏 비꼬아져 있는 말을 참아 내느라 예르시카는 주먹을 콱 쥐어야만 했다. 휘안이 없었더라면 한걸음에 달려가 하쥰의 뒤통수를 내려치고도 남았으리라.

"그래, 예르시카. 어디 갔다 왔어? 갑자기 휙 나가 버려서 놀랐다고."

휘안 역시 궁금하다는 듯 묻자 예르시카는 하쥰을 한번 노려본 후 다시 공손한 표정으로 돌아가 말했다.

"잠시 린지안 아르즈벨에게 갔다 왔습니다."

"응? 어째서?"

휘안이 호기심을 드러내며 묻자 예르시카가 머뭇거리더니 말했다.

"그동안 잘못 판단한 일을 사과하고 왔습니다."

"역시 예르시카는 대단해. 난 이래서 예르시카가 좋다니까."

하쥰은 그 꼴을 못마땅하다는 눈빛으로 쳐다보다가 말했다.

"휘안 네놈은 혀에 뭐가 달리기라도 했냐? 한마디 한마디가 너무 매끄러워서 기분 나빠."

"그 입 다물어라, 하쥰. 감히 휘안 님께……."

하쥰의 말에 예르시카가 발끈해서 서늘하게 말하자 휘안이 만류하듯 손을 들어 올렸다. 예르시카는 어쩔 도리 없이 입술을 다물었지만 분한 눈빛은 여전했다.

"너무 그러지 마, 예르시카. 하쥰은 내 친구잖아."

휘안이 말하자 하쥰이 한쪽 입꼬리를 올리며 예르시카에게 말했다.

"들었냐, 얼음 마녀 예르시카 경? 너의 대단한 휘안 님께서 하지 말라신다."

"하쥰, 너도 그만해. 싸우러 온 거 아니잖아?"

휘안의 말에 그제야 하쥰은 예르시카를 도발하던 것을 그만두었다. 하나 마지막으로 조소 섞인 눈빛으로 바라봐 주는 것은 잊지 않았다.

"그나저나 린지안이라니, 그게 뭐야?"

"아아. 내 개인 시종이야. 그렇잖아도 얘기하려고 했어."

휘안이 싱긋 웃으면서 와인을 들어 올렸다. 그러자 하쥰 역시 자동적으로 잔을 잡아 내밀었고, 휘안은 그 안으로 와인을 따라 주었다. 하쥰이 와인 한 모금을 넘기는 것을 바라보던 휘안이 입을 열어 말했다.

"그 녀석, 마음에 들거든."

푸흡!

휘안의 말이 끝나자마자 하쥰은 와인을 내뿜었다. 그는 사레라도 걸린 듯 콜록거리며 휘안이 내민 손수건을 받아 들어 와인을 닦아 내었다.

"뭐라고?"

하쥰의 얼굴은 괴상하게 일그러져 있었지만, 그러한 표정마저 묘하게 근사했다. 휘안은 그의 모습을 즐겁게 바라보다가 다시 말했다.

"내 시종 린지안 아르즈벨, 나 그 녀석이 아주 마음에 들어."

하쥰은 믿기지 않는다는 듯 휘안을 쳐다보다가 예르시카에게 시선을 옮겼다. 그는 아무 말 하지 않았지만 검은 두 눈동자에는 휘안이 제정신이냐는 물음을 담고 있었다. 그 물음에 예르시카가 차분하게 답해 주었다.

"……나 역시. 마찬가지다."

그녀가 연이어 뒤통수를 때려 오자 하쥰은 얼얼한 표정이었다. 그는 잠시 그녀를 바라보다가 휘안을 노려보듯 쳐다보았다.

"내 생전 태어나 네놈 입에서 누가 마음에 든다는 얘기는 처음 들어 본다, 휘안."

"아아, 그래? 하지만 처음은 아닌걸. 난 너도 제법 마음에 들거든."

"으악, 입 닥쳐!"

순간 소름이 돋아 오른 하쥰은 양팔을 미친 듯이 긁적거렸다. 그 모습을 즐거운 시선으로 지켜보던 휘안이 키득키득 웃음을 흘렸다.

"진심이야. 난 린지안 군이 마음에 들어."

휘안은 와인 잔을 들어 올려 한 모금 가볍게 넘긴 후 말했다.

"일도 잘하고 책임감도 강해. 그리고 얼마 전에는 날 위해 목숨을 내던지더군. 어때? 마음에 들 만하지?"

"……."

"그리고 엄청 귀여워. 보고 있자면 깨물어 주고 싶을 정도야."

휘안의 이어지는 말에 하쥰은 다시 오싹한 기분을 느꼈다. 그는 견디지 못하고 자리에서 벌떡 일어났다.

"그놈, 내가 봐야겠다. 방 어디야?"

"4층의 우측 끝 방에 있다."

예르시카가 기다렸다는 듯 말하자 하준은 망설이지 않고 방을 빠져나갔다. 뒤에서 휘안이 만류하는 목소리를 들었지만 그의 발걸음을 멈출 순 없었다.

'미쳤군. 대체 어떤 놈이기에 저래?'

휘안의 오랜 동료이자 친구인 하준은 믿을 수 없는 심정이었다. 그는 아주 오랜만에 예르시카와 휘안을 만났다. 백작 휘안은 오랜만이었지만 변함없이 그대로였다. 여전히 빛이 나는 외모, 싱글싱글 웃고 있는 입매, 그리고 아주 깊숙한 곳에는 차갑게 냉각되어 있는 보라색 눈동자, 모든 것이 그대로였다. 그런데…….

'마음에 드는 녀석을 만났다고?'

아까 언급했다시피 휘안의 입에서 그런 말이 나온 역사는 없었다. '그 녀석 도움이 되겠어.', '그 녀석 유능해.', '그 녀석 가치 있어.' 등등의 얘기는 들어 본 적 있지만 '그 녀석 마음에 들어.'는 맹세코 생전 처음이었던 것이다!

'대체 어떤 놈이야?!'

휘안과 예르시카에게 인정받을 정도면 자신의 마음에도 들 수 있겠지. 시답잖은 녀석이라면 엉덩이를 걷어차 주겠다! 그는 마치 며느릿감을 보러 가는 시어머니가 된 심정으로 걸어갔다. 하준은 휘안을 만나러 왔을 때보다 더 빠른 걸음걸이로 시종 녀석의 방으로 향했다.

"꺅!"

4층 모퉁이를 돌자마자 한 시녀의 비명이 들렸다. 앞서 걷던 시녀를 보지 못한 하준이 냅다 들이받은 것이다. 그는 넘어지려는 시녀의 몸을 재빨리 낚아채 일으켜 주었다.

"괜찮나?"

"아, 괘, 괘, 괜찮습니다!"

어째서인지 시녀는 몹시 당황하여 말을 더듬더니, 허둥지둥 등을 돌려 오던 길을 되돌아갔다. 분명 앞을 향해 가고 있었는데 왜 갑자기 돌아간단 말인가? 하준은 의아했지만 시녀의 행동에 신경 쓸 겨를이 없었다.

벌컥!

4층 우측 끝 방, 린지안 아르즈벨이라는 팻말이 달려 있는 방문을 하준은 벌컥 열었다.

"뭐야."

저놈이 린지안인가.

"자고 있잖아?"

엎드려 있어서 잘 보이진 않았지만 빨간 머리카락의 날씬한 체형을 가진 소년이었다. 하준이 눈살을 찌푸리며 방 안으로 들어갈 때였다.

화르륵! 순간, 자그마한 불길이 타오르는 것이 느껴졌다. 테이블 위, 작은 유리병 안에서 불꽃이 흔들리는 것이 보였다. 잠시 후 불꽃이 거짓말처럼 사라졌고, 유리병 안에는 작은 까만 알갱이 몇 알만이 흔들리며 남겨졌다.

"뭐야 이건?"

유리병 안에서 불이 났다가 저 혼자 꺼지다니. 이게 무슨 광경이란 말인가? 하준은 유리병의 정체를 확인하기 위해 테이블 옆으로 가까이 다가갔다.

"……이건 또 뭐야!"

하나 그는 유리병보다 더 이상한 것을 발견하고는 소리를 높였다. 하준은 봉투와 편지를 들어 올려 살펴보았다. 자세히 들여다보는 그의 얼굴이 점점 찌푸려졌다. 피로 그림을 그리다니, 누가 이런지는 몰라도 제정신이 아닌 건 분명했다. 하즌이 의심쩍은 눈으로 봉투를 살피고 있을 때, 인기척이 느껴졌다.

"……누구?"

하즌은 그대로 몸을 돌려 시종을 바라보았다. 잠에서 막 깨어난 붉은 머리칼의 소년이 몽롱한 눈으로 그를 응시하고 있었다.

'……뭐야. 여자? 아니 남자?'

소년의 눈동자와 마주친 하즌은 순간 당황했다. 하얀 뺨 위로 흐트러진 붉은 머리칼, 그리고 조금 더 짙은 두 쌍의 눈동자…….

'묘하군.'

그는 잠시 넋을 놓고 시종을 바라보고 말았다. 이렇게 묘한 분위기를 가진 사람은 본 일이 없었다.

'아니지. 난 저 녀석을 검사하러 온 거라고!'

생각보다 외모가 뛰어나든 말든 중요한 게 아니다. 하즌은 초심으로 돌아가며 시종에게 가까이 다가갔다. 침대에 앉아 있는 시종은 그때까지도 초점 없이 멍한 표정이었다.

"야. 너 이거 뭐냐?"

하즌은 침입자 주제에 당당하게 편지와 봉투를 내밀며 물었다. 그는 피로 그려진 이 그림의 정체를 알아낼 작정이었다. 만약 이 미친 편지가 시종 녀석이 만든 거라면 무슨 수를 써서라도 휘안의 곁에서 떨쳐 내고 말리라, 하즌은 그렇게 결심했다.

"……."

시종은 주홍색 편지 봉투와 편지, 그리고 하즌을 번갈아 쳐다보았다. 그리고 잠시 후. 린지가 자리에서 천천히 일어났다. 그러고는 하즌에게 가까이 다가오면서 말했다.

"성함이 어떻게 되십니까?"

시종이 넋 나간 얼굴로 자신을 향해 걸어오자 하준은 저도 모르게 한 걸음 뒤로 물러섰다. 그러자 린지가 한 걸음 더 가까이 바싹 다가왔다. 한 걸음, 또 한 걸음.

'뭐야, 이 자식?'

왜 이렇게 가까이 달라붙는단 말인가? 당황을 넘어서서 불쾌함이 느껴지자 하준은 미간을 좁혔다.

"성함을 알려 주세요."

"하준이다. 그건 그렇고 이거 뭐냐고!"

하준은 버럭 소리를 지르며 한 걸음 또 뒤로 물러섰다. 탁! 그의 등이 벽에 닿자 하준은 낭패감을 느꼈다.

'잠깐. 내가 왜 이래야 하는데?'

저 녀석이 가까이 다가오면 한 대 치면 되잖아! 하준은 가까이 다가오려고 하는 린지를 밀치기 위해 손을 올렸다.

"하준 님."

하지만 작은 목소리로 달싹거리며 눈을 빛내는 모습에 이상하게 손이 움직이질 않았다. 왠지 때렸다가는 저 뽀얀 피부에 생채기가 날 것 같기도 하고…….

'그래, 휘안이 아끼는 시종이라는데 함부로 손찌검할 순 없지.'

무언가가 이상했다. 시종의 눈빛을 받는 순간 하준은 할 말을 잃었다. 애절함에 잔뜩 젖어 반짝이는 저 붉은색 눈동자가 그를 바라보고 있었던 것이다. 다음 순간, 린지가 그의 얼굴을 잡고 확 끌어당겼다.

"……!"

크게 열린 하준의 눈동자로 린지의 속눈썹이 드리워졌다. 새하얀 피부가 바로 눈앞에서 반짝였다. 입술 위로 포개진 감촉이 부드럽게 그를 자극했다. 시종이 갑자기 입을 맞춘 것이다!

사내의 것이라고 하기엔 묘하게 달짝지근한 향내가 확 와 닿았다. 마찬가지로 사내의 것이라고는 믿기지 않을 만큼 보드라운 입술이 계속해서 그의 안으로 파고들었다. 하쥰은 너무나도 놀라 차마 시종을 떨쳐 내지도 못했다.

'자, 잠깐. 이게 뭐냐고!'

자극적인 시각, 후각 사이에서 겨우 정신을 차린 하쥰이 두 팔을 들어 올렸다. 그리고 이 시종을 밀쳐 내기 위해 어깨를 잡는 순간.

"뭐 해?"

목소리가 들려왔다. 이 순간에만큼은 듣고 싶지 않았던 목소리였다. 하쥰은 시종을 획 밀치며 뒤를 돌아보았다. 그곳에는 휘안이 싱긋 웃으며 문가에 기대어서 그들을 바라보고 있었다.

"휘, 휘, 휘, 휘안."

하쥰은 당황해서 말을 더듬었다. 대체 저 녀석은 언제 왔단 말인가! 휘안은 물끄러미 하쥰과 린지를 번갈아 쳐다보더니 다시 방긋 미소했다.

"뭐 하냐고 물었어."

"......아, 젠장!"

뭐라고 말해야 할지 머리가 복잡해졌다. 하쥰은 대뜸 욕설을 지껄인 후, 등을 획 돌려 시종 린지의 멱살을 잡아끌었다. 그러고는 휘안의 앞으로 내동댕이치듯 던졌다. 그의 발아래로 붉은 머리칼의 소년이 굴러오자 휘안의 눈썹이 꿈틀거렸다.

"저 녀석이 다짜고짜 입을 맞췄다고!"

사실이었다. 하쥰은 입술을 한번 닦으며 버럭 화를 냈다.

"이 새끼 뭐야?! 미친 거 아니야?!"

너무 놀란 나머지 바로 대응하지 못한 자신도 문제가 있었지만, 모든 건 다 저 녀석 탓이었다! 그는 붉은 머리칼의 시종을 노려보았다.

"남자 새끼가 어딜 감히……!"

여자도 아니고 남자에게 기습 입맞춤을 당했다. 그렇게 생각하자 순식간에 화가 치솟아 하쥰의 얼굴이 새빨갛게 달아올랐다. 하쥰은 저 시종 녀석을 한 대 걷어차기 위해 성큼 다가갔다.

"그만둬, 하쥰."

하쥰이 린지의 멱살을 잡아 일으키려고 했으나 휘안의 손이 중간에 껴들었다. 그렇게 말하는 휘안의 보라색 눈동자는 오히려 하쥰을 나무라는 기색인지라 기가 막히다 못해 코까지 막힐 정도였다.

"어이, 너 못 믿는 거냐? 내가 한 게 아니라니까! 야! 뭐라고 말 좀 해 봐!"

휘안이 자신을 나무라고 저 시종 녀석을 보호하다니! 하쥰은 이 상황이 몹시 충격적이었다. 무려 십 년을 넘게 알고 지내 온 자신보다 저 시종 녀석의 편을 드는 것인가!

"널 못 믿는 게 아냐. 다만 함부로 손을 들지 말라고 얘기하는 거야. 린지안 군은 내 시종이니까."

결론은 절대로 때리지 말라는 소리였다. 이 말이 더 충격인 건 왜일까? 하쥰이 일그러진 얼굴로 휘안을 쳐다보았으나 그는 더 이상 하쥰에게 시선을 두지 않았다. 휘안은 넘어진 린지를 감싸듯이 일으켜 주고 있었는데 매우 걱정스러운 눈빛이었다.

"린지안 군. 괜찮아?"

강제로 입맞춤당한 것은 이쪽이라니까 왜 저쪽의 안부를 묻는 건데……. 하쥰이 억울함에 가슴이 답답해질 때였다.

시종이 비틀거리며 자리에서 일어났다. 그러고는 휘안을 뿌리친 후 그에게는 시선조차 던지지 않고 하쥰을 향해 고개를 돌렸다. 마치 타오르는 듯한 붉은색 눈동자에 하균이 순간 멈칫하는 찰나, 시종의 입이 열렸다.

"사랑합니다."

방 안에 정적이 확 내려앉았다. 분노로 씩씩거리던 하균도, 그를 만류하던 휘안도 그 어떤 반응을 내보일 수 없었다. 숨 막히는 침묵이 이어진 후 시종이 다시 말했다.

"사랑합니다. 제 마음을 받아 주세요!"

그 목소리는 너무나도 간절하고 또 달콤해서, 하균은 순간 자신이 죄인이 된 기분이었다.

와락!

두 남자가 당황하는 사이 린지는 어느새 하균에게 뛰어들어 그를 끌어안았다. 가느다란 몸이 매달려 오자 하균은 소스라치게 놀라며 시종의 어깨를 잡아뗐다.

"야! 휘안! 이 새끼 미쳤다니까!"

그렇게 말하는 하균의 얼굴은 가관이었다. 태어나서 이렇게 당황해 본 적은 맹세코 한 손으로도 꼽을 수 있을 정도다. 남자에게 입맞춤을 당하는 데에 이어 갑자기 고백을 받다니, 이건 상상도 못 해 보았던 일이었다. 마른하늘에 날벼락이 내리쳐도 이렇게까지 놀라진 않았을 거다.

하균은 자꾸만 안기려고 버둥거리는 시종의 이마를 떡하니 잡고 밀어냈다. 가냘파 보이는 소년 주제에 힘이 얼마나 센지, 오지 못하게 버티는 팔이 뻐근하게 저려 왔다. 그는 서둘러 휘안에게 도움을 요청했다.

"야, 휘안! 뭘 보고만 있어! 이 녀석 어떻게 좀 해 봐!"

휘안은 그제야 자신의 본분을 떠올린 듯 고개를 끄덕였다. 그는 린지에게 다가가 어깨 위에 손을 올리고는 만류했다.

"린지안 군, 그만……."

"이것 놔요!"

탁!

린지가 자신의 어깨를 잡아끌던 휘안의 손을 강하게 뿌리쳤다. 그 움직임에서 느껴진 거부 반응이 얼마나 거칠었는지 휘안은 두 손을 든 상태 그대로 멈춰서 굳어 버렸다. 사나운 붉은 눈동자가 휘안을 똑바로 노려보았다.

"방해하지 마시죠."

짐승 같은 기세로 경고한 린지의 눈빛에는 살기마저 맴돌았다. 순간 휘안의 표정에 웃음이 사라졌다. 휘안은 나지막하게 중얼거렸다.

"제정신이 아니군."

하나 린지는 그 눈빛에도 기죽지 않고 그를 노려보았다.

"백작님께서 상관할 바가 아닙니다."

차갑게 되받아친 시종은 다시 고개를 돌려 하준을 바라보았다. 하준은 휘안을 대하는 린지의 태도에 또 한 번 충격을 받고 있었다. 감히 휘안을 상대로, 백작을 상대로 저게 무슨 태도란 말인가?

"야! 휘안, 이 녀석 진짜 미친……."

순간, 하준은 휘안이 시종의 목을 강하게 치는 것을 보고 입술을 다물었다. 얼마나 세게 쳤는지 시종의 몸이 앞으로 튕겨 나가 테이블에 부딪칠 정도였다.

쾅!

린지의 몸이 휙 날아가 테이블을 넘어뜨렸다. 그러자 그 위에 쌓여 있던 주홍 봉투, 편지지, 펜, 그리고 유리병이 바닥으로 엎어졌다.

쨍그랑!

유리 파편이 깨지는 순간 시종의 뺨 위로 생채기가 한 줄 획 그어졌다. 동시에 병 안에 담겨 있던 검은 구슬들이 또르르 방 안을 굴렀다.

"어, 어이. 그렇게까지 때릴 필요는……."

생각보다 훨씬 격한 휘안의 반응에 하준은 당황했다. 하지만 휘안은 하쥰도, 기절한 듯 미동 없는 린지도 신경 쓰지 않고 다른 곳에 시선을 두었다.

탁!

검은 구슬이 휘안의 발끝에 부딪쳐 멈춰 섰다. 휘안은 가만히 구슬을 쳐다보다가 허리를 숙여 집어 올렸다.

"아, 그래. 그거. 그렇잖아도 말하려고 했다. 갑자기 불이 저절로 타오르더니 꺼지면서 저게 생겼어."

"……."

"보아하니 알케미스트들의 작품 같던데."

하쥰의 말에 휘안의 눈에 이채가 스쳐 지나갔다. 그는 나머지 하나의 구슬도 집어 품 안 주머니에 넣은 후, 린지에게 다가갔다.

시종 린지안은 완전히 기절한 듯 정신을 못 차리고 있었다. 유리병이 깨질 때 스쳤는지 뺨에는 가느다란 실핏줄 한 줄이 그어져 있었다. 휘안은 그 몸을 들어 올려 침대 위에 조심스럽게 눕혔다.

"어이, 네가 때려 놓고 그렇게 공주님 대하듯이 하는 건 뭐냐?"

그 꼴을 지켜보고 있던 하쥰의 표정은 괴이했다. 지금 보여 주고 있는 휘안의 행동들이 하나같이 다 이상했다. 십 년 넘게 보아 온 자신보다 시종 녀석의 안위를 더 챙기는가 싶더니 갑자기 폭력을 휘둘러 기절시키고, 소중하게 안아서 침대 위로 올려놓다니.

'저 녀석 왜 저래?'

하쥰은 못마땅한 얼굴로 휘안의 옆으로 다가갔다. 휘안은 곤히 잠든-아니, 기절한 시종의 얼굴을 가만히 쳐다보고 있었다.

"어떻게 된 거야?"

휘안은 시종의 얼굴에서 시선을 떼지 않은 상태로 물었다.

"나도 뭐가 뭔지."

하쥰은 한숨을 푹 내쉬며 신경질적으로 검은색 머리칼을 쓸어 넘겼다.

"들어왔을 때 저 녀석은 자고 있었어. 근데 갑자기 저 유리병에서 불길이 치솟더니 저 혼자 꺼지더라고. 뭔가 해서 가까이 다가가니까 저 이상한 편지들이 있었고……."

하쥰은 사방으로 퍼진 주홍색 봉투와 편지지들을 가리켰다.

"그때 저 녀석이 깨어나기에 편지를 내밀면서 물어봤다. 이게 뭐냐고 말이야. 근데 갑자기 다짜고짜……."

"다짜고짜 뭐?"

휘안은 하쥰이 말끝을 흐리자 궁금한 눈빛으로 그를 쳐다보았다. 차마 말을 이을 수 없던 하쥰은 짜증스럽게 대꾸했다.

"뭐긴 뭐야. 네가 본 장면들이 펼쳐진 거지. 갑자기 들이댔다고, 저 녀석이! 내 의지는 전혀 없었다는 걸 알아 둬!"

그 순간의 일을 다시 떠올리자 화가 치솟아 하쥰의 말투가 거칠어졌다.

"네가 아낀다는 시종 놈이기에 궁금했었는데 제대로 미친놈이었군."

"제정신이 아니야."

"그래, 제정신이 아니라고!"

네놈도 인정하는구나! 하쥰은 내심 휘안이 끝까지 저 시종을 두둔하지 않을까 생각했지만 괜한 걱정이었다. 휘안은 진지한 표정으로 다시 말했다.

"린지안 군은 지금 제정신이 아니야. 무언가에 조종당하고 있는 것 같아."

"……그게 무슨 개소리냐?"

"지금 본인의 정신이 아니라는 뜻이야. 제정신이라면 아까처럼 행동할 리 없거든."

그렇게 말하는 휘안의 눈동자는 한 줌의 농담이나 거짓이 느껴지지 않아서 듣는 하준은 당황스러웠다. 그는 잠시 할 말을 찾지 못하고 멍하니 휘안을 바라보았다.

"그럼 누군가가 정신 조작이라도 했다는 거냐?"

"그럴 가능성도 적지 않지."

"저 녀석을? 대체 왜?"

하나 휘안은 하준의 말은 한 귀로 흘리고 그를 바라보았다.

"일단 내려가자, 하준. 예르시카와도 이야기를 해 봐야겠어."

그렇게 말한 휘안은 등을 휙 돌려 방 안을 빠져나갔다. 그 뒷모습을 쳐다보던 하준은 잠든 시종에게 시선을 주었다. 소란을 일으켜 놓은 장본인 주제에 시종의 얼굴은 매우 평온해 보였다.

'나도 모르겠다. 저 녀석이 알아서 하겠지!'

내 시종이 아니라 휘안 시종이니까, 뭔 상관이랴. 하준은 자포자기의 심정으로 한숨을 푹 내쉬었다.

한발 늦게 도착한 하준은 이미 휘안이 예르시카와 이야기를 나누고 있는 것을 발견했다. 간략하게 설명을 들었는지 예르시카의 눈에는 놀라움과 경악이 가득했다.

"알케미스트들이 만든 장난감에 당한 거야. 사랑에 빠지게 만드는 향이라고 해야 할까. 나 원, 별 엉뚱한 것도 있다니까."

그렇게 말한 게 웃긴지 휘안은 키득거리며 웃음을 흘렸다. 잠자코 듣고 있던 예르시카가 말했다.

"그럼 지금 린지안 군이 향을 맡고 사랑에 빠졌다는 겁니까? 하준 녀석에게?"

"야, 말도 마라. 생전 처음 남자에게 사랑 고백 받았다고!"

문득 아까의 일이 떠오르자 소름이 확 돋아 올랐다. 하준은 오돌토돌

해진 팔을 벅벅 긁으며 성을 냈다.

"그래, 휘안의 말이 맞다고 쳐. 그럼 누군가가 일부러 린지안 녀석을 저렇게 만들었다는 거잖아? 일부러 사랑에 빠지게 만드는 향초를 보내서?"

"그래. 그리고 그런 물건을 만들 정도의 녀석이라면, 단 한 명뿐이지."

휘안의 눈이 위험하게 빛났다. 그는 이러한 향초에 대해 잘 알고 있었다. 얼마 전에도 그가 후원했던 화가, 에드위드 역시 비슷한 향초를 만들었으니까. 에드위드는 일반 알케미스트가 아닌 고대 연금술의 지식을 조금이나마 받은 진짜 연금술사였다. 하지만 그래 봤자 옅은 지식이었기에 만들 수 있었던 것은 독특한 마비 향 정도뿐, 지금처럼 정신을 조작하는 향초를 만들 실력은 되지 못했다.

"레너드. 그 녀석이 에드위드처럼 누군가에게 연금술을 가르쳐 준 것이 아니라면, 레너드 외에 이런 것을 만들 사람은 없어."

그때였다. 하쥰과 휘안, 예르시카가 입을 다물고 고개를 획 돌렸다. 그들의 시선이 방문이 모이는 순간 문이 벌컥 열렸다.

"하쥰 님!"

붉은 머리칼의 소년이 가쁜 숨을 내쉬며 외쳤다. 시종이 등장하자 하쥰이 화들짝 놀라 한 걸음 뒤로 물러섰다.

"뭐, 뭐야, 저 녀석! 왜 이렇게 빨리 일어나!"

"린지안 군이 맷집이 좋거든."

휘안이 난감하게 웃으며 앞으로 걸어갔다. 하나 그런 휘안을 아는지 모르는지, 린지의 두 눈은 하쥰에게만 꽂혀 있었다. 그의 존재 외의 다른 것들은 인식조차 못 하는 것 같았다.

"하쥰 님, 보고 싶었어요! 정말 보고 싶었어요!"

"야! 십 분 전에 봤었거든!"

어이가 없어진 하쥰이 빽 소리를 지르자 린지가 그의 품 안에 달려들었다. 아니, 달려들려고 했다. 그 순간 휘안이 그녀의 팔을 다소 거칠게 잡아채 막았다.

"린지안 군, 적당히 해."

팔이 잡히고 나서야 린지는 이곳에 휘안이 있다는 것을 처음으로 알아차린 것처럼 그를 바라보았다. 가만히 그를 바라보던 린지의 얼굴이 서서히 일그러졌다.

"백작님께서는 상관하실 바라고 아니라고 말했을 텐데요."

"그렇지 않아."

휘안은 사납게 말하는 린지에게 더 이상 당황하지 않았다. 할 말을 잃고 멍하니 있지도 않았다. 그는 무서울 만큼 평소와 똑같이 웃음을 지으며 말했다.

"나는 린지안 군의 주인인걸. 그러니까 내가 하지 말라고 명령하면 따라야 해."

순간 린지는 사납게 얼굴을 일그러뜨렸다. 휘안이 처음 보는 표정이었지만 그는 눈썹 하나 움직이지 않았다. 린지가 뿌리치려는 듯 팔에 힘을 주었지만 휘안의 손은 돌처럼 굳어져서 그녀를 놓아주지 않았다.

"이것 놔요! 난 당신에게 볼일 없다고!"

"그게 무슨 말버릇인가!"

보다 못한 예르시카가 화를 못 참고 버럭 소리치며 그를 노려보았다. 무시무시한 눈빛이었지만 린지는 콧방귀를 뀌며 조소를 지어 보였다.

"예르시카 님, 당신 역시 상관할 바가 아닙니다. 저는 하쥰 님과 할 이야기가 있다고요!"

"린지안 군, 진정해."

"진정해야 할 것은 내가 아니라 당신들입니다! 이것 놓으라고!"

그렇게 실랑이를 벌이는 것을 가만히 지켜보고 있던 하쥰이 인상을 팍 찡그렸다.

"야. 너 닥쳐. 시끄러."

하쥰이 한마디 꺼내자 발악하듯 빽빽 소리치며 발버둥 치던 린지가 입을 다물었다. 그리고 놀라울 만큼 순종적인 표정으로 두 눈을 반짝였다.

"너, 이름이 린지안이라고 했던가?"

"네, 하쥰 님. 린지라고 부르셔도 좋아요."

"......뭐야 그건. 애칭이냐? 뭐 아무래도 좋아."

하쥰은 슬금슬금 올라오는 짜증을 느꼈다. 레너드가 만든 향초든 뭐든지 간에, 왜 저런 시종 녀석 때문에 이런 귀한 시간을 낭비해야 하는 건지 이해가 가지 않았던 것이다.

"시끄러우니까 그만 소란 피워. 그 입도 좀 닥치고."

순간 린지의 표정이 흔들렸다. 조용해지긴 했지만 하쥰의 말에 상처를 받은 듯 순식간에 눈가에 눈물이 고였다. 그 모습에 하쥰은 또다시 기가 막혀 왔다. 그의 기준에서는 독설이라고도 할 수 없는 가벼운 경고였는데 저렇게 동요하다니, 어이가 없었다.

"야, 새끼. 뭘 잘했다고 울려고 해? 웃기는 자식이네 저거."

하쥰이 또다시 쏘아붙이자 린지가 재빨리 소매로 눈물을 닦아 냈다. 하나 순식간에 치민 눈물로 붉어진 코끝과 눈가만큼은 가라앉히지 못한 채로 말했다.

"죄송해요, 하쥰 님."

린지의 눈동자에 간절함과 애정이 맴돌았다. 그 애절한 얼굴에 하쥰이 할 말을 잃자 린지가 목멘 목소리로 애원했다.

"제발 저를 미워하지 말아 주세요."

"......"

하쥰은 아무 대답도 못 하고 이상한 숨을 훅 뱉어 냈다. 사랑의 향이니 뭐니, 이상한 최면 상태에 빠져 있다는 것은 알고 있지만…….

"제발요."

하쥰은 린지의 시선을 끝까지 마주하지 못하고 시선을 돌렸다. 처음 봤을 때도 느낀 거지만 이 시종, 남자 주제에 너무 묘하게 생겨서 보고 있으면 마음이 약해졌다.

그 모습을 지켜보고 있던 휘안은 두 눈을 가느다랗게 떴다. 그는 못마땅한 표정으로 린지의 팔을 잡고 있던 손을 놓았다. 하쥰에게 미움받고 싶지 않아서인지 린지는 더 이상 아까처럼 달려들거나 소리 지르지 않았다.

"알겠으니까 그렇게 좀 그만 쳐다봐."

하쥰은 퉁명스럽게 내뱉으며 시선을 돌렸다. 그러다가 문득 자신을 쳐다보고 있는 예르시카와 눈이 마주치고는 미간을 좁혔다. 평소처럼 무표정한 예르시카였지만 그녀를 오랫동안 알고 지낸 하쥰은 알 수 있었다. 지금 저 계집애가 무지 쌤통이라는 눈으로 쳐다보고 있다는 것을!

'저 얼음 마녀가 죽으려고! 내가 이 꼬라지가 되니까 재밌냐?!'

하쥰이 눈빛으로 으르렁거리자 그것을 알아들은 예르시카가 아주 살짝 입꼬리를 올렸다. 아주 재밌다는 대답이었다. 하쥰은 화병이 날 것만 같은 기분에 더 이상 대꾸하지 않고 그녀를 외면했다.

"그래서 이제 어쩔 건데?"

"흐음."

사랑의 향이든 뭐든지 간에 이미 벌어진 일이고, 여기서 중요한 것은 어떻게 해결할지 정하는 거다. 휘안은 잠시 린지를 바라보았다. 익숙한, 하지만 지금 이 순간만큼은 낯선 시종의 옆모습은 언제나처럼 아름답고 미려했다.

"매번 기절시킬 수는 없잖아. 맷집이 좋아서 금방 일어나니까 효율적이지 못해."

"쫓아내든가."

하준이 툭 내뱉자 린지의 어깨가 움찔 떨렸다. 강아지 같은 눈동자에 마음 한구석이 살짝 켕겼지만 하준은 생각을 바꾸지 않았다.

"어쩔 수 없잖아. 정신 조작당한 녀석을 어떻게 시종으로 부려?"

냉정해 보이긴 하지만 정답이긴 했다. 레너드에게 정신 조작당한 시종을 더 이상 어떻게 믿고 곁에 둔단 말인가. 이미 이성적인 판단을 하지 못해서 백작에게 고래고래 소리나 쳐 대는 녀석인데.

"내가 말 안 했나?"

어깨를 으쓱인 휘안이 린지의 머리 위로 손을 올려 마구 쓰다듬었다. 그녀가 깜짝 놀라 백작의 손을 거칠게 뿌리쳤지만 휘안의 웃는 얼굴은 변함이 없었다.

"난 린지안 군이 마음에 들어."

"……."

진심이구나. 하준은 휘안의 두 눈동자를 보면서 느꼈다. 마음에 든다고 하는 저 말이 진심이라는 것을. 휘안은 시종을 내쫓을 생각이라고는 눈곱만큼도 없을 것이다.

"예르시카. 지금 몇 시지?"

"아…… 오후 여덟 시 정도 되었습니다."

갑작스런 부름에 예르시카는 회중시계를 확인했다. 휘안은 눈을 굴려 잠시 위를 쳐다보더니 싱긋 미소를 지었다.

"예르시카는 집사를 불러서 함께 백작 가문의 기사들, 그리고 모든 시종들과 시녀들을 소집해."

"……네?"

"일하고 있는 자들, 쉬고 있는 자들 모두 한자리에 소집해."

휘안은 씩 웃으며 덧붙였다.
"이십 분 줄게."
"……."
"그 후엔 믿을 만한 기사들을 데리고 모든 방을 다 뒤져."
"알겠습니다."
지나치게 급박한 명령이었지만 예르시카는 토를 달지 않고 재빨리 방 밖으로 나섰다. 그 모습을 어리둥절하게 지켜보던 하쥰이 물었다.
"뭐야? 갑자기 왜?"
휘안은 씩 웃더니 기지개를 폈다. 그러고는 하품을 늘어지게 한 후, 조금 나른해진 목소리로 말했다.
"이 기회에 청소 좀 하려고."

방 안에 있음에도 불구하고 저택이 한바탕 뒤집어졌다는 것을 느낄 수 있었다. 고용인들이 어수선하게 어딘가로 끌려가는 소리, 거칠게 방 안을 뒤지는 소리가 청각이 발달된 하쥰의 귀로 들려왔던 것이다. 휘안 역시 마찬가지인지 살짝 거슬리는 듯 난감하게 웃었다.
"역시 대청소는 좀 요란스럽다니까."
"……."
"린지안 군, 차 한잔 부탁해."
휘안이 소파에 앉으면서 멀거니 서 있는 린지에게 부탁했다. 하나 린지는 휘안의 말은 들리지도 않는 것처럼 여전히 하쥰만을 바라보는 상태였다.
"야, 뭐 해. 네 주인이 명령하잖아! 빨리 차 가져와."
"네, 하쥰 님."
린지는 하쥰이 하는 얘기에만 응답했다. 아주 빠른 속도로 차를 내오는 린지의 모습을 보며 하준은 몹시 불편했다. 푹신한 소파에 앉아 있음에도 불구하고 편하지 않았다.

'아, 젠장. 불편해.'

시종 녀석이 저렇게 뜨거운 눈빛으로 쳐다보는 것은 둘째 치고…….

'휘안 녀석, 기분이 안 좋은 게 분명해…….'

휘안 때문이다. 그는 린지가 내온 차를 마신 후 테이블 위로 올려놓았다. 그 동작, 눈빛, 표정은 우아하기 그지없어서 화가 난 사람으로는 보이지 않았다. 심지어 입가에는 여유로운 미소까지 머금고 있었다. 하지만 이미 여러 번 언급됐듯 하준은 어릴 적부터 휘안을 봐 온 사내였다. 저 보라색 눈동자 안에서 불쾌함이 피어오르고 있음을, 그것을 가뿐하게 컨트롤하고 있음을 눈치챌 수 있을 만큼의 시간이었다.

"이봐, 휘안."

"응?"

휘안이 싱긋 미소 지으며 답하자 하준은 답답한 심정이었다. 차라리 대놓고 기분 나쁜 티를 내면 속이라도 시원하지!

"넌 대체 저 녀석 어디가 마음에 드냐?"

하준은 줄곧 궁금해하던 것을 질문했다. 휘안이 처음 마음에 든다고 얘기했을 때부터 대체 저 시종의 어느 점이 특별한지 궁금했다. 하준은 린지를 힐끔 올려다보았다. 그의 옆에 서 있는 린지는 눈이 마주치자 활짝 웃음을 지었다.

"……."

살짝 올라간 눈꼬리 때문에 도도해 보였던 인상이 단숨에 아기처럼 순해졌다. 마치 밤사이 웅크리고 있던 꽃봉오리가 햇살 아래에서 만개하는 듯한 미소였다.

'뭐야. 깜짝이야.'

가만히 있을 때는 성깔 있어 보이는 얼굴인데 저렇게 해맑게 웃으니까 인상이 확 뒤바뀌었다. 어린아이처럼 천진하고 귀여운 미소에 그는 저도 모르게 시선을 빼앗겼다가, 도로 정신을 차리고는 고개를 돌렸다.

'……어.'

휘안의 입매가 굳어 있었다. 하나 눈을 깜빡이는 순간, 마치 환영처럼 사라져 남아 있는 것은 휘안의 미소뿐이었다.

"왜 그렇게 봐, 하쥰?"

"……아니."

"방금 하쥰 너, 아주 희귀한 거 본 거야. 나 린지안 군이 저렇게까지 환하게 웃는 거 처음 보거든."

잘못 봤겠지. 설마 저 시종 녀석이 자기한테 화사하게 웃어 줬다고 그런 싸늘한 표정을 지을 리가…… 천하의 휘안이…….

"린지안 군 어디가 마음에 드냐고 물었었지?"

태연하게 웃음 지으며 말하는 휘안을 보며 하쥰은 고개를 끄덕였다. 동시에 자신의 생각에 확신을 가졌다. 그래, 조금 마음에 들진 않겠지만 그런 표정을 지을 리가 없지. 십 년 넘게 알고 지내면서 휘안이 화내는 것은 단 한 번도 본 일이 없는데.

"너도 차차 알게 되겠지만…… 뭐랄까."

의욕적으로 말하려던 휘안은 입을 다물더니 쓴웃음을 지으며 골똘히 생각에 잠겼다. 잠시 후, 그는 고개를 설레설레 저으며 헛웃음을 내뱉었다.

"뭐부터 말해야 할지 모르겠네."

"그게 뭐냐. 마음에 드는 이유가 있을 거 아냐?"

하쥰은 다시 린지를 쳐다보았다. 딱 보기에 특별한 점이라면 단연 뛰어난 외모였다. 시종은 아름다운 소년이었다. 얼굴과 몸에서 저절로 풍기는 분위기 역시 굉장히 묘했다. 남녀 불문하고 빠져들 듯한 색기가 있었던 것이다.

"설마 사내자식을 외모 때문에 좋아하는 건 아닐 테고."

하쥰의 말에 휘안은 드디어 말할 준비가 된 듯 씩 웃었다.

"책임감이 굉장히 강해. 그 어떤 상황에서도 본인의 일은 무조건 본인이 해결하려고 하지."

"흠."

"그리고 굉장히 독립적이야. 다른 사람한테도 그렇고 나한테도 그렇고…… 바라거나 기대하는 것이 하나도 없어."

"그래?"

"응. 게다가 솔직하고 귀여워. 차가운 면이 있는데도 따뜻한 면도 있어. 그런데도 뭔가 딱 선을 그어서 절대로 넘지 않는 것이 서운할 때도 있고……."

하쥰은 가만히 휘안을 바라보았다. 그렇게 시종의 장점에 대해서 풀어 나가는 휘안의 표정이 마치 소년처럼 해맑았다. 오랫동안 알고 지내 온 하쥰조차 본 적 없는 얼굴이었다.

"무엇보다 나를 위해 목숨을 던졌지. 사실 그 당시에 내가 심술이 나서 굉장히 못되게 굴었거든. 그런데도 망설임 없이 나를 구하려고 하더라."

그렇게 말한 휘안이 굉장히 우스운 듯 푸하핫, 웃음을 터뜨렸다. 그는 진심으로 즐거운 듯 반짝거리기까지 하는 눈빛으로 들떠서 말했다.

"상상이 가, 하쥰? 누군가가 나를 구해 주려고 했다는 거 말이야."

"……아니. 전혀."

"그래, 나도 그런 적은 처음이었어. 누군가 나를 지켜 주려고 했다는 것 자체가 신기하더라고."

하쥰은 고개를 끄덕였다. 이 시종 녀석이 휘안을 향해 쏘아져 오는 화살을 대신 맞아 주었다지. 그 얘길 들었을 때 아주 우스꽝스러운 일이구나,

라고 생각했다. 휘안을 구해 주겠답시고 저 가느다란 몸을 던지다니. 그가 아는 한 그 누구도 휘안을 지켜 주거나 구해 주려 하지 않았다. 개인 기사랍시고 따라다니는 예르시카도 그냥 허울뿐인 역할에 지나지 않다.

그는 그럴 필요가 없으니까.

그 누구의 도움이 필요 없을 만큼, 강하니까.

"이해가 가? 나한테 아무것도 바라는 것이 없는 녀석이 나를 구해 주었어. 누군가가 날 구해 준 적은 그때가 처음이었어. 제법 감동이더라고, 그거."

그렇게 말하는 휘안은 키득키득 웃음을 흘리며 린지를 바라보았다. 그가 웃으면서 자신을 쳐다보든 말든 린지의 시선은 하쥰에게만 향해 있었다.

"정말 마음에 들어. 그러니까 무슨 일이 있어도 내 옆에 계속 두고 싶어."

그 목소리에서 묘한 집착이 느껴지는 것은 착각이겠지……. 하쥰은 애써 그렇게 생각했다. 그는 휘안의 마음을 어느 정도 이해할 수 있었다. 하지만 그럼에도 불구하고, 하쥰은 린지가 못마땅했다.

"레너드가 고른 녀석이다. 저 녀석을 이용해서 네 주변을 혼란스럽게 만들고 있다고."

"알아. 하지만 난 레너드에게 휘말릴 생각 없어."

휘안의 단호한 대답에 하쥰은 할 말을 잃었다. 무어라 답해야 할지, 다음 말을 찾으려는 찰나 그는 옆에서 느껴지는 시선에 인상을 찡그렸다.

"이봐, 그만 쳐다봐."

하쥰이 퉁명스럽게 내뱉었다. 그러자 잠자코 입을 다물고 있던 린지가 울상을 지었다.

"너무하세요. 말도 하지 말라고 하시고, 쳐다보지도 말라고 하시면 저는 어쩌나요."

"보지 말라면 보지 마! 그리고 거기 그렇게 서 있지 말고 차라리 앉아. 부담스러우니까!"

그 말에 린지가 활짝 웃으며 몸을 움직였다. 하쥰의 바로 옆자리로 다가와 앉는가 싶더니, 갑자기 두 팔을 불쑥 내밀어 그를 와락 껴안았다. 갑작스런 포옹에 하쥰이 화들짝 놀라 린지를 떼어 내려 했다.

"야! 너 죽고 싶냐! 내가 가만히 있으랬지!"

"하지만…… 하지만 하쥰 님이 너무 좋단 말이에요!"

린지는 온 힘을 다해 하쥰을 끌어안으며 떨어지지 않으려고 용을 썼다. 그의 가슴에 얼굴을 파묻은 린지가 고개를 들어 올려 하쥰의 눈을 올려다보았다. 매서운 검은 눈동자가 당혹감으로 가득 젖어 있었다.

'아아, 너무 멋있으셔!'

린지는 말 그대로 제정신이 아니었다. 하쥰이 너무나도 멋있었다. 너무, 너무, 너무 멋있어서 아찔할 정도였다.

'어쩜 이런 사람이 존재할 수가!'

처음 본 순간 반해 버렸다. 독수리처럼 매서운 눈매와 새까만 눈동자, 남자다운 턱 선과 칼날 같은 콧대! 차갑고 냉정한 말투도 어쩜 이렇게 섹시한 건지, 린지는 몸이 타오르는 것만 같았다. 방금 내던진 대사처럼 너무 좋아서 견딜 수가 없었다.

린지는 애정으로 몽롱하게 젖은 눈으로 하쥰을 올려다보았다. 그녀의 코끝에 하쥰의 청량한 향이 맴돌았다. 그의 검은색 눈동자와 마주치는 순간, 그녀의 본능이 모든 이성적인 사고를 밀어냈다.

"우와!"

린지가 또다시 얼굴을 가까이 들이대자 하쥰이 기겁하며 그녀의 머리를 밀쳤다. 소름이 돋은 하쥰은 린지를 집어 던질 작정으로 팔에 힘을 주려 했다. 하나 그전에 몸에 찰싹 달라붙어 있던 린지의 체온이 순식간에 떨어져 나갔다. 린지의 옷깃을 잡아 떼어 낸 휘안이 웃으면서 말했다.

"남들 앞에서 지나친 애정 행각은 곤란해, 린지안 군."

입은 웃고 있었지만 눈은…….

'화, 화났다.'

화가 나 있었다. 하나 화가 난 것은 린지 역시 마찬가지였다. 그녀는 몇 번이나 자신을 막아서는 백작을 노려보았다.

"방해하지 마세요."

입술에서 튀어나오는 목소리는 마치 금방이라도 달려들어 씹어 먹을 기세였다. 분노가 끓어올랐다. 저깟 희멀건 자식이 뭐라고 그녀와 하균의 사랑을 방해하는가!

가만히 린지를 바라보고 있던 휘안이 곤란한 듯 웃으며 중얼거렸다.

"……어떡하지? 나 기분 안 좋아지려고 해."

이미 안 좋아 보여……. 하균은 차마 입 밖으로 내뱉지 못하고는 자리에서 벌떡 일어났다. 그러고는 단호한 눈빛으로 말했다.

"야, 린지안 아르즈벨."

"네, 하균 님."

린지는 언제 사나웠냐는 듯 다시 순한 강아지 같은 표정으로 변해 하균을 바라보았다. 아마 꼬리가 있다면 살랑살랑 흔들리고 있었으리라. 그 표정에 잠시 말문이 막혔던 하균은 휘안의 미소를 (화난 얼굴을) 보고는 다시 할 말을 찾아냈다.

"어디서 배워 먹은 버르장머리냐. 다시는 휘안에게 그렇게 말하지 마!"

"……하지만."

"말대꾸하지 마! 그리고 한 번만 더 입술 들이대면 진짜 죽여 버릴 거다. 알겠냐?"

사실 휘안이 아끼는 시종만 아니었다면 이미 두들겨 패서 반죽음을 만들어 놨을 것이다. 하지만 휘안이 대놓고 건들지 말라고 경고한 상태에서 손찌검을 할 수는 없다. 하준의 경고에 린지는 시무룩하게 어깨를 떨어뜨리고는 고개를 끄덕였다. 그녀가 순순히 말을 듣자 하준은 그제야 휘안의 반응을 흘낏 살폈다. 하지만……

'……더 안 좋아진 것 같군.'

하준의 말에 순종하는 모습이 휘안의 성질을 더 긁은 것 같았다. 웃고 있지만 웃고 있는 게 아닌 모습에 하준의 등골이 오싹해졌다. 휘안의 기분이 몹시, 몹시 안 좋아져 버린 것이다.

'아, 젠장! 저런 건 처음 본다고!'

기분이 안 좋은 휘안은 처음 보는지라 하준은 대처 방법을 알지 못했다. 물론 휘안도 인간이니까 그동안 몇 번쯤은 기분 나쁜 일이 있었을 것이다. 하지만 '기분 나빠 한다'는 것을 오랫동안 알아 온 친구에게조차 들킨 적이 단 한 번도 없었다. 하준이 고민에 빠져 있을 때, 노크 소리와 함께 문이 벌컥 열렸다.

"백작님."

예르시카가 들어오자 하준은 동아줄이 내려온 것만 같은 기분이었다. 그가 반갑다는 듯이 웃으면서 맞이하자 예르시카는 의아한 기색으로 말했다.

"수상쩍은 물건이 나온 자들을 찾아냈습니다."

"그래. 어디에 있지?"

"일단 다른 자들과 함께 대연회장에 있습니다."

그 말에 휘안이 씨익 웃음을 지었다. 그러고는 그는 잠시 소파 위에 장식품처럼 내려놓았던 검을 들어 올려 허리에 단단히 동여맸다.

"그럼 청소하러 가 볼까?"

백작가에 고용된 모든 자들이 대연회장에 모여 있었다. 시녀와 시종, 요리사와 정원사들 그리고 기사들. 백작 가문 소속 의료진, 디자이너 등 모두가 있었다. 몇 백에 달하는 수였지만 광활한 대연회장은 넉넉하게 그들을 수용했다.

그들 중 몇 명의 고용인들이 포박된 상태로 앞에 무릎을 꿇고 있었는데, 각자의 앞에는 그들의 방에서 발견된 수상쩍은 물건들이 놓여 있었다. 휘안은 제일 처음으로 한 시종에게 다가갔다. 밧줄에 포박돼 있는 그 시종의 얼굴은 잔뜩 겁에 질려 있었다. 휘안은 물끄러미 그 시종을 내려다보다가 앞에 놓인 물건을 집어 들었다.

"헤에, 이것 봐라."

휘안은 피식 웃음을 흘리며 그 물건, 종이를 읽어 내렸다. 그곳에는 르카플로네 가문과 휘안에 대한 정보가 빼곡히 적혀 있었다. 그래 봤자 평범한 시종이 알아낼 수 있는 선에서였기 때문에 핵심적인 것은 없었지만…….

"내 정보를 누구한테 판 거지?"

돈을 받고 정보를 파는 것이 분명했다. 휘안이 싱긋 웃으면서 시종에게 묻자 시종은 고개를 푹 숙였다.

"오, 오해십니다. 저는 정보를 팔지 않았습니다."

"그래? 그럼 이 종이들은 뭐야? 지나치게 체계적으로 정리가 되어 있는데?"

휘안이 미소 지으며 종이를 차례차례 넘겨 읽어 갔다. 그러던 와중 밀서가 발견되자 휘안이 피식 웃었다.

"마르텡 정보 길드의 인장이군."

밀서 아래에는 방패와 늑대가 새겨진 인장이 찍혀 있었다. 휘안은 그 인장이 무엇인지, 누구의 것인지 아주 잘 알고 있었다. 시종은 휘안이 한눈에 알아볼 줄은 몰랐는지 단번에 안색이 새하얘졌다.

"이런. 정보 길드 중에서도 제일 악질적이라는 길드에 나를 팔아먹고 있었구나. 인장까지 가지고 있는 것을 보니 애초부터 이 정보 조직의 일원인 것 같은데? 백작가에 몰래 숨어든 건가?"

"아, 아닙니다. 그런 게 아닙니다."

그러자 옆에서 지켜보고 있던 예르시카가 경멸의 시선으로 시종을 노려보며 말했다.

"저 시종의 평소 필체와 정보가 쓰여 있는 필체가 일치합니다."

"아, 아닙니다! 저는, 그저…… 그저……!"

하지만 증거가 너무나도 확실한지라 시종은 아무 말도 할 수 없었다. 그를 물끄러미 바라보고 있던 휘안이 문득 방긋 미소를 지었다. 다음 순간.

"아아아악!"

시종의 비명 소리가 대연회장을 울렸다. 숨을 죽인 채 그 장면을 지켜보던 고용인들의 입에서 공포에 질린 비명이 짧게 흘러나왔다.

휘안은 검에 묻은 피를 한 번 털어 냈다. 날카로운 쇠붙이에 잘린 시종의 왼쪽 팔이 뒹굴며 옆에서 순서를 기다리고 있던 시종의 무릎에 와 닿았다. 그러자 시종이 소스라치게 놀라며 억눌린 신음을 내뱉어 냈다.

"악, 아아악!"

휘안에 의해 팔이 잘린 시종이 입에 거품을 물고 비명을 내뱉어 냈다. 그의 눈물 고인 눈동자가 애원하듯 휘안을 올려다보았다. 휘안은 평소처럼 태연하게 미소 짓는 얼굴이었다.

"아, 왼팔을 잘라 버렸네. 혹시 오른손잡이야?"

"자, 잘못했습니다! 제발……!"

"가만히 있는 게 좋을 거야. 몸부림치면 잘못해서 목을 자를 수도 있거든."

그렇게 말하며 웃은 휘안이 다시 한 번 검을 들어 올렸다. 그 검이 내리쳐지면 오른팔마저 잘리고 말 것이다. 시종은 고통과 함께 극한의 공포 속에서 몸을 바싹 엎드렸다.

"라, 람피스 공작이 의뢰했습니다!"

"……."

시종이 덜덜 떨며 말하자 휘안이 올렸던 검을 내려놓았다. 그러자 시종이 안도의 한숨을 내쉬며 말을 이었다.

"람피스 공작이 의뢰했습니다! 백작님의 정체를 알아봐 달라고요! 제발, 제발 용서해 주십시오, 제발……."

"그래. 용서해 줄게."

휘안은 산뜻한 표정으로 말하며 예르시카에게 눈짓했다. 그러자 예르시카가 그녀의 뒤에 선 기사들에게 손짓했고, 그들은 시종을 연회장 밖으로 끌고 갔다.

"절 어디로 보내시는 겁니까! 배, 백작님! 용서해 주십시오!"

쾅!

하나 시종의 목소리는 연회장 문이 닫히자 신기루처럼 사라졌다. 거짓말 같은 침묵이 내려앉았고 고용인들은 숨소리마저 숨죽여 내고 있었다. 지켜보는 모든 이들이 덜덜 떨며 손에 고인 땀을 닦아 냈다.

"다음은 누구지?"

휘안은 뺨에 튄 핏방울을 닦아 내며 다음 시종에게 다가갔다. 포박되어 있는 그 시종의 옆에는 방금 전에 잘린 다른 시종의 팔이 덩그러니 놓여 있었다. 덕분에 그 시종은 완전히 겁에 질린 얼굴로 대뜸 자백했다.

"죄, 죄송합니다! 제가 마약을, 마약을 했습니다!"

실제로 그의 앞에는 여러 개의 비닐 봉투가 놓여 있었다. 그 안에는 각양각색의 색깔이 담긴 가루들이 담겨 있었는데, 휘안은 그것들 중 하나를 들어 올려 살폈다.

"나는 마약이 참 싫더라고."

휘안은 마약을 꼼꼼히 살피며 대수롭지 않은 듯이 중얼거렸다. 시종은 사형 선고라도 받은 듯 몸을 움찔 떨며 고개를 조아렸다.

"죄송합니다, 백작님! 제발 용서해 주십시오!"

"……할 말 다 한 거야?"

휘안은 마약을 툭 던지며 물끄러미 물어 왔다. 그 말에 시종은 잠시 멍한 표정을 짓다가 덜덜 떨리는 입술로 말했다.

"요, 용서를…… 제발……."

시종은 두 팔을 애써 품 안으로 집어넣었다. 하나 아무 소용이 없었다. 휘안은 한번 한숨을 폭 내쉬더니 발등으로 그의 어깨를 찍어 올려 몸을 들게 만들었다. 그러고는 거짓말처럼 깔끔한 동작으로 시종의 팔을 잘라 냈다.

"아아악!"

찢어지는 듯한 비명이 다시 한 번 울려 퍼졌다. 휘안은 코끝에 확 풍기는 피비린내를 익숙한 듯 받아들였다. 그리고 너무나도 차분해서 무섭기까지 한 목소리로 물었다.

"할 말 다 한 거냐고 물었어."

"유, 유, 유통했습니다. 리스트가, 리스트가 있습니다! 제발, 제발 용서를……."

"리스트가 어디에 있는데?"

휘안의 담담한 물음에 시종은 눈물을 쏟아 내며 가까스로 말했다.

"따, 땅에 파묻혀 있습니다. 제가, 제가 알려 드릴 테니, 제발, 제발 목숨만은……."

"응. 걱정 마. 죽이지 않을 거야. 하지만 감히 내 저택에서 마약을 팔았다니 정말 놀랍네.”

마약을 팔았다는 것인즉, 어둠의 조직과 연관이 있다는 소리였다. 결국엔 저택에서 뭔가 캐낼 것을 찾으러 들어온 끄나풀이겠지.

또다시 휘안이 손짓하자 기사들이 시종을 끌어냈다. 그가 끌려가는 행적을 따라 짙은 핏줄기들이 선을 그려 내는 괴이한 장면이 펼쳐졌으나, 그 누구도 볼 수 없었다.

고개조차 들 수 없었다. 수백에 달하는 고용인들은 이 장면을, 생생하게 펼쳐지는 도륙을 믿을 수 없었다. 오늘 아침까지만 해도 고용인들에게도 다정하고 친절했던 백작이었다. 그런데 그런 백작이, 지금 아침과 똑같은 웃는 표정으로 시종의 팔을 잘라 냈던 것이다!

‘화나셨어.’

예르시카는 휘안의 뒷모습을 바라보고 있었다. 사실 예르시카에게 있어서 휘안의 이러한 모습은 처음 보는 일이 아니었기에 놀라울 것도 없었다. 하지만 백작 가문에서 일하는 평범한 고용인들은 다르겠지.

‘설마, 린지안이 이렇게 돼서 저렇게 화나신 건 아니겠지?’

휘안은 마지막으로 무릎을 꿇고 있는 고용인에게 다가갔다. 지금까지의 덩치 큰 시종들과는 달리 작은 몸집을 가진 시녀였다.

“…….”

시녀는 고개를 푹 숙이고 작은 몸을 덜덜 떨고 있었다. 휘안은 그녀를 쳐다보다가 그 앞에 놓인 물건들에게 시선을 옮겼다. 그곳에는 주홍색 봉투와 편지들이 어지럽게 흩어져 있었다.

“린지안에게 편지를 보내던 시녀였습니다. 일단 잡아 오긴 했습니다만…….”

예르시카가 조심스럽게 덧붙였다. 일단 수상한 점이 있는 자들은 다 잡아 오라는 명령을 따르긴 했지만, 이 시녀는 경우가 다르다. 앞의 두 시종들은 애초부터 백작가의 일원이 아닌 첩자나 범죄자였지만 이 시녀는 평범한 소녀로, 지극히 개인적인 감정으로 인해 저지른 일인 것이다. 불쾌한 편지들을 보낸 건 사실이지만 백작에게 해가 되는 일은 아니었다.

하지만 휘안은 이 시녀를 기다려 왔다는 듯한 기세였다. 그는 흥미로운 얼굴로 시녀를 빤히 바라보더니 입을 열었다.

"고개를 들어 보겠어?"

"……."

시녀가 부들부들 떨며 고개를 들어 올렸다. 콧잔등 위로 뿌려진 주근깨가 도드라지는 시녀였다. 휘안은 그녀를 물끄러미 바라보다 싱긋 웃었다.

"이름이 뭐지?"

그러자 시녀가 떨리는 입술을 열어 말했다.

"라, 라실입니다."

"그래, 라실."

휘안은 생긋 웃어 보이며 검을 움직였다. 그러고는 칼날로 그녀의 턱을 짚어 더 높이 들어 올리게 했다. 날카로운 칼날과 그 위에 엉겨 붙은 피 냄새에 시녀는 공포에 질려 눈물을 흘렸다.

"죄송, 죄송합니다. 죄송합니다……."

"뭐가 죄송해?"

시녀의 턱을 칼로 고정시켜 놓은 주제에, 휘안은 진정 궁금하다는 듯 고개를 갸웃 기울였다.

"죄송합니다. 정말, 정말 죄송합니다……."

"앞에서 봤겠지만."

휘안은 참을성을 가지고 다시 한 번 웃어 보였다.

"나는 생각보다 인내심이 강하질 않아서. 마지막으로 물어볼게."

그러고는 시녀의 턱을 칼날로 더 강하게 들어 올렸다.

"뭐가 죄송한지 다 말해."

칼날 위로 시녀, 라실의 눈물이 떨어져 내렸다. 그녀는 절망적인 눈으로 휘안을 바라보다가 눈을 콱 감았다.

"제가 그 향초를 줬습니다. 린지안에게…… 제가 주었어요."

그녀 말이 끝나자마자 휘안은 검을 거두었다. 설마 내리치려고 하는 것일까, 라실이 눈을 질끈 감았다. 하지만 휘안은 검을 도로 회수했을 뿐 그녀에게 휘두르지 않았다. 라실이 눈을 슬그머니 떴을 때 그녀의 앞에는 이미 휘안이 없었다. 그는 예르시카에게 다가가 무언가를 지시하고 있었다. 잠시 후, 휘안은 대연회장을 빠져나갔다.

"모두 다 일어나서 각자의 위치로 돌아가도록!"

그가 나가자 예르시카가 지시했다. 고용인들이 공포에 질려서 자리에서 일어날 때에, 예르시카가 라실에게 다가왔다. 그녀의 차가운 눈동자가 라실의 얼굴 위로 꽂혔다.

"너는 나를 따라와라."

라실은 예르시카의 등 뒤를 따라 걷고 있었다. 길지 않은 그 시간 동안 라실은 일 초가 한 시간처럼 흐르는 기분이었다. 평생 느껴 본 일 없는 두려움이 온몸을 장악해서 어떻게 걷고 있는지 알 수 없을 정도였다.

'무, 무서워. 무서워.'

라실의 두 눈동자에는 두려움만이 가득했다. 아마 그녀는 이제 곧 심문을 당할 것이다. 그녀가 한 짓에 대해, 그리고 그녀가 사용한 물건에 대해. 사실대로 다 말하면 괜찮지 않을까. 하나 방금 전 보았던 장면들 때문에 확신이 들지 않았다.

'무서워!'

일여 년 동안 백작가에서 일하면서 라실은 휘안 같은 귀족은 없다고 생각했다. 고용인들에게 항상 웃어 주고 친절했으며 실수를 눈감아 줄 줄 아는 자비로운 자였다. 단 한 번도 흔한 짜증이나 화 한번 내지 않아서 천사라는 별명까지 있었다. 그런데…….

'악마 같았어!'

평소와 같은 미소를 지으며 아무렇지도 않게 시종들의 팔을 자르는 모습이 눈앞에 선하게 떠올랐다. 단 한순간의 망설임도 없이, 마치 꽃에 물을 주는 것과 같은 표정으로 그런 잔인한 일을 했다. 백작이, 그 자상하고 다정한 휘안 데 르카플로네 백작이 그렇게 나올 줄은 그 누구도 상상하지 못했으리라. 꿈에서도 보지 못한 모습이었다.

'아, 아니야. 솔직하게 다 말하면 괜찮을 거야. 내 팔은 자르지 않으셨잖아.'

라실은 공포에 절어 거칠게 맥동하는 심장을 진정시키려고 노력했다.

'난 단지 린지안의 마음을 얻고 싶었을 뿐이야.'

린지안 아르즈벨, 백작의 개인 시종. 어느 날 갑자기 나타나 백작의 개인 시종이 된, 믿을 수 없을 만큼 아름다운 소년. 그 시종은 어느 날 라실의 일을 도와주었다. 무거운 것을 들지 못해 낑낑거리는 것을 발견하고 딱히 요청하지도 않았는데 덥석 들어서 대신 옮겨 준 것이다.

'그래, 반했어. 정말로 반해 버렸단 말이야.'

태어나서 남자의 호의란 것을 처음 받아 보아서였을까, 그 이후 라실은 린지안을 마음에 품게 되었다. 하지만 린지안은 가까워지기에는 너무나 멀고 어려운 존재였다. 항상 백작의 곁을 지키느라 자주 볼 수도 없었으며, 어쩌다 마주쳐도 얼음처럼 도도한 표정인지라 쉽게 말을 걸 수가 없었다. 게다가 린지안은 유독 시녀 레이라와 가깝게 지내서 불안했었다. 레이라는 자신과 비교할 수 없을 만큼 예쁘장하고 귀여웠으니까.

그렇게 우울함과 타는 애간장 속에서 하루하루를 보내던 와중, 이 향초가 그녀 앞에 나타났다. 그 향초만 있으면 린지안의 사랑을 얻을 수 있을 거라고, 그렇게 믿었다.

그녀가 원한 것은 그것뿐이었다. 린지안의 마음!

"이곳에 들어가라."

탁!

예르시카의 손에 떠밀린 라실의 몸이 방 안으로 들어갔다. 좁고 어두운 방 안으로 들어가는 순간 문이 쾅 하고 닫혔다.

'무서워.'

라실은 손을 잘근잘근 깨물며 방 안에 오도카니 서 있었다. 이제 곧 누군가가, 아마 백작의 기사들이 심문을 하러 들어오겠지. 설마 고문은 하지 않을 거야, 내가 뭘 얼마나 잘못했다고. 라실은 그렇게 생각하며 초조한 마음을 다스리려 애썼다.

그렇게 잠시의 시간이 흘렀다. 문의 손잡이를 돌리는 인기척에 그녀는 소스라치게 놀라며 등을 돌렸다. 누군가가 방 안에 들어오고 스위치를 누르자 방 안의 불이 확 켜졌다. 밝아진 시야 가운데로 한 남자가 생긋 미소 지으며 안으로 들어오는 것이 보였다.

"……배, 백작님."

의외의 사람이 등장하자 라실은 당황했다. 설마 백작이 직접 올 줄은 몰랐던 것이다. 그의 허리에서 흔들리는 검을 본 순간 라실의 안색이 창백해졌다.

"라실이라고 했던가."

휘안이 방문을 닫으며 동시에 말했다. 상냥한 웃음과 따뜻한 목소리였지만 라실은 조금도 안심되지 않았다. 아까 전 저 얼굴, 저 목소리로 시종들의 팔을 베었으니까!

"죄, 죄송합니다, 백작님."

라실은 일단 무릎부터 꿇고 고개를 조아렸다.

"제가 옳지 못한 짓을 했어요. 물으시는 것은 모조리 말씀드릴 테니, 부디 용서를……."

휘안은 그녀를 빤히 바라보았다. 그의 보라색 눈동자 안으로 덜덜 떨고 있는 시녀가 무감정하게 비춰졌다.

"린지안 군에게 쓴 향초, 어디서 구했지?"

그 물음에 라실의 어깨가 움찔 떨렸다. 그녀는 잠시 망설이다가 주먹을 불끈 쥐고 입을 열었다.

"누군가가…… 제게 주었습니다."

"자세히 말해 봐."

라실은 침을 꿀꺽 삼켰다.

"여자였어요. 키가 작은 여자. 온몸을 시커먼 후드로 둘러쓰고 있어서 외모는 전혀 보지 못했습니다. 믿어 주세요!"

"네게 이것을 주면서 무슨 얘기를 했지?"

"이것만 있으면 제가 원하는 사람의 마음을 얻을 수 있을 거라고 했어요. 그리고 어떻게 사용해야 할지 설명도 해 주었고요."

라실은 혹시나 휘안이 검을 들어 올리기라도 할까 봐 쉴 새 없이 말을 덧붙였다.

"지속적으로 정신적 충격이나 스트레스를 주는 매개체를 만들어야 한다고 했어요. 그래서 주홍색의 편지를 계속 보낸 겁니다. 향을 맡은 후 처음으로 본 사람에게 사랑에 빠지게 된다고 들었어요."

"그걸로 어떻게 린지안의 마음을 얻을 작정이었지?"

"거, 검은 돌을 함께 줬어요. 구슬처럼 매끄러운 돌이었어요. 린지안이 그 향초를 피우면 돌이 붉어질 거라고 했고……. 그때 린지안을 찾아갈 생각이었어요."

하지만 실패했다. 린지안이 향초를 피웠다는 것을 붉은 돌이 알려 주었고 그에게 향하던 중, 하쥰- 휘안의 친구가 그녀와 부딪치고 먼저 그 방으로 들어가 버린 것이다.

"그래서?"

휘안의 말에 라실은 저도 모르게 고개를 올렸다. 여전히 생긋 웃고 있는 휘안의 얼굴을 보자 위화감과 함께 안도감이 동시에 찾아들었다.

"그게 다야?"

"……."

라실은 처음으로 휘안의 물음에 답을 하지 못했다. 그녀는 주먹을 꽉 말아 쥐며 입술을 깨물었다.

"말 안 하고 건너뛰는 것이 있잖아."

"그, 그리고…… 매개체를 접했을 때보다 더 충격적인 일을 겪게 하면, 정신 조작에서 풀린다고 했어요."

"그리고?"

휘안의 말에 라실은 조심스럽게 덧붙였다.

"……그게 다예요."

말이 끝나는 순간, 라실은 고개를 번쩍 들어 올렸다. 크게 열린 그녀의 동공 안으로 순식간에 검을 뽑아 올린 휘안의 모습이 투영되었다. 라실이 어찌할 새도 없이 휘안의 검날이 내리쳐졌다.

"꺄아아악!"

그의 검이 정확히 그녀의 왼손 새끼손가락을 찍어 내렸다. 왈칵 덮쳐오는 고통과 뿜어져 나오는 핏물에 라실은 비명을 지르며 뒹굴었다. 순식간에 눈동자에 눈물이 차올랐다.

"라실 양은 바보네. 거짓말하면 어떻게 되는지 아까 충분히 봤을 텐데."

빙긋 웃으면서 말한 휘안이 라실의 옆으로 저벅저벅 다가왔다. 살이 타들어 가는 듯한 고통 속에서도 라실은 겁에 질려 벽에 몸을 바싹 기대었다. 비릿한 피 향기가 눈물 냄새와 뒤섞여 순식간에 방 안을 가득 채웠다.

"요, 용서를! 제발, 잘못했어요, 백작님!"

라실은 잘린 손을 부여잡으며 바닥에 엎드렸다. 백작의 칼끝에는 라실의 피가 고여 뚝뚝 흐르고 있었다. 그녀는 눈물을 쏟아 내며 말했다.

"여, 연금술…… 알케미스트가 만든 거라고 했어요! 때문에 효과가 확실할 거라고, 린지안이 날 사랑하게 될 뿐 별다른 해가 없을 거라고 믿고 쓰라고 했어요…… 흐윽."

휘안은 가만히 라실을 내려다보았다. 손가락 하나가 잘리고 나서야 모든 것을 말한 시녀는 경련하듯 몸을 떨고 있었다. 문득 그녀를 내려다보던 휘안의 눈가에 피곤함이 잔뜩 내려앉았다. 짜증과 함께 권태로움이 목 끝까지 치솟아 올랐다. 휘안이라고 해서 이런 잔인한 행위를 즐기는 것은 아니었다. 도리어 스트레스였다. 그는 한숨을 푹 내쉰 후 검에 묻은 피를 획 털어 냈다.

"흑, 흐흑, 죄송해요…… 정말 죄송해요. 제가 잘못했어요. 전 린지안이 정말 좋아서…… 이것 외에 마음을 얻을 길을 몰라서…… 흑흑흑."

라실이 눈물을 쏟아 내며 몸을 부르르 떨었다. 그녀를 내려다보던 휘안이 다시 한 번 한숨을 푹 내쉬며 말했다.

"라실 양은 억울할 수도 있을 거야. 라실 양 입장에서는 그냥 린지안 군이 너무 좋아서, 마음을 갖고 싶어서 벌인 일일 테니까. 하지만……."

휘안은 검집 안으로 검을 도로 집어넣으며 침착히 말을 이었다.

"연금술이 얼마나 위험한 힘을 가진지 알고 있잖아? 역사를 보면 알 거 아니야? 과거의 모든 국가가 단합해서 왜 연금술사들을 도륙했겠어? 그만큼 위험하고 파괴적인 물건을 만드는 것이 연금술이고, 그 금지된 힘을 탐구하는 게 알케미스트들이야. 만약 그 향초가 사람을 죽게 만드는 독향이었으면 어쩔 뻔했어? 그리고 무엇보다……."

잠시 말을 멈춘 휘안은 빙긋 웃음을 지었다.

"린지안 군은 내 사람이거든. 멋대로 조종하려 한 것은 용서할 수 없어."

그 말을 끝으로 휘안은 등을 돌렸다. 더 이상 라실에게는 아무런 용무도 남아 있지 않았다. 여인의 고통스런 흐느낌을 뒤로하고 문밖으로 나서자, 그곳엔 예르시카가 기다리고 있었다. 휘안은 급하게 밀려온 피로를 억누르며 말했다.

"치료해 줘. 지금 봉합하면 늦지 않았을 거야."

"알겠습니다. 백작님께서는 이제 어떻게 하실 겁니까?"

휘안은 빙그레 웃으며 당연하다는 듯 말했다.

"린지안 군을 되돌려 놔야지."

한편, 하준은 린지의 방에서 휘안을 기다리고 있었다. 그는 마치 껌딱지처럼 옆에 딱 달라붙은 린지를 떼어 내려는 것을 포기하고 자포자기의 심정으로 소파에 몸을 기대었다.

"아, 진짜. 부담스러워 죽겠네."

왼쪽 팔에 매달린 붉은 머리칼의 소년의 눈빛이 초롱초롱하게 빛났다. 하준은 그것을 무시하려고 애쓰며 눈을 감았다. 휘안이 올 때까지만 기다리자. 그 녀석이라면 어떻게든 이 상황을 해결해 줄 것이다. 휘안이라면, 어떻게든.

하준에게는 그러한 절대적인 믿음이 있었다. 휘안이라면 어떻게든, 그 어떤 상황이나 문제, 모든 것들을 해결할 거라는 굳은 믿음.

'그런데 이 녀석은 휘안에게 그런 게 없단 말이지.'

문득 휘안이 했던 이야기가 떠올라 하준은 린지를 물끄러미 쳐다보았다. 지금 이 모습을 보자면 상상조차 안 되지만, 이 시종은 휘안에게 아무것도 바라지 않는다고 했다. 휘안이 베풀어 주는 호의를 거절해 버릴 정도로, 그 무엇도 바라는 것도 기대하는 것도 없다고. 그럼에도 불구하고 목숨을 바쳐서 지켰다고.

'이상적인 이야기이지. 아무 욕심도 소원도 없으면서 한 목숨 바칠 수 있는 충신. 그게 이 녀석이란 말이야?'

휘안이 마음에 든다고 말할 정도였으면 아무래도 보통 녀석은 아닌 듯싶었다. 그렇기에 하쥰의 평소 성질 같았더라면 두들겨 패서 반병신 만들어 놓았을 것을 애써 참고 있는 것이지만.

"하쥰 님, 사랑해요."

멍하니 하쥰의 시선을 받아치던 린지가 말했다. 뜬금없이 내뱉어지는 말에 하쥰은 신경질적으로 손을 휙휙 저었다.

"그래그래. 알겠으니까 닥쳐."

때문에 하쥰은 더 이상 대꾸하지 않기로 결심하며 고개를 끄덕였다. 하지만 린지는 달랐는지 하쥰의 대답에 해맑은 미소를 지었다. 활짝 웃음을 짓자 살짝 올라간 눈꼬리가 부드럽게 휘어지며 아이 같은 눈웃음을 만들어 냈다. 휘안이 말하기를 시종은 이런 표정을 절대로 짓지 않는다고 했었다. 아주 희귀한 거라고.

'제정신이 돌아오면 이제 이런 표정 못 보는 건가?'

태양 같다는 말이 딱 어울릴 만큼 해맑은 웃음인데, 조금 아쉽군. 속으로 중얼거린 하쥰은 자신의 생각을 의식하고는 화들짝 놀랐다.

"미친. 내가 무슨 생각을 하는 거야."

그는 신경질적으로 중얼거리며 린지를 노려보았다. 다 이 녀석 때문에 이런 일이 벌어진 것이 아닌가. 하지만 시종은 노려보는 시선조차도 좋았는지, 두 뺨을 발그레 붉히며 다시 한 번 미소 지었다. 정말이지 남자라는 것이 믿기지 않을 만큼 아름다운 미소였다. 하준은 인상을 팍 찡그렸다.

"야, 너 떨어져!"

그는 찰싹 달라붙은 린지의 어깨를 떼어 냈다. 색기 가득한 외모 때문일까, 왠지 휩쓸릴 것만 같은 묘한 기분이 들어서 굉장히 불쾌해졌다. 레너드에게 정신 조작당한 녀석의 행태에 놀아날 생각은 전혀 없다. 본인은 아주 정상적인 사고방식과 이성관을 가진, 신체 건강한 사내이니까!

"하쥰 님."

하쥰이 밀쳐 내자 린지안의 눈가가 촉촉하게 물들었다. 살짝 심통이 난 듯 입술을 쭉 내밀다가, 이윽고 무언가 결심한 듯 굳은 눈빛으로 하쥰에게 바싹 다가갔다. 린지의 몸이 다가오자 하쥰의 상체가 뒤로 젖혀졌다.

"뭐, 뭐야. 저리 안 꺼져?"

"싫어요. 왜 저를 밀쳐 내기만 하는 건데요."

애정과 함께 원망이 뒤얽힌 붉은 눈동자가 하쥰의 바로 앞에서 빛났다. 진심을 가득 담아 부딪쳐 오는 눈빛에 하쥰은 일순간 당황했다. 정신 조작이 정말 맞는 건가 싶을 정도로, 맑고도 진심 어린 눈동자였던 것이다.

"사랑해요, 하쥰 님. 제 몸과 마음은 하쥰 님 것이에요. 그러니까 더 이상 거부하지 말아 주세요!"

"닥쳐! 누구 마음대로 내 거라는 거야?! 그딴 것 억만금과 함께 줘도 안 가져!"

그리고 이 녀석은 왜 이렇게 생겨 먹은 거야. 하쥰은 차마 뱉어 내지 못한 말을 속으로 정신없이 중얼거리며 린지의 어깨를 잡았다. 린지가 바싹 다가와 뒤로 밀쳐진 하쥰의 몸은 어느새 거의 반쯤 눕혀져 있었다.

하나 하쥰은 자신의 상태도 자각하지 못할 만큼 당황해 있었다. 거칠게 밀쳐 내기엔 휘안이 '함부로 대하지 말아 줘'라고 했던 말이 걸렸다.

'아, 젠장! 패 버릴 수도 없고!'

마음 같아서는 창문 밖으로 내던지고 싶지만 휘안의 경고가 서슬 퍼렇게 울리고 있었다. 결국 그는 린지를 설득할 수밖에 없었다.

"야! 너는 지금 제정신이 아니라고! 그러니까……."

"상관없어요. 전 지금 당신이 너무 좋아요. 너무…… 너무 좋아요. 진심이에요."

린지는 마음 깊은 곳에서부터 치밀어 오르는 마음을 나지막하게 속삭였다. 정신 조작이니 뭐니, 백작이 시종들을 검열하느니 뭐니, 그게 다 무슨 소용이란 말인가.

'이 사람만 있으면 돼.'

하쥰, 이 사람만 있어 준다면. 이 사람과 함께할 수 있다면 아무것도 필요 없었다. 너무 좋아서, 갖고 싶어서 미칠 지경이었다. 그녀의 온 정신은 단 하나의 빈틈도 없이 하쥰만으로 가득 차 있었다. 그의 검은색 머리칼, 같은 빛깔의 눈동자와 날카로운 눈매. 살짝 그을린 피부와 남자다운 몸……. 린지는 거의 하쥰의 위로 눕다시피 하며 그에게 다가갔다.

하쥰은 어쩐지 무언가에 홀린 듯한 눈으로 그녀를 당혹스럽게 쳐다보고 있었다. 그 모습이 너무나도 유혹적인지라, 린지는 참지 못하고 얼굴을 숙였다.

'……!'

하쥰은 린지의 얼굴이 가까이 다가와 입술을 포갤 때까지 그녀를 밀칠 수 없었다. 밀치기 위해 잡았던 팔뚝에는 그 어떤 힘도 가할 수 없었다. 마치 귀신에게 홀린 것만 같았다. 살아생전 사람 앞에서 이러한 무력감을 느낀 것은 처음이었다.

린지의 어깨를 잡은 하준의 손가락이 움찔 떨려 오더니, 힘이 콱 들어갔다. 린지에게서 풍겨 나오는 체향이 그의 머리부터 발끝까지 가득 채워 맴돌고 있었다. 하준은 완벽하게 아무 생각도 할 수 없었다. 입술에서 느껴지는 감촉만이 지금 그가 유일하게 느낄 수 있는 감각이었다.

휘안은, 차갑게 그들을 바라보고 있었다. 아무리 노크 없이 들어왔다고 할지언정 사람이 들어왔는데도 알아차리지 못한다는 게 어이가 없었다. 아니, 그보다 더 어이가 없는 것은 눈앞에 벌어지고 있는 이 행태였다.

사실 조금은 걱정한 일이기도 했다. 그의 시종 린지안 아르즈벨은 남녀노소 불문하고 묘한 기분을 불러일으키게 만드는 외모와 분위기를 가지고 있으니까. 그런 사람이 작정하고 덤벼들면 아무리 철벽같고 까칠하던 하준이라도 역시 이렇게 되는군. 휘안은 그렇게 생각하며 한숨을 푹 내쉬었다. 지금까지 쉬었던 한숨 중에서도 가장 깊고도 깊었다.

"휘, 휘안!"

그제야 하준이 정신을 번쩍 차렸는지 린지를 밀쳐 냈다. 당혹에 물든 검은 눈을 보며 휘안은 입꼬리를 올려 웃음을 지어 보였다.

"다 끝났어?"

"……이런 젠장!"

잠시 멍하니 그를 바라보던 하준은 그제야 이 상황을 인식했다. 그는 치밀어 오르는 울화통과 함께 욕설을 내뱉으며 얼굴을 붉혔다. 시종 놈의 입맞춤을 저항하지 않고 가만히 받아들이고 있었다니!

'미쳤군, 하준. 완전히 미쳤어.'

잠에서 확 깨어난 기분이었다. 방금 일어난 그 짧은 일들이 마치 꿈에서 겪은 일인 듯 몽롱하기 그지없었다. 귀신에게 홀려도 이것보다는 더 또렷했으리라.

"……미안하다. 내가 잠시 미쳤나 보군."

하나 변명의 여지가 없었다. 귀신에게 홀린 것도 아니고, 꿈을 꾼 것도 아닌, 현실에서 일어난 일이니까.

'저 새끼 때문에!'

하쥰은 자괴감을 느끼며 시종을 노려보았다. 하쥰을 한순간에 사로잡을 만큼 매혹적인 시종은 휘안을 사납게 바라보고 있었다. 이번에도 방해받았다는 눈빛이었다.

"괜찮아. 이해해. 나라도 그랬을 거야."

빈말인지 진심인지 알 수 없는 말로 위로를 던진 휘안은 린지에게 시선을 던졌다. 시종의 매서운 눈빛을 보자 왠지 실소가 흘러나왔다. 정신 조작이라는 것을 안다. 하지만 기분이…….

'기분이 나빠.'

줄곧 기분이 좋지 않았다. 그리고 지금은 거의 최고치에 가까웠다. 마치 누군가가 계속 자신의 머리칼을 세게 잡아당기는 듯 짜증이 살금살금 기어 올라왔다. 휘안은 이 감정을 털어 내기 위해 고개를 저었다.

"하쥰. 잠시 자리 좀 비켜 줄래?"

그 말에 하쥰은 기다렸다는 듯 자리를 박차고 벌떡 일어났다. 그가 문밖으로 나서자 린지가 쪼르르 따라가려 했다. 하지만 휘안이 그녀의 팔을 강하게 잡아채서 제지했다.

"뭐예요. 이거 놓으세요!"

"너는 여기에 있어."

린지는 그가 잡은 팔을 뿌리치기 위해 바동거렸다. 하나 악력이 얼마나 무시무시했는지, 뿌리치기는커녕 미동조차 하지 않았다. 고통과 함께 분노가 치밀어 오르자 린지는 휘안을 죽일 듯이 쏘아봤다.

"이거 놔요."

"왜? 놓으면 어떻게 할 건데?"

"하쥰 님을 따라갈 거예요. 그러니까 이것 놔요!"

태연한 표정으로 생긋 웃고 있는 저 표정이 이렇게까지 꼴 보기 싫게 느껴진 일은 처음이었다. 린지는 분노 가득한 눈빛으로 휘안을 노려보았다.

"린지안 군을 제정신으로 만들어 줄게. 그러니까 나가지 마."

"나는 제정신입니다. 그 어느 때보다도. 이거 놔요!"

다시 한 번 바동거렸지만 휘안은 꿈쩍도 하지 않았다. 도리어 더 세게 잡아 와서 린지의 입술에서 신음이 흘러나왔다.

"이것 놔! 난 하쥰 님을 따라갈 거야!"

화가 잔뜩 나서 몸부림치는 린지의 모습을 보는 휘안의 표정은 담담했다. 사실, 그는 린지의 말을 듣고 있지 않았다. 그는 지금까지 린지와 있었던 모든 일들을 회상하고 있었다.

'언제 가장 충격적인 모습을 보였었더라.'

그는 기억들을 빠른 속도로 하나하나 되짚었다. 언제 가장 당황하고, 제정신을 못 차렸더라. 그렇게 생각하니 기억나는 것들이 몇 개 있었다. 모두 다 휘안이 스킨십을 진하게 해 올 때였다. 그중에서 가장 린지가 충격받았던 일은, 아마…….

'처음.'

처음 만났을 때, 다른 여인과 착각해 입을 맞추었다. 사실 그때의 감촉이 어제 일처럼 생생했다. 너무나도 부드러워 남자라고는 생각하지 못했던, 그 입술. 린지는 무작정 그를 한 대 때리더니 후다닥 도망갔었다. 그때 얻어맞은 것을 생각하자 휘안은 저도 모르게 웃음이 새어 나왔다. 그러고는 웃음기 넘치는 목소리로 말했다.

"나중에 화내면 안 돼, 린지안 군."

휘안은 린지의 얼굴을 잡았다. 그리고 확 끌어당겼다.

시녀 라실의 치료를 맡긴 예르시카는 시종의 방으로 향하고 있었다. 그곳에 휘안과 하쥰, 그리고 시종 린지안 아르즈벨이 있을 것이다.

'잘 처리가 되어야 할 텐데.'

정신 조작이 잘 풀려서 다시 개인 시종으로 일하길 원했다. 그 정도의 정직함과 충심을 가진 시종은 흔치 않으니까. 그렇게 생각하며 걷는 도중 예르시카는 하쥰을 마주쳤다. 성큼성큼 걷는 하쥰은 어쩐지 굉장히 창백하면서도 딱딱하게 굳은 표정이었다. 무슨 일이 있었던 것일까? 예르시카가 자리에 멈춰 서자 그제야 그녀를 발견한 하쥰 역시 멈췄다.

"무슨 일이 있었나?"

예르시카의 물음에 하쥰은 입술을 꾹 다물었다. 딱 봐도 뭔가에 굉장히 충격을 받은 듯한 표정이어서 예르시카는 조금 걱정이 됐다. 항상 자신만만하던 하쥰이 아니던가. 그런데 지금 저 표정은 쥐구멍이 있으면 들어가고 싶어 하는 얼굴이었다.

"……린지안, 그 녀석 말이야."

하쥰은 겨우 입을 열었으나 몇 마디 말을 뱉어 낸 후 다시 닫았다. 그의 똥 씹은 듯한 표정을 보며 예르시카는 참을성을 가지고 기다려 주었다. 하지만 하쥰은 한숨을 푹 내쉬며 머리를 거칠게 긁적일 뿐, 더 이상은 말하지 않았다.

"그 녀석 요물이야."

그 말을 끝으로 하쥰은 예르시카를 휙 지나쳤다. 급속도로 멀어져 가는 그의 뒷모습을 보며 예르시카는 고개를 갸웃 기울였다.

'그게 무슨 말이지?'

의외로 이런 쪽에는 둔한 예르시카였다. 그녀는 어리둥절한 얼굴로 다시 발걸음을 옮겼다. 시종의 방에 도착한 그녀가 문을 두드리자 안에서 목소리가 답해 왔다.

"들어와."

방 안에 들어간 예르시카는 예상치 못한 장면에 눈썹을 슬쩍 들어 올렸다. 하쥰을 찾으며 난동을 부리고 있을 줄 알았는데…….

"자는 건가요?"

방 안은 고요하기 그지없었다. 아까만 해도 바락바락 소리 지르던 린지안 아르즈벨은 침대 위에 축 늘어져서 눈을 감고 있었고 휘안은 그 옆에 의자를 끌어다 놓고 앉아 있었다. 그의 옆에 다가간 예르시카는 휘안의 얼굴을 확인하고는 깜짝 놀랐다.

"백작님. 무슨 일이 있으셨습니까?"

휘안은 평소와 다름없이 웃는 얼굴이었다. 하나 다른 점이 있었다면, 오른쪽 뺨 위에는 할퀸 듯 손톱자국이 나 있었으며 아랫입술은 터진 듯 붉은 상처가 있던 것이다. 방금 전까지만 해도 멀쩡했었는데 언제 이렇게 다친 것일까?

"린지안 군이 때렸습니까?"

아무래도 그런 것 같았다. 뺨은 시종이 때리다가 할퀸 것이고, 입술은…… 아마 물건이라도 던져서 맞았나 보다. 그런 쪽으로는 굉장히 둔하고 단순한 예르시카의 상상력은 여기까지였다.

"아아. 뭐 조금. 하지만 문제없어."

그렇게 말하는 휘안의 얼굴은 굉장히 밝아 보였다. 표정뿐만이 아니라 기분이 한층 좋아 보여서 예르시카는 의아하게 고개를 갸웃 기울였다.

그때였다. 곤히 눈을 감고 있던 린지의 속눈썹이 바르르 떨려 왔다. 뒤이어 눈꺼풀이 서서히 올라와 붉은 눈동자가 드러났다.

"……."

린지는 천천히 눈을 떴다. 몽롱한 시야가 서서히 맑아지자 자신을 물끄러미 내려다보고 있는 휘안과 예르시카가 보였다. 그들을 멍하니 바라보던 그녀는 문득 정신을 차리고는 놀라서 벌떡 일어났다.

"백작님?!"

이게 어쩐 일이란 말인가! 그녀는 허둥지둥 두 사람을 번갈아 보더니 시계를 바라보았다. 분명 여덟 시쯤 잠깐 잠들었던 것 같은데, 어느덧 시계는 자정을 가리키고 있었던 것이다!

'맙소사! 너무 깊게 잤나 봐!'

아무리 일을 쉬는 중이어도 그렇지, 이렇게 세상모르게 잠들어 버리다니. 린지는 자리에서 일어나 황급히 고개를 숙였다.

"죄송합니다! 제가 그만…… 너무 깊게 잠이 들어서……."

허겁지겁 사과하던 린지는 뭔가 이상한 분위기를 느끼고는 슬그머니 고개를 들어 올렸다. 휘안과 예르시카가 부담스러울 정도로 뚫어질 듯한 시선으로 쳐다보고 있었다. 왠지 모르게 동물원의 원숭이가 된 기분을 느낀 그녀는 머리를 긁적였다.

"저…… 제 얼굴에 뭐라도 묻었나요?"

그녀가 그렇게 말하자 휘안이 갑자기 웃음을 터뜨렸다. 예르시카 역시 안도의 한숨을 푹 내쉬었다.

"다행이군요. 제대로 돌아왔습니다."

예르시카는 진심을 담아 말했다. 어떤 수를 부린 건지 모르겠지만 휘안은 시종을 제정신으로 돌려놓았다. 그리고 돌아온 시종은 다행히도 잠시 돌변했던 시간은 기억하지 못하는 것 같았다.

휘안 역시 다행이라고 생각하며 고개를 끄덕였다.

"응. 다행이다."

뭐가 다행이라는 걸까? 린지는 고개를 갸웃 기울였다. 그녀의 의아한 시선을 본 휘안이 유난히도 밝은 미소를 지어 보였다.

"아무것도 아니야. 린지안 군, 잘 잤어?"

"아…… 네. 잘 잤습니다."

휘안을 본 린지는 말끝을 흐렸다. 아까 봤을 때까지만 해도 멀쩡했던 백작의 얼굴이 누구한테 얻어맞은 듯 상처가 있었던 것이다. 뺨에는 손톱자국, 입술은…….

'누가 던진 물건에 맞기라도 한 건가? 터져 있네.'

린지는 고개를 갸웃 기울였다.

'그러고 보니 왠지 내 입술이 얼얼한 것 같은 느낌이 드는데, 기분 탓이겠지……?'

그날 밤, 휘안은 잠들지 않았다. 어둠 속 작은 조명등에 의지한 채 휘안은 무언가를 골똘히 살피고 있었다. 손바닥 위에 놓인 자그마한 검은 돌멩이들이었다. 린지의 정신을 조작한 향초, 그것이 타오른 자리에 남은 돌. 그리고 시녀 라실에게 주었다는 돌. 휘안은 이것이 무엇인지 아주 잘 알고 있었다.

'두 번째야.'

그는 에드워드를 떠올렸다. 에드워드가 린지에게 사용했던 마비 향초, 그리고 이번에 린지의 정신을 조작했던 향초. 린지가 그 정체불명의 향초에 당한 것은 벌써 두 번째였다. 물론 에드워드를 낚아채기 위해 린지를 이용한 것은 자신이었지만, 이번은 아니다. 이번은 누군가가 의도적으로 린지를 노리고 한 짓이었다. 휘안은 검은 돌을 꽉 쥐며 중얼거렸다.

"레너드."

그 녀석이 자신의 시종에게 흥미를 가지고 있다. 그래서 그의 악취미

중 하나인 실험하고 관찰하는 것, 그것을 행하고 있는 것이다.

'녀석은 향기로운 것을 좋아하지. 그래서 이런 역겨운 물건도 아름다운 향으로 치장시키는구나.'

그는 검은 돌멩이를 책상 위로 내려놓으며 피식 웃었다. 중요한 것은 레너드가 저택 내부의 누군가를 이용하여 린지에게 이 향초를 전달했다는 것, 그리고 그자가 아직까지도 저택을 활보한다는 것.

저택에 스파이가 있다는 것은 잘 알고 있었다. 레너드가 심어 놓은 스파이 외에도 온갖 곳에서 보내 놓은 첩자 천지일 것이다. 오늘 대연회장에서 잡아낸 스파이들도, 사실 이미 알고 있던 녀석들이었다. 그럼에도 불구하고 굳이 모르는 척, 자신을 감시하고 있는 자들을 방심하게 만들었다. 사실 애초부터 저택 내의 스파이에 대해 예민하게 반응할 생각은 없었다.

'어차피 이곳엔 알아도 상관없는 것들만 있으니까. 이 저택은 미끼다.'

이 저택에서는 그 무엇도 알아낼 수 없을 것이다. 중요한 건 단 하나도 없으니까. 휘안이 그렇게 생각할 때였다. 문밖에서 노크 소리와 함께 저음의 목소리가 들려왔다.

"휘안. 들어가겠다."

"응, 어서 들어와."

하준이 가라앉은 표정으로 들어왔다. 오늘 있었던 일이 어지간히 충격인 모양이었지만 그는 용케 드러내지 않았다.

"네가 원했던 정보다."

하준은 본론부터 말했다. 그가 품에서 꺼낸 종이 한 장이 휘안의 책상 위로 내려앉았다. 휘안은 기다렸다는 듯 종이를 읽어 내렸다. 얇은 종이 한 장일 뿐이었으나, 그 안에 들어 있는 정보들은 압축되고 또 압축된 알짜배기였다. 돈을 주고도 구할 수 없는 고급 정보들, 그 누구도 쉽게 구할 수 없는 진실들, 그것이 그 종이 안에 있었다. 정보의 집합체 포그, 그곳에서 들어오는 가장 중요한 정보 중 절반 이상이 하쥰에게서 나오고 있었으니까. 하쥰은 포그에서 가장 핵심적이고 중요한 사람이었다.

"데일이라는 녀석이 누군지는 알아내지 못했다. 트와일릿의 간부 역할을 했던 녀석."

하쥰은 인상을 팍 찡그리며 투덜거렸다. 트와일릿의 간부로 일한 스파이이자 시종을 잡고 협박하다가 도망간 녀석, 그자의 정체를 알아내지 못해 몹시 찜찜했다. 하지만 휘안은 그를 탓하지 않았다. 하쥰의 능력으로도 알아내지 못할 일이라면 이 세상 그 누구도 캐낼 수 없을 것이다.

"하지만 레너드와는 관계가 없는 것 같군. 아마 다른 쪽에서 보내온 놈일 거야."

"하하. 이거 정말, 난 여기저기서 인기 만점이로군."

서류를 읽어 내린 휘안은 망설임 없이 난롯불 안으로 던져 넣었다. 종이는 순식간에 타올라 잿더미 속으로 녹아내렸다.

"온갖 곳에서 달라붙어서 곤란할 정도야."

"조심해라. 아무리 이 저택에 아무 단서가 없다고 해도 스파이 천지인 저택이라니, 불쾌하기 그지없군."

"걱정해 줘서 고마워, 하쥰."

하쥰은 무언가 더 말하고 싶은 듯 망설이다가 도로 입을 닫았다.

"간다."

그 말만 내뱉은 그는 휘안의 답을 듣지도 않은 채 방을 빠져나갔다. 굳이 입 밖으로 꺼내지 않았어도 무엇을 말하고 싶어 했는지, 휘안은 아주 잘 알고 있었다. 휘안은 다시금 붉은 머리칼의 소년을 떠올렸다. 레너드의 흥미를 사고 만 자신의 가여운 시종, 아무것도 모른 채 잠들어 있겠지.

레너드가 시종에게 흥미를 가지고 있다. 그리고 그가 관심을 보인 사람들의 결말은 하나같이 다 끔찍했다. 이대로 내버려 둔다면 시종의 미래 역시 불 보듯이 뻔했지만…….

'……린지안 군은 내 사람이니까.'

내가 지켜 줘야지. 휘안은 문득 떠오른 듯 상처 난 입술을 쓸어 넘겼다. 시종이 깨문 입술 위로 그 부드러운 감촉이 생생하게 느껴졌다.

<2권에 계속>